# 教養としての日本史

古代の歴史から日本の今を見る

下

白石成二

ソーシアル・リサーチ叢書

創風社出版

# 教養としての日本史（下）
## ―古代の歴史から日本の今をみる―

―目　次―

## 第四編　古代の人物評伝　9

## 第六編　社会生活・社会問題　277

# 第四編　古代の人物評伝

学校で学んだ歴史は暗記物で無味乾燥で面白くなかったという人が結構いる。その理由は幾つかあろう。本来歴史は人の営みを記したものだが、教科書には人名とその人の行った功績の項目しかなく、その人となりや何を考え、どのような行動を行ってきたかは何らみられない。またその人たちが生きた時代は、どういう時代でどのような生活をしていたのか、そういうことも等閑視されている。歴史は人の営みの集大成だからそこには多くの個性的な人々による多様な活動が営まれていたはずであり、その先人たちの生き様を知ることによって自らの生き方を改めて考えるということも歴史を学ぶ面白さや楽しさである。歴史の中に人間の活躍を見たいという人々の欲求は依然として極めて強い。正当な欲求だからである。歴史の担い手はあくまで人間である以上、具体的な人間の登場しない、抽象語の組み合わせのみでは歴史叙述は成立しない。歴史の記述には等身大でリアルな人物像は欠かすことはできないのである。

しかし翻って考えてみるに、高校までの歴史の授業では受験に規定されることもあって歴史的用語や人物や事件、あるいは多くの人がめんどいと感じる年代などを覚えるのに忙しく、とても歴史に登場する人物のあれこれに目を向ける余裕はない。それは教師も生徒も同じである。

大学では歴史理論や細かな実証が要求され、ここでも歴史的人物に学ぶということはほとんど等閑視されている。そこで学んだ人が教壇に立って生徒に教える。教える側が人の営みの歴史に関心がなければ、そこから何かを学ぼうとしないことも当然であろう。かくして歴史の授業は、膨大な事件や事象を詰め込む暗記科目になってしまうのである。こうした無味乾燥な授業が多くなれば、生徒たちは「つまらない」と感じる。そのような隙間に入り込んできたのが、復古的な新歴史主義ではないだろうか。彼らの主義主張はともかく、そこには人物や物語を積極的に取り入れ、人の活動が具体的に見えるように工夫している。それは今までの教科書にはなかった視点だったからある意味新鮮に見えたのである。

しかし本来は、それ以前から人の生き様に学ぶ歴史を展開する必要があった。様々な歴史的場面において、人々がどのように感じ、どのように行動したか、そこに歴史的人物の生き様が明らかになる。それが歴史を学ぶ面白さの一つであり、また歴史を通して自らの生き方を考えることこそが歴史を学ぶ究極の目的である。

# 第一章　飛鳥・白鳳時代

## 一　飛鳥時代

### ㈠　聖徳太子

**聖徳太子への厳しい批判**

トップバッターは国民的英雄と言ってよい聖徳太子である。私たちの多くは聖徳太子はその「聖徳」の名が示すように大変優れた人物と思っている。しかしそのイメージは明治から大正時代にかけて作られたものであり、一貫して聖人君子とされていたわけではない。特に江戸時代には聖徳太子は厳しい批判にさらされている。

江戸時代には儒教が社会に浸透するが、その倫理観の一つは日常性の重視であった。親子・君臣・夫婦・兄弟・朋友という社会関係を第一義と考える儒学者たちにとって仏教の出世間的、脱世俗的性格は全く受け入れ難いものだった。江戸時代中期の陽明学者熊沢蕃山《くまざわばんさん》はその著『三輪物語』において、全てのことが聖徳太子から始まるように言うのは聖徳太子びいきの人が勝手に書き替えたからである。崇峻《すしゅん》大王を殺害した蘇我馬子と結び、また仏法のために物部守屋を逆臣として殺害し、自分の子孫の将来を予見できていない。十七条憲法も定見がなく、日本が悪くなったのはみな聖徳太子が原因だと言う。

蕃山と同じ江戸時代中期の儒学者荻生徂徠《おぎゅうそらい》の批判も留まることを知らない。徂徠の人となりについては、「人を責めることは寛に、己を律することは厳に」と評される一方で、炒り豆を噛みながら天下の人物を罵倒することを楽しみとしたとも言われる。徂徠の家系は元々三河の物部氏の出であり、そのことが聖徳太子批判の重大な要因であった。

『日本書紀』崇峻即位前紀には、蘇我馬子が物部守屋を討とうとした時に、泊瀬部《はつせべ》皇子・竹田皇子らと共に厩戸皇子（聖徳太子）の名が見えている。物部守屋が率いた軍は大変強く、敵に雨のように矢を射かけたため、蘇我軍は恐れて三度退いた。その時、十五・六歳だった厩戸皇子は霊木を切り、素早く四天王像を造り、「今、私たちを勝たせていただければ、必ず四天王のために寺を建てよう」と言った。また蘇我馬子も「私たちに利を得さしめれば、仏法の興隆をはかろう」という誓いをたて、これを機に勝利に導いたとされる。

荻生徂徠は、蘇我馬子・聖徳太子らによって滅ぼされた物部守屋につながる系譜を持っていたから、徂徠にとって太子は先祖の仇でもあった。それだけに太子を攻撃する言葉には容赦がない。太子はよこしまな教えや怪しげな術を駆使し、人々を惑わした。そして女子である推古大王の即位を正当化するように史書を作り、そして最終的には自らが皇位を狙う許し難い存在であるとする。

江戸時代の儒学者が聖徳太子を非難したのは、何と言っても彼が仏教の崇拝者だったからであろう。儒教の合理主義的精神からみると仏教はいたずらに人の心をもてあそび、根拠のないあの世の話や、それに伴う俗説を喧伝することなどが問題であった。その元締め的立場にいる聖徳太子は許し難いと映ったのも故有ることであった。

このように儒教の立場からみれば仏教そのものを否定しているのだからその創始者の釈迦も大罪人となる。妻・子ども・父まで捨てて、出家するのは放蕩者とされる。確かにそうした見方も可能であろう。しかし全てを捨て、世間を捨てて出家することに仏教の本質がある。歴史の叙述はこのような個人的な思想・立場が反映されていることを常に注意深く読みとる必要があるのである。

江戸時代後期の大坂の町人学者山片播桃《やまがたばんとう》はこの時代にあっては驚くべき合理主義に徹し、その思想は『夢の代』に見える。地動説に基づく宇宙論、仏教や迷信を排撃し、徹底した無神論を展開した。彼の通称は升屋久兵衛で、豪商升屋の番頭として敏腕をふるい、全国数十藩の蔵元・掛屋として異例の成功を収めた人物である。その無神論者播桃による崇仏論者の元祖聖徳太子に対する批判は実に厳しい。仏教を我が国に取り入れたことによって僧を養うばかりの寺院を建立し、天下万民にその負担の苦しみをもたらしたことは、末代の害であると断じた。また太子が後世に残した害は甚だしく、太子は「悪逆の謀首」であるとし、それを世間が崇拝するのはこのような太子の悪を知らないからだとする。そして太子の一家が変死するという伝承まで持ち出し、「憎むべし」としているように徹底的に聖徳太子を断罪している。

法隆寺の大門

**政策的に創られた聖徳太子像**

このように聖徳太子が学者たちのやり玉に挙げられるのは、それだけ社会に聖徳太子信仰が浸透していたことの証であるが、世をあげて聖徳太子を賞賛する状況でなかったことはわかっていただけたと思う。そうした批判の声がかき消され、画一化された賞賛ばかりになった画期は明治二十年代であった。それまでは飛鳥時代を語る場合、推古大王を中心に語られ、聖徳太子はその脇役的立場であった。また国家神道を推し進めていった明治政府は仏教色の強い「聖徳」の文字を敬遠する傾向があり、厩戸皇子の呼称も使われていた。ところが清国との対立が深まり、明治二十七年には日清戦争が勃発する。そうなると古代に超大国だった中国を恐れることなく対等外交を推進した聖徳太子の政策は偉業として称揚されるようになる。そしてその称揚のために聖徳太子像が造られ、尋常小学校の教科書に載せられ、国民の隅々にまで浸透していった。こうした経緯からみると、聖人としての聖徳太子は政策的に創られたと言ってもよい。あるいは歴史の捏造と言ってもいいかもしれない。捏造や偽装が横行することは今も昔も変わらない。

聖徳太子と言えば、教科書には十七条憲法や冠位十二階の制定、小野妹子の遣隋使派遣、また法隆寺や四天王寺を創建した人物とされる。またかつては一万円札の図柄ともなった極めて有名かつ有り難い人物である。ところが最近、「聖徳太子はいなかった」という話を耳にするようになった。聖徳太子に対する様々な疑問をまとめた大山誠一氏は結論として、「聖徳太子に関する確実な史料は存在しないこと、また現にある『日本書紀』や法隆寺の史料は厩戸王《うまやどおう》（聖徳太子の別名）の死後、一世紀も後の奈良時代に作られたもので、信憑性ははなはだ疑わしいと発表した。これはいささか衝撃的な話であるが、この大山説に真っ向から異を唱える研究者は意外と少なく、日本史の教科書においてさえ、聖徳太子は最重要事項のゴシック文字から普通文字扱いになっているものも見られるようになった。まるで最近話題になっている冥王星が惑星から格下げになった事例のようだ。

もし聖徳太子がいなかったとすれば、先に記した様々な業績や、推古大王の摂政だったというこれまでの日本の歴史が変わるのはもちろんのこと、愛媛県にとっても事は重大である。なぜならば全国的に有名な道後温泉の「聖徳太子も入浴した日本最古の温泉」という「歴史的事実」も書き変えられることになるからだ。

『伊予国風土記』逸文の「温泉」の記事には、聖徳太子が道後温泉を実に霊妙で大変な効能があると評価した記録が残っている。しかし肝腎の聖徳太子がいないとなると、これは捏造で事実ではないことになる。そうだとすると、この影響は軽微ではなかろう。私には聖徳太子が実在したか否かの判断はできない。しかし歴史上有名な人物の存在自体が問題になるということはその根本史料である『日本書紀』が必ずしも真実を記していないことになろう。

聖徳太子も入浴したとされる道後温泉

### 歴史から消された遣隋使

『日本書紀』という書物は大変やっかいな歴史書である。それは史実を公正な立場で記したものではないからである。その一例として「遣隋使」を挙げてみよう。推古十五（六〇七）年に聖徳太子によって派遣された小野妹子の使節団のことだけを指すと考えている人が多い。確かに『日本書紀』には、小野妹子が名を蘇因高《そんいんこう》と中国風に変えて隋に行ったこと、また隋の国書を持って帰る途中、朝鮮で百済人によって盗み取られて役目を果たせなかったこと、帰国後、朝廷内で非難され、あわや流罪になりそうなところを推古大王が救ったことなどが書かれている。そして中国の『隋書』倭国伝にも「日出《ひい》づる処の天子、書を日没《ひぼっ》する処の天子に致す」とある有名な一節が記されている。

しかし『隋書』倭国伝には、それより七年前の六〇〇年にも日本の遣隋使がやってきたことを記している。

「倭王は天を以て兄とし、日を以て弟となす」とあるが、『日本書紀』には全く見えない。この時の使者は日本（当時は倭国）が雄略《ゆうりゃく》大王の頃（五世紀後半）、宋に派遣して以来、実に一二〇年ぶりの使節であり、国家をあげての大イベントで、それは歴史書には特筆大書すべき事柄であった。そして国書紛失事件のような不名誉なことを記しているにも関らず、『日本書紀』は沈黙を守っている。おそらくこの国書紛失にしても事実ではなかったのであろう。『日本書紀』には、「東の天皇、敬んで西の皇帝に申す」と見え、あたかも対等外交を展開したように記され、またそう読まれるように書いてある。しかもそれを『日本書紀』という正史に記す以上、「隋とは対等外交を行っている」というのが国としての公式見解であったことを物語っている。大国中国に対して「できれば対等でありたい」という願望を「対等である」という主張にした。国内向けにはそれで通用するが、それは国際的には到底通用するものではなかった。それは当時の東アジア外交を一瞥するだけでも容易に理解できる。

　まず現在の多くの人は、外交は互いに独立した国が主権を認め合う対等の関係という常識を持っていると思うが、そんな外交関係は十九世紀以前の東アジアには存在しなかった。世界の中心に中国の皇帝がいて、皇帝の支配が直接に及ぶ範囲が「帝国」で、その外側に、皇帝が地域の代表者を王として任命し、定期的な朝貢が義務づけられたのが「冊封国」、さらにその外側に遠隔地から不定期で朝貢してもよいという扱いの「朝貢国」があり、そのさらに外側には皇帝の支配が及ばない地の果てを意味する「絶域」があるとされていた。こうした中国中心のいわゆる中華思想が当時の東アジア外交の常識だった。

　こうしたことを念頭におくと、小野妹子の国書紛失は外交官の辛い言い訳であったと考えられる。東アジア外交に通じている外交官は、中国と日本の関係・立場を踏まえて行動しなければならないが、国内の人々は、日本は大国で中国と対等だと考えていたとすれば、この意識の大きなズレの中で、苦しみ悩まざるをえない立場になる。国書を開陳すれば、この外面と内面のズレが赤裸々になることになり、そうしたことを恐れて国書は「紛失した」ことにしたと考えられる。隋が遣隋使の記事を捏造する必要はないだろうから、推古八（六〇〇）年の遣隋使は事実としてあったのであろう。

この時の遣隋使が歴史から消された理由については史料がないので推測で言うしかない。遣隋使の帰国後、我が国では冠位十二階、憲法十七条、中国風の服装改正など、矢継ぎ早な改革がなされている。当時の東アジア外交から隔絶していた日本の使者が見たものは隋の都の華麗さや整備された制度や組織であった。それにひかえ自国の後進性を思い知らされたのではなかろうか。初めて「日本」の名を冠し、国威発揚を意図した『日本書紀』に屈辱的な記事は載せられなかったと思われる。「日本」の国号を初めて対外的に認めさせたのは大宝元（七〇一）年の第八次遣唐使だった。その時の執節使であった粟田真人のきちんとした身なりと優雅な立ち居振る舞い、そして儒学や漢詩文などに優れており、新生日本を唐に強く印象づけた。

## 聖徳太子は倭人

国内的に「日本」はもう少し早く天武天皇の時代に成立したと考えられており、歴史学界でもほぼ承認されている。そうすると私たちは原始・古代からずっと「日本」という国号を何気なく使っているが、ちょっと立ち止まって考えてみたい。つまり「日本」が成立したのは、七世紀後半のことであり、この時点において「日本人」もまた成立したことになる。だからこれ以後の列島に住む人々を「日本人」と言うのは正しい。しかし「日本」という国が成立する以前の人々を「日本人」というのは正しくないということになる。そうすると卑弥呼・聖徳太子・蘇我馬子・推古大王・天智大王などの著名人は「日本人」とは呼べず、彼らは「倭人」と呼ぶべきなのである。そうなると天皇号もまた問題になってくる。「天皇」という言葉が生じたのも天武天皇の時代とするのが通説になっている。それ以前は「大王《おおきみ》」であり、各地に存在していた「王《きみ》」の中の有力な王という程度の意味であった。そうすると神話の時代の天皇はもとより雄略や推古、さらには天智まで、実は天皇ではなかったことになる。彼らはすべて「大王《おおきみ》」だったはずである。したがって我が国の初代の天皇は天武天皇としなければならない。しかし高校の日本史の教科書を見ても相変わらず彼らは天皇として記している。こうした曖昧さが私たちの歴史観を歪めている。正しく歴史を知ることが大切ということは誰でもわかっていることであるが、しかし実はこのような誤った常識が横行しているのであり、よほど気をつけていないと、この常識に絡め取られる可能性が常にあるのである。

## 一族の悲劇的な結末

日本人の気質の一つに判官びいきというのがある。敗者の肩を持つもので、典型的なのは源義経の場合であるが、聖徳太子の場合もそれに近い。聖徳太子自身が敗者というわけではないが、彼の子である山背《やましろの》大兄王《おおえのおう》が悲劇的な最後を遂げ、太子の上宮家も滅び、悲惨な結末を迎えた。そのことにも少し触れておこう。山背大兄王は父は聖徳太子、母は蘇我馬子の娘刀自古郎女《とじこのいらつめ》、妻は舂米女王で、斑鳩に居住していた。推古大王の有力後継者の一人で、田村皇子(のち舒明大王)と王位を争った。『紀』にはその経緯が記されている。

推古大王の病気が重くなり、次の後継者を決める必要があった。そこで推古は後継候補の二人に遺言をした。田村には「天下を治めるのは大任である。たやすく口にすべきではない。慎重に対処せよ。怠ってはならない」と、また山背には「独りやかましく発言してはならない。必ず群臣の言葉に従い、間違いをおこさないようにせよ」と言った。この文言だけをみると田村の方に分がありそうであるが、明確な意思表示をしなかったのは、あくまで群臣の判断に任せようということではなかったかと思われる。山背は推古は自分を推したと蘇我傍流の境部摩理勢《さかいべのまりせ》と共に抵抗したが、蝦夷によって摩理勢は殺害され、結局、蝦夷の甥にあたる田村が舒明大王として即位した。

舒明は治世十三年にして没する。山背は依然として大王継承資格の一人だったが、宝皇女が皇極大王として即位する。その皇極元（六四二）年に蘇我氏では蝦夷から入鹿に大臣が交代し、これが山背と蘇我氏の関係の大きな転機となった。山背に対して慎重な態度をとっていた蝦夷とは違い、次の大王には古人大兄王《ふるひとのおおえのおう》を擁立しようと画策していた入鹿は翌二年十一月に山背大兄王を襲い、斑鳩宮を焼いた。この時は、王が寝殿に投げ入れておいた馬の骨を見た巨勢徳太臣《こせのとくたのおみ》は王が死んだと思い、退却した。再び斑鳩寺に帰ってきた王を入鹿軍が包囲した。王は「私が兵を起こして入鹿を討伐すれば、必ず勝つだろう。しかし私一身のために万民を殺傷することはしない。私の身を入鹿に与える」と言って一族や妃らと共に首をくくって自殺した。この時、五色の播蓋が様々な伎楽を伴って空に照り輝き、寺に垂れ下がった。人々は仰ぎ見て賛嘆し、入鹿にも指し示したが、彼はそれを見ることができなかったと記す。入鹿の父蝦夷は、「入鹿は何と愚かにも暴悪なことばかりしているのか。お前の命も危ないと言った」

こうして聖徳太子の上宮王家の滅亡という悲劇がすぐれた人物としての聖徳太子への敬慕に深い彩りを加えることになり、聖徳太子信仰への高まりをみせる一つの大きな要因となったのである。

## (二)　蘇我馬子

### 崇仏派の蘇我氏

『日本書紀』敏達十三（五八四）年九月条には、蘇我馬子が仏教を崇拝するようになった契機について記す。馬子は百済から仏像二体を請い受け、司馬達等《しばたつと》や池辺氷田《いけべのひた》らに修行者を探させた。そして高麗の恵便を仏法の師とし、達等の娘で十一歳の島を出家させ、善信尼《ぜんしんのあま》とさせた。さらに善信尼の弟子の二人を出家させ、禅蔵尼《ぜんぞうのあま》・恵善尼《えぜんのあま》とし、馬子は三人の尼を敬った。馬子は仏殿を建て、弥勒像を安置し、尼を招いて大法会を行った。この時、達等は仏舎利を得たので馬子に献上した。そこで馬子は試みに、金属を鍛える台の上に舎利を置いて鉄の槌を振り上げて打った。台と槌はこなごなに砕け散ったが、舎利は何ともなかった。また舎利を水中に投げ入れたが、舎利は心のままに、浮かんだり沈んだりした。これによって馬子らは仏法を信じて怠らず、石川の邸宅に仏殿を建て、仏法の初めはここから起こったという。

こうした蘇我氏の仏教崇拝に反対したのが物部・中臣氏であった。物部守屋らは敏達大王に、今、疾病が流行し、国民は絶えてしまう惨状で、これはひとえに馬子が仏法を信仰したからに他なりませんと申し出た。これに対し大王は「もっともである。仏法をやめよ」と命じた。そこで守屋らは、寺の塔を切り、仏殿や仏像を焼き、残った仏像も難波の堀江に棄てさせた。さらに尼たちの法衣を奪い鞭打ちの刑に処した。ちょうどこの時、大王が疱瘡にかかった。国中にそれが流行し、死者があふれるほどであった。病者は「体が焼かれ、打たれ、砕かれるようだ」と言って泣きながら死んでいった。人々は「これは仏像を焼いた罪ではあるまいか」と噂した。敏達大王は重病となり没してしまった。その殯《もがり》の時のことである。馬子が佩刀《はいとう》して誄《しのびごと》したのを守屋が「大きい矢で射られた雀のようだ」と大笑いした。今度は守屋が手足を震わせて誄したのを馬子が「鈴をかけるがよい」と笑った。こうして両者は次第に怨恨を持つようになったと記す。

そして蘇我・物部抗争の最終場面となる。この時、迹見首赤檮《とみのおびといちい》が守屋を射落としたことによって物部軍は自滅した。

## 崇峻大王殺害事件

物部討伐によって蘇我馬子の存在は大和王権の中で抜きんでた存在になった。従来は大和の有力豪族の合議によって政策決定をしていた体制が劇的に変化することになった。その象徴的な事件が崇峻大王殺害事件である。

崇峻大王の父は欽明、母は馬子の妹の小姉君《おあねのきみ》だったから、馬子の甥になる。したがって蘇我系の大王で、また先の物部戦争にも馬子の側に加担して従軍しているから、両者の関係は良好だったと思われる。しかし即位から五年後のことである。崇峻大王のもとに猪が献上された。大王はそれを見て「この猪の頸を切るように、自分の嫌うあの男の頸を切ってやりたい」と言って戦の準備を始めた。そのことを近頃寵愛の衰えた妃の大伴小手子《おおとものこてて》が馬子に密告した。そこで馬子は十一月三日を東国の調を進上する日に設定した。大和王権への服属儀礼である東国の調には大王や群臣は参加する義務があった。その場に出御した崇峻大王を配下の東漢直駒《やまとのあやのあたえこま》をして群臣の面前で殺害したのである。そして慣例である殯の儀式も行わず、即日倉梯岡陵に埋葬したが、これは異例のことであった。その後、崇峻を殺害した東漢直駒が馬子の娘で崇峻の嬪であった河上娘《かわかみのいらつめ》を略奪したことを知った馬子は駒を殺害した。

後世、馬子の大罪の第一は崇峻大王殺害であり、そのことから馬子は目的のためには手段を選ばない冷酷な策謀家というイメージが出来上がっている。しかし推古三十四（六二六）年五月二十日条に馬子の薨去伝（七十六歳で死去）によると、そうしたイメージとはかなり異なっている。「大臣薨《みう》せぬ。仍りて桃原墓に葬る。大臣は稲目宿禰の子なり。性、武略有りて、亦弁才有り。以て三宝を恭《つつし》み敬ひて、飛鳥河の傍に家せり。乃ち庭の中に小なる池を開れり。仍りて小なる嶋を池の中に興《つ》く。故、時の人、嶋大臣と曰ふ」と記されている。

その人柄は武略に優れ、弁論の才にも恵まれ、仏法を厚く信仰したとあるように、信心深い人でもあった。なお馬子が邸宅に苑池を造り、その中に嶋を築いたために嶋大臣と言われたとあるが、その島宮は現在の石舞台古墳の西側の島庄遺跡と考えられている。そしてその嶋は道教の神仙思想の三神山（蓬莱・方丈・瀛州《えいしゅう》）をかたどったもので、嶋大臣と呼ばれたのも、そのような嶋を我が国で初めて築造したことに由来する。馬子は仏法を崇拝する一方で、不老不死を希求する神仙思想にも強い関心を持っていたと思われる。

## (三)　中臣鎌足

### 大忠臣の鎌足像

『紀』皇極三（六四四）年正月条によれば、中臣鎌足は正しい人で、蘇我入鹿が国家をかすめ取ろうとしていることを憤り、諸王たちの器量を試し、賢王を求めた。中大兄皇子には近づく機会がなかったが、法興寺での球技の時、王の脱げた靴を鎌足がそれを拾って謹んで差し出し、以後、親交を重ね、密かに策を練った。この場面はかつて戦前の「尋常小学国史」に掲載されていた。「蝦夷の子入鹿は父にも増して我が儘な振る舞いが多かった。殊に、自分の縁のある皇族を御位にお即かせ申し上げようと、聖徳太子の御子孫を滅ぼし、はては自分の家を宮、その子らを王子と呼ばせて、少しも憚るところがなかった。蝦夷父子のような者は、朝廷を恐れたてまつらぬ不忠の臣と言わねばならぬ。中臣鎌足は、この有様を見て大いに怒り、朝廷の御為に、どうかして入鹿父子を滅ぼそうと決心した。この頃、舒明大王の御子中大兄皇子も、またかねてから蘇我氏の我が儘な振る舞いをお憎みになっていたので、鎌足は、何とかして自分の心を皇子に打ち明けたいと思っていた。ところがある時、皇子の蹴鞠の御遊に参りあい、御そば近くにいると、皇子の御靴が脱げた。これをとって差し上げたのが縁となり、これから皇子にお親しみ申して、密かに同じ志の人々と一緒に、謀をめぐらしていた」このように鎌足は大忠臣として描かれている。

乙巳の変の当日、入鹿は常に剣を身から離さなかったが、鎌足は道化師に教えて、剣を外させた。蘇我石川麻呂が上表を読む間、中大兄皇子は長い槍を持って建物の側に隠れ、鎌足は弓矢を持って待機し、佐伯連子麻呂《さえきのむらじこまろ》と葛城稚犬養連網田《かつらぎいぬかいのむらじあみた》は剣を持って一気に入鹿を斬る予定であった。しかし佐伯・葛城の刺客たちは、緊張のあまりかきこんだ飯をおう吐し、また石川麻呂は彼らが切り込んでこないため、恐れて声や手が震え、汗が流れた。入鹿は石川麻呂に「何故、震えるのか」と問うと、麻呂は「大王のおそば近くで恐れ多いことなので」と答えた。

刺客たちは入鹿に恐れをなして出てこないので、そこで中大兄皇子が「やあ」と叫んで入鹿の頭と肩に切りつけた。それに勢いを得た刺客たちも入鹿の足に斬りかかった。入鹿は大王の御座にすがりつき、「私がどのような罪を犯したというのでしょうか。どうかご詮議のほどを」と言った。大王は「一体これはどうしてこのようなことをしたのか」と問うた。中大兄皇子は「鞍作は皇族を根絶やしにして、皇位を絶とうと企んでいます。鞍作ごときのために天孫たる皇族が滅びることがあってていいものでしょうか」と答えた。大王は席を立つとそのまま宮殿に入っていった。

この日、激しい雨が降った。入鹿の遺体は庭に置かれ、その上に筵がかけられた。入鹿の血が庭の水たまりに流れ込んだ。入鹿殺害に成功した中大兄らは、飛鳥寺に立てこもり、戦いに備えた。諸皇子・諸豪族たちも飛鳥寺に参集し、蝦夷の孤立が明らかになった。蝦夷の側でもなおも戦おうとする者もいたが、巨勢徳陀臣《こせのとくだのおみ》の説得によって彼らも逃げ去り、翌日、蝦夷は私邸に火を放って自害し、蘇我本宗家はここに滅亡した。

## 深慮遠謀の人

『紀』には「尋常小学国史」に記されたように、入鹿が皇位を簒奪し、蘇我王朝を創始する意図があったとしてその悪業を載せる。蝦夷・入鹿が自らの墓を「大陵《おおみささき》・小陵《こみささぎ》」、邸宅を「宮門」、子弟を「王子」と呼ばせ、天子しか行うことのできない「八佾《やつら》の舞」を舞わせたと見える。このように蘇我氏は王家に匹敵し、あるいはそれを超越する存在であることを誇示するための目論見を持っていた。それに危機感を募らせた中大兄皇子・中臣鎌足らが、やむをえず入鹿殺害という行動をとった。蘇我氏の専横を強調し、蝦夷・入鹿父子が討伐されたのは、それ相応の大罪に手を染めていたからだとされ、その誅殺は正当であったとする。それ故、それを成し遂げた中大兄・鎌足らは英雄的人物であるとされる。

しかしその一方で「鎌足伝」には、僧旻が鎌足に「吾が堂に入る者、宗我太郎（入鹿）に如《し》くはなし」と言ったというように立派な人物であったと記す。また入鹿は、「自ら国の政を執り、いきおい父より勝れり。是に由りて、盗賊おじひしげて、路におちものも盗らず」と評されるように、大変立派な政治を行っており、政治家としての資質も優れていたようである。こうした記事をみると中大兄皇子・中臣鎌足＝正義、蘇我蝦夷・入鹿＝悪という図式は『紀』の編纂者の意図的造作であった可能性も十分考えられるのである。

鎌足は天智大王の側近中の側近の地位を確立するが、それだけではなく、後に近江朝廷を打倒することになる大海人皇子《おおあまのおうじ》にも接近している。「鎌足伝」には、天智大王が浜の高殿で宴を催し、大いに盛り上がっていた折に、大海人皇子がいきなり長槍を持ちだし、板敷を刺す事件があった。天智は大いに怒り、殺害するように命じた。そこに鎌足が間に入って天智を諫めたので、大海人皇子の殺害は取りやめになった。もともと大海人は鎌足を嫌っていたが、これを機に親交を深め、鎌足の娘氷上娘と五百娘を大海人の夫人とした。さらに鎌足は大海人と壬申の乱で争う大友皇子の後宮にも娘を入れている。『懐風藻』の大友皇子伝は大友皇子の側の視点で記述されている。

「ある夜。、大友皇子は夢を見た。天の門が開いて、朱色の衣を着た老翁が太陽を捧げ持って近づき、皇子に授けようとした。すると脇から突然人が出てきて、老翁の持っていた太陽を奪い取り逃げ去ってしまった。夢から覚めた大友皇子は不思議に思い、その夢の内容を鎌足に話したところ、鎌足は嘆息して次のように述べた。「恐らく天智大王崩御の後に、非情に悪賢い者が大王の位を狙うことでしょう。私はそのようなことは起こるまいと日頃から言っていたのですが、天道は分け隔てが無く、ただ善を行う者だけに味方すると聞いております。皇子は心を尽くして徳をお修め下さいますよう。そうすれば災異を恐れるに足りません。私めに娘がおりますので、どうか後宮に入れて妻にして下さいますよう」そして鎌足は大友皇子と姻戚関係を結び、皇子を慈しんだ」とある。

このように鎌足は、大友皇子の後見的立場となったが、一方で、ここでは「非情に悪賢い者」とされる大海人皇子とも姻戚関係を結んでいるのだから、やはり鎌足はどこまでも深慮遠謀の人である。

天智八（六六九）年十月、鎌足は重い病気になった。天智大王は鎌足の家を訪れ、病気を見舞った。しかし内大臣の衰弱は甚だしかった。そこで大王は「天道は仁者を助ける。その理に嘘はない。積善の家には必ず余慶がある。その兆候のないはずはない。もし必要なことがあれば、申し出るがよい」内大臣は、「私は愚か者で、申し上げることはございません。ただ私の葬儀は質素なものにしてください。生存中に国の役に立てなかったのに死去に際して、重ねて難儀をおかけすることはできません」と申し上げた。時の賢者は「この一言は、先哲の善言にも比すべきものである」と賛嘆した。十五日には、大王は大海人皇子を内大臣のもとに遣わし、大織冠と大臣の位を授け、「藤原」の氏を授けた。これ以後は中臣内大臣を改め、藤原内大臣と言った。十六日に内大臣が五十歳で薨去した、と記す一方で、碑文には五十六歳で薨じたとみえる。

昭和五十七（一九八二年）年大阪府の高槻市と茨木市の境にある阿武山古墳に葬られていた人物が中臣鎌足であることが確認された。身長一六四・六㎝と当時としては大柄な方であった。そしてX線写真によって頭蓋骨は頭頂部の広い卵円形で、歯茎には重度の歯槽膿漏があった。さらに肋骨に骨折した形跡が見られた。その骨折は落馬によるものと考えられている。

## ㈣　中大兄皇子

## 異母兄古人皇子の殺害

中大兄皇子は先に見たように、蘇我氏によって奪われかけた王権を武力と胆力によって取り戻すという乙巳の変を断行した英雄であるとする一方で、冷徹な策謀家であるとする見方も根強くある。それは乙巳の変の後も、謀略によって数々の人々を葬り去ったとされるからである。

その第一の犠牲者は古人大兄皇子《ふるひとおおえのおうじ》である。大化元(六四五)年九月三日、古人大兄皇子の謀反が発覚した。『紀』によると、吉備笠朝臣垂《きびのかさのおみしだる》が中大兄のもとに自首してきた。私は吉野にいる古人皇子の謀反の計画に加わったと言う。そこで中大兄は佐伯部子麻呂らに兵三十人を率いて古人皇子とその子を斬らせた。その妃たちは自ら首をくくって死んだという。古人皇子は父は舒明大王、母は蘇我馬子の娘法提郎女《ほていのいらつめ》で、蝦夷の妹だったから、蘇我氏との結びつきが強かった。入鹿が殺害された時、古人は身の危険を感じてか自分の宮に逃げ帰り、「韓人が鞍作（入鹿）を殺した。わたしの心は大いに痛んでいる」と言った。

それ以前、乙巳の変後に皇極大王が譲位した時、大王は中大兄皇子に位を継がせようとした。中大兄はそのことを鎌足に相談したところ、鎌足は「古人大兄皇子はあなたの兄で、軽皇子は叔父にあたります。もし即位されることになれば、弟は兄に従うという倫理に違うことになります。しばらくは軽皇子を立てて、将来、人々の期待に沿うようにしてはどうでしょうか」と答えた。中大兄からその意見を聞いた大王は退位を宣言し、軽皇子に即位を要請した。しかし軽皇子は再三固持し、皇太子であった古人大兄王に「あなたは舒明大王の皇子で、年齢も申し分ありません。あなたが大王位を継ぐべきです」と即位を要請した。

それに対し、古人は蘇我との関係が強かったから、彼はその要請にいたたまれず、下座につき、「私は出家して吉野に赴き、仏道を修め、大王を助けたいと思う」と言い終わるや刀を捨て、飛鳥寺でヒゲをを剃り、袈裟をまとった。その結果、やむなく軽皇子が即位し、孝徳大王となったのである。

こうした経緯をみると軽皇子も古人大兄も権力欲は少なく、謙譲の精神を持っていたと思われる。そして古人大兄の謀反計画は、皇極大王ではなく、中大兄のもとに通報され、中大兄が吉野へ派兵を命じている。古人の謀反を訴え出た吉備垂はその功績で水田二十町が与えられ、また古人と行動する予定であった人たちも、後に中大兄のもとで活躍している。彼らはいずれも元から中大兄と通じていたのではないかと思われる。おそらく蘇我蝦夷・入鹿を後ろ盾としてきた古人は後顧の憂いを絶つためにも、いずれは排除しなければならなかったのであろう。そのために中大兄が謀略を仕掛け、古人を陥れたと考えられている。それにしても中大兄にとって古人は異母兄であり、また自分の正妻で後に大后となる倭姫王は古人の娘であるから、舅にあたるように大変濃い関係にあったのである。

## 義父蘇我石川麻呂の自死

第二の犠牲者は蘇我石川麻呂である。乙巳の変の前、中臣鎌足は蘇我本宗家を打倒するためには「内密の助け」が必要として、石川麻呂を味方につけるためにその長女を中大兄の妃に迎えようとした。ところが長女は婚約の日に蘇我一族の身狭臣《むさのおみ》（蘇我日向《ひむか》）に連れ去られるという事態がおこった。「鎌足伝」によれば、この時、中大兄は蘇我日向を殺そうとしたことを伝えているが、鎌足が「大事の前につまらぬ怒りで争いごとを起こしてはなりません」と諌めたという。

石川麻呂は困り果てたが、次女の遠智娘《おちのいらつめ》（持統天皇の母）が「私を代わりに進上してください」と言ったので、遠智娘が中大兄の妃となり、ここに中大兄と石川麻呂は娘婿と舅という関係になり、同盟が成立した。「鎌足伝」によると、「山田臣（石川麻呂）の人たる、豪毅果敢、威望亦高し」という傑物だったために鎌足が中大兄に推挙したのである。また鎌足は佐伯子麻呂と葛城犬養網田を中大兄に引き合わせた。彼らは入鹿暗殺の刺客として起用するためであった。こうして用意万端整えたことが乙巳の変の成功に導いたのである。

しかし大化五（六四九）年三月、蘇我日向（石川麻呂の長女を奪った男）が中大兄に、異母兄の石川麻呂が謀反を計画していると訴え出た。中大兄が海辺で遊んでいる隙を窺って亡き者にしようとしている。遠からず謀反を起こすだろうと言った。それを中大兄は信じた。大王は使者を石川大臣のもとに遣わし、謀反の虚実を聞いた。大臣は、その返答は直接大王の御前で申し上げましょうと答えた。大王は再び使者を遣わしたが、答えは前と同じであったので大王は軍を起こし、大臣の邸宅を包囲した。大臣は山田寺に入ったが、長子の興志は「私が先導となり、来襲する軍勢を迎え撃ちます」と言ったが、大臣はそれを許さなかった。大臣は、「人臣たる者がどうして君主に謀反を企てようか。私は日向に讒言されて非道に誅殺されるのではないかと恐れている。黄泉には変わらぬ忠誠心をもって去りたい。この寺で終焉の時を安らかに迎えたい」と言った。そして誓いをたてて「私は世々の末まで君主を怨むことはいたしません」と言った後、首をくくって死んだ。妻子ら八人も殉死した。

翌日、蘇我日向らは、物部二田造塩《もののべふたつのみやつこしお》を召して、大臣の首を切らせた。塩は太刀を抜いて死体を刺し上げるという刺殺の刑を執行した。大臣に連座して殺された者は十四人、流刑にされた者は十五人であった。

この後、大臣の資財を没収したがその宝に皇太子の物と書かれてあったことを聞いた中大兄は大臣の心が清く正しかったことを知り、後悔し、慚愧に堪えず、いつまでも悲しんだ。大臣の娘で中大兄の妃蘇我造姫《みやつこひめ》（遠智娘）は心痛のあまり死に至った。中大兄は妃の亡くなったことを聞き、悲しみ嘆いたという。

こうした『紀』の記述によれば、大臣石川麻呂は無実であったのに讒言されて死に至らしめられたことになっている。しかし大化四（六四八）年四月一日条には、古い冠制を廃止して新しい冠制を実施したが、「左右大臣、猶古き冠をかぶる」と見える。古き冠というのは蘇我大臣家が世襲してきた紫冠のことである。本来なら率先垂範すべき大臣が新しい冠制を受け入れず、それに抵抗しているのである。石川麻呂には改新政治を心底から是認しておらず、依然として過去の栄光を懐かしむ気分が残っていたのではなかろうか。

それは中大兄らにとっては反動と受け止められ、左大臣阿倍内麻呂が病没したのを機に同族の蘇我日向の讒言を利用して一気に石川麻呂を葬り去ったのではないかと考えられている。そうであれば石川麻呂は改新勢力に政治的に利用された悲劇の人物ということになる。一方、中大兄は、たとえ舅といえども目的のためには手段を選ばず、謀略を仕掛け抹殺するという冷酷非情な人物とされることになった。この事件後、石川麻呂の謀反を知らせてきた蘇我日向を筑紫太宰帥に任命した。それを人々は「これは隠流《しのびながし》である」と言った。これによって蘇我氏は石川麻呂と日向を一度に取り除かれ、その衰退は誰の目にも明らかになった。

石川麻呂事件の鮮烈な印象がさめやらない翌年の二月に長門国から一羽の白雉が朝廷に献上された。これは祥瑞とされ、白雉は輿に乗せられ大王以下が見た。そして大王は「聖王世に出でて天下を治す時に、天則ち応えてその祥瑞を示す」とし、元号を白雉とした。白雉の賀は華やかな盛儀であったが、それは石川麻呂事件による政情不安定や動揺を鎮めようという目的があったと言われる。この白雉の出現に因んで、この時代を「白鳳」時代と呼ぶ。

**甥有馬皇子の殺害**

第三の犠牲者は孝徳大王とその子有馬皇子である。白雉四（六五三）年七月、中大兄は孝徳大王に「倭京《やまとのみやこ》に移りたい」と申し出た。しかし天皇は許可しなかった。そこで中大兄は母の皇極上皇、孝徳大王の妃で中大兄の妹間人《はしひと》皇后、大海人皇子らを連れて、倭京に帰ってしまった。群臣たちもこれに従った。大王は「人となり、柔仁にして儒を好む」と評されるように温和な人物であったが、この仕打ちは相当こたえたようで、退位しようと考え、皇后に「鉗《かなき》着け吾が飼う駒は引出せず吾が飼う駒を人見つらむか」（金木をつけて私が飼っている馬、外へ引き出しもせず大事に飼っている馬をどうして他人が見つけたのだろう）という歌を送った。妻の間人皇后にまで見放された哀れな境遇を詠んだ歌である。一人難波宮に取り残された孝徳大王は失意のうちに白雉五（六五四）年十月に死去した。孝徳大王も中大兄による犠牲者である。その一子が有馬皇子で、その時十五歳であった。

『紀』によると、有馬皇子は大王位の有力な継承者のため、除かれそうなことを察知して狂人を装っていた。その病気を治すために紀伊の牟婁温泉に行き、帰ってきて斉明大王に、「かの地を見てきただけで、病気は自然に治りました」と言った。その牟婁温泉は、白浜温泉の南にある湯崎温泉の「崎の湯」を指し、風光明媚で、冬は暖かく炭酸泉であるため医療効果も高い名湯という。斉明大王は自分もその地を訪れてみたいと思い、斉明四（六五八）年十月十五日、中大兄らを伴って温泉行幸に出立した。その間に有馬皇子の謀反が発覚する。十一月三日、都の留守官であった蘇我赤兄《そがのあかえ》は有馬皇子に、天皇の治世には三つの過失がありますと言った。有馬は赤兄が自分に好意を持っていることを知り、喜んで「私はこの年になって初めて兵を用いる時がきたのだ」と言った。同五日、有馬が赤兄の家に出向き、高楼に昇って謀をした。すると脇息が自然に折れた。これは不吉な前兆だとして謀議を中止し、有馬は帰宅した。その夜に赤兄は軍をもって有馬の家を囲ませ、早馬で紀伊の温泉にいる斉明大王に知らせた。九日には、捕らえられた有馬は紀伊の温泉に送られ、そこで中大兄の訊問を受けた。「なぜ謀反を図ったのか」という問いに、有馬は「天と赤兄が知っている。私は何も存じませんと答えた」

有馬は訊問の後に「磐代の浜松が枝を引き結び真幸くあらばまたかへり見む」という歌を詠んだ。中大兄の温情に一縷の望みをかけて身の安全を祈ったのであろう。しかし頼む甲斐のない人を頼り、神に祈った有馬の運命は哀れである。翌日の十日には、藤白坂（和歌山県海南市内海町藤白）で絞殺された。十九歳の短い生涯であった。

有馬に謀反をけしかけた蘇我赤兄は、天智大王の政権では左大臣の要職に就き、また娘の常陸娘を妃の一人としていることからみて、中大兄の腹心、あるいは懐刀であった。赤兄が漏らした斉明三失政は、有馬皇子の心底を探る甘言であり。斉明・中大兄の政治的思惑を忖度しての言動だった。こうして中大兄の大王位継承のライバルであった有馬は赤兄の謀略にはまり、抹殺された。

この悲運の皇子には、後の世に多くの同情が集まり、『万葉集』には追悼する歌が詠まれている。長《なが》忌寸奥麻呂《いみきおくまろ》、結び松を見て哀《かな》しび咽《むせ》ふ歌二首「磐代の崖の松が枝結びけむ人は帰りてまた見けむかも」一四三「磐代の野中に立てる結び松心も解けず古思ほゆ」一四四（結び松はこだわりをもって昔のことを思い、有馬を死に追いやった人を恨んでいるだろう）

山上臣憶良の追和する歌一首「翼なすあり通ひつつ見らめども人こそ知らぬ松は知るらむ」一四五（死にきれない思いを持つ有馬の魂は、鳥のように翼をもって結び松のあたりを飛び巡っている。それは人にはわからないが、松にはわかる。）

大宝元年、紀伊国に幸す時に、結び松を見る歌一首、柿本人麻呂の歌集の中に出ず。「後見むと君が結べる磐代の小松がうれをまた見けむかも」（一四六）（帰りにもう一度見ようと皇子が結んだ松を、皇子はまた見ただろうか）

このように有馬が没して四十年以上を経てもなお追慕する人が絶えなかった。それはその当時の中大兄に対する批判ともなりうるものであったが、それでも悲運の皇子に対する同情が禁じ得なかったためと思われる。

## 二　白鳳時代

## (一)　天武天皇

### 「虎に翼を着けて放てり」

『紀』によると、天智期にはこの王朝の命運が尽きるような凶兆記事が多くみえる。「湖畔の建物のもとに様々な魚が水面いっぱいに集まってきた。それを見て誰もが「大王の天命が尽きようとしているのではないか」と囁きあった」「宮中の大炊寮にある八つの鼎がひとりでに鳴った。ある時は一つの鼎が鳴り、ある時は二つ、または三つがともに鳴り、ある時は八つが同時に鳴った」「ある村で亀を捕らえたところ、背に申という文字が書かれていた。上が黄色で、下が黒色、長さは六寸ほどであった」などと見える。

鼎は王朝祭祀の祭器であり、それが鳴ることは王朝の存続に危険信号がともり、王朝の滅亡が近いことを意味する。また亀の甲羅の申の字は「日を貫く形」で、それは申年に大乱が起こることの予兆である。さらに亀の上が黄色で下が黒色というのは、「天地玄黄」の逆であって、天地がひっくり返るような大乱が起こることの予兆とされる。これ以外にも八本足の鹿や四本足のひよこなど多足の動物の出現も記しているが、それは君側の奸臣の存在を暗示するものである。それは当然、近江朝廷の重臣たちを指すと思われる。このように『紀』は近江朝廷は滅びる運命にあり、壬申の乱によって即位する天武天皇の正当性を示している。壬申の乱の勝者天武自身が『紀』の編纂を命じたのだから、自らを正当化するのはあまりにも当然なことなのである。壬申の乱も天武側の一方的な自己主張に充ち満ちている。

大海人皇子は生来、人に抜きんでた立派な容姿で、青年に及んでは勇壮で人間業とは思えぬ武徳を備え、天文・遁甲によく通暁していた。天智十（六七一）年十月十七日、天智は病が重くなり、そこで蘇我安麻呂を遣わして大海人皇子を召した。この安麻呂は大海人と好誼をかわしていたので、「注意を払って話をされますように」と言った。これによって大海人は隠された謀略があると知った。天智は「私の病気は甚だ重い。お前が王位を継いで欲しい」と言った。しかし大海人は病気を理由に固辞し、「天下の大業は大后（倭姫王）に、そして大友皇子に諸政を行って頂きたい。私は天智大王のために出家し、仏道修行をしたいと思います」と言い、天智はそれを許した。大海人は剃髪し、吉野に赴いた。ある人は「虎に翼を着けて放てり」と言った。

## 「何ぞ黙して身を亡《ほろぼ》さむや」

一方、近江朝廷では十一月二十三日、左大臣蘇我赤兄以下、政権の中枢にいた五人の臣が重篤な天智の前で盟約を交わした。大友皇子を奉り、心を同じくして大王の詔を奉る。「若し違うこと有らば、必ず天罰を被らむ」と誓ったが、これで天智は安堵したのか、十二月三日、死去した。

大友皇子は父は天智であるが、母は伊賀采女宅子娘《いがのうぬめやかこのいらつめ》だった。この当時母の出自の意味は大変大きかった。地方豪族出身の卑母のため、即位資格に欠けるとする指摘もある。ただ我が国最古の漢詩集である『懐風藻』の大友皇子伝には、「魁岸奇偉《かいがんきい》、風範弘深《ふうはんこうしん》、眼中精耀《がんちゅうせいよう》、顧眄煒燁《こべんいふぇ》、唐使劉徳高、見て異しびて曰く、「此の皇子、風骨世間の人に似ず、実に此の国の分に非ず」とある。皇子博学多通、文武の才有り。始めて万機を親《しら》しめすに、群下畏服し、粛然に有らずということなし。太子天性明悟、もとより博古を愛《この》ます。筆を下ろせば章となり、言に出せば論となる。時に議する者の洪学を嘆かふ」と記されるほど、個人的能力に優れていた。そのような人物であったが故に、天智はたとえ母が卑母であっても自分の後継者として期待したのであろう。

天武元年五月、吉野にいる大海人のもとに、近江朝廷は天智陵の造営を隠れ蓑にして、大海人を打倒するための戦の準備をしているとの報が届く。大海人は「私が皇位を譲り、隠遁したのは、病を回復し、天寿を全うするためであった。しかし今、避けることのできない禍を被ろうとしている」そこで「何ぞ黙して身を亡《ほろぼ》さむや」として軍を発することになった。ここに壬申の乱が起こるが、大海人はやむをえず挙兵したことになっている。

この後、大海人皇子の苦難の行軍、知謀と勇気に満ちた戦闘、近江朝廷の崩壊を活写し、感動を与えるものとなっている。その過程で至るところにその正当性を強調するために幾つもの瑞兆を示している。横河（名張市）まで来た時、黒雲が現れた。広さ十丈（三十ｍ）ばかりで、天空を流れた。大海人は自ら式（占いの道具）で占い、「天下を二分する前兆である。その結果、私が天下を得ることになろうか」と言われた。またある夜、雷鳴がとどろき豪雨となった。大海人は誓願して「天神地祇が私を助けてくださるなら、雷雨はやむだろう」と仰せられた。その言葉が終わるやいなや雨はすっと止んだ。他にも伊勢の天照大神や身狭《むさ》社の生霊神《いくたまのかみ》などの加護があったことなどを記している。

七月二十二日、壬申の乱の最後の戦いの場面である。大海人軍が近江の瀬田橋に迫った。一方、大友軍は橋の西に大軍を擁して迎え撃った。両軍の衝突で塵が天に舞い上がり、鉦や鼓の音が数十里までとどろいた。弓矢は入り乱れ、矢は雨のように降った。しかし翌日には大友軍は敗走し、大友皇子も逃げたが、追い詰められ、自ら首をくくった。その時に従っていたのは一人二人の舎人のみであったと記す。

## 「凡そ政の要は軍事なり」

こうして壬申の乱に勝利した大海人は天武天皇として即位した。初めて「天皇」を称した人物である。中国の君主は秦の始皇帝以来、「皇帝」を称してきた。ところが唐の高宗は皇帝を改め「天皇」とした。中国の君主が「天皇」を称したのは初めてのことであった。我が国の「天皇」号はそれを導入したものである。それが天武天皇の頃と考えられ、今までの「大王」から「天皇」へと君主号が変更された。これは単なる名称変更ではなく、国の形までもが大きく変わる大転換となった。つまり天皇制度の導入によって王朝名が必要とされ、「日本」国号が成立した。そして中国の皇帝に倣い、大極殿を中心とした都城が必要となり、藤原・平城・平安京が造営された。また国家の統治体制を確立するために浄御原令・大宝律令・養老律令が制定された。さらに元号・国史編纂・貨幣鋳造など、いずれも天皇制度の導入した七世紀末から八世紀初頭に行われた。新生日本は天皇制度の成立を契機として誕生した。

朱鳥元（六八六）年八月、天武天皇は危篤状態に陥った。寺院や宮殿で経を唱えることはもちろん、寺院の清掃が行われ、仏像の前には香木・金属器・象牙などインド方面の珍宝が積み上げられた。苦しみを救う観音菩薩の刺繍が後宮の女性たちによって編まれ、寺院の壁面を飾った。その傍らで三百人近い僧が観音経を読む音声が長く響き渡った。夜になると、おびただしい燈明の中で僧侶も官人も罪の懺悔を繰返した。数日間のうちにほぼ百人単位の出家が幾度も許可され、そして彼らは直ちに読経のメンバーに加わった。その合唱たるや、天地を揺れ動かすほどの迫力であった。しかしそれも空しく九月九日に波瀾万丈の生涯を閉じた。

## (二)　大津皇子

### 「皇子大津、謀反けむこと発覚れぬ」

大津皇子は天武を父、天智の娘太田皇女を母とする。古代最大の対外戦争と言われる白村江の戦いの行われた天智二（六六三）年に両親は九州の那大津におり、その時に生まれたので、その地の名をとって大津と命名された。『紀』には、朱鳥元（六八六）年十月条に、「皇子大津、謀反《かたぶ》けむこと発覚《あらわ》れぬ。大津を譯語田《おさた》の舎《いえ》に賜死《みまからし》む。時に年二十四なり」とあるように、叔母で時の権力者持統女帝の子草壁皇子を誹謗したことを謀反とされ、わずか二十四年の生涯を閉じた。この時、妃の山辺皇女《やまべのひめみこ》は髪を振り乱し、素足で走ってきて大津のために殉死した。見ていた人たちはみなすすり泣いたとある。殉死するほどだから夫婦仲は大変良かったのであろう。

また姉の大伯皇女《おおくのひめみこ》との仲も随分と親密であった。皇女は伊勢神宮の斎宮に選ばれ、神に仕える身であったが、大津は自分の身に危険が迫っていると感じたのか、姉のもとを密かに訪ねている。その時に皇女が詠んだ歌が二首ある。「わが背子を大和へ遣るとさ夜深けて暁露にわが立ち濡れし」（一〇五）（わが背子を大和に送るとて、夜もふけ、やがて明け方の露に濡れるまで、私は立ち続けたことであった。）「二人行けど行き過ぎ難き秋山をいかにか君が独り越ゆらむ」（一〇六）（二人でいってさえ越えがたい秋の山を、どのようにしてあなたは今一人で越えていることだろう。）

久しぶりの姉弟の再会であり、次はいつ会えるかわからないという心情が伝わる歌である。この歌は、恋の歌を集めた「相聞歌」に分類されており、それに近い心情だったのかもしれない。大伯皇女が心配していたことがとうとう起こり、大津の訃報がもたらされた。そこで都に戻り弟を悼んで歌を詠んだ。

「神風の伊勢の国にもあらましをなにしか来けむ君もあらなくに」（一六三）（神風の伊勢の国にもいればよかったものをどうして都に帰ってきたのだろう。あなたもいないことだのに。）「見まく欲りわがする君もあらなくになにしか来けむ馬疲るるに」（一六四）（会いたいと思うあなたももういないことだのに、どうして来たのだろう。徒に馬が疲れるだけだのに。）

また大津皇子の屍を葛城二上山に移し葬る時に悲しんで詠んだ歌もある。

「うつそみの人にあるわれや明日よりは二上山の弟世とわが見む」（一六五）（現し身の人である私は、明日からは二上山をわが弟とみようか。）「磯のうへに生ふる馬酔木を手折らめど見すべき君がありと言はなくに」（一六六）（岸のほとりに咲く馬酔木を手折って、思わず花をみせたいと思う。けれども見せるべきあなたはいないことだのに）

大伯皇女の歌は、『万葉集』にこの六首が載るが、いずれもたった一人の弟を失った深い悲しみを切々と歌ったものである。このように大津は妻にも姉にも深く愛された人物であった。

大津の人となりについても『紀』に記されている。大津は立ち居振る舞いは大変立派であり、言語は明瞭で、分別があって学才に秀でており、殊に文筆を好んだ。詩賦の興隆は大津皇子より始まったとあるから相当の人物であったようである。

## 「状貌魁梧にして器宇峻遠」

またわが国最古の漢詩集『懐風藻』の大津皇子伝には、「状貌魁梧《じょうぼうかいご》にして器宇峻遠《きうしゅんえん》、幼年より学を好み、博覧にしてよく文をつくる。壮に及びて武を愛し、多力にしてよく剣を撃つ。性頗る放蕩、法度にこだわらず、節を下して士を礼す。是によって人多く付託す」とある。容貌に優れ、文武両道で、おおらかな性格で、多くの人に慕われたというのだから、全ての良いとこ取りをしたような人物なのである。

これほどの人物だから、当然、女性にももてた。石川郎女《いしかわのいらつめ》という多情ではあるが才気走った女性と恋愛関係にあった。『万葉集』その歌が載せられている。

大津皇子、石川郎女に贈る歌一首「あしひきの山のしずくに妹待つとわれ立ち濡れぬ山のしずくに」（一〇七）（あしひきの山の雫に、妹を待つとて私は立ち続けて濡れたことだ。山の雫に。）、石川郎女、こたえ奉る歌一首「吾を待つと君が濡れけむあしひきの山のしずくに成らましものを」（一〇八）（私を待つとてあなたがお濡れになったという山のしずくに、私はなりたいものです。）とある。実は、この石川郎女をめぐっては、恋のライバルがいた。その恋敵が何と持統女帝の子で将来天皇の最有力候補の草壁皇子であった。しかし石川郎女は、病気がちで穏やかな貴公子の草壁よりも、様々な才に優れ奔放な性格の大津を選んだ。恋の勝利者は大津であった。

しかしこのあふれるばかりの才と人間的な魅力は、ある人たちにとっては大きな脅威と映じたはずである。大津には優れた人格、あふれる知性、そして行動的な性格などが語り伝えられているが草壁にはそうしたことを物語るものは何も残されていない。こうしたことからみると、草壁は血統的には申し分ないが、リーダーシップや人間的な魅力に乏しかったのかもしれない。そうだとすると、大津を一番の脅威と感じていたのは持統女帝だったろう。

　持統にとっては息子の草壁よりわずか一歳下の大津は自分の姉の子で、その血統や年齢からも草壁と何ら遜色はなかった。そしてそのうえ人がうらやむような才と人間的魅力である。女帝にとって我が子草壁を確実に次の皇位につけようとすれば、何かにつけ目立っている大津の存在は大変目障りだったろう。そこで天武死去の直後という混乱の最中に持統の命によって葬り去られたのではなかろうか。

　大津皇子、死をこうむる時、磐余の池の堤に流涕した歌がある。「ももづたふ磐余の池に鳴く鴨を　今日のみ見てや雲隠りなむ」池の鴨は皇子がいつも見慣れ親しんだ鳥で、それは魂を運ぶ鳥でもあった。同じ頃に作った五言絶句が『懐風藻』に見える。「金烏西舎《きんうせいしゃ》に臨み　鼓声短命を催《うなが》す　泉路《せんろ》賓主無し　此の夕べ誰が家にか向はむ」（夕べの時を告げる鼓の声は、目前に迫ってきた短い生涯の終わりの時を促しているように響く。黄泉への道は宿るべき家もなく、一人きりだと言う。この夕べ、いったい私は誰の家に向かおうとするのか、どこへもあてはないのだ）おそらく大津は池の鴨に遠い西方に自分の魂が飛んでいくイメージを重ねたのではなかろうか。死を目前にした深い孤独と寂寥感が伝わってくる歌である。

　この事件によって草壁が次の天皇になることは確実になったが、しかし間もなくその草壁が二十八才の若さで病没する。母持統の悲しみはいかばかりであったろうか。そしてまた大津のこの歌をどのような思いで聞いたのだろうか。

【参考文献】


・坂本太郎『聖徳太子』（吉川弘文館・一九七九年）
・田中嗣人『聖徳太子信仰の成立』（吉川弘文館・一九八三年）
・田村圓澄『聖徳太子』（中央公論社・一九六四年）
・大山誠一『〈聖徳太子〉の誕生』（吉川弘文館・一九九九年）
・新川登亀男「聖徳太子」『歴史評論』№六五一（校倉書房・二〇〇四年）
・新川登亀男『聖徳太子の歴史学』（講談社・二〇〇七年）
・曽根正人『聖徳太子と飛鳥仏教』（吉川弘文館・二〇〇七年）
・本郷真紹『和国の教主聖徳太子』（吉川弘文館・二〇〇四年）
・矢沢永一『聖徳太子はいなかった』（新潮社・二〇〇四年）
・吉村武彦『聖徳太子』（岩波書店・二〇〇二年）
・寺崎保広『若い人に語る奈良時代の歴史』（吉川弘文館・二〇一三年）
・大和岩雄「「日本」国号と天武天皇」『東アジアの古代文化』一一八号（大和書房・二〇〇四年）
・遠山美都男『蘇我氏四代』（ミネルヴァ書房・二〇〇六年）
・篠田達明『歴代天皇のカルテ』（新潮社・二〇〇六年）
・武光誠『蘇我氏の古代史』（平凡社・二〇〇八年）
・加藤謙吉『蘇我氏と大和王権』（吉川弘文館・一九八三年）
・黛弘道『古代を考える蘇我氏と古代国家』（吉川弘文館・一九九一年）
・黛弘道『物部・蘇我氏と古代王権』（吉川弘文館・一九九五年）
・平林章仁『蘇我氏の実像と葛城氏』（白水社・一九九五年）

・大山誠一『古代国家と大化の改新』（吉川弘文館・一九八八年）
・前田晴人『日本古代人物伝』（新人物往来社・二〇〇七年）
・黒田智『藤原鎌足、時空をかける』（吉川弘文館・二〇一一年）
・遠山美都男『天智と持統』（講談社・二〇一〇年）
・北山茂夫『壬申の内乱』（岩波書店・一九七八年）
・北山茂夫『天武朝』（中央公論社・一九七八年）
・遠山美都男『壬申の乱』（中央公論社一九九六年）
・遠山美都男『天武天皇の企て』（角川学芸出版・二〇一四年）
・早川万年『壬申の乱を読み解く』（吉川弘文館・二〇〇九年）
・倉本一宏『壬申の乱』（吉川弘文館・二〇〇七年）
・小林恵子『白村江の戦いと壬申の乱』（現代思潮社・一九八七年）

# 第二章　奈良時代

## 一　奈良時代前期

### (一)　長屋王

#### 「逆玉」の長屋王

長屋王と言えば、奈良時代の初期に左大臣となって政界をリードした人物である。近年、その長屋王の邸宅が発掘され、たくさんの木簡が発見され、長屋王家木簡と称されている。これによって王族である長屋王やその家族の生活ぶりが詳細にわかるようになった。一例を示そう。「十一月四日飯九十九笥直九十九別笥一文」「酒五斗直五十文別升一文右銭一百四十九文」という木簡がある。これは店で飯と酒の売り上げの銭につけた付札である。飯は一笥一文、酒は一升一文という値段であった。この飯や酒は長屋王家が市で販売したもので、銭はその売上金である。当時正三位という高位高官にあった皇親貴族が京内に店を出して商売を行なっていたというのは実に意外である。

ただ木簡の出土する屋敷を「長屋王家」と称しているが、本当にその呼び名でよいのか疑問だとする見解がある。その屋敷地は平城京の一等地に四町（四万㎡）もの広さがあるが、その広大さが問題とされる。左大臣長屋王の邸宅であるから、それも当然とも思えるが、しかし平城京遷都の当時、彼は従三位宮内卿に過ぎず、宅地は二町の筈である。群を抜くほどの広大な屋敷を構えるほどではなかった。だとするとそれは彼に与えられたものではなく、妻の吉備内親王（元明天皇の娘、元正天皇の妹）に与えられた土地で、そこに夫の長屋王が住むようになった可能性が強い。この当時、夫婦は別財産で内親王も独自の財産を持ち、それを管理する家政機関を保有していた。親の七光りならぬ妻の七光り、今で言う「逆玉」になろうか。そうであれば、この地の呼称も「長屋王邸」ではなく「吉備内親王邸」もしくは「吉備内親王邸・長屋王邸」とすべきではなかろうか。

長屋王は藤原氏の陰謀によって自殺に追い込まれ、妻の吉備内親王、その子の膳夫王《かしわでおう》らの諸王子も後を追って自殺した。一般に日本人はこのような悲劇的な最後を遂げた人には同情し、人気を博することが多い。菅原道真や源義経などはその代表的なものであろう。『万葉集』（四四一・四四二）には、長屋王に対し、強く同情する気持を表明した挽歌が収められている。

神亀六年己巳《きし》、左大臣長屋王に死を賜ひし後、倉橋部女王の作る歌一首

「大王の　命畏《みことかし》み　大殯《おほあらき》の　時にはあらねど　雲隠ります」

膳部王を悲傷《かなし》ぶる歌一首

「世間は　空しきものと　あらむとぞ　この照る月は　満ち欠けしける」

倉橋部女王の出自は不詳であるが、強い憤りを込めた内容から見て、長屋王と極めて近い立場にあったと思われる。二首目の歌は「世の中というものは虚しいもの、それを象徴するかのように、この照る月も満ち欠けをする」という意味である。無常の譬えとして月を歌っているが、それは押さえきれない自分の感情を何とか納得させようとしたのであろう。

## 長屋王の祟り

このように長屋王を悼む例もあるが、悲劇的な最後を遂げた割には人気がなく、悪者にさえなっていることが多い。『日本霊異記』中巻第一「己が高徳を恃み、賤形の沙彌を刑ちて、現に悪死を得る縁」には「元興寺では大法会を行ない、三宝を供養した。天皇が長屋王に僧侶たちに食事を捧げる役を命じた時のことである。一人の沙彌《しゃみ》（見習僧）が不謹慎にも食事を盛る場所に行って鉢を捧げて飯を貰っていた。それを見た長屋王は、笏でもって沙彌の頭を打った。頭が割れて血が流れた。沙彌は頭の血を拭きながら恨めしく嘆いて急にいなくなり、行方不明になった。法会に来ていた僧侶や俗人はそっとささやいて「よくないことだ」と言った。

長屋王が自殺に追い込まれたことを記した後で「ああ悲しいことよ。かつては富貴や高名が内外に響きわたっていたが、不吉な災難が迫って頼るとこなく一度に滅んでしまった」「自らの高い地位をたのみ、沙彌を打ち、仏法を守る神が顔をしかめて、その神が憎み嫌う」「袈裟を着た者を打ち、侮る者の罪は甚だ重いものである」と記す。こうした記述の背景には、王が非情な人物という評判があった。長屋王が勤務評定や人事権を持つ式部卿の時、強烈な個性と自負心から他の者に対して容赦のない態度をとり、それが様々な波紋をよんだ。たとえば官人の勤務態度を厳正にし、衣服を整え、言動を正しく、健康に気をつけ、政務や行事での身の処し方などをこと細かく規制した。そしてそれを組織の末端にまで及ぼし、チェック体制を厳格にし、それに違反する者には厳罰を科した。一挙一投足に目を光らせ、酒席でも正しい飲み方をと監視されたのでは官人たちもたまったものではなかったろう。このようなあまりも教条主義的な態度が多くの人々の反感をかった理由ではなかろうか。

しかし長屋王の死後、天平七（七三五）年から同九年にかけて天然痘が大流行し、長屋王と対立関係にあった藤原不比等の四人の兄弟たちが相次いで死んだ。それは長屋王の祟りと考えられたようで、その後、長屋王の子安宿王《あすかべおう》・黄文王《きぶみおう》・円方女王《まどかたじょおう》らの位階が急に上昇している。また光明皇后が経の書写を行っているのも、長屋王の霊を鎮めることが希求されたからであろう。祟りを意識するのは自らの罪悪感の裏返しである。たとえどんなに強固な権力を手に入れたとしても、無実の人を罪に落としたり、また他人をけ落として怨みをかったりすれば、意識するかしないかは別として、必ずどこかに罪の意識が残っている。それは時代を越えて普遍的なものであろう。

長屋王一家は自害を強いられたが、罪に問われたのは、吉備内親王とその所生王子に限られ、王の妻の一人で藤原不比等の娘長娥子《ながこ》とその子供たちは不問に付されている。明らかに長屋王と吉備内親王のみを狙って断罪したことを物語るものであり、藤原氏の陰謀であることは明々白々であった。

## ㈡　大伴旅人

### 酒の道を究めた旅人

大伴旅人は万葉歌人、あるいは大伴家持の父として知られている。大伴氏は大和王権の時代から政権の中枢にあり、物部氏と共に朝廷の軍事を支えた名族である。祖父は右大臣の長徳、父は贈従二位大納言兼大将軍安麻呂である。安麻呂は古代最大の内乱とされる壬申の乱で軍事的な功績があった。

この旅人も父祖の立場を継いで生涯の多くを軍事活動に費やした。四十六歳の時、左将軍、五十六歳の時には征隼人持節大将軍として南九州を転戦した。しかし隼人の抵抗は強く、旅人は苦戦を余儀なくされ、一向に平定できなかった。朝廷は特に勅使を立てて、その苦難を慰問した。「将軍原野に暴露して久しく旬月を延ぶ、時盛熱に属く、豈艱苦なからんや」と。結局、平定できないまま都に帰った。そして再び九州に赴いたのは六十三・四歳の頃で、大宰府の長官としてであった。
　旅人の生きた奈良時代の前半の時期は、中央政界では藤原氏が次第に有力となり、名族大伴氏といえども対抗できず旅人は六十七歳、大納言を極官とし、子の家持は中納言に留まった。老齢の大伴旅人は藤原氏によって大宰府に遠ざけられ、都では天平元（七二九）年、盟友の左大臣長屋王が藤原氏の謀略によって自殺に追い込まれるなど、寂寥感が強くなっていた。
　彼の歌の多くは太宰帥として筑紫に下った時期に作られたから、歌の雰囲気も憂愁の色を深めたものが多い。またこの時、大宰府にいた『貧窮問答歌』の作者として名高い山上憶良との交友も密接であり、歌を詠む気持を一層かき立てられたと思われる。『万葉集』に七十首もあり、その表現はやや自己中心的ではあるが、おおむね平明でおおらかな性格を反映していると言われる。特に亡き妻を思う歌や嘆老望郷の歌には真情にあふれた作品が多い。彼が帰京に際して歌ったものである。
「還るべき時は成りけり都にて誰が袂をかわが枕かむ」（四三九）
「京なる荒れたる家に独り寝ば旅に益《まさ》りて苦しかるべし」（四四〇）
　旅人はそれまで京に帰ることを強く望んでいたにも関わらず、京ではそこに共に住むべき妻がおらず、荒涼とした家は旅以上に苦しいと歌っている。亡き妻への深い愛情を感じさせるもので、旅人は武人でありながらも心優しい性格であったことを窺わせる。また老荘や仏教思想を背景にした作品もある。その中でも「讃酒歌」は旅人の酒をこよなく愛した歌十三首が収められている。
　その中で私が一番気にいっているのは「価なき　宝といふとも　一坏《ひとつき》の　濁れる酒に　あに益《ま》さめやも」という歌である。どんな素晴らしい宝物といったってこの一杯の酒には叶わないというのは、酒の道を究めた人でなければ言えないことであろう。「あな醜《みにくし》　賢《さか》しらをすと　酒飲まぬ人を　よく見れば　猿にかも似む」（利口ぶって酒を飲まない人は、猿のように醜いなあ）といささか自己弁護のような歌がある。「酒

の名を　聖とおほせし　いにしえの　大き聖の　言《こと》のよろしき」（にごり酒を賢人、清酒を聖人とよんだ、古の聖人の言葉は言い当てていて面白い）「古の　七の賢しき　人どもも　欲せしものは　酒にしあるらし」（昔の竹林の七賢人といわれるすぐれた人たちでも、欲しがっていたものは酒だというが、そのはずだよ）「賢しみと　物言ふよりは　酒飲みて　酔泣するし　まさりたるらし」（賢こぶって物をいうより、酒を飲んでくだをまいている方がよっぽどましではないか）

そして極めつきは次の歌である。「なかなかに人とあらずは酒壺の成りにてしかも酒に染みなむ」（中途半端な人間でいないで、いっそう酒壺になってしまいたいものだ。そうしたら酒に浸っていられるだろう。）

盃を手に酒の勢いに乗じて一気呵成に詠んだ歌のように思われる。このような酒を讃える歌を詠んだのは、長屋王の事件の後で、どこかその歌に屈折した気持ちや悲哀が感じられる。また名門のプライドが傷つけられた鬱々としたやるせなさを酒で紛らわしていたようにも見える。

## 萩を愛した旅人

「讃酒歌」だけが旅人の歌と思われてもいけないので、彼が亡くなる直前に作った歌もあげておこう。

三年辛未に大納言大伴卿の寧楽《なら》の家に在りて故郷を思へる歌二首

「須臾《しましく》も行きて見てしか神名火《かんなび》の淵は浅さびて瀬にかなるらむ」（九六九）（しばらくの間でも行ってみたいものだ。あの神名火の深い淵も、今は浅くなり、瀬となっているだろうか。）

「指進《さしずみ》の栗栖の小野の萩が花散らむ時にし行きて手向けむ」（九七〇）（指進の来栖の小野に萩の花が散るだろう頃には、故郷に行って神祭りをしよう）

この二首は共に望郷の歌である。旅人は故郷飛鳥のことを思い出し、飛鳥川の神名火の淵や飛鳥小野の萩の落花を浴びたいと願った。その様子を思い描きながら六十七歳で没した。この歌は旅人の生涯の最終作であった。
おそらく旅人を最後までみとったと思われる余明軍《よのみょうぐん》が次のような歌を歌っている。
「かくのみにありけるものを萩の花咲きてありやと問ひし君はも」（四五五）（ふるさとを訪ねることもできず、死んでしまわなければいけなかったにもかかわらず、萩の花は咲いているかとしきりに尋ねたあなたよ）
旅人が亡くなったのは陰暦の七月二十五日だから、萩の花はそんなに咲いていなかっただろうし、まだ落花の時期でもなかった。自分の人生の散り際と萩の花の散り際とを重ねた幻想の世界の中で没するという美しい死に方である。

## (三)　山上憶良

**一流の教養人**
山上憶良《やまのうえのおくら》と言えば、子どもを愛しむ心情を詠んだ「銀《しろかね》も金《くかね》も玉も何せむに勝れる宝子にしかめやも」の歌や、筑前の国守であった時に目の当たりにした困窮する農民たちの姿を詠んだ『貧窮問答歌』などで知られる万葉歌人である。四十二歳の時に遣唐使の一員として派遣され、在唐二年の後に執節使粟田真人らと共に帰国した。それから十年後に和銅七（七一四）年に従五位下に叙せられ、霊亀二（七一六）年伯耆守、養老五（七二一）年には東宮（後の聖武天皇）の侍講となった。この侍講の定員は二名であり、もう一人が伊予国越智郡出身の越智広江であった。彼は明法・明経道に秀でており、その道では当代一流の人物であった。
憶良は、神亀三（七二六）年に筑前守となったが、天平三（七三一）年に官を辞し、京に帰った。しかし同五年に病が重くなり、死去したらしい。この経歴からもわかるように、彼は中国の最新の知識を身につけた一流の教養人でもあった。憶良は中国の医学や養生法、長生術にも強い関心を持ち、当時の日本の知識人の医学水準の高さを示している。飲食物をコントロールすることが、病気を未然に防ぐことであると言っている。「限りのある生であっても、人たる者、誰しも長生を願わぬ者はいない」「生はむさぼるべく、死はおそるべし」「生は好き物なり、死は悪しき物なり」などと人の生への強い執着を示している。その養生の結果、当時としてはかなり長命な七十四歳まで生きた。しかし、そのような憶良も晩年は痛風で苦しんだ。「沈痾自哀文《ちんあじあいぶん》」には、「初め痾に沈みてこのかた、年月稍多し。ただ年の老いたるのみにあらず、またこの病を加へつ。諺に曰はく、痛き瘡に塩を灌き、短き材の端を截るといふは、此の謂なり」とある。通風は、タンパク質を多く取りすぎた場合、体内で消化される過程でできる尿酸が血液中に増え、冷え、外傷、疲労などが誘因となって起こり、手足の関節が腫れて激しく痛む病気である。当時の人々の多くはタンパク質不足であったが、貴族の憶良の食料事情は極めて恵まれていたのであろう。免疫力を高め、様々な病気を予防し、改善を図るためには、飲食物を少なめに取り、空腹の時間をつくることが大切と言われる。山上憶良の場合も飲食物をコントロールすることがいかに難しいかを物語る話である。

**痛風で苦しむ**

憶良の「沈痾自哀文」には自らの症状を次のように記している。最初の第一段では、猟師や漁師のように殺生をおかす者が元気であるのに、仏教を篤く信仰し、百神を敬っている自分がなぜ病気に悩まされるのか、どんな罪によってこんな重病になったのかと恨み言を述べる。そして自分の病状について触れ、「手足が動かず、節々が疼き、体はたいへん重たく、石を背負ったようである。翼の折れた鳥のように、杖をたよりに歩こうとしても足の萎えたロバのようである」と記す。彼は貴族だから、当然、当時の最先端の治療を受けられたはずである。しかしその憶良であっても十分な治療効果が得られず、腐心している。「吾、身已に俗を穿ち、心も亦塵にわずらはさるるを以ちて、禍の伏す所、祟りの隠るる所を知らむとおもひ、亀卜の門と巫祝の室とを往きて問はずといふこと無し。もしくは実、もしくは妄、その教ふる所に随いひ、祈禱せずしいふこと無し。されどもいよいよ苦を増すことあり、かつていゆといふこと無し」試した治療法の中に「亀占」「祈祷」なども見える。最後に頼ったのは、当時民間医療として盛んに行われていた占いや祈祷などの呪術的治療法だったのだ。

憶良はその十数年に及ぶ病気の理由について「前世の罪でよるものか」「今も知らずにおかしている罪」によってこうなったのかと言うように、疫病を神仏の祟りと考えていた。知識人の憶良にとっても医薬とまじないは対立するものではなく、あらゆる手段によって治療にあたろうとしたのであり、祈祷もまた大変有効な方法と考えたのであろう。

この頃の晩年の歌である。「士《おのこ》やも空しかるべき万代に語り継ぐべき名は立てずして」（九七八）と詠んだ。憶良は『貧窮問答歌』で「飛びかねつ鳥にしあらねば」と詠んでいるが、彼は鳥のように自由にそして軽やかに飛び立つことができると考えていたのではなく、それはあくまで夢であって、実際には現実の中で泥臭くのたうち回った人物であったと言えよう。

憶良と言えば『貧窮問答歌』、貧しい人々の立場に立って政治を行っていたというイメージが強い。しかし彼とてこの時代に生きた人であり、貴族たちが持っていた地方の人々を愚民とする見方から免れてはいない。『沈痾自哀文』には、山野の狩猟民や河海の漁民はその生業から必然的に殺生をしなければならないが、その彼らはその罪に充ち満ちている。一方、憶良自身は悪をせず、善を積み、修養している。そうであるのになぜ自分が病気で苦しまなければならないのか納得していない。むしろ病気になって苦しむべき者は、殺生をしている彼らでなければならないはずだと。ここから憶良もまた知識人や教養人としての高見に立って民衆を罪深い存在としているが、現在の観念からみれば、それは差別そのものであろう。天平二（七三〇）年に憶良は「天ざかる鄙に五年住まひつつ都のてぶり忘らえにけり」（八八〇）と詠んだように、彼の視線は常に都に注がれていたのである。

## ㈣　鑑真

### 仏教のグローバル・スタンダードを確立

鑑真と言えば唐招提寺の鑑真和上の像を思い浮かべる方も多いと思う。この穏やかな像を見てのことであろう。俳聖といわれる松尾芭蕉の句碑が石段の脇にある。

「若葉して　おん眼の雫　ぬぐはばや」

光を失った両目を静かに閉ざしたその笑みは人々に慈愛の念を抱かせるのだろう。

古代の人々が仏教に期待したのは死後の世界の安寧もあるが、なにより現実的な治病延命であった。西北インド社会に登場した菩薩と呼ばれる人々は、困窮する民衆の救済を使命とし、大乗仏教成立の契機となった。彼らは僧として単に仏典を翻訳し法を説くのみならず、インド社会の知識に基づく医療行為を施し、これを仏教の教化手段としていた。それはまた経典の説く所であった。医の中心は間違いなく僧侶であった。

聖武天皇の時代、医療看護にあたる看病禅師は百二十六人もい

唐招提寺の芭蕉の句碑

た。古代には僧侶が医薬に関する詳しい知識を持っていたのはごく一般的なことだった。奈良時代に活躍した僧玄昉や僧道鏡が天皇や后の病気を治してその地位を築いていったが、それは突出しているだけに、特別のことのように見えるが、僧と医薬は切っても切れない関係にあった。聖武天皇を最後まで看取ったのは九州の宗像郡出身の法栄という人物であった。彼もまた僧侶でありながら医者としての名声を博していたことから聖武天皇の侍医に抜擢され、天皇もまた法栄を信頼していたという。

日本が中国から最初に学んだ医学は陰陽五行説と実験が混ざったようなものだったが、当時の世界の医学水準からみればかなり程度の高いものであった。また正倉院には奈良時代の薬物が多数現存している。

鑑真は唐の時代、揚州に生まれ、十四歳の時に出家して長安や洛陽に学び、特に戒律に詳しく大明寺などで律を講じた。天平五（七三三）年に戒律の師を求めて唐に渡った栄叡と普照は揚州大明寺に住していた鑑真を訪れ、渡日を懇請した。熱心懇願したのには理由があった。当時、我が国では正式な戒の方法がわからないために適当にやっていた。受戒のためには戒を授け、作法などを教授する三師とそれを見守る証明師である七証が必要で、これを三師七証と言い、この十人の前で具足戒を授けられるのが本来のやりかたであった。ところが我が国では三師七証の代わりに仏像群の前で、自ら「戒律を守る」と誓うだけであった。しかしそれは我が国だけに通用する方法だったから、中国では無効とされた。そのため国家的事業としてはるばる東シナ海を渡った留学僧が正式な受戒を受けていないとして断られるケースが続出した。日本の仏教界はグローバル・スタンダードの域に到達していなかったのである。そこでどうしても戒律の確立が必要となり、そうした切羽つまった状況を鑑真に訴えた。その熱意に心を動かされた鑑真は弟子たちに「この遠方からの要請に応える者はいないのか」と問うたが、沈黙が広がるだけであった。「ならば私が行こう」と渡日を決意した。もちろん鑑真教団にも、日本における受戒体制を独占できれば、日本仏教界において重要な位置を占めることが出来るという目論見も当然あったと思われる。それはともあれ、ここからが苦難の始まりであった。

そもそも僧侶は今で言えば国家公務員であり、鑑真のような律学の大家となれば、高級官僚にあたるから自分の意思で勝手に離脱することは許されなかった。したがって正式な出国手続きを行わずに渡日しなければならなかったから、様々な困難が生じた。

第一回目の渡航は、渡航からはずれた弟子の誣告《ぶこく》によって出航できず、第二回目は出航直後に難破、第三回目は明州（寧波《にんぽー》）から出航したが、反対する者が官憲を動かして失敗、第四回目は福建の福州から出航しようとしたが、再び反対者が官憲を動かして失敗、第五回目は福州から出航したものの、暴風雨に遭い、広東まで流され、渡日は挫折した。その後、天平勝宝五（七五三）年に遣唐使藤原清河らが改めて渡日を要請し、これによってやっと日本の地を踏むことができた。薩摩に到着し、大宰府、難波を経てようやく翌年平城京に到着した。この時、鑑真は既に六十六歳になっていた。

## 理想主義を標榜

この間、十一年の歳月と五回にわたる渡航の失敗によって両目を失明した。唐招提寺に伝わる鑑真和上像は鑑真の入寂前のものとされるが、静かさの中にも強い意思が感じられる。

その後、奈良の東大寺に戒壇を築き受戒師をつとめ、天皇・皇后以下四百四十名に菩薩戒を授けたが、これが我が国で最初の正式な受戒であった。その後、新田郡に邸宅を賜り、ここを唐招提寺とした。律宗を我が国に定着させたことによって、鑑真は律宗の祖として崇められた。この鑑真教団に帰依し、財政的な支援を惜しまなかったのが藤原仲麻呂であった。鑑真らが大規模な写経を行った時に、当時大納言の仲麻呂がその経費を負担したり、また備前国の墾田百町を唐招提寺に施入したのも彼の計らいがあったと言われる。

律宗というのは戒律を守りきれば悟りに辿り着くことが出来るという教えである。ただ戒律の一つである具足戒では男は二百五十、女は三百四十八もの戒があると言うから、それを守ることは容易なことではなかった。だから鑑真の律宗は宗教者のあるべき姿を厳格に示したもので、そういう意味では理想主義を標榜した宗教である。

現在、「戒」と言えば、言葉として一般に馴染んでいるのは「戒名」である。それは死去するとすぐに授けられ、しかもそれには位があって、金額の多寡によって名が決定される。しかし本来は厳しい「戒」を守った者に「名」が授けられるものだった。今日のようなあまりにも簡単な、また手軽な戒名であの世で果たして通用するのだろうか。私にはとてもそのようには思えない。

ところでこの渡日にあたって鑑真に付き添ってきた僧は二十四名、尼三名、優婆塞二十四名であったが、この他に仏像・経典・仏舎利三千粒・仏具などをもたらしている。

鑑真は我が国の仏教界に絶大な影響を与えた。たとえば平安初期の仏教界の双璧である伝教大師最澄と弘法大師空海もまた鑑真に連なる人物である。鑑真は天台宗の流れをくみ『法華経玄疏』『摩訶止観』『小止観』などの著作を残したが、最澄はそれらの著作に出会ったことで開眼し、また鑑真の弟子賢璟《けんよう》から戒を受けている。さらに鑑真の高弟の法進を自分自身に先行する天台の名匠と位置づけているように、最澄の天台宗開宗に大きな影響を与えている。また空海も鑑真に従った弟子で唐招提寺第三代の和上となった如法に大師受戒の時の師になってもらっている。

その一方で、鑑真教団の来日は我が国の仏教界に大きな波紋をもたらした。政府は正式な僧侶となるための受戒を鑑真教団に一任した。そうすると日本の僧侶は全て鑑真による受戒を受けなければならないことになり、それは全ての僧侶が鑑真を師として仰ぐことを意味した。既に我が国の仏教界で確固たる地位を築いていた高僧といえども例外ではなかったから、彼らにとってそれは屈辱的なことであった。しかし鑑真らはグローバルスタンダードな宗教者としての信念から、受戒しない者を正式な僧侶として遇しなかった。そうなれば両者が衝突するのは必然である。鑑真らの主張の方が正論であったが、それに服することを潔しとしない僧侶も少なくなかった。名僧として名高い鑑真であるが、国内では歓迎ムード一色というわけではなかったのである。鑑真は厳格な戒律をもたらしたが、我が国ではそうした厳格な戒律を好まない傾向があり、間もなく戒律軽視や無視が進展する。多くの僧が家を形成し、また妻を持ち子が親の職分や地位を世襲する妻帯世襲仏教となっていく。結局、鑑真の律宗は我が国では根付かなかったと言える。

## 日本医学の開祖

鑑真は名僧として知られるが、その一方で彼が医薬にも精通し、その講義を行っていたことなどはほとんど知られていない。鑑真は名僧であると共に、名医でもあった。特に本草学に精通し、様々な薬種の鑑定に関しては「諸の薬物の真偽を判定した」「一つ一つ鼻をもって区別した」とある。鑑真が持参した香薬の中に蜂蜜や黒砂糖もあったが、おそらくこれも薬用と考えられる。

盲目になったものの薬品の鑑定は確かで、臭いによって判断し僧医の中の第一人者と讃えられた。当時、典薬寮長官の典薬頭の物部韓国広足《もののべからくにのひろたり》も鑑真に本草を学んでいる。典薬頭というのは、我が国の医療や医学教育に関するそのトップである。そのような人物が鑑真から教えを請うている。鑑真は日本の医療機関の最高顧問のような存在であった。

奈良時代には典薬寮という役所があり、国家公務員としての医師たちがいた。それにも関わらず天皇やその母の病が重くなった時には彼らではなく、鑑真のような僧が呼ばれている。聖武天皇が重体に陥った時に、看病僧百二十六名もが朝廷に招かれ、読経が行なわれた。また光明皇太后の病気平癒を祈願するために唐招提寺で諸尊像が作製されている。このことは光明皇太后やその信任を得ていた藤原仲麻呂と鑑真教団の強い結びつきを感じさせると共に、この時代にあっては医師の信頼よりも「僧医」とされる人たちの方に信頼がおかれていたことの証でもある。

聖武天皇の母藤原宮子の病気が悪化した時、鑑真が呼ばれて治療しているが、その治療や薬の効果が大いにあり、これによって大僧正の位が授けられている。また天平勝宝八（七五六）年には聖武上皇の病気の看病禅師の一人として医療に従い、その功によって大僧都に任ぜられ、天平宝字元（七五七）年十一月、備前国に水田百町を賜り、平城京右京五条二坊の地を賜り、ここに寺院を建立した。この寺院が唐招提寺である。

鑑真が来朝した時、多くの薬品がもたらされたが、正倉院に残されている薬物の中にも鑑真が持参したものがある。多様な病状の治療に通じ、通称『鑑真方』という医学書まで著している。また当時「仙人薬」とされていた金石玉丹を用いることは最も難しい治療法であるが、その医術の権威者でもあった。その石薬の一つに五石散という処方がある。それは鍾乳石・白石英・紫石英などを使った薬で、虚弱体質を改善し、身体を壮健にする作用がある。この五石散を服用すると、しばらくして全身がポカポカになる。これを「散発」と言う。この散発がないと薬毒が体にこもってかえって体調を損ねることになるから、散発を促すためにそこら中を歩き回る必要があった。これが「散歩」である。現在の散歩の起源は奈良時代の薬用法にあったのである。

唐招提寺金堂

鑑真持参の薬物の中に「こうし」があり、それは鉱物系の薬物の解毒に使われている。鉱物系の薬物が使用されており、その薬物はヒ素や水銀などで、現在では猛毒とされているものである。また鑑真の秘方の中には脚気に対する年齢別の治療法が載せられている。

鑑真医法の影響を受けた古代の医術書『医心方』には脚気予防法があるが、それは現在の生活習慣病の予防法としても極めて有効と思われる。

①馬に乗らず、歩く。②体をつとめて動かす。③日中に寝てばかりはいけない。いつも歩いて浮種の気を散らす。④心を伸びやかにして、愉快になるよう務める。⑤怒りや憂い、悲しみ、心配事などは脚気にかかりやすくなる。⑥補薬を常用するのは良くない。

最後の補薬は高麗人参のようなものを指すのであろうが、現在ならば栄養剤やサプリメントなどを常用することを戒めているのであろう。

鑑真は天平宝字七（七六三）年五月六日、結跏趺坐《けっかふざ》し、西面して入寂した。渡来後十年間であったが、鑑真は戒律の確立と共に、日本の医学の発展にも大いに寄与したのである。それゆえに「日本医学の開祖」として崇められ、江戸時代の終わりまで薬袋には鑑真の像を印刷するものが多かった。『本朝医談』には、「日本にも名医多しといえど、その像を祀られるのは鑑真と田代三喜《さんき》のみである」と記されている。なお田代三喜は戦国時代の医者で、中国に渡り、李東垣《りとうえん》・朱丹渓《しゅたんけい》に学んで帰国し、李朱医学の開祖で、その後二百年にわたって我が国医学の主流をなしたという人である。

## 薫物の始祖

鑑真だけでなく最澄も村の小学において医方を学んでおり、空海もまた湯薬と呵気（調息法）に詳しく、その他多くの僧が豊富な薬物知識を持っていた。また寺院は医薬書を所蔵していたから、僧は基礎知識として医薬に関する知識を習得する必要があったのである。

現在からみると、僧侶が医療行為を行っていたことは奇異に見えるかもしれないが、しかし、健康は心身共に健やかな状態とすれば、身体だけ、あるいは精神（心）だけを見ていたのでは、その人の全体を見ていないことになる。今日では、外科・内科・泌尿器科・心臓外科・歯科など多くのパーツ毎に専門の医者がおり、その分、隅々までを詳細に検査し、治療ができるようになった。そうしたことによって今まで治らなかった病気まで治るようになり、人々の幸福に大きく寄与してきたことは確かである。

しかし、その結果、病人の身体や心を含め、全体を診療・治療できる医者がいなくなっている。最近、総合医ということを聞くようになってきたが、それは従来の細分化された医療の反省から生まれてきたものであろう。そういう観点からみれば、奈良時代の僧侶の心身双方に及ぶ医療行為は、まさに現在の総合医と重なっているといってよい。

鑑真は医薬の祖だけではなく、我が国での「薫物の始祖」ともされる。鑑真の二度目の渡航の時に、沈香木・麝香・甲香・甘松・竜脳・占糖・安息・桟香・零陵・青木・薫陸などの材料を用意した。鑑真が薫物の調合を初めて行ったかどうか、史料から裏付けることはできないが、その頃の中国の唐では練り香が流行していたから、合香が伝えられたことは間違いない。鑑真の功績は決して仏教だけではないのである。

## ㈤　行基

### 「時の人、号《なづ》けて行基菩薩と曰ふ」

『続日本紀』天平勝宝元年二月条には行基の遷化伝が載せられている。「大僧正行基和尚遷化す。和尚は薬師寺の僧なり。俗姓は高志《こし》氏、和泉国の人なり。和尚は真粋天挺《しんすいてんじょう》にして、徳範夙《とくはんはや》く彰《あらわ》る。初め出家せしとき、瑜伽唯識論《ゆがゆいしきろん》を読みて即ちその意をさとりぬ。既にして都鄙を周遊して衆生を教化す。道俗化を慕ひて追従する者、動《やや》もすれば千を以て数ふ。行くのところ、和尚来るを聞けば、巷に居る人なく、争は来りて礼拝す。器に随ひて誘導し、咸《みな》善に趣かしむ。又親《みずか》ら弟子等を率いて諸の要害の処に橋を造り陂《つつみ》を築く。聞く見ることの及ぶところ、咸来たりて功を加へ、不日にして成る。百姓今に至るまで其の利を蒙れり。豊桜彦天皇（聖武）甚だ敬重す。詔して大僧正の位を授け、并せて四百人の出家を施す。和尚、霊異《れいい》神験類《しんげんたぐい》に触れて多し。時の人、号《なづ》けて行基菩薩と曰ふ。留止するの処には皆道場を建つ。其れ畿内には凡そ四十九処、諸道にも亦往々《ところどころ》に在り。弟子相継ぎて皆遺法を守り、今に至るまで住持せり。薨ずる時年八十」とある。

近鉄奈良駅前の行基像

行基菩薩という名は、「時の人、号して行基菩薩と曰ふ」とあるように、官から与えられたものではなく、民間の人々より呼ばれた名であった。行基の功績を讃えているが、『続日本紀』養老元（七一七）年四月二十三日条には、時の政府は行基らの活動を厳しく非難している。「この頃、百姓、法律にそむき、違ひて、ほしいままにその情に任せ、髪をきり、鬢をそりて、たやすく道服を着る。（中略）まさに今、小僧行基、あわせて弟子ども、街衢に零畳して、みだりに罪福を説き、朋党を合せ構へて、指臂をやき剥ぎ、門をへて仮説して、強ひて余の物を乞ひ、いつわりて聖道と称して百姓を妖惑す」とある。行基の名が初めて見えるのがこの史料である。今でこそ行基は社会事業を通して民間布教に努めた高僧として高く評価されているが、当初からそうであったわけではなかった。それは先の文にあるように明らかに法律に違反する行為を行っていたから、律令政府が行基の活動を指弾するのも当然のことであった。

勝手に僧形になること、僧侶が寺院外で勝手に教化すること、徒党を組んで秩序を乱すこと、勝手に乞食をすること、偽って悟りを開いたなどとすること、これらはいずれも僧尼令に違反する内容であった。もともと我が国の仏教は鎮護国家、つまり国家に災厄が起こることを防ぎ、国家の平安を守るためであり、僧尼は今でいうエリート集団を形成する国家公務員として国の秩序の中で活動するように義務づけられていた。だから国のために尽くすべき僧侶が寺院という公的施設から出て、民衆に教化するというのはそもそも律令政府の想定にはなかったのである。それゆえ政府にとって行基の活動は許しがたいと断じたのである。政府はこの禁止令によって鎮められると思ったのであろうが、次々と想定外のことが起こってきた。

天平二（七三〇）年九月二十九日条には、「また京に近き左側の山の原に多くの人を聚め集へ、妖言して衆を惑す。多き時は万人、少なき時もなほし数千。此の如き徒、深く憲法に違へり。若し更に因循せば、害を為すこと滋く甚だしけむ。今より以後、更に然らしむること勿れ」とあり、行基の集団は増々大きくなり、数千から一万人以上を越す人々が集会するという不穏な状況になった。しかもそれが天皇のお膝元の都の近い場所で、違法行為が堂々と行われることは国家の威信に関わる問題であった。しかし行基を中心とする爆発的に拡大した信仰のエネルギーを国家の側に吸収できれば、それは逆に大きな利益になる。

行基の功績は先の文によって言い尽くされているが、彼は人々から菩薩と呼ばれ、行基そのものが崇拝の対象になっている。ただ行基が菩薩とされたのは、経典の理解に優れていたこと、衆生を教化したこと、所々に橋や堤を築いたことなどを行ったことではなく、「霊異神験類」をしばしば現したことであった。

東大寺の行基堂

## 行基による「霊異神験類」

そのことは九世紀前半には成立した景戒の著した『日本霊異記』も同様で、行基による「霊異神験類」の例を幾つもあげている。中巻第七「智者、変化の聖人を誹り妬みて、現に焔羅《えんら》の闕《みかど》に至り、地獄の苦を受くる縁」という話がある。「三論宗の高僧であった智光は生まれながらに賢く、智恵第一の者で、多くの経論の注釈書を作った。時の聖武天皇は行基を菩薩として重んじ、大僧正とした。智光はねたみ心を起こして、何で私を用いず、行基を誉め用いるのかと言った。ところがそれから間もなく病気になり、死去した。その時に閻羅王の使いが来て、智光を阿鼻地獄に連れていった。身を焼かれては生き返る責め苦にあったが、それは行基菩薩を誹ったためだと言う。そこまで聞いて智光は生き返った。そこで行基のもとに行き、その神通力を見、そして行基が聖人であることを知り、懺悔した」と言う。ここでも智恵第一の者よりも「神通力」という超人的な力こそが菩薩や聖人に値するという話になっている。

また中巻第二十九「行基大徳、天眼を放ち、女人の頭に猪の油を塗れるを視て、呵責する縁」及び第三十「行基大徳、子を携ふる女人の過去の怨を視て、淵に投げ令め、異しき表を示す縁」がある。前者は聴衆の中の女人が髪に猪の油をつけていたのを見破ったことで、「是れ化身の聖なり。隠身の聖なり」（仏が変化して仮に姿を現わした。本身を隠して人間として現れた仏である）と賞賛している。後者は子を抱いた女人に対して、行基がその子を淵に捨てよと言った。しかし女人はそれを不審に思い捨てなかったが、次の日も同じことを言われたのでついに淵に捨てた。するとその子は「口惜しいことだ。これから三年間、責めて取り上げ食おうと思っていたのに」と言った。行基はその女人に向かって、昔あなたが負債を返さなかったため、その貸し主が子になりすまして負債の分を責め食おうとしたのだと真相をあかしたという話である。行基は人の過去のことを見通す特別な力を持っているとされる。

　こうした超人的な神通力を持つことが菩薩の資格であるというのであるが、そうした意識はおそらく作者の景戒だけではなかろう。そもそもこの『日本霊異記』は仏法を大衆に広める目的で書かれたものだから、多くの人に受け入れられやすい話を収録したはずである。世にも不思議な話が仏法の因果応報に基づいて書かれている。この神通力は呪術にも通じており、呪術を受け入れた背景とそれは同じものであった。

　鎌倉時代中期の著作に『十訓抄』がある。この書の中に行基が菅原寺で没する時に弟子たちに述べたという言葉がある。「虎は死して皮を残し、人は死して名を残す」この行基の言う「名を残す」というのは、それは仏の大きな慈悲の精神を体現した行基という人格が多くの人々に影響を与え、その人々の心の中に留まり、利他に徹して生きようとする勇気を与えるものではなかったかと思われる。

## 二　奈良時代後期

### ㈠　大伴家持

**鬱屈した後半生**

　家持は旅人の嫡男として生まれた。名門家に生をうけた家持は、周囲から大切にされ、伸びやかに成長したようで、長じて残した歌の数々から、繊細で感受性が強く、優雅であると評される。彼の最初の歌は天平五（七三三）年で十六歳の時である。

「ふりさけて若月見れば一目見し人の眉引思ほゆるかも」（九九四）三日月の月を見ながら、美人の眉を連想する夢幻的な歌である。

越中国守の時に度々宴を催し、その時の歌が『万葉集』に収録されている。父旅人と同じく酒と歌をこよなく愛した人物である。体型はやせていた。『万葉集』の紀女郎の歌に、「戯奴《わけ》がため　吾が手もすまに春の野に　ぬける茅花ぞ御食て肥えませ（あなたのために手も休めずに抜いた茅花です。さあ、これでも食べて肥えなさい）（一四六〇）やせた家持に食べると肥えると考えられた茅花を贈った歌で、のどかな情景が目に見えるようである。

ところで越中国での酒宴は「天ざかる鄙」にあって田舎暮らしの寂寥感を慰めるために催したする見方が多いが、米沢康氏はそうした説とは異なる見方を示している。その理由として家持は国司四等官の秦《はたの》伊吉美石竹《いきみいわたけ》と密接な親交があり、信頼していた。彼の館で詠んだ歌も『万葉集』に載る。その秦伊吉美石竹は、『続日本紀』天平宝字八（七六四）年十月七日、藤原仲麻呂の乱を鎮圧した論功によって正六位上から外従五位下に昇叙されている。家持はもちろん藤原仲麻呂と対立する立場にあったから、家持と石竹は共に反藤原仲麻呂という立場では一致していた。これ以前の天平感宝元（七四九）年閏五月には、その仲麻呂の政敵 橘諸兄《たちばなのもろえ》の使者田辺福麻呂を越中に迎えている。「大君は常磐にまさむ橘の殿の橘ひた照りにして」（四〇六四）（大君は変わらずにいらっしゃるだろう。橘卿の家の立場の実がひたすら輝いて）「橘は花にも実にも見つれどもいや時じくになほし見が欲し」（四一一二）（橘は花としても実としても見てきたが、ますます折を分かたずに、一層みたいものだ。）と橘氏をほめ称える歌を詠んだ。

また家持が越中守の任期を終えて入京した天平勝宝三（七五一）年八月には、「左大臣橘卿を寿かむために予め作る歌」として、「古に君の三代経て仕へけり我が大王は七代申さね」と詠んでいる。このように家持は左大臣橘諸兄と極めて親近な関係にあった。しかし、その諸兄が失脚したとなれば、冷遇されるのは致し方なかった。実際、家持は天平勝宝元（七四九）年から宝亀元（七七〇）年に至るまでの二十一年間ずっと従五位上のままであった。それはこの頃は藤原仲麻呂が政界に君臨していたことが大きな理由であった。名門氏族としての誇りが傷つけられ鬱屈していたことは間違いない。

## 「希代の陰謀家」か

天平勝宝八（七五六）年に家持が作った「族《やから》に喩《さと》す歌」という長歌がある。これは大伴氏の中心にいた大伴古慈悲《おおとものこじひ》が我が国最初の図書館といわれる芸亭《うんてい》を作った淡海三船《おうみのみふね》の讒言によって捕えられる事件があり、それに対し、家持が一族の者に軽挙妄動を自重するようにと歌ったものである。その後に次のような歌を詠んだ。病に臥して無常を悲しび、修道を欲して作れる歌二首と寿《いのち》を願ひて作れる歌一首である。

「うつせみは数なき身なり山川の清けき見つつ道を尋ねな」（四四六八）（現実は取るにたらないものであるから、山や川の清らかなものを見ながら道を尋ねたいものだ。）

「渡る日の影に競ひて尋ねてな清きその道またも遭はむため」（四四六九）（大空を渡っていく太陽の光と競って仏の世界を尋ねていきたいものだ。清らかなその道よ。）

「泡沫なす仮れる身そとは知れれどもなほし願ひつ千歳の命を」（四四七〇）（自分の命は水の泡のような仮の身であることは知っているけれど、それでも千年の命を私は願うのだ。）

これらの歌は家持の無常観や仏道の世界に入りたいという宗教的遁世観を吐露したものである。こうしたことから家持は「陰にひかれた歌人」と評されるが、それも彼の一側面であろう。しかしその一方で、現実の政治の中では「希代の陰謀家」ともされる。

天平勝宝九（七五七）年一月六日に橘諸兄が没すると、政界の主導権は藤原仲麻呂に移った。その仲麻呂の打倒を目論んだのが、諸兄の子奈良麻呂であった。諸兄と近しい関係にあった家持は当然奈良麻呂側にいたと思われるが、処罰者の中に名前が見えないことから、危うく踏みとどまったと思われる。六月二十八日に密告によって奈良麻呂らは捕えられ、拷問の末死去し、七月四日には全ての断罪は終わった。事件の後に次のような歌を詠んだ。「咲く花は移ろふ時ありあしひきの山菅の根し長くありけり」(四四八四)「咲く花」は藤原仲麻呂のことで、その栄耀は一瞬である。そして「山菅の根」は家持らのことで、山菅は目立たないものの地中の根は深くまで達していると言う。時世への批判であろう。家持四十歳、不惑の年であった。

こうした二面性こそが家持の家持たるところであり、彼を単純に「万葉歌人」という言葉では理解できるものではない。とすれば歌人でない石竹の館で度々行われた酒宴は単なる寂寥感を慰めるものではなく、この時代の政治情勢に対処する方策についても様々に議論されたことが考えられるのである。

## 墓を暴かれ、死体に鞭うたれる

家持が「新しき年の始の初春の今日降る雪のいや吉事《よごと》」と詠んだのは四十二歳の時であり、以後の歌はまったく伝わっていない。時は移り、桓武天皇の時代、延暦元(七八二)年、聖武天皇の孫にあたる氷上川継が謀反の疑いで逮捕・配流される事件が起こった。その時、参議という要職にあった家持も連座して処分されている。おそらく家持は桓武天皇のことを快く思っていなかったのであろう。

彼は延暦四(七八四)年八月二十八日に陸奥国で没する。その時、中納言・陸奥按察使《あぜち》・鎮守将軍であったから通常は「薨」とされるが、『続日本紀』には庶民並の扱いの「死」と記される。それは死亡後の殯の期間に桓武天皇の側近中の側近である藤原種継の暗殺事件が起こり、その犯人として大伴継人・竹良らが捕えられた。捕えられた継人と佐伯高成の二人は家持こそが大伴・佐伯両氏に皇太子早良《さわら》親王の意を奉じて種継を暗殺すべきことを呼びかけた張本人であると証言したのである。そのため家持は没後にも関わらず墓を暴かれ、死体に鞭うたれ、除名、官位剥奪された。除名というのは重罪を犯した官僚の位階・官位を六年間全て剥奪する付加刑である。さらに遺骨さえも埋葬不許可の処分となり、その遺骨は子の永主と共に隠岐島への配流に処せられ、私有田も没収された。彼が勅によって免罪となり、元の三位に復したのは二十年後の延暦二十五（八〇六）年三月十七日、桓武天皇が死去したその日であった。

このように大伴家持の波乱に満ちた後半生が陰謀術数に生きたことを考えれば、単なる歌詠みではなく、現実の政治情勢の中にどっぷりと漬かっていた人物と考えられる。彼は藤原仲麻呂や桓武天皇などと敵対していたが、それは彼らのように革新的で時代を大きく動かしていく人たちに嫌悪感を持っていたからではなかろうか。また大伴氏という名門氏族の地位の安泰を願う保守的人物とも思われる。最後に、家持の歌一首をあげておきたい。

「世間は数なきものか春花の散りの乱《まが》ひに死ぬべき思へば」（三九六三）（世の中というのは取るにたらないものだろうか、そう思う。春の花の散りにまぎれて死ぬべきことを考えると）

この歌は先に見た家持の父旅人が萩の花の散るのを自分の死にたとえたことと大変よく似ている。落花を詠んだ父子の共通した心境を見ると、そこに古代人特有の花の散ることを自分の人生に重ねるという見方が汲み取れる。ただそれだけでなく、彼らの所属する名門大伴氏の凋落の姿とも重なっているようにもみえるのである。

## (二)　称徳天皇・道鏡

### 「王者の嘉瑞」の舎利が出現

孝謙天皇は皇太子時代には吉備真備《きびのまきび》を師として儒教の各学問を学んでいる。真備は養老元（七一七）年の遣唐使として渡唐し、天平七（七三五）年に帰国して、『唐礼』を初め儒教についての体系的な典籍を将来している。真備の薨去伝には、唐で儒教の経典や史書を読み、研究して諸芸を広く修めたとあり、「我が朝の学生にして名を唐国に播《ほどこ》すは、ただ大臣（真備）と朝衡（阿倍仲麻呂）との二人のみ」と讃えられている。彼の薫陶が良かったのか、孝謙天皇の時代の政治は比較的順調に推移している。

しかし再度皇位につき、称徳天皇となり、道鏡との関係が取りざたされるようになってから、重大な政治的波乱が続出するようになる。『続日本紀』天平神護二（七六六）年十月条には、隅寺毘沙門像から仏舎利が出現したことを記す。これについて称徳天皇は二十日条で次のように詔した。「この上ない仏の法は、至誠の心をもって礼拝し、尊び申し上げれば不思議なしるしを現わし、授けられるものである。（中略）太政大臣禅師道鏡が道理にしたがって政治を行ない、導いて下さったことによってこのような尊いしるしを現わされた。朕一人だけで喜ぶことはできず、朕の大師に法王の地位を授けようと仰せになった」この法王は上宮聖徳法王と称された聖徳太子を意識した呼称であり、称徳と道鏡の関係は推古大王と聖徳太子のそれに近似した関係のものとみなされていた。聖徳太子の法王は『最勝王経』の「正法をもって統治する王」、すなわち仏法を興隆させる王としての位置づけと結びついていたと思われる。推古と太子は共同統治を行っていたから、この両者もまたそれを意図していたのではなかろうか。

その翌日の二十一日条では、「天皇は悟りを得ようとして仏道に帰依していたが、不思議なお告げがあり、密閉された箱を見ると、舎利が三粒現われた。これは王者の嘉瑞である。完全な形の舎利がこのように姿を現わすことは、いまだかつて見たことがない。（中略）沙羅双樹の林で釈迦の入滅を弔って以来、はじめて舎利を見る。黒い玉と緑色の文字の予言は共に中国の聖人である禹の時代に出現したというが、その聖人の時代でさえ、二つの祥瑞がどうして同じ年に現われるだろうか」と大変感激している。

この奇瑞によって女帝は道鏡を法王、瑞をもたらした基真は法参議、藤原永手は左大臣、吉備真備は右大臣に昇進させた。しかしこの祥瑞は後になってこの時に法参議となった基真が仕組んだ偽りであったと判明する。『続日本紀』神護景雲二（七六八）年十二月に、「山階寺《やましなでら》の基真は、心が落ち着かず好んでよこしまな道を学び、詐術をつかって彼に仕える童子を呪縛し、人の秘事を説かせたり、さらに毘沙門天像を造って密かに数粒の玉をその前に置き、仏舎利の出現と称したりした」また基真は一度怒れば卿大夫であろうと法律を憚ることなく制裁を加えたので、「道路これを畏れて避くること、虎を逃るる如し」とも記す。この結果、基真は飛騨国に流罪となるが、舎利出現の奇瑞を演出するために基真に毘沙門天像を急造させた道鏡は何ら処罰されていない。ともあれ仏法の盛んだった時代において舎利の三粒は国家の一大事にまで影響を及ぼすものであった。

## 道鏡は毘沙門天、称徳天皇は吉祥天

この時、道鏡は毘沙門天を作らせたが、そのことと直接関係がなさそうに思えるが、この時期に吉祥天悔過《けか》という吉祥天を祭る法会を諸国国分寺で必修させる勅が出されている。毘沙門天と吉祥天は共に「金光明最勝王経」に見え、密教では吉祥天は毘沙門天の妻とされる。密教にも通じていた道鏡は、自らを毘沙門天とし、その配偶関係を意識して、称徳天皇を吉祥天に擬した。おそらく女帝と道鏡の俗界における配偶関係を仏法の世界における配偶関係に転化しようとしたのであろう。こうしたことからみると、道鏡と称徳天皇の関係では、称徳天皇の強力な意思によって政治が展開され、道鏡は従属的立場であったと言われることが多いが、道鏡も仏教知識をフル活用して政治を歪めていたと言えそうである。その道鏡は宿曜道を中心とする呪法に通じており、それは密教と陰陽道の融合したようなものだった。称徳朝に盛んに祥瑞が言いはやされ、仏舎利だけでなく、慶雲が現れたとして神護景雲と改元されたのも、背後に道鏡の画策があったと思われる。

称徳天皇の後継が決まらないことから、それを廻る事件が発生することになる。その一つが不破内親王・氷上志計志麻呂《ひかみしけしまろ》事件である。不破内親王は聖武を父とし称徳とは異母姉妹で、氷上志計志麻呂は、不破内親王と藤原仲麻呂に擁立され江北の地で捕えられ斬殺された塩焼王との間に生まれた子であった。『続日本紀』神護景雲三（七六九）年五月二十五日条には、「不破内親王は、先の朝廷の時代に勅があって内親王の名を削られた。しかるに悪事を積むことをやめず、重ねて不敬を行った。罪は八虐に相当する。そこで不破には厨真人厨女《くりやのまひとくりやめ》の姓名を賜い、京中に居住しないようにせよ。また氷上志計志麻呂は遠流に処し、土佐国に配流する」と見える。彼らは厭魅という方法で謀反を企み、志計志麻呂を天皇に擁立した。この時に連座した県犬養姉女《あがたいぬかいあねめ》（犬部姉女と改名）が天皇の髪を盗み取って、汚らわしい佐保川の髑髏にその髪を入れて、大宮の内に持ち込み、三度にわたって呪詛したという。

## 宇佐八幡神託事件

次に起こったのが、歴史上著名な宇佐八幡神託事件である。同年九月二十五日条には、そのことに関する詳細な詔が載せられている。同条は事件の経過順に述べていないので、ここではそれを整理しながら見ていくことにする。①大宰府の主神である習宜阿曽麻呂《すげのあそまろ》は宇佐八幡の命があり、「道鏡を天皇にすれば、天下太平になるだろう」と言った。道鏡はこれを聞いて深く喜んだ。そこで天皇は和気清麻呂を玉座の近くに招き、姉の法均尼に代わって八幡神の言葉を聞いてきなさいと言った。道鏡は清麻呂の出発に臨んで「大神が使者の派遣を請うのは、私の即位のことを告げるためであろうと」と語り、そこで吉報をもたらせば、官職を十分あげてやろうと持ちかけた。②清麻呂は宇佐八幡宮に行き、大神の託宣を聞いた。大神は「我が国始まって以来、君臣の秩序は定まっている。臣下を君主にすることは未だかつてなかった。皇位には必ず皇統の人を立てよ。無道の人は早く払い除けよ」と託宣した。③清麻呂は帰京して神の命令をそのまま申し上げた。これに対し、道鏡は激しく怒り、清麻呂の官職を免じ、因幡員外介《いんがいすけ》に左遷した。まだ任地に行かないうちに詔があり、大隅国に配流された。姉の法均尼は還俗させられて備後国に配流された。④臣下は清く正しく明るい心をもつて君主を助け守り仕えるものである。しかるに清麻呂と姉の法均尼は、悪くよこしまな偽りの話を作り、朕に言った。問い詰めたところ、やはり大神の言葉ではなかった。その故に国法にしたがって両人を斥ける。（中略）また清麻呂と共に謀った者がいることを知っているけれど、恵みをもって免罪とする。（中略）清麻呂らは汚い臣下として斥けるから、前の姓を取り上げ、別部とし、名も穢麻呂《きたなまろ》とし、法均尼も広虫売に返す。このような経過を辿っている。

この神託事件の後に称徳は次のような詔を述べ五位以上の者に帯を下賜している、「此の賜ふ帯をたまはりて、汝等の心を整え直し、朕が教へ事に違はずして束ね治めむ表となもこの帯を賜はくと詔りたまふ」（この帯で汝らの心を整え直し、私の教えに背かないで、束ね治める印としてこの帯を与えるのです。）その帯は長さ八尺のものであったが、その両端に金字で「恕」の文字が書かれていた。「恕」は自分がして欲しくないことを他人にしてはならないという意味で、孔子が好んだ言葉である。この「恕」に込めた称徳の思いは何であったろうか。

しかしこの頃になると、称徳天皇に関する祟りの記事が見られるようになる。『続日本紀』宝亀元（七七〇）年二月二十三日条には、西大寺東塔の心礎に使用した方一丈、厚さ九尺ある大石にまつわる話が見える。「この大石を始め数千人で曳いたが、一日かかっても数歩しか進むことができなかった。時には石がうなることもあった。そこで人数を増やし、九日間をかけて石を運び、削り刻み、ようやく礎石を築いた。しかしこの時、巫覡之徒が石を動かすと祟りがあると言った。そこで柴を積んでこの礎石を焼き、三十斛余りの酒を注いで粉々に砕いて道に捨てた。ところが一月余りして称徳天皇が病気になったので、卜したところ、石を砕いたための祟りであった。そこで石を拾い集め、浄地に置き、人や馬が踏まないようにした」という。

## 最後まで道鏡に配慮した天皇

『続日本紀』天平宝字八（七六四）年九月十八日条には、道鏡が宮中に侍って称徳天皇から特別に寵愛されていると記している。称徳天皇に関する歌が流行した。「法師等を侮りそ。之が中に要帯薦槌懸れるぞ。弥発つ時々、〈畏〉き卿《きみ》や」というものである。歌の内容を詳細に解説することははばかれるので、想像にお任せするが、要するに女帝である称徳天皇と僧道鏡とが懇ろな関係になっているというのである。また別な歌として「生に木の本を相れば、大徳食し肥《ふく》れてぞ立ち来る（正しく木の本をよくよくみれば、大徳（道鏡）が飽食して太ってやって来ているのだった）」が載せられ、道鏡が天皇と枕を共にし、法皇となって天下の政を一手にしていることの証であるとしている。そして『日本霊異記』下巻第三十八話には、「弓削の氏の僧道鏡法師、皇后と枕を同じうして交通《とつ》ぐ」「法師のことを女の腰にまとう衣をつけているとばかにしてはいけない。腰衣の下には腰帯と薦槌がぶらさがり、その槌がいきりたつときは、いつも恐れ多い行為をされる御方である」とあり、かなり早い頃よりこうした風評のあったことが知れるのである。

神護景雲三（七六九）年、称徳は病の床についた。彼女は自分の死を意識していたかもしれないが、道鏡に対する配慮は忘れてはなかった。道鏡の故郷の河内の由義《ゆげ》に造営された由義宮の水害を防止するために延べ三万人を動員している。しかし八月四日、称徳は静かに息を引き取った。五十三歳の生涯であった。道鏡は「梓宮《しきゅう》に奉《つかえまつ》りて、便《すなわ》ち陵の下に留り盧す」とあるように、道鏡は称徳の墓守になった。『続日本紀』の道鏡卒伝には、「なほ威福己によるを思ひて、密かに僥倖を懐《おも》ふ」とあり、この時点においてもなお専権を保持しようとしたというが、それはいささか悪意に満ちた評言であろう。愛する人の死にあって抜け殻のようになった姿ではなかろうか。道鏡は一人の僧侶として、称徳に殉じ、永遠に供奉しようとしたと思われる。

『続日本紀』宝亀元（七七〇）年八月十七日には、「孝謙天皇の時代は温情ある裁判や刑罰を行い、倹約政治であったが、称徳天皇の時代になると、盛んに土木工事を行い、寺院を造営した。そのために官民は疲れ、国家財政は窮乏化し、裁判も厳しくなり、やたらと人を処刑した」と見える。確かに孝謙・称徳天皇によって抹殺された人は橘奈良麻呂、藤原仲麻呂、淳仁天皇など多くいる。しかし彼女は怨霊を何ら問題としていない。それは自分のみが直系皇統を継承した唯一の存在であると信じていたから、多くの人を処刑しても、それは自らの信じる正義のためであった。それゆえその犠牲者の怨霊に悩まされる理由は何もなかったのである。正史も彼女の苛政を指摘はするが、しかしそうなったのは道鏡が権力を握ったためであり、悪いのは称徳ではなく道鏡であるとする。正史ゆえに称徳を悪者とすることは憚られたのであろう。

　称徳女帝の没後、その後継の地位を巡ってのせめぎ合いがあったようである。『日本紀略』の「百川伝」は次のような内容を伝える。右大臣吉備真備は長親王の子の従二位文室浄三《ふんやのきよみ》を皇太子にする提案をした。しかし藤原百川や左大臣藤原永手・良継らは、浄三には子供が十三人もおり、後に問題が起こるとして反対した。真備はなおも主張したが、浄三が辞退した。そこで弟の参議文室大市《ふんやのおおいち》を推したがこれも辞退した。一方、百川らは偽の宣命を作って白壁王を皇太子に擁立した。この「百川伝」によれば、百川らは称徳の遺言を偽造したことを告白しており、そうすると称徳の本当の遺言には、浄三を皇太子する意向が記されていたのであろう。吉備真備は一貫して称徳のブレーンであったし、また真備の妹の吉備由利は称徳の病床に唯一近侍していたことからみて、真備の推挙した案が称徳の本来の意向であった可能性が高い。光仁・桓武天皇という皇統は偽造の計略によって実現したとも言えるのである。

**【参考文献】**

・富樫進『奈良仏教と古代社会』（東北大学出版会・二〇一二年）

・吉田一彦「古代国家論の展望」『歴史評論』№六九三（校倉書房・二〇〇八年）
・新川登亀男『道教をめぐる攻防』（大修館書店・一九九九年）
・上田正昭『藤原不比等』（朝日新聞社・一九八六年）
・義江明子『県犬養三千代』（吉川弘文館・二〇〇九年）
・大山誠一『長屋王家木簡と奈良朝政治史』（吉川弘文館・一九九三年）
・寺崎保広『長屋王』（吉川弘文館・一九九九年）
・永井路子「異議あり長屋王邸」『文藝春秋』一八八特別号（一九八九年）
・渡部育子『元明天皇・元正天皇』（ミネルヴァ書房・二〇一〇年）
・小笠原好彦『聖武天皇が造った都』（吉川弘文館・二〇一二年）
・山田雄司『跋扈する怨霊』（吉川弘文館・二〇〇七年）
・山本健吉・池田彌三郎『万葉百歌』（中央公論社・一九六三年）
・新川登亀男『古代史に生きた人々』（大修館書店・二〇〇七年）
・舘野和己「市と交易」『列島の古代史四人と物の移動』（岩波書店・二〇〇五年）
・上野誠『万葉びとの生活空間』（塙新書・二〇〇〇年）
・井上辰雄『古代王権と語部』（教育社・一九七九年）
・前川明久『日本古代政治の展開』（法政大学出版会・一九九一年）
・大江篤『日本古代の神と霊』（臨川書店・二〇〇七年）
・伊田喜光「古代日本の薬草と医療」『古代出雲の薬草文化』（出帆新社・二〇〇〇年）
・松尾光『古代の社会と人物』（笠間書院・二〇一二年）
・稲岡耕二『山上憶良』（吉川弘文館・二〇一〇年）
・酒井シズ『病がかたる病状診断』（講談社・二〇〇二年）
・篠田達明『歴代天皇のカルテ』（新潮社・二〇〇六年）
・槇佐知子『日本の古代医術』（文春文庫・一九九九年）

・新村拓『日本医療社会史の研究』（法政大学出版会・（一九八五年）
・中村順昭「鑑真―その来日の意義」（山川出版社・一九九九年）
・井上薫『行基』（吉川弘文館・一九五九年）
・吉田靖雄『行基』（ミネルヴァ書房・二〇一三年）
・吉田靖雄『行基と律令国家』（吉川弘文館・一九八六年）
・齋藤栄喜『陰陽道の神々』（思文閣出版・二〇〇七年）
・宮崎健司「国家仏教と東大寺」『続日本紀の世界』（思文閣出版・一九九九年）
・吉田一彦『古代仏教をよみなおす』（吉川弘文館・二〇〇六年）
・中西進「万葉人の思想」『古代日本人の心と信仰』（学生社・（一九八三年）
・鹿野卓『食の万葉集』（中公新書・一九九八年）
・岸俊男『宮都と木簡』（吉川弘文館・一九七七年）
・米沢康「大伴家持の酒宴」『日本歴史』第二六〇号（吉川弘文館・一九七〇年）
・上田正昭「万葉時代の政争と争乱」『万葉古代学』（大和書房・二〇〇三年）
・森田悌『王朝政治と在地社会』（吉川弘文館・二〇〇五年）
・直木孝次郎訳『続日本紀三』（平凡社・一九九〇年）
・宮田俊彦『吉備真備』（吉川弘文館・一九六一年）
・平野邦雄『和気清麻呂』（吉川弘文館・一九六四年）
・村山修一「古代日本の陰陽道」『陰陽道叢書一古代』（名著出版・一九九一年）
・瀧浪貞子『奈良朝の政変と道鏡』（吉川弘文館・二〇一三年）
・勝浦令子『孝謙・称徳天皇』（ミネルヴァ書房・二〇一四年）

# 第三章　平安時代

## 一　平安時代前期

### (一)　桓武天皇

#### 「桓武」は国土を広げた武王

桓武天皇の「桓武」の諡は中国の古典『詩経』の「桓桓《かんかん》たる武王、厥《そ》の土を保んじ有《たも》つ」という詩に由来する。国土を開き、遠方を征服した皇帝に奉ったものである。したがって「桓武」は国土を広げた武王を意味する。つまり蝦夷との戦いを成功させて領土を拡大したことに由来する名である。そしてもう一つの功績は平安京に遷都し、千年の都の礎を築いたことである。だから京都の人は、親しみを込めてこの恩人のことを「桓武さん」と呼ぶ。また平安神宮の祭神でもあり、京都人にとっては極めて身近な人である。

桓武は天皇となる以前は山部王と名乗っていた。それは桓武の乳母が山部氏の女性だったからである。まだ山部王の時代の天平宝字八（七六四）年に藤原仲麻呂の乱が起こる。この時、孝謙上皇側に立って功績をあげ、従五位下となり、ようやく二十八歳にして貴族の仲間入りをした。

父光仁天皇は皇位をめぐる政争に巻き込まれるのを避けるために、酒をほしいままに飲み、愚か者のように装ってその害を避けていた。母は朝鮮百済の王族の系譜をひく高野新笠《にいがさ》で、天皇家自体が渡来系の氏族と深い関係を持っていた。「百済王氏は朕の外戚なり」と言い、渡来系の血筋である母方の和氏を尊重し、またその一族を抜擢した。天皇は四十五才で即位し、七十才で退位した。『日本後紀』大同八（八〇六）年四月七日条の桓武の崩伝には、「皇位にのぼってからは政務に精励した」とあるように、政務に励んだ。その一方で、その二十五年間の天皇の私生活は大変にぎやかであった。史料からは正式の後宮女性は二十六人、そして子供を三十五人儲けていることが確認できる。平城・嵯峨の母の皇后藤原乙牟漏・酒人内親王、淳和の母夫人藤原旅子・伊予親王の母藤原吉子、それ以外にも多くの有力豪族の娘たちを寝所に侍らせた。先の四人を除いて列挙する。藤原小屎・河子・東子・上子・平子・仲子・正子・橘常子・御井子・田村子・紀若子・乙魚・多治比真宗・豊継・坂上又子・春子・中臣丸豊子・百済王教法・貞香・教仁・川上真奴・百済永嗣の二十六人である。

さらに身辺の世話をする地方豪族から貢上された采女たちにも、いわゆるお手つきの者が多かったという。『寛平御遺戒』には、「帝王（桓武）は、（中略）その采女の袴の体は、今の表袴のごとし。御するに便ならむと欲したまへり」と見える。彼女たちには「表袴《うえのはかま》」という簡便な袴を着けさせていたが、それは気持ちが動いた時に、「御するに便ならむ」からだという。もっともその表袴は、男性用の大口袴のようなもので、清掃などの作業にも便利という目的もあった。

これだけ後宮女性が多いのは桓武自身以外にも理由があった。それは有力氏族が積極的に女性を送り込むいわゆる「肉弾攻勢」を仕掛けてきたからである。中でも藤原氏の攻勢が顕著だった。藤原式家の百川は娘の旅子、良継も娘の乙牟漏、南家の是公は娘の吉子、北家の内麻呂に至っては、既に自分の子（真夏・冬嗣）を産んでいる妻の永継を差し出した。この後、内麻呂は急速にその地位を上げている。このように藤原氏などが天皇の外戚になりたいという思惑もあったのである。

## 後宮の画期的な発展

奈良時代までは男子が少なく、後継者問題で苦労した皇室だったが、桓武以降の数十年間の天皇はいずれも多くの妃・妾を抱え、子だくさんであった。妃・妾の数は、嵯峨二十九人、仁明十三人、文徳十六人、清和二十四人だったという。その嚆矢となったのが桓武である。まさに『源氏物語』に「いずれの御時にか、女御・更衣あまたさぶらひたまひける」という情況が現出したのである。

しかしこれだけ後宮の女性が増えると、その制度を整える必要が生じてくる。そもそも奈良時代の男帝は文武は幼く、聖武は虚弱、光仁は老年で、元明・元正・孝謙・称徳は女性だったから、後宮は不振にならざるをえなかった。後宮職員令によれば、妃二員・夫人三員・嬪四員と規定されていた。しかも妃は皇親から選ばれることとされていたから、その選択の幅は狭く、女性の数もかなり限定された。それは桓武天皇にとって大変不自由なことであった。そこで妃・夫人・嬪の資格はないが、天皇の側に私的に仕える女御・更衣という令の規定にはない女性たちを創出した。女御は桓武の時の紀乙魚・百済王教法が初見で、更衣は嵯峨天皇の時の秋篠康子・山田近子を初見とする。後に紫式部の『源氏物語』に叙述される女御・更衣の起源と後宮の画期的な発展は、桓武・嵯峨天皇親子の大きな功績の一つである。そして両天皇の儲けた多くの子供たちが、後に「平」姓を賜り桓武平氏となって時代を切り開いていくことになるのである。「平」姓は天長二（八二五）年に桓武の皇子葛原《かつはら》親王の子らが賜ったのが最初である。「平」姓の由来については、平安京からの命名と言われる。ただ「平」姓の賜与は桓武・仁明・文徳皇統の曽孫王までで、それ以降は行われなくなっていることから、「平」姓を賜うたのは、平安遷都の興奮の残る約一世紀の間に限られ、一過性のものと考えられている。

桓武は平安遷都だけでなく、様々な改革を断行し、原野を駆けめぐり武術にも優れていたため、剛毅な天皇というイメージが強い。しかし彼は貴族としては中流以下に過ぎない渡来系氏族を母とするその出自には生涯強い劣等感を持っていたようである。そうした血統上のカリスマ性を持たない桓武が拠り所としたのが、儒教の天命思想であった。延暦四（七八五）年と同六（七八七）年に我が国で初めて冬至の日に昊天上帝《こうてんじょうてい》を祀る郊祀を行っている。この祭祀は中国の皇帝が王朝の正当性の根拠である天を祭る重要な儀式で、昊天上帝（天帝）には初代皇帝を併せ祭るのを恒例としていた。その初代皇帝に擬して祭ったのが父の光仁天皇であることからみて、桓武は光仁に始まる自らの皇統を事実上の新王朝とみなそうとしていた。長岡京・平安京への遷都への背景にも新しい皇統の都を造るという意識があったと指摘されている。

平安京大極殿跡

**後半生は怨霊との闘い**

桓武は歴代の天皇の中で、最も鷹狩りを好んだことで知られている。『類聚国史』（第三十二）にはその鷹狩りの回数について、聖武二回、桓武一二八回、平城一回、嵯峨七十一回、淳和十五回、仁明十五回、文徳・清和・陽成は〇回、光孝二回となっており、桓武の鷹狩りの回数は半端ではなく、完全に他の天皇を圧倒している。鷹狩りは天子の独占物として、その遊猟は単なる嗜好に留まらず、新王統の出現と深く関連すると考えられている。

度々の鷹狩りから、桓武はたくましい武人のイメージであるが、その後半生は怨霊との闘いで精神的には苦しんだ。父光仁天皇が即位したのは六十二歳という高齢だったため、次の天皇となる皇太子を誰に選ぶかは重大な問題であった。三十代半ばの山部王（のちの桓武）も有力な候補者の一人だったが、実際に皇太子となったのは皇后井上内親王が生んだ他戸王《おさべおう》であった。

ところが宝亀三（七七二）年三月、皇后井上内親王が突然その地位を追われた。それは皇后に仕えていた女官が皇后の命によって天皇を呪っていたことを自首したからであった。それは当然のように皇后の子の皇太子他戸王にも及び、二人は大和国宇智郡に幽閉され、宝亀六（七七五）年四月二十七日、同じ日に死去した。二人が同時に病死することなどありえないから、おそらく殺害され、闇に葬られたのであろう。

『水鏡』には、「井上の后が亡くなり、現身に龍に成りなされた。他戸親王もその時亡くなられた。宝亀七年九月に夜ごとに瓦・石・土くれが降り、翌日見てみると屋根の上にこれらが降り積もっていた。同八年冬、井戸という井戸が皆干上がり、宇治川の水も絶えるばかりであった。（中略）これは井上・他戸の亡霊のためということで、天皇は諸国の国分寺に金剛般若経を読ませた」とある。このように井上皇后と他戸親王は没後間もない頃より、人々から怨霊となったと考えられていたようである。こうして山部王が他戸王に代わって皇太子となり、天皇として即位する条件が整ったのである。桓武が後に異様なまで怨霊に脅えた原因の一つが、井上皇后親子の非業の死であったことは間違いなかろう。

そして桓武が即位したのは天応元（七八一）年であった。待望の王位についた桓武の権力強化の意思は旺盛であり、皇位継承の可能性のある者を次々と抹殺していった。奈良の大仏を造立した聖武天皇の娘の中でただ一人残っていた不破内親王とその子供の氷上川継《ひかみかわつぐ》を謀反の罪で捕え、流罪に処した。

この事件に連座した首謀者の一人が『万葉集』の編纂者、また万葉歌人として名高い大伴家持であった。家持は歌人のイメージが強烈であるが、実はむしろ不屈の陰謀家といった側面を強く持っている。家持はこの事件から復帰した後、すぐに天皇の側近藤原種継暗殺の中心人物となっている。そしてこの事件に関わりがあるとして捕えられたのが皇太子の早良親王であった。

この親王の死についていては、自らは潔白であると主張し、淡路に護送される途中で飲食を全く断って壮絶な絶食死をしたという説が一般的であったが、自らが断食したとする記事は『日本紀略』にしか見えず、他の史料では朝廷が飲食を停止したとする説が有力となっている。断食刑という前例のない刑罰を与えたところに天皇の強い怒りが感じられる。しかし、三十六歳という若さで絶命した早良親王はこの後、強烈な怨霊となって兄桓武天皇を苦しめることになる。

ついで伊予親王事件が起こる。親王は、桓武天皇と藤原南家出身の吉子《よしこ》との間で生まれ、桓武の第二皇子で有力な皇位継承者だった。親王の家人の密告に端を発し、親王と母の吉子は飲食物を止められ、結局毒を仰いで死去した。『日本後紀』や『類聚国史』などは、この事件は恣意的であるとし、直接の当事者であった平城天皇に対して、猜疑心が強く、度量が狭小で伊予親王・母吉子を殺したと非難している。おそらく無実の罪だったのであろう。以後、彼らも早良親王に次ぐ怨霊となった。

この後、凶作・飢饉・疫病が続き、桓武も病魔に冒されるなど、怨霊に極めて敏感になった。特に天皇は丑年生まれのため、牛の死を恐れた。延暦十年九月には諸国で牛を殺して漢神を祭ることを厳禁しているが、牛が農耕用に重要だっただけでなく、怨霊思想と関係がある。延暦二十三（八〇四）年八月、大変な暴風雨になり、建物が倒れそのために牛が死んだ。その三ヶ月後の十二月に当時貴族の間で流行していた牛の皮をさいて鞍や胡禄などに用いることを厳禁しているのも天皇が丑年生まれの故と思われる。

## 「平安」京は心の平安のため

早良親王が悶死した当時、都は長岡京にあったが、この地を間もなく捨て、平安京に移ることになった。

「平安」京と命名したのは、単なる偶然でも、思いつきでもなく、まぎれもなく桓武天皇自身が怨霊から逃れ、心の平安を得るためであった。延暦九（七九〇）年には、罪人であった早良の「親王」号を回復し、さらには天皇号を贈ることまでしている。桓武は臨終の間際にあっても早良親王への謝罪を忘れず、怨霊に恐れおののいていた。実の弟を葬り去った種継暗殺事件の結末を最後まで気にかけ、刑死者、連座者の怨霊が自分を苦しめると考えたのであろう。刑死者の名誉を回復し、連座者は京に呼び戻した。造都と征夷の大事業をやり遂げ、傑出した帝王と謳われる桓武であるが、死の間際まで深い罪悪感にさいなまれ、敗者の怨霊に脅え続けたのである。桓武の怨霊への恐怖は現代の人間には想像もつかないほどのものだったと思われる。

桓武が怨霊を恐れた結果、世界の歴史でも希な三百五十年もの長い間、公式には死刑の行われない時代が続いた。弘仁元（八一〇）年の藤原薬子の変でその兄の仲成が射殺されたのを最後に、以後、保元元（一一五六）年まで続く。もちろんクーデターなどに与した者には死刑判決は出たが、実際には罪一等を減じて遠流としている。死刑の復活は保元の乱で敗れた崇徳上皇方の武士たちを処刑するためで、七十余名が斬首された。それは貴族の時代から武士の時代への幕開けを象徴する出来事であった。

人は晩年になると正義という道を踏み外すことがある。平清盛や豊臣秀吉などはその典型であろう。しかし桓武天皇はその晩年に至っても国家社会において後世に何を伝え、何を終わらせるべきか、明晰な判断力を持っていた。死を目前にした時に、有名な天下徳政争論を行わせ、自分が行ってきた二大事業である蝦夷征討と平安京造営をやめるという判断をしている。最晩年になって自らの政策の非を認めるということは、なかなか並の政治家にできることではない。桓武はそれをした。最後まで理性を失うことなく、七十歳の天寿を全うした。

『日本紀略』大同元（八〇六）年四月七日条の崩伝には、「天皇は徳が高く、容姿に優れ、はなやかなものを好まず、遠くまで威徳をとどろかせた。皇位に昇ってからは、政務に精励し、内には造営事業を行い、外には蝦夷を征した。この二大事業は当面は大きな負担となったが、後世にはその恩恵にあずかることになった」と記されている。

## (二)　藤原薬子

桓武天皇の子安殿《あて》親王は皇太子時代から風病（躁鬱病かノイローゼー）に悩まされていた。桓武天皇が七十歳で死去した時、既に三十歳を過ぎていた皇太子（後の平城天皇）は悲しみのあまり、泣き叫び、手足をかきむしり、臥し転び、立つことができなかった。参議の坂上田村麻呂と春宮大夫藤原葛麻呂《かどのまろ》にしっかり支えられて退出したと記されるように、感情の起伏の激しい人物であった。平城天皇となってもそれが続き、ついに弟の嵯峨天皇に譲位した。『日本後紀』大同四（八〇九）年四月条には、「朕、躬《みずか》ら元来、風の病に苦みつつ、身体は安からずして、日を経て、月を累ねて、万機《よろづのまつりごと》 缺懈《おこたり》ぬ」とその理由を記している。しかしその後に藤原薬子の変が起こる。

高校日本史の教科書には、「弘仁元（八一〇）年、嵯峨天皇と平城上皇との不和から起こった薬子の変」とあり、その脚注には、「式家の仲成・薬子の兄妹が、平城上皇を再び皇位につけて勢力を張ろうと平城遷都を企てたが、嵯峨天皇側に攻められて仲成は殺され、薬子は自殺し、式家は没落した」と記されている。このようにこの事件の首謀者は仲成・薬子の兄妹で、とりわけ薬子が最も悪者であるとして「藤原薬子の変」という事件の名が付けられた。

ところで薬子の名について、毎年元旦には天皇に屠蘇酒を献じる儀式があるが、それを毒味する童女のことを薬子《くすりこ》と言う。薬子もその役を務めていたことから薬子の名となった。彼女の母方の祖父粟田道麿《あわたのみちまろ》は内薬司の役人で、叔母もその経験者だったから、その影響を受けた薬子も薬物や毒物に詳しかったのであろう。後に毒汁を仰いで自殺するが、それはトリカブトの根（烏頭）の煎汁と言われる。天然ではフグ毒に次ぐ猛毒で、服用すると、口唇がしびれ、目がくらみ、呼吸麻痺をおこして死に至る。

## 娘とともに天皇の寵愛

薬子は桓武天皇の信任厚く、長岡京造営の中心人物で、暗殺された藤原種継の娘である。初め藤原縄主に嫁ぎ、五人の子を儲けたが、長女が安殿親王（のちの平城天皇）の妃となったのを契機に自分も親王の寵愛を受けるようになった。つまり義理の息子と出来てしまったことになる。ただ年の差は薬子が平城より七つ上で、それほど大きくは離れていなかった。

しかし義を重んじた桓武天皇は母子相姦を嫌い薬子は追放されるが、桓武天皇が死去し、平城天皇として即位すると再び召されて天皇の寵愛を一身に集め、権勢をふるうことになった。薬子の夫の縄主は大宰大弐に任じられ九州に追いやられている。この事件の最後に追いつめられた平城上皇は平城宮から伊勢に逃れようとするが、その切羽詰まった折りにも同じ輿に薬子を乗せているのだから、その寵愛ぶりは大変なものであった。こういう経緯からみるとよほど魅力的な女性だったのだろう。時に「日本のクレオパトラ」と呼ばれるのも故のないことではない。

『日本後紀』弘仁元年九月条には、薬子は「平城天皇が譲位した深い慈悲を知らずして、己の権勢をほしいままにし、上皇の言葉でないことを上皇の言葉と言い、毀誉褒貶は自分の思うがままにし、恐れはばかることが全くない。このように様々の悪事はあるが、しかし上皇に親しく仕えているために我慢をしてきたが、そうであるのになお二所朝廷などと言って大乱を起こした。桓武天皇が万代の都とした平安京を捨てて、平城京に遷都を勧めて天下を混乱させ、百姓たちを疲弊させた」と言うように薬子のことをあしざまに断罪し、乱の張本人であることを強調している。また仲成についても妹の悪事をたださず、虚偽によって伊予親王・藤原吉子母子を陥れたと弾劾している。

そのように正史は記すが、多くの疑問があり、腑に落ちない思いがする。それは本当に仲成・薬子らだけで再び平城京に遷都するような国家的事業の遂行が可能だったのだろうか、本当の首謀者は別にいたのではないか、あるいは仲成・薬子は射殺・毒を仰いで自殺し、共に命を落としているが、平城上皇のその後はどうなっているのかという疑問である。ところが最近になってこの事件を「平城太上天皇の変」と称することをみかけるようになった。この名称の変化は表記だけではなく、事件の本質に関わる。つまりこの事件を起こした首謀者・張本人は平城上皇その人ということになる。となれば、なぜ『日本後紀』は、平城上皇ではなく、仲成・薬子を首謀者としたのかが問題となる。歴史物語の『水鏡』には、この事件の見出しに「平城の乱の事」としており、古くから平城上皇本人が主体であるとする見方もあった。

ところで、この事件後の平城上皇は平城宮に戻り、剃髪入道となったが、上皇の罪は問われることはなかった。上皇の子で皇太子の高丘《たかおか》親王は廃太子となり、上皇に呼応して挙兵した者たちは遠流となっている。しかし上皇側に属した者でも上皇に諫言したということで、全く罪に問われなかったり、さらには逆に左馬頭藤原真雄のように昇叙された者までである。そして上皇は天長元（八二四）年に五十一歳で平城宮で没するまで平穏に生涯を送った。

このように平城上皇は被害者的立場にあるとするが、『日本紀略』には、先の伊予親王事件について、仲成・薬子の二人の名前は見えず、平城の猜疑心から出たもので伊予親王らに対する措置について厳しく批判している。このように史書によって歴史的評価が大きく異なっている。また政治的に失脚し、怨みを抱いて死去した者は祟りをなすという御霊信仰は貞観五（八六三）年が初見であるが、この時、神泉苑で行われた御霊会で祭られた霊は、早良親王・伊予親王・藤原吉子・藤原仲成・橘逸勢・文屋宮田麻呂の六名である。彼らは冤罪によって失脚したと国家が認定しているのである。ここに薬子はいないが、仲成は御霊となっている。

## 事件の首謀者は平城上皇か

そもそも平城京への遷都が臣下の者の決定によって遂行されると考えられない。最高決定者の天皇や上皇という人物でなければとうてい不可能なことである。事件の後、平城上皇が剃髪したのは、仲成・薬子らによって踊らされていただけでないことを意味しているのではないか。結局、この事件の首謀者は平城上皇本人と考えるべきであろう。ただそうすれば、上皇により厳しい処分があってしかるべきはずであるが、随分寛大な措置となっている。このことに関して佐々木恵介氏が興味深い指摘をしている。第一は、太上天皇という地位は否定されず、十数年間影のような状態に置き続けることによって太上天皇の性格の変化を貴族たちに印象づける効果を狙ったのではないか。第二に遷都に関する議論が解消され、平安京は「万代宮」となった。このように事件を収束する過程で、嵯峨天皇は事件の責任を薬子一人に押しつけて、悪者扱いした。こうした嵯峨天皇の意思を背景に『日本後紀』の編纂方針が決定され、そのためにこの事件は「薬子の変」とされてきたのである。

このように大勢は「平城太上皇の変」に傾いているが、なお「薬子の変」と呼ぶのが妥当だとする論者もいる。それはこの変にあたって仲成・薬子の動きが突出しており、嵯峨天皇がまず最初に薬子・仲成を非難する詔書を発している。そして事件に連座して配流された者も平城上皇没後、入京が許されたが、薬子と仲成の子息は長く許されなかった。さらに薬子が内侍《ないしのかみ》で天皇の命令である勅命を伝達する権限を悪用して権勢を振るったことが、この事件の大きな要因であった。こうしたことからやはり「薬子の変」の呼称が妥当とするのである。最も信頼のおける国家の正史ですら、いや逆に正史だからこそというべきかも知れないが、様々な政治的思惑によって編纂されているから、こうしたフィルターを外してみる必要がある。そして同じ史料を検討しながら、これほど違う解釈が生じるところが歴史の面白みでもある。

## ㈢　嵯峨天皇

### 唐風文化に心血を注ぐ

嵯峨天皇と言えば、空海・橘逸勢《たちばなのはやなり》などと並び三筆の一人であり、また凌雲集・文華秀麗集・経国集などの勅撰漢詩集を編纂させた文人天皇の代表的人物とされる。その政治は弘仁の治と呼ばれ、天皇によって見いだされた高度の学識や才能を持つ人物が官僚として政治の中枢に集められ、遺憾なくその能力を発揮しえた希有な時代であった。

天皇は唐風文化の精髄をなす文治に心血を注ぎ、その詩文が先の勅撰漢詩集として結実した。「凌雲」は「雲を凌《しの》ぐ」という文人の高邁な精神を示し、「文華秀麗」は、文華が大輪の花となって咲き匂う様を願ったものであろう。そして「経国」は「文章は経国の大業」の理想を示したもので、いずれも文人官僚の時代を謳歌したものである。この時代の元号「弘仁」もまた「弘く仁を施す」という儒教思想を体現している。『日本紀略』大同四年四月条には、「長岡京に生れ、幼くして聡し。好みて書を読む。長ずるに及びて博く経史を覧る。善く文に属し、草隷に妙《たく》みなり。神気岳立《しんきがくりゅう》して人君の量あり。天皇（桓武）尤も鍾愛《しょうあい》されるなり」とあるように、嵯峨天皇は優れた資質にも恵まれ文人天皇となるべくしてなったという人物であった。

弘仁九（八一八）年には、朝廷での儀式作法、男女の衣服、さらに宮城諸門の名称も全て唐風に改めた。日本古来の跪礼、四拝、拍手、揚賀声という儀礼を唐風の立礼、再拝、舞踏、称万歳に改定した。今日、当り前に目にする「万歳」というのも中国風の礼を導入したものだった。また宮城の諸門はそれまで大伴門・建部門など古くから大和王権に奉仕してきた氏族の名が付されていたが、それらの門号が応天門・待賢門のように元の名称と音を似せた中国風の嘉名に改められている。

『古今著聞集』第八能書には、嵯峨天皇と空海の交流について記している。ある時、天皇が空海に自分が所蔵している大切な書を見せ、これこそ唐人の最高の書であると自慢した。空海はそれを手に取り、首を傾けながら見ていたが、やおらこの書は自分が唐の青竜寺に留まっていた折に書いたものであると言った。後にそれが事実であることを知った天皇は空海を、「誠に我にはまされたり」と賛嘆したという。

中国的な文化国家を目指した天皇はその文化の摂取に積極的であり、喫茶の風習にも関心を持っていた。弘仁六（八一五）年四月に、近江国滋賀郡の韓崎に行幸するが、そこで崇福寺の大僧都永忠が茶を煎じて天皇に献じたという。これが我が国における喫茶に関する初めての記事である。

## 美貌で聡明な皇后橘嘉智子

平安京は桓武天皇の造営になるが、嵯峨天皇が「万代宮と定め賜へる」と宣言したことで、この地が千年の都となった。嵯峨天皇の皇后は檀林皇后と称される橘嘉智子で、『文徳天皇実録』嘉祥三（八五〇）年五月条に「皇后は檀林皇后と称される橘嘉智子なり、手は膝を過ぎ、髪は地に委ね、観る者、皆驚く」と記されるほどの美貌と聡明さ、優しい人柄で髪は床に届くほど長かった。法華寺の十一面観音は嘉智子がモデルになったと言われるが、確かに髪は長く、そして手は膝を過ぎるほどに長く、先の表現と一致している。彼女の父は橘奈良麻呂の子、橘清友で、「身長六尺二寸、眉目画の如く、挙止甚だ都なり」と記されるほどの美丈夫であった。宝亀八（七七七）年に清友が高麗国の使節であった都蒙《ともう》に接見した時、都蒙はその姿が魁偉な様子を見て、「此の人、毛骨、常に非ず、子孫大貴」という相を見立てたという。しかし一方で「厄あり」と占ったようにわずか三十二歳にして病没した。橘嘉智子は三歳という幼少時に父を失ったが、その美貌の資質はしっかりと受け継がれていた。彼女は嵯峨天皇の死後、日本で初めての禅寺の檀林寺を建てて菩提を弔ったので、檀林皇后と称せられる。また橘氏の子弟たちを教育するために学館院を創設するなど、橘氏中興の祖でもあった。嵯峨天皇の橘嘉智子に対する寵愛は日に盛んであって睦まじく理想的な夫婦であったようである。

しかし娘との関係は仲睦まじくとはいかなかった。『日本文徳天皇実録』元慶三（八七九）年三月に橘嘉智子の長女で淳和天皇の太后正子《まさこ》内親王の崩伝には、嘉智子は娘の正子から義絶されるほどに怨まれたと記す。それは嵯峨上皇の没した直後に起こった承和の変に関わる。正子の夫淳和天皇が退位し、仁明天皇が即位すると、彼女の生んだ恒貞親王が皇太子となった。嘉智子の下に同族の橘逸勢《たちばなのはやなり》らが謀反を企てているとする報告が入った。彼女はこの密告をどのようにでも処理できたにも関わらず、その処理を藤原良房に預けた。このことが恒貞《つねさだ》親王の失脚につながり、橘氏も多くの人材が失われた。正子は息子の洋々たる前途を奪った母が憎かったため、悲惨な愛憎劇が生じたのである。

なお京都の京福電鉄嵐山線に「帷子《かたびら》ノ辻《つじ》」という駅があるが、これも橘嘉智子に由来するという。彼女は遺言で自分の遺骸を帷子だけに包んで辻に放置し、鳥獣の餌にせよとし、その通りにした場所と言われるが、真偽は定かでない。

### 歴代最多の妻子

嵯峨天皇は書家として優れた才能を示した。宮城の東面の門額は橘逸勢、南面は空海、北面は嵯峨天皇が書いている。三筆のそろい踏みである。一方、天性の遊び好き、派手好みの性質で、また彼は父桓武天皇の遺伝子を継承したのか、大変な精力絶倫であった。皇后の嘉智子一人では満足できなかったのであろう。歴代の天皇の中で最も多くの妻子を持ち、后は二十四人（二十九人説、三十一人説もある）、そして五十人（三十二人説もある）に及ぶ皇子・皇女がいた。それらを全て皇族として扱うことは朝廷の大変な財政的負担となった。天皇自身が詔で次のように述べている。「朕、嗣ぎて天位を践《ふ》むに男女やや多く、いまだこの道を知らず。かえって封邑を重ね、空しく府庫を費やす。よって親王の号を除き、源朝臣と賜姓せん。これ朕、忍んで体余を廃絶し、枝葉を分流させるにあらず。もとより天地はこれ長く、皇家は永遠なり。あまねく内外に告げ、この意を知らしめよ」とあるように、多くの子がいるために財政的負担となっており、支出削減のために源氏賜姓を行うと言う。『日本紀略』弘仁九（八一八）年条には、近年水害や旱魃が起こりその損害が大きかった。そこで公卿たちはしばらく給料を削減して国費の助けにしたいと願い出て、天皇より許可がおりている。官人の給与削減をするのだから、さすがの嵯峨天皇も肩身が狭かったのであろう。「やや多く」と控えめな表現をしている。ともあれ天皇家の長い歴史の中で妻子の数ナンバーワンであるから、大したものである。内裏の中に後宮が造られ、后を初めとする女性が天皇と共に住するようになったのも嵯峨天皇の頃からとされる。それ以前の后たちは天皇とは別な所に持っていた邸宅で、様々な特権を伴い自ら家政を営んでいた。嵯峨天皇は後宮のあり方を根本から変えた人でもある。

　その後、仁明・文徳・清和と続くが、いずれも後宮に多くの女性を抱えた。因みに清和は九歳で即位、十五歳で元服し、二十七歳で譲位するまでに二十六人の女性を愛し、二十人の子を産ませている。このようにしばらくの間、色好みの天皇の時代が続く。

## 後宮の整理で始まった「源」姓

　ただ皇子・皇女の養育費や成人後に授けられる品階に応じた給与等が莫大になったため、皇室財政の削減に努める必要が生じてきた。そこでまず後宮の整理を行うことにした。嵯峨天皇の時代に作られた『弘仁式』で後宮の女性を上から妃・夫人・嬪《ひん》・女御・更衣と規定した。しかし妃・嬪は嵯峨・淳和朝を最後に廃絶する。それに代わって私的な女御・更衣が盛況となった。そのうちの下の階層の更衣の生んだ子の大半の皇子・皇女を臣下に降籍させた。天皇の皇女潔姫《きよひめ》に源姓を与えたのはその一例である。後に人臣で初めての摂政となったのは藤原良房であるが、既に二十歳の頃から嵯峨天皇の目にとまり、その潔姫を妻とさせている。藤原氏と雖も、皇女を妻としたのは初めてのことで、しかもこれ以後、百年近くもそうした事例がないことからも極めて異例であった。

我が国では伝統的に「藤原」などのように二字の姓が多かったが、ここに一字姓という独特の姓が誕生した。嵯峨天皇が八人の子に賜姓した時、「汝らは皇系なり。今訳あって臣籍に下すも、もともとは同じ水源より発するなり。されば後世には大河のように繁栄し、もって天皇家の藩屏たるべし」と言っている。この「源」の名称は『魏書』の「源賀伝」が起源とされる。北魏の河西王の子賀が皇帝の武帝から帝王と源を同じくする者として「源」の姓を与えた故事がある。中国文化に通じていた天皇は、この出来事に因んで源姓を与えたと思われる。これ以前にも聖武天皇の時代に一文字の「橘」姓は誕生していたが、それはまだ橘の木は一年中青々として、またその実は神仙の果物とされていたことに因んでいたが、この「源」は全く抽象的な命名であった。万事中国風という時代的風潮を示すものだった。嵯峨天皇は中国の書聖王羲之の書への造詣が深く、空海、橘逸勢と共に三筆と讃えられたように、中国文化への憧れを強く持っていた。この頃に勅撰漢詩集として『凌雲集』『経国集』『文華秀麗集』が完成したことも中国化の一環であった。そのことが親王たちの名前にも色濃く反映された。正良・秀良・業良・基良・忠良など佳字を用い、いずれの名前にも「良」の文字が共通して見られる。これは中国風の「排行《はいぎょう》」という習慣に倣ったものである。そして源氏姓となった者には、信・弘・寛・明・定など、これまた抽象的でしゃれた命名であった。

このような天皇家における命名の方法はしだいに貴族社会にも浸透していった。十二支に基づく動物の名や自然物に因んだ名前、あるいは「蝦夷」「毛人」のような野蛮な名を付けることで異常な力を願う名、さらには「屎麻呂」のような汚い名前などは姿を消すようになった。この頃は氏族制社会から貴族制社会への移行期にあたり、かつての未開社会の命名法から洗練された中国文化を背景とする貴族社会にふさわしい命名法へと変化するのである。

## 年中行事の充実

日本が文化国家となったのは嵯峨天皇の力によるところが大であった。天皇自身、若い頃より詩文・芸能を愛し、それらの才能も秀でていた。そしてその才能や人柄に魅せられて多くの貴族の子弟が邸宅に出入りするようになり、ここに雅なサロンが形成された。いわゆる「王朝風の雅」はここから始まると言ってよい。今まで停止されていた行事を復活させ、また新しい行事を作っていった。その一つが花宴である。『日本後紀』弘仁三（八一二）年二月十二日条に、京都神泉苑で花を見て文人たちが詩を作った。花の宴、つまり現在の花見の始まりであると記されている。他の年中行事もそれまでは宴が中心であったのを、それぞれに特徴を持たせ充実させていった。そして天皇は「内裏式」という大きな儀式書を完成させた。

嵯峨天皇は淳和天皇に譲位して太上天皇となり、住居を内裏から冷泉院に移すが、これ以後、譲位すると院を御所とすることが慣例となり、太上天皇自身も「〇〇院」と称せられるようになる。十一世紀から始まる政治を「院政」と称するのもこの慣行に由来する。したがって院政の源も嵯峨天皇にあると言えるのである。

嵯峨天皇は古代の人とは思えないくらいの合理主義者であった。そのことをよく示すのが、彼の遺言である。嵯峨は天皇家の家長として長く君臨したが、五十七歳で死去する。その時に自らの心境を虚心坦懐に記した長い遺言を残した。『続日本後紀』承和九（八四二）年七月十五日条に見えるが、その一部を紹介する。

「死して何ぞ用いて国家の費を重ねん。然れば則ち葬はかくすなり。人の見えざらんことを欲すなり。

財を豊かにし､葬を厚くするは､古賢の諱むところ。ここを以て朝死夕葬し､夕死朝葬せんことを欲す」「棺を作るに厚からず、これを覆うにむしろを以てし、むすぶに黒葛を以てし、床上に置け。衣衾飯唅は平城の物一にこれを絶て」「卜筮を信じること無かれ」「俗事に拘わること無かれ。長く祭祀を絶て。但し子の中の長ずる者は、私に守家を置き、三年の後これを停めよ。一切国忌を配すべからず」「後世の論者もし此に従わざれば、これ屍を地下にはずかしめ、死していたみ重し。魂にして霊あり。則ち冥途にうらみ悲しみ、長く怨鬼となる。よろしく我が情に違うべからざるのみ。みなこの制を以て類を以て事に従え」とある。

## 儒教的合理主義者

この遺言には生への執着や後世の極楽往生への願望などは微塵もない。仏教的観念も感じられず、無神論に近い合理主義者と言える。この時代における唐風化は官人の意識の上にも大きな変革をもたらし、社会に広く存在していた呪術的な意識を希薄化させ、各種の呪術的な風習を消滅させる効果を生んだ。嵯峨は儒教的な理念を背景に、無意味な厚葬をやめ薄葬を命じ、葬送や副葬品の簡略化や葬地などについて、細かく具体的に指示をした。そして世俗の慣習や占いなどを信じてはならないと言う。さらにこの遺言を守らなければ、自分が「長く怨鬼となる」とまで言い、その遵守を迫った。そこに儒教的合理主義者として生きた自身の信念とその実行を迫る強い意志を感じ取ることができる。

この結果、葬儀の簡略化については遺言通りに実行されたが、「俗事に拘わるな」「占いを信じるな」ということについては反故にされた。これだけ強く命じた遺言だから、当然それに従うべきだとする意見もあったが、それ以上にたとえ上皇の命令といえどもこの二つのことについては従えないとする意見が強かった。その主張の中心にいたのが当時の大納言の藤原良房であった。嵯峨の急進的な唐風化は官人層の間でもかなりの反発があり、その反動が嵯峨上皇の死と共に噴出し、良房はそれを背景に古い呪術的意識の復権を計ろうとしたのである。その結果、「卜筮は信じざるをえず、上皇の命でも改めることができる」と決議された。このことは疫病の流行や災害や様々な怪異現象は祟りによるもので、その祟りの正体を明らかにするのが卜占ということになった。それは卜占が国家にとって不可欠な公的機能を持っていることを宣言し、あれほど強く「卜筮を信じること無かれ」と言った嵯峨天皇の合理主義が否定されたことを意味した。超自然的な霊威への依存は良房政権のもとでいよいよ強まり、密教の加持祈祷が盛行することになった。そして仁明朝以後、文徳天皇、そしてわずか八か月で立太子した後の清和天皇と続くが、この清和の誕生時から、空海の弟で弟子の真雅が護持僧として日夜近侍して離れなかった。これが護持僧の初見である。この良房とその養子基経のもとで陰陽道の卜占も一層重視されるようになり、次第に貴族層から一般社会に及んだ。人々は卜占による吉凶判断を基準に行動するようになった。

またこの頃から唐風文化の継承と国粋主義的な雰囲気の両面がみえるようになる。仁明《にんみょう》天皇の時代には、唐から伝来した薫物の調合が盛んになり、仁明天皇その人が合香の名手であり、そのことは『源氏物語』梅枝巻に「承和の御いましめ」として名をとどめている。もとより承和は仁明天皇の時代の元号である。さらに皇子である八条宮本康《もとやす》親王や左大臣藤原冬嗣《ふゆつぐ》らもまたその道の達人だったように依然として唐風文化への強い憧れがあったことも確かである。天皇の四十の賀の時に献上された長歌には、日本は「帝の世は万代」で「御世御世にあいかさねて（中略）現人神と成り給ふ」ある。それは『古今和歌集』に載る「君が代」の原型となる和歌が生まれた時代である。その長歌は万世一系思想の初見とされている。このように嵯峨朝から仁明朝への移行は、単に代替わりというだけでなく、文化・思想上の大きな転換点と位置づけることができる。

## ㈣　小野　篁《たかむら》

### 小野一族の才能を凝縮

小野篁は平安前期の公卿で最高位が参議であったことから「野宰相」と呼ばれる。元々小野氏というのは遣隋使小野妹子以来、外交で活躍した氏族であるが、後には藤原純友の追捕使となった小野好古《よしふる》などのように軍事的な方面でも活躍している。さらには篁の後には、彼の孫娘で我が国三大美女の一人で和歌に秀でた小野小町、甥で書道の三蹟と称せられた小野道風など、文武の両方に多彩な人物を輩出している。そして父岑守《みねもり》も漢学の才能に秀でた人物で、そのような一族の全ての才能を凝縮したような人物こそ、小野篁であった。

彼は弘仁十三（八二二）年文章生の試験に二十一歳の時に合格し、実務官僚として嵯峨・仁明朝の時代を生きた人である。少年時代は父岑守が陸奥守となって赴任したため、彼も父に随った。ここではまだ蝦夷との戦闘も行われており、「弓馬の士」となることは自然のことだった。陸奥から帰京した後も乗馬にあけくれ学問を省みなかったため、嵯峨天皇が慨嘆したという。『文徳天皇実録』仁寿二（八五二）年十二月条には、「岑守、弘仁の初め、陸奥守と為る。篁、父に随ひて、客遊す。拠鞍を便とす。後に京師に帰りても、学業を事とせず。嵯峨天皇之を聞かれ、嘆じて曰く、其の人の子として何ぞ還りて、弓馬の士と為んや」と記す。父岑守は勅撰漢詩集『凌雲集』の編者であった。その序文を自ら草しているが、その一節に、「臣岑守言。魏文帝有曰。文章者経国之大業、不朽之盛事」とあり、魏の文帝の「文章は経国の大業」の精神を信奉することを高らかにうたっている。『凌雲集』に十二首、『文華秀麗集』『経国集』にそれぞれ八首の漢詩を収めるように、当代きっての漢詩人であり、文人官僚の代表的人物であった。また大同元（八〇六）年には、南渕永河・朝野鹿取・菅原清人と共に皇太弟（嵯峨天皇）の侍読となり、さ

六道珍皇寺

らに弘仁十二（八二一）年に完成した「内裏式」の編纂に右大臣藤原冬嗣、中納言良岑安世らと共に参画し、朝廷の儀式次第の整備にもあたった。陸奥・出羽・近江などの国守を歴任した能吏でもあり、彼の誠実な人柄と豊かな詩藻を天皇は高く評価していたのである。篁はこの嵯峨天皇が嘆かれたのを聞き、以後、学問に精励したという。こうした武人的性格もあったが、彼の真骨頂は文人としてである。

彼は今も京都において伝説として生き続けている。空也上人像のあることで知られる六波羅蜜寺の北の六道の辻を東に折れると六道珍皇寺《ろくどうちんのうじ》の前へ出る。篁は夜な夜なこの境内の井戸からあの世に行ったので、この井戸を「死の六道」と言う。この寺の前の松原通りは通称「六道の辻」と呼ばれ、かつて東山にあった鳥辺野という墓地に通ずる道だった。そして大覚寺と清涼寺の中間あたりは嵯峨六道町と呼ばれ、福生寺という寺があり、篁はこの井戸からこの世に戻っていたので、「生の六道」という。六道の辻も六道町もかつては葬送の地であった。

## 漢詩の才は「天下無双」

嵯峨天皇と篁との人間関係を示す話がある。ある時、皇居に「無悪善」という札が立てられた。しかし、何と読むのか、あるいは何を意味するのかがわからなかった。そこで嵯峨天皇は、どんな文字でも読めるという篁を召し出して読み方を尋ねた。彼は渋々「さがなくてよからん」と読んだ。「悪」は「さが」とも読むので、「さが（嵯峨）なくてよい」、つまり「嵯峨天皇はいなくてもよい」ということなので、天皇は怒り、この札の疑いを篁に向けた。そこで天皇は何でも読めるのならばこれも読めるだろうと問題を出した。「一伏三仰不来待、書暗降雨慕漏寝」であったが、篁は直ちに「月夜には　来ぬ人待たる　かきくもり　雨も降らなむ　恋ひつつも寝む」と読んだ。「一伏三仰」は樗浦《ちょぼ》という博奕からきた言葉で、四枚の木札を投げ、その出た目が一伏三仰、つまり上向き札三枚と、下向き札一枚の目を「つき」と呼んだことに由来する。『万葉集』一八七四には「一伏三仰」で「月夜」と読んでいる。これがすらすらと読めることは、博奕にも通じており、また『万葉集』も熟読していたことを示している。さらに『宇治拾遺物語』「小野篁広才事」には「子子子子子子子子子子子子」を何と読むのかという問題が出された。篁はすぐに「猫の子子猫獅子の子子獅子」と読んだ。その結果、天皇は篁の頓知や機転の早さに驚き、怒りを収め何のお咎めもなかったという。

『日本文徳天皇実録』には彼の卒伝が載せられている。そこには「文章綺麗にして興味優遠なり。文を知るの輩、吟誦せざることなからむ。凡そ当時の文章にして天下無双なり」とある。『日本三代実録』元慶四（八八〇）年八月三十日条には、「小野篁は詩歌の宗匠たり」と記すように、漢詩の才は「天下無双」という評判であった。

和歌については、『古今和歌集』真名序に「風流は野宰相の如く、軽情は在納言の如しと雖も、皆他才を以て聞こゆも斯の道を以て顕れず」とあって篁は風流の第一人者とされている。書道にも優れており、『日本三代実録』貞観八(八六六)年九月二十二日条に次のように見える。「承和の初、隷書を善しとするを以て、詔を文堂に侍す。参議小野朝臣篁に就きて、用筆の法を受く。篁嘆きて曰く、「紀三郎、真の聖と謂ふべきなり」と」ある。篁の書は中国の王羲之・王献之父子に匹敵し、書を学ぶ者は皆それを手本にしたという。またここに見える紀三郎は紀夏井のことであるが、彼は菅原道真とも親交のあった文人官僚で、六尺三寸の長身で眉目秀麗で隷書はもちろんのこと、医薬や雑芸にも通じ、文徳天皇の信頼が厚かった。讃岐守の時は、百姓が彼の任期の延長を請うほどの善政を行った清廉な能吏であったが、応天門の変に弟豊城《とよなり》が関与していたため、縁坐して土佐国に配流された。このように紀夏井も天性の才人であったが、その彼も篁から書を学び、篁から「真書之聖」と賞せられた。

さらに篁は『令義解』の編纂にも関与していた。『令義解』は養老令の注釈書であるが、その法の解釈が様々に行われていたのを統一するために編纂されたものである。今で言えば最高裁判所の判事のように法律を確定する作業を行っていたのである。

## 直情径行型で強い正義感

このように篁は天才的な能力を示したが、その一方で、直情径行型の性格のためか人間関係では幾つものトラブルを引き起こしている。その例を二つあげよう。

彼は事実上最後の遣唐使となる承和の遣唐使の副使に選ばれている。この遣唐使は二度にわたって暴風雨のため渡航に失敗し、三度目もまた暴風雨に遭うという苦難を乗り越えてやっと入唐を果たした。第一回目の時、四艘のうちの第三船はバラバラになり、乗り込んでいた大半の人間が溺死した。そこで翌年は残りの三船で出発したが、またもや暴風雨に遭い、その三艘の船も大きなダメージを受け、次の航海に耐えることができるか危ぶまれる状態であった。そこで篁の上司の大使藤原常嗣は占いを行わせたが、すると自分が乗るべき第一船は危険と出た。大使は篁に船体に穴があいて浸水する状態の第一船に乗り込むように、そして自分は篁の乗っていた第二船を第一船として乗り込むことにした。危険とわかっている船を部下に押しつける上司に篁は切れてしまった。彼は憤慨して、「朝議定らず、其の事再三なり。亦初め舶の次第を定むるの日、最者（もっともよい船）を択び取り第一船となす。分配の後、再び漂廻を経て、今一朝にして改易し、危器を配当す。己の福利を以て他の害損に代ふ。この人情を論れば、是逆施(理に逆らっておこなうこと）と為す。既に面目無し。何ぞ以て下を率いんや。篁、家貧しく親老たり。身また尩瘵《わうさい》（弱いこと）なり。是に篁、水を汲みて薪を採り当に匹夫の孝を致さんのみ」と述べ、断固乗船を拒否した。そして漢詩「西道謡」を作って風刺した。その詩は「興に率ひて多く忌諱《きひ》を犯す」と記されている。「万里東に来る、何の再日ぞ。一生西に望む、長き襟《ものおもひ》ならむ」と詠じた漢詩は仁明天皇に感動を与えたという。『江談抄』（第四・十八）には、唐の白楽天は、詩を良くする篁が遣唐使としてやってくるので、「望海楼」の詩を作って逢う日を待ちわびていたが、遣唐大使との諍いから渡唐しなくなったと聞いて大変落胆したという話が見える。

しかし遣唐使というのは一度任命されれば、必ずその目的を果たさなければならず、それを拒否することは重大な命令違反である。篁に対する嵯峨上皇の怒りも激しく、本来は絞首刑にすべきであるが、罪一等を減じて隠岐国に配流されている。『今昔物語集』巻二十四第四十五話「小野篁、被流隠岐国時和歌語《おきのくにになかさるるときわかをよむこと》」には、篁が隠岐国に流される時、京の知人のもとに和歌を送った。

「和田の原　八十島かけて　漕ぎ出ぬと　人には告げよ　海士の釣船」

この歌は小倉百人一首に採録されているように、篁の代表的な和歌の一つである。『古今和歌集』に六首、『新古今和歌集』に三首、『玉葉集』に二首、『新千載集』に一首あり、和歌にも大変優れていた。大使常嗣の死去後に嵯峨上皇の特別の計らいによって許されているが、大使と副使の確執が深かったことが想像される。以後、篁は刑部大輔・陸奥守を経て、参議にまでなっている。

『今昔物語集』巻二十第四十五話「小野篁情によりて西三条大臣を助くる語」には、小野篁が閻魔宮の裁判官であったという話が載せられている。大臣の藤原良相《よしみ》が重病に陥り、数日後に死亡した。良相は閻魔王の使者に捉えられ閻魔王宮に連れていかれた。そこで自分の罪が決まるが、その決定を下す閻魔大王配下の裁判官たちが居並んでいた。その中に、小野篁を見つけた。大臣はこれを見て、「こんなところに篁がいるというのはどういうことなのだろうか」と怪しんでいた。すると笏を持った篁が閻魔大王に、「この日本の大臣は心が真っ直ぐで人にも親切な人物です。どうか自分に免じて許して貰えないだろうか」ととりなしてくれた。閻魔大王は「そのことは大変難しいが、あなたのたっての願いなので許そう」と言い、そこで篁が捕縛している者に「すみやかに連れて帰りなさい」と言った。これで元の世界に帰ることができると思った時、生き返った。その後、病気も治り、数ヶ月を経たが、あの冥途のことを不思議に思っていたが、人に話をすることはなかった。また篁にもその話をしなかった。

小野篁が地獄に行き来した井戸

ある時のこと、大臣が参内して座に座ると、篁も座っていた。他に人もいなかったので、この間の冥途の話を問うてみようと、大臣は篁にすり寄って、「あの冥途のことは忘れられませんが、一体どういうことだったのでしょう」と言った。すると篁は少し微笑んで「先年に受けたご親切を嬉しく思ったので、そのお礼に口添えをしたのです。ただこのことは慎んで他言されませんように」と答えた。大臣はこれを聞いて、「篁はただの人ではない。閻魔大王の臣下だった」ということを知った。大臣はそれ以後、「人には情けをかけておくものだ」と会う人に教えたという。しかしこのことは人の知ることとなり、「篁は閻魔大王の臣下としてこの世とあの世を行き来している者だ」と評判になり、人々は篁を畏怖したという。

この話は小野篁が大臣の藤原良相を冥途から救出したものであるが、実は篁はその良相に恩義を感じていたからであった。それは先の遣唐使を拒否した時のことである。遣唐使になれば必ず行かなくてはならず、それを拒否することは死罪に相当した。したがって篁は当然死罪となるはずであったが、その時に篁のために助け船を出したのが大臣の良相であった。そのお陰で隠岐への配流で済んだ。そして二年後には許されて帰京する。こうした恩を感じていたからこそ閻魔にとりなしたのである。

この他、『源氏物語』の作者の紫式部が官能小説を書いたということで閻魔大王の御前に引き出されたが、篁がそれを救ったという話もある。いずれも閻魔大王の臣下であったことが、重要な部分であるが、どうして篁にそのようなイメージが作られたのだろうか。おそらく彼がこの世のものとは思われない人間離れした能力を持っていたがゆえに作られた話であろう。

今ひとつは法隆寺僧善愷《ぜんがい》の訴訟事件である。それは善愷が檀越の登美真人直名の不正を左大弁従四位上正躬王《まさみおう》をトップとする弁官に訴え、その結果、登美真人直名に不正があるため、遠流にすると決定したものであった。このことをおかしいと主張したのが後に応天門の変を起こすことになる伴善男《とものよしお》であった。彼は大納言を極官とするが、この時はまだ右少弁官だったから、同じ弁官の上司に対して異論を突きつけたことになる。僧尼に関しては僧尼令の規定によって僧綱・玄蕃寮・治部省を経て訴えるにも関わらず、直接弁官が受理したのは違法だと主張したのだから善男の主張は正しかった。しかし上司としてはそれを認めれば自分たちのメンツは丸つぶれになるので、先に決定したことで押し切ろうとした。この時に立場の弱い善男を支持したのが小野篁であった。そこで両者の間の法解釈を求められたのが法学者の讃岐永直であったが、彼は善男や篁の言う方が正しいとは思っても、だからといってその上司が間違っているとは言えないと思ったのであろう。『日本三代実録』貞観四（八六二）年八月十七日条には「権勢を畏れ憚りて、あへて正言せず」と記されている。

篁は清貧に甘んじ、母に孝養を尽くし、また給与を惜しみなく友人に与えるような優しい面もあったが、不正に対しては、たとえ相手が上司であろうが、直言するという強い正義感を持っていた。おそらく篁が閻魔大王の臣下であったという話は、彼が法律や刑罰に精通しており、かつて裁判官的な立場にあったこと、直言の人という評判から創作された話であろう。仁寿二（八五二）年十二月二十二日、五十一歳で薨じた。

## ㈤　菅原道真

### 「東風吹かばにほひおこせよ梅の花」

日本人は悲劇的な最後を遂げた人や、不遇の死を迎えた英雄を好む傾向がある。菅原道真もまたそうした一人であるため人気が高い。道真と言えば学者出身の家柄としては右大臣という希にみる顕官についたが、藤原氏の讒言により、大宰府に左遷され、そこで死亡し後にすさまじい怨霊となり、それを慰撫するために神として祭られ、それが天満宮の起源となったことで知られる。その大宰府で、「東風《こち》吹かばにほひおこせよ梅の花主なしとて春を忘るな」と詠んだ歌はよく知られている。道真の愛したその都の梅の片枝が道真を慕って一夜にして飛んできて筑紫の地に降り立ち、天満宮の神木となったという「飛梅」の話もできた。

ところで菅原道真の菅原氏の先祖をずっと遡れば、相撲の元祖として知られる野見宿禰《のみのすくね》に行き着く。野見宿禰が殉死者の代わりに埴輪を提案したように、その子孫の土師《はじ》氏は長く墳墓の造営などに当たっていた。しかし仏教の影響を受けて火葬が一般的になると、その活躍の場が縮小し、しかも人の死に関わることは凶事として嫌う風潮も強くなってきたことから、この家業からの決別を図った。曾祖父古人の時に土師氏から居住地に因む菅原氏への改姓を行った。以後、学者の家系へと転身することになった。

道真の祖父菅原清公は遣唐使として中国に渡り、帰国後は文章博士、式部大輔を歴任して従三位に叙せられ、高級貴族とされる公卿に列した。父是善《これよし》も文章博士、参議となり、やはり式部大輔に任ぜられている。菅原氏が学問の家として確立したのは、道真の祖父清公の時である。そして父是善が都良香《みやこのよしか》と共に『日本文徳天皇実録』の編纂にあたり、温厚篤実な人柄で、極官は従四位下文章博士播磨権守であった。『扶桑略記』元慶四（八八〇）年八月三十日条に薨伝がある。「天性事少なく、世襲忘れたるが如し。常に風月を賞で、吟詩を楽しむ。最も仏道を崇び、人物を仁愛す。孝行天至、殺生を好まず」と随分と評判の良い人物であった。道真もまた文章博士で式部少輔を兼ねた。文章博士は大学寮で詩文や歴史を教える教官である。彼は「余が祖父より降りて、余が身に及ぶまで、三代相承けて、両つの官失へりことなし」と記しているように、菅家の文章博士・式部少・大輔となる三代の伝統について、抜きがたいほどの自負を持っていた。

## 駆け上がった出世街道

こうした恵まれた学問環境の中で育ち、幼い頃からその優れた才能を開花させていった。十一歳で詩文を賦する早熟ぶりで、十五歳では多くの願文や上表書を代作した。道真が十五歳で元服した時、名門大伴氏の出身である母は次のような歌を詠んだ。「ひさかたの月の桂も折るばかり家の風をも吹かせてしがな」（拾遺和歌集）「桂を折る」ことを「折桂《せっけい》」と言って中国では科挙に合格することで、将来方略試に合格して菅原家の家風を宣揚して欲しいという母の願いが読み込まれている。母の期待に応え「風月花鳥ありと雖も、蓋し詩を言う日ぞすくなかりける」とひたすら学問に専念する日々であった。十八歳で文章生となる。文章生は官吏の卵であるが、とはいえそれに選ばれるのは四百名ほどの大学生からわずか二十名程度だから相当な難関で二十代半ばくらいが普通であり、十八歳というのは最年少タイ記録の早さであった。この頃、彼は「友との交際、談笑を絶つ」と寸暇を惜しんで勉学にいそしみ、その結果、二十三歳で文章得業生（文章生の成績優秀者）となる。文章得業生になると七年以内に文章博士の推挙によって方略試という

学問の神様北野天満宮

論文試験を受けなければならなかった。この方略試は、方略策・策試とも呼ばれ、これに応ずることを「対策」「献策」などと称した。そして二十六歳の時、二百三十年間にわずか六十五人しか合格しなかったという超難関の官吏任用試験であるその方略試に合格する。出題をした博士は都良香で、「氏族を明らかにす」「地震を弁ず」という二問であった。良香は第一問に対する答案には、歴史の考証に遺漏があると厳しく指摘し、第二問には仏典その他の引用に難があるとし、結論として「令状に准ずるに文理ほぼ通ず。よって中上に置く」とされた。相当に厳しい評価であるが、それは通例のことで、中上の合格は父是善と同じであった。合格すると、ゆくゆくは定員二人の文章博士となるのである。この経歴からみても天才といえる人物であろう。その後、出世街道を猛スピードで駆け上がっていった。寛平五（八九三）年二月に道真は四十九歳で参議に列した。この昇進には同時に中納言となった藤原時平の推薦があったようである。『菅家文草』巻五・三六八には新中納言の時平が道真が参議となったことに対するお祝いとして鄭州の玉帯を贈った詩が見える。だからこの頃までは、時平は道真を敵視していたのではなく、有能な学者として高く評価していたと思われる。

## 宇多天皇の絶大の信頼

この当時、才能や能力だけが評価される時代ではなく、氏族や家柄もまた大変重要視された。道真の場合、学者の系譜としては申し分はないが、とはいえ大臣に就任できる家柄ではなかった。右大臣にまでなったのは、宇多天皇の道真に対する絶大な信頼があったからである。そこに大きな陥穽が待ち受けていた。天皇は、その日記『三代御記』からも窺えるように、自分の本心を述べその感情に素直であろうとした。歴代の天皇は私心を表明しないことで、貴族間の融和を図ってきた。自分の好悪をはっきりすることは当然臣下の間に波風が立つことになる。しかし宇多天皇はそういうことに頓着しなかった。それは宇多が天皇にはなったものの、貴族層全体の十分な合意を得ていないことが背景にあった。一旦は父光孝によって源朝臣の姓を与えられて臣籍にあったのであり、そうした経歴を持つ天皇は宇多のみだった。だから太上天皇の陽成から「当代は家人にあらずや」と蔑まれており、そのことはプライドの高い宇多の感情を逆なでしたと思われる。後述する阿衡《あこう》の紛議も、宇多と対立したのは藤原基経だけでなく、多くの貴族たちが基経の側を支持していたために、結局は宇多が屈服をしなければならなかったのである。

宇多が子の醍醐に与えた「寛平御遺誡」には、政治の心構えが書かれている。「菅原朝臣はこれ鴻儒《こうじゅ》なり。また深く政事を知れり。（中略）朕、前の年東宮を立てしの日、ただ道真朝臣一人とこの事を論じ定めき。（中略）道真朝臣は朕の忠臣のみにあらず、新君の功臣ならんや。人の功は忘るべからず。新君これを慎め」とある。醍醐を皇太子とする際に、道真一人に相談し、譲位の際にも道真に諮り、次の醍醐が天皇に即位するのに際し、醍醐にも道真を重用するように助言している。しかし宇多の極端な道真の重用は、他の貴族の目からはあからさまな「ひいき」と映り甚だ面白くなかった。彼らは藤原時平と道真に政治は任せればよいと言って、出仕を拒否することになった。道真は困ったが宇多法皇の取りなしで何とか納まっている。こうして道真が他の貴族たちからも浮いた存在になっていたことから陰謀につけ込まれたとも言える。

## 一大派閥の「菅家廊下」

昌泰四（九〇一）年正月二十五日、左大臣時平は道真が醍醐天皇を廃し、道真の女婿である斉世《ときよ》親王を皇位にたてようとする陰謀をたくらんでいると奏上した。少年天皇醍醐はそれを信じ、大宰権帥への左遷を決定した。その時に道真が宇多法皇に書き届けたのが次の歌である。

「流れゆく我はみくずとなりはてぬ　君しがらみとなりてとどめよ」

しかし宇多法皇が内裏に赴いたものの、宮門は固く閉ざされ大宰府への左遷を止めることは出来なかった。参内を阻止したのは左大弁の紀長谷雄《きのはせお》とも、蔵人頭の藤原菅根《すがね》とも言われるが、ともに道真とは近しい関係にあった人物であるが、その彼らが反道真の行動をとっているのは、道真排斥の動きはもはや押しとどめられないほどの強い動きになっていたことを物語っている。道真は悲劇的人物とされるが、彼にも慢心があり、そうなるべくしてそうなったという面もあった。

その道真は仁和二（八八六）年から四年間、讃岐守となって四国の地に赴任する。彼にとっては生まれて初めての地方であるが、おそらく左遷と変わらないほどのショックだったようである。文章院の北堂で催された送別の宴で次のような詩を詠じている。「我れ将に南海に風煙に飽らむ　更に妬む、他人の左遷なりと道《い》はむことを　倩憶《つらつらおも》ふ、分憂《ぶんゆう》は祖よりの業にあらぬことを　徘徊す、孔聖廟門の前」（他人がこの人事を左遷だというのは少々悔しい。つらつら考えるに、国司の職は祖先からの仕事ではないのに。）

讃岐守となる以前には彼は私塾「菅家廊下」の経営者だった。この「菅家廊下」は祖父清公の時に寝殿に続く細殿を私塾にしたものである。今で言えば、国立大学の教授が私立大學を経営していたようなものである。本来は「菅家廊下」には書斎があってそこに書物が備えられ、門下生が学ぶライブラリーであった。しかしここから文章生試験の合格者は百人近くもおり、それは宮廷内の高級官僚の多くがここの卒業生で、一大派閥を形成したことから、「菅家廊下」は菅家門流を指す言葉となった。そして菅家廊下のことを学者たちは「龍門」と呼んでいたように私塾として偉大な存在であった。父是善が亡くなると、道真は三十五歳にして後継者となった。今日であれば私立大學の学長である。「菅家廊下」には門弟三千と言われるほどの弟子を擁していた。読書と講義に明け暮れていたが、そうした道真には、讃岐守への任命は左遷と感じたのであろう。赴任に先立って宮中の内宴に侍した時、太政大臣藤原基経は道真の前に立ち、「明朝風景、何人にか属す」と吟じ、これを道真にも高く詠じるように促した。道真はこれに応えようとしたが、心身穏やかならず、その辛さに堪えかねわずか一声したのみで嗚咽した。そして宴が終わり、帰宅した後も終夜眠れなかったと伝える。

## 「讃州の刺史は本詩人」のプライド

その讃岐守の任期半ばで一度京を往復したが、その途中の明石の駅で詩を詠んだ。

家を離れて四日、おのづからに春を傷む
梅柳何に因りてか触るる処に新たなる
為《かるがゆえ》に去来する行客の報ぐることを問う
讃州の刺史は本詩人

この最後の一文に道真の強烈なプライドが表出している。「讃岐国の国司（道真）は本来詩人である」と言うのである。『菅家文草』の漢詩からも、道真は讃岐守の生活を一貫して「客居」という意識を持っていたことがわかる。

「涯分浮沈更に誰にか問はむ　秋よりこのかた暗《ほのか》に倍《ま》す客居の悲しみ」（一九六「秋」）
「風月能く傷ましむ旅客の心　就中に春尽くるときに涙禁《とど》め難し」（二二四「春尽」）

このように「客居」「旅客」の気分だったから、国庁の官舎も「客亭」「客舎」のように表現されている。都で行われる年中行事に想いをはせ、自らの境遇を嘆き悲しむという趣旨の詩が多く、絶えず都のことが気にかかっていた。讃岐守となって三年が経過した頃には、詩を吟じることばかりに心が向き、政務に専念できないと言っている。その頃には、彼の詩の背景にある観念と任国の実態との乖離を意識し、次第に政務から遠ざかるようになった。

道真の讃岐守時代の詩の憂愁は、彼の拠って立つ文章道が、現実の地方行政においては無力だったことと関係がある。学問に関しては滅法優秀で、その該博な知識は阿衡論争のような理念的な議論では大いに発揮されたが、楽器は苦手、酒も飲めない、人付き合いも不得手だったから、本人も国司には向いていないという実感はあったのだろう。

その讃岐国の国庁において仏名会《ぶつみょうえ》が行われている。仏名会というのは仏前で罪を懺悔すると共に、一年間の罪やケガレを祓い清め、新しい年を迎える年末儀礼であったが、その場で道真は「懺悔会作」（『菅家文草』巻四）という詩を詠じている。

「帰依す一万三千仏　哀愍《あいみん》す二十八万　辺地の生生《しょうじょう》は常に下賤なり　未来の世世も単貧ならん　宿業に由りてみな此の如くなるのみに非ず（中略）慙《は》づべし慙づべし誰かよく勧むる　菩薩の弟子　菅（原）道真」とある。菅原道真は讃岐国において善政を行ったとされるが、ここに見える道真の為政者としての姿勢は徹底した愚民観である。都から赴任してきた知識人の道真から見れば辺境の讃岐国の民衆は下賤で愚かで、惨めな生活を送っている。それにも関わらず、それを自覚せず、悪行を重ねている。その愚民たちを目覚ましてやりたい。そこで懺悔せよと勧めているのが菩薩の代理人である私、菅原道真である。

道真にとって讃岐守の頃は失意の時代と言えるが、この時に、世に言う阿衡の紛議が起こり、これによって彼に再び注目が集まるようになる。この事件は太政大臣として君臨していた藤原基経に宇多天皇が「阿衡の任」に任ずとしたが、これに基経の家司で左少弁藤原佐世《すけよ》が「阿衡」という職名は中国では位こそ高いが、職掌のないものであって、つまりこれは摂政をやめることだと解釈し、それを受けて基経は反発し一年以上もサボタージュを行い、結局宇多天皇は自身の命を撤回し理不尽な要求に屈した。それでも基経は勅答を書いた文人貴族のトップランナーだった橘 広相《たちばなのひろみ》の処罰を要求し、政務に復帰しなかった。ここで道真が大人げない意地の張り合いをしている基経に長文の手紙を送り、このままでは藤原氏の名を汚してしまうとその態度を諫めた。その訴えが通じたのか、基経はようやく朝廷に出仕することになった。一介の地方官が最高権力者に諫言するのは実に勇猛果敢とみなされた。こうした道真の身を挺した諫言は人に気骨の士として強く印象づけられた。このことが宇多天皇の信頼を獲得する重要なきっかけになった。なお敗北した橘広相はそれからまもない寛平二（八九〇）年に失意のうちに世を去った。『十訓抄』には、広相は死ぬ前に「死後には犬となって佐世（基経の家司）を喰ってやる」と言い、そして広相の屋敷のあたりから大路に赤い犬がたくさん走り散って「阿衡、阿衡」と鳴いては人を食い殺し、当時の人々はこれを恐れて「阿衡ぐい」と呼んだと伝えている。

## 道真は野心家で危険人物か

今では菅原道真は全国に一万二千社ある天満宮の神、天神になっているため、信者はもとよりほとんどの人が道真は素晴らしい人物なのに政敵によって左遷された不遇の人物として同情を寄せている。しかし、そのような「同情論」はなかなか怪しいことが多い。実際に道真の生きていた当時から彼は「野心家」であるとの評価が強くあった。道真の前任の讃岐守は藤原保則という人物で、彼は地方官を歴任し、大いに仁政を施し、良吏と讃えられた。三善清行はその姿に感動して「藤原保則伝」を著し、当の道真も『菅家文草』の「路遇白頭翁」において保則の善政を讃えている。

その保則は道真を評して次のように言っている。「新しい守は当代の碩学であるが、その心中を見ると誠に「危殆《きたい》の士」である」と言うのである。道真は学問には大変優れているが、心の中を見ると、野心家で危険人物であると言う。ただこれは「藤原保則伝」に見えるから、保則自身というより三善清行の言葉の可能性も考えられる。

さらにその三善清行は道真に対して、「菅右相府(道真)に奉る書」を送った。それは『本朝文粋』に見える。「尊閤《そんこう》（道真）翰林《かんりん》（学問の家）より挺《ぬきん》でて槐位《かいい》（大臣の位）に昇る。その止足《しそく》（分際）を知り、その栄分を察し、後生の仰ぎ見ること、また美ならざるや」（大臣にまで昇られたあなたは、もうこの辺で引退されてはいかが）という手紙を送っている。清行は国の最高試験である方略試を受けた時、その試験官が道真だった。清行は七年間万全の備えをして試験に臨み、自信もあったが、道真の判定は「不合格」だった。そこで二年後再受験するが、合格はしたものの合格ギリギリの判定であった。おそらくこの頃から清行は道真に遺恨を持つようになったのではないかと思われる。

その後、文人官吏となり下級貴族になった彼は時平に接近して昇進の道を切り開いた。そういう人物だから公平には欠けるかもしれない。とはいえ善政を行って賞賛された同時代の人からこのように見られているのだから、あながち的外れとは言えない。そうしてみると道真の左遷は、一方的に無実であったのに「讒言」されたと断じるのはためらわれる。権力を掌握するためには手段を選ばないという面もあったように思える。『政事要略』には、道真の罪状を次のように記す。「右大臣菅原朝臣、寒門より俄に大臣に上り収まり給へり。而るに止足の分を知らず専権の心あり」とある。

昌泰四年正月二十五日に道真の左遷が決定されたが、その二日後の二十七日には、道真を大宰府に送る使者が定められ、二月一日には早くも京を出発するというように十分な旅装を整える間もない慌ただしさであった。しかも道中の国々には食料や馬を給うことなしと命じていたから、酷薄の待遇を受けながら大宰府に向かったのである。

## 陰謀を否定しない道真

その当時大納言だった藤原清貫《きよつら》が左遷先の大宰府に行き視察報告をしている。その時に道真が語った言葉が『扶桑略記』に見える。左遷の理由は時の醍醐天皇を廃し、道真の娘が妃となっている斉世《ときよ》親王を皇位につけようという企みであった。道真は、「自分が謀をしたのではない。ただ源善《みなもとのよし》の誘いを免れることができなかった。また宇多上皇のお言葉に承和の変のことについて承ることがあった」と述べている。これからみると彼は陰謀に加わったことを否定していない。自分から積極的に行ったわけではないが、それを断れなかった。そしてその陰謀の中心は源善と宇多上皇で自分ではないというのである。実はここに事件の真相が語られている。

かつて臣下に下っていた傍系の宇多上皇は自らの正統にこだわっていた。上皇は醍醐天皇に譲位したが、なおも醍醐の婚姻を巡って独自路線を進め、藤原氏を拒絶し、皇女を迎えて正統の実現を目指した。それが失敗に終わると宇多はさらに新たな皇位継承計画を進めようとした。それは醍醐に代えて菅原道真の娘を妻とする異母弟の擁立であった。当時十七歳の醍醐は自分を正統から外そうとする父に反抗し、また貴族たちは自分たちと協調しようとせず、貴族社会の秩序を乱して省みない宇多に抵抗した。その両者の団結は固く、その結果、宇多は敗れ、側近の道真も失脚に追い込まれたのである。

道真失脚のもう一つの理由は、当時の公卿たちの顔ぶれにある。公卿十五名のうち藤原氏が七名、その中の五名は藤原冬嗣・良房の流れで、残り二名は醍醐天皇の外戚であった。そして源氏が五名、王・在原氏の二名、合わせて七名は桓武から仁明に至る各天皇の孫までの世代である。こうしてみると菅原道真を除く十四名は、天皇の父方の身内である源氏と、母方の身内である藤原氏が政治の中枢を独占し、いわゆるミウチ政治が成立していたのである。彼らにとっては皇統の近臣であることによって高位高官を維持していたが、そこに身内ではない道真が右大臣になり、また宇多が藤原氏の娘を後宮に入れることを拒否することは、藤原氏を外戚の立場から外す意味をもっていた。だからこそ彼らは強固な結束をもって宇多院政の展開に反対したのである。事件の後に醍醐天皇は藤原時平の妹穏子を後宮に迎えているように、身内による朝廷再建運動が菅原道真失脚事件の真相であった。

こうしてみると道真の左遷は政治闘争による敗北で、単なる「讒言」ではない。しかし道真が死して天神として敬われるようになると、その左遷に手を貸した者は皆悪者になる。『大鏡』には道真の歌が載せられているが、「海ならず　たたへる水のそこまでも　清き心は　月ぞてらさむ」とあるように、道真の心は濁りなく、底の底まで誠の人であったとされる。そのような人を左遷し死に追いやったとなると、今度は左遷した側が悪者となる。

## 時平は本当は「いい人」か

その悪役の最たる者が左大臣時平である。そのためずる賢い謀略家で極悪人のイメージとされるが、しかし実際は「いい人」であったという逸話が多い。たとえば『大鏡』は次のようなエピソードを伝える。延喜年間、醍醐天皇の時代である。朝廷財政立て直しのために貴族や役人たちに華美を禁ずる命令を出したが、贅沢に慣れた彼らはそれを容易に改めようとしなかった。そうした折、時平がその禁を破る豪華な装束で出仕してきた。それを見た天皇が、「最高位にある左大臣が禁を破るとは何事か。早々に退出せよ」と命じた。時平は恐縮し、一ヶ月間自邸で謹慎した。左大臣でも処罰されることを知った貴族や役人たちはたちまち贅沢をやめたという。ただこれは天皇と時平が仕組んだものであったが、真面目に政治改革に取り組んでいたことがわかる。また大寒の夜、民衆の寒さはどればかりかと服を脱いで試してみたという。さらに彼は笑い上戸で一旦笑い出すと止まらなかった。彼がいつも笑顔を絶やさない人物であったから、その周囲はいつも和やかな明るい雰囲気だったという。このように時平は臣下や民衆に対する思いやり深い人物のようである。

また実際に左遷の命を出した醍醐天皇時代の政治は「延喜の治」として賞賛され、また醍醐の花見で知られる京都の醍醐寺は醍醐天皇発願の寺である。『大鏡』には、「世の中の賢きみかどの御ためしに、もろこしには堯・舜《ぎょうしゅん》のみかどと申し、この国には延喜・天暦とこそは申めれ」と述べているように、醍醐は「延喜の聖帝」とされている。また『今昔物語集』巻二十九第十四話「九条堀河に住む女、夫を殺して哭く話」には、醍醐天皇がただならぬ人物であったという話が載せられている。ある夜、天皇が清涼殿にいた時、はるか東南の方向に、女の不審な泣き声を聞き、その女は心の内に謀りの心をもって泣いていると言い、その女の探索を命じた。しらみつぶしに捜査した結果、九条堀川のある小屋で間男と共謀して夫を殺して空泣きをしていた女を発見し、検非違使によって断罪された。人々は鋭敏な耳を持った天皇を「ただ人にもおわしまさざりけり」と恐れまた尊んだ。

先の大納言藤原清貫も悪者とされた一人で、清涼殿で俄に起こった落雷によって命を落とした。世の人は道真の怨みによって悪人が倒されたと思っている。何一つ悪くもない清貫が雷によって感電死したうえに歴史上の悪者とされていることを知ったら、本人は死んでも浮かばれないのではなかろうか。

目崎徳衛氏は、道真は宇多上皇方の中心人物だったに違いないとしたうえで、彼はそれほど冷酷な政治的人間でなく、それに徹することをしなかったから敗者となった。道真の左遷は無実の罪ではなく、政治的対決の敗北であったと述べているが、このような評価が妥当であろう。このように歴史を少し掘り下げてみると、いままで善とされていた者と悪とされていた者が、本当は反対だった可能性も考えられるのである。人物の評価は簡単に白黒つけれるものではない。

## この世の地獄を見る

かつては自らを菩薩の代理人としていた道真が自分が地獄に堕ちるとはよもや考えたことはなかったろう。しかし、右大臣の地位から失脚した大宰府での生活は生きながらの地獄であった。延喜元（九〇一）年に大宰府で詩を詠じている。「人は地獄幽冥の理《ことわり》に慙づ　我は天涯放逐の辜《つみ》に泣く　仏号ははるかに聞けども知ることを得ず　発心し北に向かひてただ南無といふのみ」とある。人々は地獄を恐れて懺悔しているが、自分は無実の罪で地獄に堕ちていると嘆いている。その嘆きは道真一人ではなかった。彼の子供たちまでが巻き添えになった。長男高視《たかみ》は土佐、次男景行《かげつら》は駿河、三男兼茂は飛騨、五男淳茂《あつしげ》は播磨へと地方に左遷された。皆秀才ぞろいで長男の高視は大学頭を勤めたほどの逸材であった。道真は「父と子と一時に五処に離れにき。口にいうこと能はず、眼の中なる血」と詠んだ。配所生活は惨めで、空き家の官舎は床も朽ち縁側も落ちていた。雨漏りもひどかったが、そこを覆う板もなく、箱の中に入れた書簡まで濡れる始末であった。もともと虚弱だったが、健康を害し、胃痛に苦しみ、不眠の夜が続き、脚気と皮膚病にも苦しんだ。彼は酒は呑まず、琴も弾けず「詩友ひとり留まりてまことに死友」と詩だけが末期まで唯一の友であると言う。心の憂さを晴らすためにお茶を飲んだが、そんなことでは解消できず、「強いて傾く酒半盞」と好きでもない酒で紛らわすしかなかったのであろう。初めて生きながらにしてこの世の地獄を見た道真は、天皇への忠誠心は持ち続けていたが、「菩薩の代理人」「我をおいて人なし」と豪語していたプライドはもろくも崩れ去った。人が見えぬ力によって動かされていると感じるのは、得意絶頂の時ではなく、失意の時である。そのことは昔も今も変わることのない真実である。

ともあれ道真の左遷によって嵯峨天皇の時代から続いていた文人官僚の時代は終わり、以後は文人の多くは政治社会から脱落し、わずかに文雅の道に活路を見いだすようになるのである。在原業平《ありわらのなりひら》、僧正遍照《そうじょうへんじょう》などはその典型的な末裔と言える。

## 頂点を迎えた怨霊信仰

ところで道真を祭る天満宮に行くと、牛が至る所に臥している姿（臥牛）が見られる。これは道真を葬るために牛車で墓所に行こうとしたが、ある所まで来ると牛がどうしても動かなくなったので、そこを墓所にして安楽寺を建立した。これが後の大宰府天満宮である。こうした由来から天満宮では牛も尊ぶようになった。あるいはまた道真が生まれたのは承和十二（八四五）年で、その年が丑年であったことに因むとも言い、この説は人口に膾炙している。しかしもっと深い意味があるとする説もある。道真を神に祭った時の神号を「天満大自在天神」と言うが、仏教では「大自在天」は経典の「八臂三眼、白牛に騎る」に由来する説もあり、これが妥当だとすれば、後に仏教者の知恵が加えられたと考えられる。この頃には道真の怨霊は密教で究極最高の仏とされる大日如来の化身帝釈天の弟子、観自在天神にあたり、龍や雷を操って危害を加える神という認識が成立していたようである。このように非業の死をとげた人、怨みをのんで死んだ者は祟りをもたらすと信じられていた。かつて敵であった人たちが祟りを恐れ祟られないようにとの思いで丁重に祭ったのが御霊信仰であった。『日本紀略』によると、延喜八（九〇八）年十月七日、道真配流の首謀者の一人の藤原菅根が五十四歳で没すると、道真の怨霊のせいではないかとの噂が流れた。そして翌年にはその怨霊は、張本人の藤原時平を襲った。薬も祈禱も効果がなかったので、文章博士三善清行の子で宇多法皇の弟子で名高い修験僧浄蔵に加持させることにした。清行が見舞いに来た時、道真の霊が時平の左右の耳から二匹の青龍となって現れ、「無実

北野天満宮の臥牛

の罪で配流となって大宰府で死んだ私は、天帝（梵天・帝釈）の許可を得たので、怨敵に復讐を加えることを決断した。あなたの息子の浄蔵が時平を加持しているが、無駄なことだから、やめさせよ」と語った。陰陽道にも詳しい清行は浄蔵に退出を命じ、自らも時平邸を出た。そしてその時、時平は絶えた。

時平の急死は三十一歳の若さだった。三善清行は道真に辞表の提出を勧告したその人である。また道真左遷の詔もそれと極似していることから、その起草者も清行であったと考えられ、道真の左遷に重要な役回りを演じている。子の浄蔵を宇多法皇のもとに送り、真言密教の修験僧にしたのも、道真の怨霊の復讐から自分の身を守るためであったらしい。しかしその浄蔵の修験力も道真の怨霊には太刀打ちできなかったから、清行は狼狽し、もう一人の息子道賢も宇多法皇の弟子にし、金峯山に送り込んだ。こうして彼は道眞の霊に当てられることなく、天寿を全うし、七十二歳で没した。

時平の急死についで時平の甥で皇太子の保明親王が二十一歳で急死した。『日本紀略』には、「皇太子保明親王薨。天下庶人悲泣せざるはなし。その声雷の如し。世挙げて云く、菅帥霊魂宿忿のなすところなり」と記されている。保明親王の母の藤原穏子は時平の妹だから、その死は道真の怨霊を明白に認識させた。その親王の後に皇太子となった時平の娘を母にもつ慶頼王《よしよりおう》も五歳で死去したから、なおさらのことであった。

さらに『日本紀略』延長八（九三〇）年六月二十六日、昼過ぎ頃、干ばつ対策のために公家たちが集まっていたところ、愛宕山より起こった黒雲が俄かに激しい雨とともに雷鳴を轟かして清涼殿南西の柱に雷が落ち、火事となった。道真の大宰府左遷に手を貸した大納言藤原清貫《きよつら》は胸を焼かれて即死した。左中弁平希世は顔を、右兵衛左は美努忠包《みぬのただかね》は髪を、紀陰連《きのかげつら》は腹部を焼かれて倒れ、死去した。安曇宗仁《あずみのむねひと》は膝を焼かれて倒れ臥した。そして醍醐天皇まで重病に陥ってしまった。清涼殿への落雷の半月後の七月十五日には、「皇上御咳病発給」とあり、十九日には、千人の僧に息災を祈らせている。しかしその後も快方に向かわなかったようで、二十二日には、醍醐天皇は皇太子寛明親王に譲位を決意する。幼帝の朱雀天皇の即位となる。二十九日には醍醐上皇は仏門に帰依し、法名を金剛宝としたが、ついに死去してしまった。

さらに承平六（九三六）年七月十四日には時平の長男で正三位大納言近衛大将藤原保忠が四十七才で死去し、時平の系統は政界の中枢から外れていく。理不尽な処置で人を死に追いやれば、その霊はその罪に手を貸した人に報復を加え、それは天皇であっても例外ではないという怨霊信仰はここに頂点に達した。

## 怨霊から学問の神様へ

そしてこれ以後、しばらくして道真の霊は沈静化する。『日蔵夢記』によると、三善清行の子道賢は十二歳で金峯山に籠もり、父の死にも帰京せず修行に励み、それによって冥界めぐりに成功し、道真の本心と醍醐天皇の訴えを聞いて生還した。

道真の霊は、始めは無実の罪への怒りと妻子と離別した苦しみで、君臣・人民・国土を全て滅ぼし、改めて国土を作り直そうと思った。しかし密教が私を慰めるので、怨心の十分の一は消えたが、わが眷属の悪神が危害を加えるのまでを止めるわけにはいかない。ただしわが像を作り、名号を称え慇懃に祭るならば怒りを静めようと言った。そして道賢に大日如来と胎蔵界を意味する日蔵という名を与えた。

ついで日蔵は地獄で醍醐天皇に出会う。天皇は日蔵に語った。「天神は怨念を晴らすべく衆生に危害を加えている。その悪報はみな私の所に集まってくるが、それは怨念の根源が私にあるからだ。私は罪なき人を流罪にするなどの大罪を犯したため、ひたすら苦しみに攻められている。どうか朱雀天皇にこのことを奏上し、わが身の辛苦を救済して欲しい。摂政忠平にはわが苦しみを抜くために一万の卒塔婆をたてるように頼んで欲しい」と。

こうして道真を祭るために北野社が創建され、王権は天神の抱き込みを図り、正暦四（九九三）年五月には道真に正一位・左大臣を贈り、さらに同年十二月には重ねて太政大臣を贈った。道真は「天満大自在天神」という名の神となり、それに因んで天満宮、天神社と呼称されるようになった。一方天神も怒りの行動は影を潜めるようになり、王権に接近し、かえって王権を守護する神へと転身を図った。

最後に、学問の神様とは違う側面の道真を見てみよう。彼は書道の達人でもあった。我が国の書の基盤を築き、中国と対等の芸術にしたのが空海であり、その書風を唐風から国風への変わり目に重要な役割を果たしたのが道真であるという。平安後期の左大臣藤原頼長の日記『台記』には、空海の生まれ変わりが道真であると記している。今一つ、道真は謹厳実直というイメージが強いが、子供の数は十三人と多い。子供が死んだことを詠ったものや、この十三人以外の娘が他の系図に見えることからみて、これよりももっと多くいたと思われる。それだけの子を正妻だけで産むということは不可能だから、それ以外に何人かの側室がいたのであろう。そういう意味では女性関係も結構まめであったようである。そういうことからみると、天満宮の御利益は学問だけでなく、良き女性に恵まれること、子宝に恵まれることにも効果があるのではなかろうか。

なお道真を学問の神とする天神信仰が庶民の間に広く浸透したのは時代が下った江戸時代である。その時代には寺子屋が隆盛し、その寺子屋に天神様の像が掲げられた。正月の初天神には天神講が行われ、毎月の二十五日の縁日には、近所の天神社にお参りすることが恒例になった。受験合格祈願のはしりである。

愛媛県今治市桜井に鎮座する綱敷《つなしき》天満宮には道真が左遷され、瀬戸内海を航行中、嵐に遇い、この神社のある志島ヶ原の入り江に漂着し

道真の衣服を干した衣干岩

た。村人たちは菅原道真のために漁網を綱にして円座を作り敷物にしたという伝説がある。それが社名「綱敷」の由来である。またその時に着ていた衣服を干したと伝えられる衣干岩《きぬぼしいわ》が今もあり、今治市衣干町の名もこれに由来する。

道真は雷神となり、京都北野に鎮座するようになったが、それはこの地では早くから雷公を祭っていたためであった。ところで雷鳴がすると「くわばらくわばら」と言うが、それは道真の所領の桑原の名を出せば、落雷を免れるということからであるとする説と、『和泉名所図会』に見える泉北郡（現在の大阪府南部）の桑原の井戸に雷が落ちたのを蓋で閉じこめ、二度と落ちないことを約束させて解放したからという二説がある。

道真は天神、また学問の神として祭られた。中学生・高校生が着用している男子の学生服は「菅公学生服」と言う。これは菅原道真が学問の神様になったために、学生にもしっかりと学んで欲しいということから道真にあやかり「菅公」学生服としたものである。このように敬われる神となっているものの、天神様の歌には「行きはよいよい帰りはこわい」とある。子供の頃、不思議に思っていたが、これは道真が学問の神様だけではなく、かみなりは「神鳴り」に通じる祟る神でもあったからである。

## 二　摂関政治の時代

### ㈠　小野道風

**三蹟の一人**

小野道風が活躍した時代は醍醐・朱雀・村上天皇の時代である。康和三（九六六）年に七十三歳で没しているから、同じ三蹟の藤原佐理《すけまさ》・行成より一世紀ほど前の人である。江戸時代に小野道風が雨中に傘をさして、柳の枝に飛びついている蛙の姿に見入っている図が広く世の中に流布した。この絵を努力することの教訓として取り上げたのは、江戸時代中期の思想家である三浦梅園である。

道風は子供の頃、書道の勉強が辛くて諦めようとした時、ふと目をやるとカエルが枝垂れ柳の葉先に何度も飛びつこう繰り返し、ついに成功した姿を見て、カエルでさえも懸命に頑張っていることに発憤し、努力した結果、遂に書の達人になり、奥義を極めたという話である。梅園はその随筆・教訓集『梅園叢書』に「学に志し、芸に志す者の訓」と題し、「道風、是より芸のつとむるにある事を知り、学びてやまず、其名今に高くなりぬ」と道風の努力を称えた。

ただカエルが柳の葉に懸命になって飛びつこうとしたのは、それは揺れている柳の葉を飛んでいる虫か餌だと思って何度も挑戦していたのだと思われる。このカエルの勘違いがなければ後世に三蹟と称えられた小野道風は存在していなかったかもしれない。

道風は王義之の生まれ変わりと称えられている。『源氏物語』「絵合」で紀貫之と道風の書を比肩する場面で、道風の書は「今めかしう、をかしげに、目も輝くまでみゆ」とあり、紀貫之を圧倒し、ひときわ人々の注目を集め、当時、新感覚の優美な書風として大きな感銘を与えたようである。書道史では和様の開祖とされる。

『本朝文粋』巻第六には白髪の五十四歳になった道風が近江権守の任官を望む文章が載っている。その中に「身は猶本朝に沈むと雖も、万里の波濤を隔てて、名は是れ唐国に播がることを得て、雲を望み、呉会に遠聞することを謝す」とある。自分は不遇で日本で生涯を終える身であるが、幸いに自分の名は遠く唐国にまで伝わって、呉越の地にまで及んでいる。十二歳の時に醍醐天皇に召され拝謁しているが、書の才能が神童と認められたためであろう。才能に秀でた幼年の子弟を召して、学芸を奨励することは嵯峨天皇の時代から行われていた。成人後に内記となるが、これは単なる書記官ではなく、学問に精通していることはもちろんであるが、文章作成の優れた能力と、その文章にふさわしい立派な文字が書ける能筆の才能が評価されてのことであった。

## 王羲之の再生

その内記時代の延長四（九二六）年、三十三歳の時、道風の書が日本の書の代表として唐に渡るという最高の栄誉を得た。『扶桑略記』によれば、興福寺僧寛建が入唐を願い、日本の漢詩文を唐に広めたいと申請したことに対し、醍醐天皇はその要望を認め、併せて道風の書を唐で流布させることを命じた。『行事略記』には「小野道風は能書の絶妙なり、羲之の再生、仲将独歩」と記す。道風の書は、草書・行書の名人である王羲之の再来であり、篆隷書法の名人西晋の韋誕（字は仲将）に相並ぶと賞賛している。道風の書いた門額や屏風には霊力があるとされ、人々は競ってその書を求めたという。

『本朝神仙伝』によると、道風は、かつて弘法大師空海が書いた内裏諸門の額を見て、朱雀門の額字が「米雀門」と見えるとし、また『古今著聞集』では、美福門の額字の「福」の文字の「田」が広すぎだとし、さらに『源平盛衰記』には大極殿の額を「火極殿」に見えると評した話がある。そのため空海の怒りをかって道風の手が不自由になったという。空海の書は筆力・筆勢を重んじたのに対し、道風は字形の端正さを大切にした違いを示すものである。道風の書は我が国の風土に適合し、さらに中庸の書として行書の普及に努め、和様書法の到達点と評価される。それが平安中期の貴族社会に受け入れられた。

『栄華物語』巻十一「つぼみ花」には、「御贈物に（中略）又道風が本などいみじき物どもの、銀、黄金に筥に入たるなどを奉らせ給へる」とある。藤原実資の日記『小右記』や藤原行成の日記『権記』にも藤原道長が天皇に道風の書を贈り物として献上していることが見える。格式の高い贈り物とされているように道風の書は日本を代表する名筆であった。道風の書法には、詩文の動向に対応して文学の詩情を反映した抑揚を伴っていた。それが人の心をとらえる気韻があるとの評価につながっている。
その『権記』の作者藤原行成は、夢の中で道風に逢い、書法を授かったことを記しているように、道風の書風を重んじ、その継承を願っていた。京都北山の周山街道の杉坂川の橋のたもとに道風神社、正式には正一位道風武大明神がある。延喜二十（九二〇）年の創建と伝えられ、もちろん祭神は小野道風である。境内には積翠池《しゃくすいいけ》があり、この水を使うと書道が上達するという。

## (二)　藤原道長

### 剛胆な道長

藤原道長は摂関政治の全盛時代、三人の娘を後宮に入れ、盤石の外戚《がいせき》関係を築いた人として知られる。そうしたことから彼は権謀術数の限りを尽くした人物のように見られている。もちろんそうした面もあったろうが、その一方で道長は他の兄弟のように立身出世をし、高位高官になることが人生の最高の希望で、人を押しのけても最高の位を射止めようという野心はなかった。そうした人間としての徳が結果として人生の成功につながったとの評もある。

道長の生母は藤原中正の娘の時姫である。中正は左京太夫・摂津守を歴任した受領であり、普通はこのクラスの女性の名は家格は低いため伝わらないが、所生の男子が三人とも摂関、二人の女子は后となり、天皇の生母となったため歴史上に名を留めることになった。『大鏡』には兼家の妻となる前のエピソードが載せられている。ある時、二条大路で夕占をしていたところ、通りがかりの白髪の老婆が時姫に向かい「もし夕占問ひたまふか。何事なりともおぼさむ事叶ひて、この大路よりも広く長く栄えたまふべきぞ」と語った。夕占というのは、夕刻に道路に立って往来の人の話を聞いて吉凶を占うものであるが、神仏の化身と思われる老婆が、二条大路よりも広く長く栄えるとお告げをし、その通りになったという。

道長の人となりを伝えるエピソードが歴史物語の『大鏡』に記されている。父兼家は息子たちを集めて言った。お前たちはまだまだしっかりしていない。それに比べれば公任《きみとう》は実に立派でこの先頼もしい。お前達は公任の影を踏むことも出来そうにないと。すると兄の道隆・道兼は黙ってしまったが、道長は即座に「影を踏まなくても面を踏んでみせる」と答えたという。またある時、花山院が怪しげな夜に道長らの兄弟を集め、度胸だめしをしようと持ちかけ、それを行うことになった。まず道隆は途中まで行ったが、何かわけのわからない声が聞こえ、青くなって帰ってきた。もう一人の兄の道兼は軒に届くような大男がいるように見えたと無我夢中で帰ってきた。三番目の道長はなかなか帰らないので皆が心配していると、平然として帰ってきた。そこまで行って来た証拠として高御座《たかみくら》の南側の柱の下を切り取ってきた。このように剛胆な人物であったという。またそれだけではなく著名な『御堂関白記』を残しているようにかなりな教養人でもあった。

## 道長の結婚

そして道長は妻選びも周到であった。妻となったのは源倫子でその父源雅信は、宇多天皇の皇子敦実《あつみ》親王の子で、当時隠然たる勢力を誇っていた源氏のしかも政界トップの左大臣である。雅信は政務に熱心で端正な姿で信仰心も厚く、歌を口ずさんでも頗る上品であった。彼が没した時、京の人々はみな恋慕したという。その正妻の長女だから将来は后にしようと大切に育ててきたのである。道長の父兼家は摂政とはいえ、その三男では将来の政治的地位の保障もないため、『大鏡』によると雅信は結婚に反対したという。しかし倫子は既に二十四歳だったから、当時の結婚年齢からすると微妙な年になっていた。父親は反対したが、母親が道長の人物を見込み婿に迎えることになった。道長は二十二歳、二つ年上の姉さん女房との結婚は永延元（九八七）年十二月十六日のことだった。後に道長は息子の頼通の結婚に際して、「男は妻がらなり。いとやむごとなきあたりに参りぬべきなめり」と言っている。つまり男は妻の家柄しだいで価値が決まるもの、尊い宮家に婿取られていくのはめでたいと言っている。そういう意味では左大臣家の家柄、財力と結びついたことは、これからの道長の将来を大きく開くものであったといえよう。

ただ道長が極官の地位を築くことが出来たのは、彼の実力だけでなく、強い運も味方していた。正暦四（九九三）年から翌年にかけて疫病が大流行した。『日本紀略』には「去る四月より七月に至り、京師の死者半を過ぐ。五位以上六十七人」「今年正月より十二月に至り、天下疫病最も盛んなり。鎮西より起こりて遍く七道に満つ」と記す。さらに翌年の長徳元（九九五）年には「今年四・五月、疫病殊に盛んなり。中納言已上薨ずる者八人」とある。この時に亡くなった中納言以上八人の中に道長の長兄関白正二位藤原道隆、次兄関白正二位藤原道兼がいた。その他にも左大臣・大納言など、要職にある人々が相次いで死去したことで、道長の前途が開けてきたのである。そういう意味で、彼の権勢確立の道は、疫病による多くの人々の犠牲の上にあったといえる。

## 「道長の無礼もっとも甚だし」

長和元（一〇一二）年四月、道長と三条天皇との対立が鮮明になる。同月二十七日に天皇の糟糠の妻ともいうべき娍子が立后した際、道長は娘で中宮の妍子を入内させて儀式を妨害した。この時、立后の儀式に参加したのは藤原実資など反道長派の四人に過ぎなかった。天皇は「道長の無礼もっとも甚だし。この一両日寝食例ならず、頗る愁思あり。道長は必ず天責をこうむるか、かくの如きのことにより、命しばらくは保たんと欲す」と述べている。同三年には三条の病気は一層進行し、近日、片目見えず、片耳聞こえずという情況になり、天皇は自分の調子が良いと道長の機嫌が悪い。ならばどうしても生き抜くと敵愾心を燃やしている。

その天皇が天責をこうむるかという思いが通じたのか、長和四（一〇一五年）年六月十九日、道長は厠から戻る際、打橋から足を踏み外して地面に転がり落ちた。『小右記』には「左府（道長）に参り伺候するの間、厠より還らるるの路に倒らる。御足を踏み損じ、辛苦すること極まり無し」と記す。また二十一日条には「隠所より帰らるるの間、座階を踏み誤りて地上に落ち臥し、既にもって不覚」とあるようにかなりの傷を負った。全治二ヶ月の重傷であった。しかし天皇は同五（一〇一六）年正月に退位に追い込まれ、その翌年四二歳で死去した。退位直前の歌である。

「こころにもあらでうきよにながらえば　こひしかるべき夜半の月かな」

眼病と道長の圧迫に苦しんだ天皇の悲痛の心境を詠んだものと言われる。

三条に代わって即位したのが九歳の後一条天皇であった。道長はこれによって天皇の外祖父で摂政の地位につき、名実ともに権力を確立した。しかしこの頃から糖尿病が進行し、全身を侵されるようになった。長和五（一〇一六）年四月十六日夜、胸の苦しさから大声をあげて叫んだ。同二十四日には、公卿たちと雑談をしていた最中に胸の発作が起こっている。彼らは三条天皇の怨霊に取り憑かれたのではないかと噂しあった。

## 「望月の歌」の解釈

「この世をばわが世とぞ思う望月《もちづき》の欠けたることもなしと思えば」

この歌は寛仁二（一〇一八）年三人目の二十歳になる娘威子《いし》を十一歳の後一条天皇に配し、その十月に中宮とした。その宴会の席で詠んだもので、道長の得意絶頂の様子が窺える。ただこの歌は、道長の日記に記されているわけではない。道長の『御堂関白記』には「ここにおいて余和歌を詠む。人々これを詠ず」としかない。道長にとってはまさかこの歌が後世にずっと伝えられ、日本史の教科書に載るようになろうとは、想像だにしていなかったろう。

この歌を記したのは、『小右記』の作者の藤原実資であった。なおこの日記の名は、邸宅のあるところに因んで「小野宮右大臣」と呼ばれたことから後世の人が付けたものであるが、実資本人は単に「暦」「暦記」と記している。彼はその歌を聞いたあと、「御歌優美なり」と言って皆で唱和しようと呼びかけ、吟詠したという。

実資は『小右記』の中で道長を強く批判しているが、道長が実資に向かって詠みかけた歌に対し、仲良く満座で和歌を誦しようとした心の内についても様々に推測されている。山中裕氏は次のように解釈する。道長は満足の心を日記の中に書き表し、その歌を今更ながら『御堂関白記』に書くことは彼の自制心がためらわせた。彼としてはその歌を公に披露するつもりはなかったから、それを実資によって日記に書き付けられたのはちょっぴり迷惑なくらいではなかったかと言う。これを権力の絶頂にあった道長に追従する貴族の姿という見方が一般的である。しかし、そうした見方に対して河内祥輔氏は、この歌は自慢をしたものではなかったとする。望月は十五夜の月であるが、この歌を詠った日は十六夜の月だった。道長も他の貴族たちも月のかけ始めた十六夜の月を見ながら、望月の歌を詠んだことになり、そこにこそこの歌の真の意味があるというのである。つまり満月の月も今日には欠け始めるという栄華のはかなさを詠んだ。道長は貴族たちが自分がさぞかし有頂天になっていると思っていることを知っていた。そこでそのように見せかけながら、私は栄華の危うさや、この世のはかなさを知っているというメッセージを発したのである。実資が「優美」と評価したのは、そうしたこの歌の奥深さを理解したからである。そして他の貴族たちも道長の心理に共感したからこそ何度も唱和したという。

また別の見方もある。実資は日頃から道長に対して批判的な態度や言動をとっていた。こうした彼の人柄からすれば、道長の歌が素晴らしくて返歌が出来ないという言動はうつろに響く。実資は和歌はあまり得意ではなかったが、こんな下手な歌に合わせる返歌は作れないが、しかし露骨に反発もできないから、ごまかしておこうと考えたのではないか。あるいは道長の鼻持ちならない振る舞いを日記に書き記すことによってやり返した可能性も考えられるという。このようにこの一つの和歌を巡って様々な解釈がある。どれが最も真実に近いのかは道長本人以外知るよしもないが、これが歴史の面白さでもある。

## 糖尿病の進行

「望月の歌」を謳った時には、既に道長の病気はかなり進行していた。藤原実資《さねすけ》の『小右記《しょうゆうき》』には、「六十㎝～九十㎝離れると、人の顔がはっきり見えない。はっきり見えるのは手に取るものくらいである」とある。『御堂関白記』に書かれている文字が年を経るごとに大きくなっているのも、単なる老眼の進行ではなく、糖尿病に伴う眼病の影響もあったと考えられる。

道長は望月の歌を詠んだ時から半年後に出家をする。この時、五十三歳の道長の体は、糖尿病にむしばまれていた。糖尿病は、かつてはぜいたく病と言われる王侯貴族のかかる病気であった。現在では生活習慣病の一つとされるが、過度の飲食や運動不足による肥満、ストレスなどがその要因とされる。栄華を極めた道長には、日常的な宴席、牛車に乗っての外出、政界の頂点にあるがゆえの過度のストレス……という具合に、糖尿病になる条件が十分すぎるほど揃っていた。

『小右記』長和五（一〇一六）年五月二日条には、「摂政（道長）車に乗り、御行に従う。悩気有るに依り、河原より退帰せらる。飲水数々、暫しも禁ずべからず云々」同五月十日条には、「摂政殿（中略）講説の間仏前に坐せられる。中間必ず簾中に入り給う。若しくは水を飲まれるか、紅顔減じて気力なし」さらに同十一日条には、「摂政仰せられて云う。去三月より頻りに漿水を飲む。就中近日昼夜多く飲む。口乾き力なし。但し食は例より減ぜず」『左経記』も同年四月三十日条に、「御物語の次でに、摂政殿仰せられて云う。日来の間心神例ならず。就中水を食う。是古人の重く慎む所也。已に分に足る。今に於いてはたとえ非常有るも何ぞ之を恨むこと有らんや」と記されている。

道長五十一歳の頃のことであるが、他人の日記にその症状が記されているほどだから、かなりの重病であった。そして道長も「非常有るも何ぞ之を恨むこと有らんや」とあるように、万一の事態も想定していたようである。これらの日記に見られるように、この病気はのどの渇きが激しく、頻りに水を飲んでいる。顔色も悪く、気力も衰えている。しかし食欲だけは普通にあったようである。糖尿病が怖いのは様々な合併症を引き起こすことで、道長ものどの渇きだけでなく、白内障や腫瘍、さらには狭心症など多くの病気によって苦しんでいる。

『小右記』長和三（一〇一四）年十二月八日条には衆人環視の中で大いに怒るとあり、大声で人と争ったり悪言を吐いたりして「聴く者寒心す」とある。晩年には気短になって怒りっぽくなっている。たとえば『小右記』治安三（一〇二三）年六月十八日には、「昨日、衆中に於いて禅閤の関白を勘当せり」とある。禅閤は前の摂政の道長のことで、関白はその子の頼通のことである。つまり衆人環視の中で道長が関白頼通を厳しく叱責したのである。本来、関白は最高権力者だから、誰かに叱責されることはありえない。そして何よりも皆の見ている前で叱責されれば息子の頼通の面目は丸つぶれになる。道長に心の余裕がなくなっているようである。

また頼通の正妻は具平《ともひら》親王の女隆姫であるが、彼女は子を産めない体質であったらしく、一人の子も儲けていない。道長は頼通に子がないのを心配して、「男は妻は一人のみやは持たる、痴の様や」と言っている。頼通が日頃から自分のことを「揚名関白」（名前ばかりの関白）と語っていたというが、偉大なる父の前では自嘲気味に言うしかなかったのであろう。

## 怨霊に苦しむ

彼の晩年は病気と怨霊に苦しんでいる。当時、権力者の病気は権力闘争で敗北した人々の怨霊と結びつけられて考えられていたから、当然権力の頂点にいた道長には様々な怨霊が取り付いていると噂された。中でもその最たるものが、藤原顕光と娘延子の怨霊である。延子は三条天皇の皇子敦《あつあきら》明親王の女御だったが、道長は彼女を無視して、自分の娘寛子をその敦明親王に嫁がせた。その結果、延子は夫を奪われ、悲嘆にくれ、悶死した。父の顕光は延子の髪を切って、道長たちを呪詛するという狂態ぶりをみせ、世の嘲笑をかった。『小右記』には「相府（顕光）、万人に軽賎せられること少年より今に及ぶ」とあきれられたが、娘の後を追って死去した。この後、顕光と延子の怨霊は道長の一家を次々と襲った。まず夫を奪った寛子は病に伏し、衰弱し、尼となった。東宮敦良親王に嫁いでいた嬉子は皇子を生むものの間もなく死去、さらに三条天皇の中宮妍子も怨霊に苦しみ、食べることもままならなくなり、やつれ果てて死去した。そして妍子の葬儀が終わると共に道長は生きる希望を失ったかのように、病の床についた。

どんな権力者であれ、栄華を極めた者であれ、いつかは人はみな「死ぬ時は一人である」という当たり前のことに気づく。そして栄華を極めた者ほどその失意は大きい。また仏の世界の大宇宙に対して栄華が有限であることや、己が微小な存在であることを自覚することが、人を信仰に向かわせるのだろう。

治安元（一〇二一）年頃には、五十六歳になった道長は日記を記す回数も減り、記事として残っているのは唱えた念仏の回数である。九月一日、十一万遍、二日、十五万遍、三日、十四万遍、四日、十三万遍、五日、十七万遍、合計五日間で七十万遍の念仏を唱えている。平均すると一日十四万遍となるが、それは一秒に二回唱えたとしても二十四時間、ずっと唱え続けたことになる。これはすごい数字であり、すっかり宗教者となった趣である。

## 道長の臨終

道長の臨終について、その死去から数年後に道長の栄華を描いた『栄華物語』は当代一の権力者にふさわしい荘厳な様子を記す。「御目には弥陀如来の相好を見奉らせ給、御耳にはかう尊き念仏をきこしめし、御心には極楽をおぼしめしやりて、御手には弥陀如来の御手の糸をひかへさて給て、北枕に西向に臥させ給へり」とある。道長の建てた法成寺阿弥陀堂に安置された阿弥陀仏に導かれ、従容として浄土に旅立ったとされる。この臨終の儀式について、それは源信の『往生要集』「別時念仏」の臨終行儀に基づいている。道長は源信の元に二度ほど使者を遣わしており、また『往生要集』を書写させたりしているから、源信に親近感を持っていたと思われる。

その儀式の要点は三つである。第一は、儀式を行う場を用意する。そこに金色の阿弥陀如来像を安置し、五色の糸を用意し、一方の端を阿弥陀仏の手に結び、もう一方の端を死にゆく者の手に握らせる。第二は、臨終の一念は百年の業に勝るとの考えを持ち、極楽浄土や阿弥陀仏による救済をイメージする。第三は、死にゆく者と看護人とは心を合わせ、ともに念仏を唱えて罪を滅ぼすことである。道長はその時代の最先端の臨終作法にのっとって旅立った。最高権力者が『往生要集』の臨終作法に従ったことは、その書の影響力の大きさを知るとともに、それが貴族社会に浸透していく重要なきっかけになった。

道長の葬儀の導師を勤めた天台座主院源が極楽往生の最高位の上品上生に違いないと言った。ただ娘の威子の夢の中に現れた道長は、自らの往生は最下位の下品下生であると言っている。また院源は臨終の場に仏や菩薩が人の姿で現われたようであるとその様を讃えている。

しかし実際に道長の臨終に立ち会った人々の感想はそれとは全く異なるものであった。十一月下旬には飲食物を取ることができなくなり、下痢の症状は続き、排泄物で汚れた病床には娘たちさえ近づけないほどであった。意識は遠のき、体は衰弱し、さらに首を振る症状が加わった。背中のはれ物が他の部位にも転移し、化膿が進み危篤状態になったため、最後の手段として医師の丹波忠明がはれ物の切開を行なうことになった。針をさして膿を取り出す治療をしたが、道長は苦痛に耐えかねしばしば激しく声をあげた。懸命な治療にも関わらず、完全に意識を失った。臨終に備え、阿弥陀堂に移した。そして万寿三（一〇二六）年十二月四日午前四時、六十二歳の生涯を閉じた。

道長の生涯は、短いとは言えないが、晩年の十数年は表面上の栄華とはうらはらに、身体的には悲惨であった。道長の栄耀栄華まばゆいばかりであるが、それがために健康を損ねたのは何とも皮肉なことである。

この糖尿病というのは道長だけでなく、摂関家藤原一族の病気と言ってもいいほど多くの人が発症している。道長の伯父伊尹《これただ》は容貌・学才など何事においても人より優れていたが、贅沢三昧をした結果、糖尿病のため、四十九歳で死去している。道長の長兄の道隆は父兼家のあとをついで摂政・関白となったが、糖尿病と酒の飲み過ぎの結果、やせ細り、四十三歳で亡くなった。もっとも『大鏡』第四巻「内大臣道隆」の項には「大疫癘の年こそうせ給けれ。されどその御やまひにいはあらで、御みきのみだれさせ給にしなり」とあって、病気で亡くなったのではなく、「御みきのみだれ」、つまり酒の飲み過ぎによるものだとしている。伊周《これちか》は叔父道長と激しく争った人物であるが、父と同じように若くして死亡した。いずれもぜいたくできる環境が寿命を縮めた。彼らが大酒・多食をしたことが病気の原因であろう。多食による高カロリー摂取、それに加えこの頃の酒は濁酒で、アルコール度の低い割には糖質分を多量に含んでいたから、大酒をすれば、多量の糖質を摂取することになったのである。少食・少酒を心がけ、「健康第一」をかみしめたい。

## ㈢　藤原実資

### 「賢人右府」

藤原実資は随分長生きをした人物である。小野宮家という誇りを持ち、道長に批判的だと言われる彼も『大鏡』には「世の中で建築工事の斧の音が絶えないのは東大寺と小野宮である」と語られるほどの経済力があった。また「賢人右府」と称されたように頭も良く学問にも精通し、有職故実にも詳しかった。そもそも『小右記』が現存するのはこの日記が実資の生存していた頃から文章がわかりやすく、しかもまとまっていて大変優れた日記＝名記であるとの評判を得ていたからである。この日記の抜き刷りを藤原道長や子の頼通の求めに応じて送っている。二十二歳から書き始めて八十歳まで書いており、半世紀以上の歴史を記す大変貴重な史料となっている。なお実資が記したのは具注暦で、それは現在のカレンダーとは異なり、その年月日に膨大な吉凶の注意書が付けられていた。そのため「注を具《そな》えた暦」と呼ばれるのである。

藤原実資は十七歳の頃、源惟正《みなもとのこれまさ》の女と結婚し婿となるが、妻は二十九歳の時、女子を産み翌年に死亡し、その女子も六歳で亡くなっている。その後に宮中で女房として仕えていた女性と結ばれ、男子が生まれた。娘にはなかなか恵まれなかったが、『大鏡』にかぐや姫と記された千古《ちふる》という最愛の娘がおり、将来は后となる期待を込めて育てていた。

この当時、女性の実名が知られることはまずない。紫式部・清少納言・和泉式部など、これほどの有名人であっても実名は不明である。そういう意味では千古は例外的な存在である。それは父実資が詳細な「小右記」を残し、そこに溺愛した娘の成長ぶりを日記にしたためたからである。千古という古めかしい名前も千年も生きてほしいという願いを込めて命名されたものであろう。実は実資には千古の姉がいたが、いずれも幼年のうちに死去し成人した娘はこの千古一人であった。

長女は清水寺の十一面観音に願をかけて授かった子であった。観音経には、「もし女人ありて、もし男を求めんと欲して、観世音菩薩を礼拝供養せば、すなわち福徳智慧の男を生まん。もし女を求めんと欲せば、すなわち端正有相の女を生まん」とあり、観音に祈願すれば聡明な男子や美しい女児を授かるというので

清水寺の観音力

ある。こうした女児に恵まれたが、その子はわずか三歳で病没した。その時のことを「小女の事を思ふに、心神は覚《あきら》かならず、悲しみを恋ふるをえ堪へず。人をやりて見しむるに、「既に其の形はなし」てへり。いよいよ以て神にうすづかん」と記している。幼女の遺体は袋に入れられ、清水寺のある東山の一隅に捨て置かれたが、見に行かせたもののもう姿形はなかった。この頃、上流貴族でも幼児が死んだ場合は、きちんと火葬や土葬をすることなく、野や山に遺棄された。その遺骸は犬や烏などに食われた。実資は深い悲しみにくれ、今まで以上に神仏に手を合わせようと思ったようである。

娘を授かりたいという思いで、今度は長谷寺の十一面観音に願をかけた。その願いが通じたのか、再び女児が誕生した。しかしこの娘も三歳くらいで亡くなっている。このように実資は娘になかなか恵まれなかったため、五十歳を過ぎて授かった三番目の娘千古に対する思いは格別であった。この王朝時代には貴族たちは子供が誕生すると、客人を招待し、自邸の従者などを宴席で饗応した。それは産養《うぶすな》という儀礼であるが、当然実資邸でも盛大に行った。『小右記』寛和元（九八五）年五月四日条には、その産養第七夜のことが記されている。この時、世に知られた優れた歌人清原元輔が生まれた千古のために和歌を詠じている。彼は今日の私たちにとってはさほど有名ではないが、この人こそ清少納言の父である。歌の才に優れた父の素質を豊かに受け継いだからこそ『枕草子』は誕生したのである。

## 娘の千古を溺愛

千古がまだ幼かった万寿二（一〇二五）年十一月二十八日には、彼女が左手の人差し指を鼠にかまれ出血したため、治療を受けた。その時、侍医は、薬草の汁を付けたうえで、鼠が噛んだのだから、その天敵の猫の糞を焼いてその灰をつけてもいいと言った。さらに念のために陰陽師中原恒盛に占わせている。その結果、祟りはあるが、特に恐れるほどのことはないということで安心している。このように娘千古のために、念には念を入れている。

次いでその溺愛ぶりを示すのが、娘千古が十歳になる直前に実資の持つ莫大な財産を全て譲渡したことである。「小野宮邸を初め園・牧・厨などの所領雑多な資材、我が家に属する物は塵や芥に至るまで何一つ残すことなく与える」という文書を作成して彼女に渡した。実資の子は他に四人の男子（良円・資平・資頼・資高）もいたが、当時の相続方法は子への均分相続だったから、相続慣習から大きく逸脱していた。彼らには財産譲渡については異論を唱えるなと釘をさしているのは、他の相続人の反発を招きかねないことを自覚していたからであろう。そこまでして千古に財産を譲渡しようとしたのは、彼女の母が女房クラスの出身であったから、もし自分が死んでしまうと母方からの後見を期待できず、困窮してしまうことを恐れたと考えられている。それにしても実資の娘への溺愛ぶりがいかばかりであったかが窺える話であろう。

千古に与えた小野宮邸は、祖父の太政大臣実頼の養子となった実資が継承したもので、『大鏡』には「この小野宮を明け暮れ造らせ給う事、日に工匠の七八人絶ゆる事なし」と記されるほどの豪邸であった。また同書に「かの殿はいみじき隠り徳人にぞおはします」と言われるほどの資産家であった。その資産を全て千古に与えたのである。

## 紫式部と昵懇の仲

実資は藤原道長の娘彰子のもとを頻繁に訪ねているが、その女房の一人に越後守為時《えちごのかみためとき》の娘がいた。この女性こそ紫式部であったが、実資と式部は懇意な間柄であった。実は『小右記』長和二（一〇一三）年五月二十五日条に、この二人の会話が記されている。「去夕女房（越後守為時の女なり。此の女を以て、前々雑事を啓せしむるのみ。）に相逢ふ。彼の女云ふ。東宮（敦成親王、のちの後一条天皇）の御悩重きに非ずと雖も、猶ほ未だ尋常の内におはさず。熱気未だ散じ給はず。亦左府（藤原道長）聊か患気有り、てへり」とある。実資は前々より式部に様々な用事を頼んでいたようである。また同年七月五日条には「皇太后宮に参る。女房に相逢う。種々相障りて久しく参入せざるの事に触る。乃て事の由を啓す」同八月二十日「皇太后宮に参り女房に相逢う。仰事有り左府法性寺に坐するの間参入の由也」とあり、これらに見える女房も紫式部のことだろうから、実資の式部に対する信頼ぶりが窺える。実資は式部に彰子への取り次ぎだけではなく、養子資平の任官などの人事問題についても依頼しており、式部も実資の味方として彰子へ口添えしていたようである。寛仁三（一〇一九）年五月十九日「母后（彰子）の御方に参り女房に相逢ふ。仰事等有り。是れ入道殿（道長）御出家の間の事等也」この時、実資は彰子の御在所の弘徽殿に行って女房に会い、道長の出家のことについて色々と仰せがあったと記している。この女房も紫式部と考えられ、これが実資の記した式部の最後の記事である。

『紫式部日記』には式部の実資に対する評が記されている。「いみじくざれいまめく人よりも、けにこそおはすべかめれ」（洒落て気のきいた人よりも、ずっと立派でいらっしゃった）とあるように、式部も実資のことを高く評価していたことがわかる。

## 「女事においては堪へざる人」

『古事談』という鎌倉時代初期に成立した説話集がある。そこに実資のことも記されているが、「小野宮右府（実資）は、女事においては堪へざる人なり」と評されている。同じ頃の『十訓集』にも「小野宮右大臣とて、世に賢人右府と申す」「さきに申したる賢人の大臣、他事の賢には似ず、女事に忍び給はざりけり」と記されている。彼は四人の女性に子を産ませているが、妻は一人であったから、あとの三人は結婚する気もなく、妊娠させていた。実資が「女事においては堪へざる人」であった例を一つあげよう。

村上天皇の孫娘、為平親王の娘に婉子《よしこ》女王という大変な美人がいた。彼女は在位わずか二年たらずだったが皇位についた花山天皇の妃であった。天皇は色好みで飽きっぽい性格で、在位期間が短い割には四人の妃を持っていた。その中で最も寵愛を受けていたのが婉子女王であった。ところが右大臣藤原兼家の陰謀によって電撃的に出家した。そのため天皇の妃たちもうち捨てられてしまった。とはいえ婉子女王は年も二十二歳と若く、しかも絶世の美女である。それを名門貴族の男たちが放っておくわけはない。彼女に多くの男が求愛をしたが、彼女の心を射止めることはできなかった。その彼女を口説き落とすことができたのが、当時三十七歳、参議の地位にあった実資である。このように実資はその方面においてもなかなかの「やり手」だったのである。こうして婉子女王を正式の妻として迎えることができたが、彼女はそれから五年後の長徳四（九九八）年、わずか二十七歳の若さで病没している。

## 小野宮流作法はブランド化

そしてそれから四十年ほど経た長暦元（一〇三七）年かその翌年に実資から全財産を受け継いだ娘の千古が幼い娘を一人残して二十七歳か二十八歳の若さで病没している。実資は表の世界では右大臣にまでなり「賢人右府」と賞賛され、当時の貴族長寿番付のナンバーワンという九十歳の長寿を全うしたが、私生活においては娘や妻を若くして失うという、家族運には恵まれなかった。

少し時代が下った鎌倉時代に『新古今和歌集』を編纂したことで知られる藤原定家がいる。その定家がある夜、夢を見た。『明月記』安貞元（一二二七）年九月二十七日条によると、六十余りの上品な老人が冠を着し、直衣姿で座っていた。彼にはその老人が藤原実資であるとすぐにわかった。そこで日頃疑問に思っていることに答えてほしいと願ったが、実資が着替えをしているのを待っていたら目が覚めた。少し残念ではあったが、彼はこの夢は「吉想」として喜んでいる。それは定家が日頃から実資の『小右記』を愛読しており、そうしたことが夢となって現れたのであろう。この『小右記』は彼の生存していた頃より名記との評判は高かったが、その日記の優秀性は時代を越えて変わらず、そのことが多くの写本を生むことになり、今日まで生き延びてきたのである。定家の頃にも、儀式の場においては実資の小野宮流という作法の流派がブランド化し、そしてその流布と共に、ある種の神格化が行われたのである。人は寿命と共に尽きるが、名著というのは永続性があることを示している。

鎌倉時代の終わり頃、花園天皇は学識随一と評され、学者天皇として名高い。天皇は甥の光厳《こうごん》を我が子のように養育し、帝王学を授けたが、その光厳に「いやしくもその才無くんば即ちその位におるべからず」とし、学問への研鑽を積むことを促した。その花園天皇もこの『小右記』に大変関心を寄せ、その実資のことを「君子也、識者也、世俗の賢と称すること宜き哉」「正直の賢名又更に言うべからず、悲しき哉、後世に生まれ、この人に遭わざることを。嗟呼々々」と記す。このように実資のことを絶賛し、実資とこの世で会えなかったことを嘆いている。実資も後世の人々からの賛辞を泉下からは何を思うであろうか。

## ㈣　安倍晴明

### 母は白狐の葛の葉

安倍晴明の出生にまつわる話である。朱雀天皇の頃、阿倍野の里の豪族に阿倍保名《やすな》という若者がいた。保名が葛之葉稲荷に参詣した時、一匹の白狐が猟師に追われ、保名の後ろに隠れた。保名はその狐をかばったため、漁師たちから滅多打ちにされた。倒れていた保名のもとに若くて美しい娘が現れ、一生懸命介抱した。その娘は信太《しのだ》の森に住む葛の葉という者であったが、いつしか保名の子を身ごもった。そして生まれた子が童子丸であった。

ある秋の日、葛の葉は陽光の中、咲きこぼれる菊を見てふと我を忘れ、狐の顔に戻っていた。その時、童子丸が「母様が恐い」と言って泣き出した。自分の正体がわかった以上、もはやここに留まることはできず、一首を残して森に去った。

「恋しくば尋ねきてみよ和泉なる信太の森のうらみ葛の葉」

残された保名は恋しくて、童子丸と信太の森に葛の葉を尋ねていったが、会うことは叶わなかった。白狐の葛の葉を母に持つ童子丸こそ、後に陰陽道の第一人者となった安倍晴明だというのである。

『今昔物語集』巻二十四第十六話「安倍清明随忠行習道語《あべのせいめいただゆきにしたがひてみちをならふこと》」には、安倍晴明の幼少の頃の話を載せている。清明の師賀茂忠行に同行して夜間に京の町を歩いていた時、えもいわれぬ恐ろしい鬼がやってきた。驚いた清明は車の中で寝ていた忠行に報告した。忠行は直ちに術法によって身を隠し、鬼が通り過ぎるのをやり過ごした。これ以後、忠行は清明を手元において陰陽道の教えを全て教えたという。陰陽師のみが鬼の姿を捉えることができるとされていたから、清明は幼い頃よりそうした天才的な能力を持っていたことになる。

安倍清明の像

彼は長じて貴族達の生活全般に関与し、広範な活躍をした。ただ彼は従四位下左京権大夫という位階と官職を持っており、れっきとした貴族の一人であった。だから彼の活躍の舞台は宮廷や高級貴族の世界に他ならず、庶民とは無縁の存在であった。宮廷行事の日時の選定、怪異現象の意味を占ったり、外出日の吉凶判断、出産のための祓い等々、八面六臂の活躍をした。

**高級貴族に奉仕**

まず賢君として知られる一条天皇の治病にあたった話である。正暦四（九九三）年二月に天皇が急に発病した。それは食中毒か消化不良ではないかとされるが、その治病のために清明が禊祓《みそぎはらえ》を行ったところ、すぐに効果が現れ、それによって正五位下から正五位上に昇進した。陰陽師による禊祓は病気治療に高い効能を示すとして厚い信頼を寄せられていた。

『小右記』寛和元（九八五）年四月十九日条には安倍晴明が藤原実資の女房のために禊祓を行っている。この女房は実資の子を身籠もっていたが、出産の予定日を過ぎても生まれる気配がなく、心配になった実資が行わせたものであった。出産は病気ではないが、身の危険があるから、やはり治病として行ったものと思われる。

次に、最高権力者の藤原道長にも奉仕している。寛弘二（一〇〇五）年二月十日に道長が東三条殿と呼ばれる邸宅に引っ越すにあたり「新宅作法」という儀式を清明が行っている。彼はその年の冬に八十五歳で死去しているから、最晩年まで現役の陰陽師であった。道長の日記

清明井と五芒星

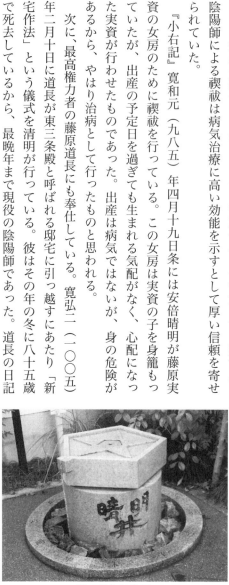

『御堂関白記』には、「戌時、東三条に渡る。上卿十人ばかり来らる。西門に着くの後、陰陽師清明の遅れて来たる。随身を以て召すに、時剋内に来たる。新宅作法有り」とあるように、道長の信任を得ていた。

さらに書道の三蹟の一人藤原行成に関わる怪異を清明が占っている。行成の日記『権記』長保二（一〇〇〇）年八月十九日条には、その日に内裏の宿所において鼠が宿物を齧っているのを行成が見つけた。そこで彼は直ちに清明のもとに使いを走らせ、この鼠の怪異について占わせた。行成は自分の専用の控え室に置いてあった夜具などが齧られていたのを怪異と考えたのである。そして占った清明は、争論と病事の凶事の予兆であると判断を下した。行成はそれを聞いて当然のように物忌を行っている。

その『権記』長保二（一〇〇〇）年十月十一日条には、一条天皇が新しく造られた内裏に移る際に陰陽師が反閇《はんぺい》という呪術を行ったとある。「此の度は清明は道の傑出者なるを以て此の事を供奉する也」と見える。安倍晴明は「傑出した陰陽師」とか「陰陽の達者」と表現されているように、貴族社会において、陰陽師の第一人者とされた。そして清明の亡き後も子供の安倍吉昌や安倍吉平が優秀な陰陽師として道長を初めとする貴族たちに奉仕を行った。こうして安倍家は「陰陽道の家」となったのである。

## 「道の傑出者」から伝説的な人物へ

そしてやがて清明は「道の傑出者」から、後世になるにしたがって伝説的な人物となっていった。そうした伝説の一つが先の『今昔物語集』巻二十四第十六話の続きである。

「清明が広沢の寛朝僧正の所に出かけた時のこと、若い貴族や僧侶が清明に「あなたは式神を使うというが、それでただちに人を殺せますか」と聞いた。清明はあからさまに聞くことにあきれたが、「簡単には殺せませんが、少し力を入れれば殺すことはできます。虫などであれば、チリほどの力で殺すことができます。しかし生き返らす方法を知らないので、罪なことになり、無益なことです」とたしなめた。しかし彼らはそこに現われたヒキガエルを指して「あのカエルを一匹殺してみて下さい」と言った。清明は罪作りなことを言う人たちだと思ったが、では試してみましょうと言った。そして草の葉を摘んで、呪文を唱えながら草の葉をカエルに投げた。するとその草がカエルの上にかかったと思った時、カエルはぺちゃんこになって死んでしまった。僧たちは清明の呪力が人でも殺すことができることを知り、色を失い恐怖した」という。

『宇治拾遺物語』上・二十六には、清明が呪詛をかけられた人物を守り、その呪詛を仕掛けた陰陽師を倒した話が載せられている。若くして出世を約束されていた蔵人少将という人がいた。彼が参内した時、頭の上をカラスが飛んできて糞を落とした。それを見た清明は、「あなたはどうやら式を討たれたようです。あのカラスは式神に間違いありません。このままではあなたの命は今宵限りでしょう。私には特別な力があってそれが見える」と言った。それを聞いた少将はわななきながら助けを求めた。そこで清明は「身固め」の呪法によって少将を守り、さらに式神を打ち返したため呪詛を仕掛けた陰陽師が命を落とした。

『宇治拾遺物語』の「御堂関白御犬清明等きどくの事」には、「道長が白い犬をかわいがり、その犬を連れて自らが建立した寺に日参していた。ある日のこと、道長の車が門を入ろうとすると、犬が前に立ちふさがった。道長が車から降りると、衣服の裾をくわえて入るのを阻止しようとした。そこで何か訳があると思った道長は陰陽師の安倍晴明を呼んで調べさせたところ、五尺ほど掘った所に道長を呪詛するものが埋めてあった」とある。清明は道長に多大な貢献を行っている。

**泰山府君祭を得意**

清明が最も得意としていた呪法は泰山府君祭《たいざんふくんさい》であった。この祭は延命益算・富貴栄達・消災度厄のために催される。泰山府君というのは冥府において人々の寿命を管理して、さらにこの世における栄達を左右する神であり、それを清明が祭ったのである。泰山府君は『記』『紀』にも全く見えず、中国の外来の神である。中国の泰山は山東省にある一五二四mの山で、周囲に高い山がないことから遠くからも望むことができ万物の生ずる東方に配され、五つの名山の中で最も重視された。生命の帰結として死霊の集まる山と考えられ、古くから霊山として信仰を集めていた。後になると、泰山には人間の寿命を記した戸籍が保管され、それを管理する組織の長官職が鬼神の「府君」と考えられた。人々は泰山府君に供え物をして祭り、寿命が書かれた帳簿を書き換え、死者としての帳簿を削って貰うことによって命の長からんことを祈ったのである。この泰山府君と仏教の閻魔王とが結びつき、人間の寿命と福禄を支配する神となった。こうした信仰が我が国に入ってきたのがいつ頃なのかははっきりしないが、平安時代後期には宮廷貴族の中でかなり広まっていた。『今昔物語集』巻十九第二四話には、その泰山府君をめぐる話が見える。

ある寺の高僧(三井寺の智興)が重い病気にかかった。弟子たちが必死に加持祈祷を行ったが、効果がなかった。そこで陰陽師安倍晴明が呼ばれ、泰山府君祭を行うことになった。しかしその病気があまりにも重いので、その命の身代わりが必要であると言ったが、高弟たちではなく、修行も進んでいない一番下の弟子が自分が身代わりになると申し出た。清明はその弟子の名を書き記し祭祀を始めた。その効果が現れ、高僧は病が癒えた。弟子は間もなく死ぬのではないかと人々が見守ったが、その兆しはなかった。翌朝、清明がやってきて、泰山府君の神が弟子を憐れんで、師匠と弟子共々助けてくれることになったと語った。このように安倍晴明は冥界の神である泰山府君と意思を疎通させることの出来る人物と考えられていたのである。

この泰山府君は長く人々に信じられていたようで、時代は下って室町時代の能の大成者世阿弥の能曲に「泰山府君」がある。そこでは桜町中納言が桜花の命があまりにも短いので、桜花の延命を祈ったところ、府君が出現して願いを叶えたという話になっている。

## (五)　源信

### 名著『往生要集』

源信と言えば『往生要集』の著者として知られ、我が国の浄土信仰の広がりに大きな役割を果した人物である。人は生まれた以上、いずれは死にゆく身であるが、そのことについてはできるだけ考えないようにしているのが、普通の人であろう。ところが源信はそのことをとことん考え抜いた人であった。安楽に死を迎えるにはどうするか、死後の世界はどうなっているのか、それはその時代だけでなく、今日の人々においても大いに関心のあることで、とりわけ安楽往生は切実な願いでもある。だからこそそれへの解答を示した『往生要集』は時代を越えた名著として長く読まれ続けてきたのである。

源信の父は卜部正親《うらべまさちか》、母は清原氏である。母が子を求めて霊験あらたかな高尾寺の観音に祈願したところ、夢の中にその寺の僧が現れ、珠を渡してくれた。ほどなく懐妊したが、これが源信であったと伝える。『今昔物語集』巻十二第三十二話「横川源信僧都の語」にも同様の話が載せられている。源信にとって信仰心の強かったこの母の存在は大変大きかった。比叡山で修行した源信は、次第に天台宗の優れた学問僧として評価されるようになり、宮中で皇后の催す御八講《みはっこう》の仏会に招請された。それは大変栄誉ある役であり、その際に皇后から様々な品が下賜された。そこで母を喜ばせようとしてその中から幾つかの品を送り届けた。その時の母親からの返信が『今昔物語集』巻十五第三十九話「源信僧都の母尼、往生せる語」に見える。

「遣せる物どもは喜びて給はりぬ。かくやんごとなき学生になり給へるは、かぎりなく喜び申す。ただし、かやうの御八講に参りなどして行き給ふは、法師に成しきこえし本意にはあらず。そこにはめでたく思さるらめども、嫗の心には違ひにたり。嫗の思ひし事は「女子はあまた有れども、男子はそこ一人なり。それを元服もせしめずして比叡の山に上せければ、学問して身の才よくありて、多武の峰の聖人の様に貴くて、媼の後生をも救ひ給へ」と思ひしなり。それにかく名僧にて花やかに行き給はむは、本意に違ふことなり。我れ年老いぬ。生きたらむほどに聖人にしておはせむを心安く見置きて死なばやと思ひしか」と記されていた。源信はこの手紙を泣く泣く読んだ。

## 立派な母

源信は世俗と交わり、その名声と栄誉を嬉しく思って母に贈り物をした。母との別離が長かったからそれは何よりも親孝行になる近況報告だったろう。源信はその手紙を見て喜ぶ母の姿を想像したと思われるが、ところがそれとは全く異なる返事が返ってきた。世俗の栄誉や名声を得、褒美を賜ることは母の本意ではない。そうしたことにうつつを抜かしている場合ではなく、「遁世修道」こそ私の願いであり、あなたが聖人となった姿を見たいというのである。源信はこの母の手紙に一喝されたと思ったのであろう。泣く泣く母に返信をしたためた。「仰せの旨深く心にしみて承りました。仰せに従い山籠りして多武峰の聖人のようになった暁に、母上から会いたいと仰せられれば、その時にお会いしましょう。そうでなければ決して山を下りたりはしません。ああ、わが母ながら何という善知識でありましょう」この言葉に違わず、以後長く聖人になるまで下山せず、禁欲的な修行に専念した。この母こそ源信の偉大な導き手だったのである。

寛和元（九八五）年四月、源信は『往生要集』三巻を書き上げた。執筆期間はわずか五ヶ月、十分な準備のもと一気呵成に書き上げた。後世に源信の名が長く残ることになったのは、ひとえにこの書のお陰である。それはこの書が与えた衝撃が大変大きいものだったからである。著名な序文である。

「それ往生極楽の教行は、濁世末代の目足なり。道俗貴賤、誰か帰せざる者あらん。ただ顕密の教法は、その文一にあらず。事理の業因、その行多し。利智精進の人は、いまだ難しと為さざらんも、予が如き頑魯の者、あに敢てせんや」

この書は書名の通り、極楽往生の教行を理解しやすくまとめたものであった。死にゆく者が行く世界がどのようなものかという疑問に対し、罪ある者が赴く地獄、往生を遂げた者が赴く浄土を具体的に示した。それまで我が国の死後の世界は『古事記』に見える黄泉の国のようなイメージであった。イザナミノミコトが火神を生んだために黄泉の国に赴き、それを連れ戻しにイザナギノミコトがやってくるが、黄泉の国の食事をしたため戻るのは難しいだろうが、黄泉の神と相談するので待っていて欲しいと言った。しかしその間に、見てはならないと言われていたイザナミノミコトの変わり果てた姿を見てしまう。怒ったイザナミノミコトがイザナギノミコトを追いかけて来、ほうほうの体で逃げ帰ったという話である。

ここでは生者が死者のもとを訪れることができ、また黄泉の神との交渉いかんによっては生者の世界に帰ることができるのである。そこには生前の行為や罪によって召される先が決まるという因果応報の世界観はなかった。交渉でことが決まるのであれば、賄賂などの取引すら可能である。こうしたいかにも世俗的で生者と死者の境が曖昧というのが、古代日本人の死生観であった。源信の『往生要集』に示された死後の世界の構造や体系化はそうした考えを根底からひっくり返したと言っていいほどの衝撃を与えた。『往生要集』はいきなりおどろおどろしい地獄の描写から始まる。「獄卒罪人を捕らえて、熱鉄の地の上に臥せ、或いは仰向け或いはうつぶせ、頭より足に至るまで、大いなる熱鉄の棒を以て、或いは打ち或いはつきて肉団の如くならしむ」と記す。

## 臨終の作法

寛仁元（一〇一七）年六月十日、比叡山横川の地で源信は七十六歳の生涯を閉じた。その前後の場面が「源信伝」に見える。まず六月二日から飲食を全く受け付けなくなった。そして臨終の前日の九日には臨終の作法にしたがって死の準備に入った。そして源信は周りの者に悪死の相が出ているかを見させた。その相の善し悪しが往生の可否を占う重要な鍵を握っていたからである。弟子たちは苦痛もなく、顔色も変わらず、そのような相はないと答えた。

そして当日を迎えた。「この朝の日、いつものように食事をとり、鼻毛を抜き、身と口を浄め、阿弥陀仏の手に結ばれた糸を執って念仏を始めた。やがて疲れたのかそのまま眠ってしまったようだったが、これが彼の最後だった。その瞬間を誰に告げることもなく、密やかに旅立った。傍らにいた給仕の者さえ気づかず、休んでいるものばかりと思っていた。ややしばらく音がしなかったので伺ってみると、既に息絶えていた。頭を北に面は西に、右脇を下にして笑むがごとき面持ちであった。手に仏縷と念珠を執り、両手を胸前に合わせていたが、少しだけずれていた」。源信の誠実で謙虚な人柄を示すような穏やかな臨終であった。

しかし弟子たちは悲嘆した。この頃、極楽往生を目指す人たちにとって、臨終の際に何を見ているのか、それは死後の世界の場所を判断する重要な指標と考えられていた。その重大事を師から聞くことができなかったから、大変残念に思ったのである。

ある弟子が源信の夢を見た。弟子の最大の関心事は、源信がどこに往生したのかということであった。源信が言うには、往生は遂げたものの、自分のような新参者は遠くから阿弥陀仏や観音・勢至菩薩などを拝するばかりであると言った。日頃から源信は、己の分というものを考えれば、上品往生は高望みで下品往生で十分と言っていたから、そうした夢を見たのだろう。極楽往生には上品上生から下品下生までの九つのランクがあり、下品往生はその七・八・九番目にあたる。源信の謙虚さを示すエピソードである。

## 姉も妹も高徳の名声

源信の母の宗教心についてみたが、その母に劣らず彼の姉や妹もまた名声が高かった。『大日本国法華経験記』巻下第百「比丘《びく》願西《がんさい》」に源信の姉願西の話がある。「仏法に入りたる後、法華経を読誦して而もまた経の甚深の理を解了せり。その心柔軟にして、正直に偽りなく全く戒律を護りて深く罪根を怖れたり。（中略）法華経を読むこと数万部に及び念仏の功徳を積むことその量を知らず。奇異の夢をみて尋ね来る人多し。（中略）衣は僅に身を隠し、食はただ命を支えるのみにしてその余分をもて、普く孤露貧賤の類いに施して、更に利を貪することなし。普賢来護して観音摩頂したり。かくのごとき奇しきこと時々常にあり。（後略）」と見える。

また妹の安養尼については、『撰集抄』巻九には、「恵心の僧都の妹に安養の尼という人侍りけり。年比あさからず思ひけるあるじにおくれて、やがてさまかへ小野という山里に籠居て、地蔵菩薩を本尊として明暮行ひ給へり。（中略）うちいね給侍りける夢に、此の地蔵菩薩おはして夢さめ侍りけり。其の後はいよいよ心を発してむらなく勤行給へりけるしるしありて、最後の臨終の夕べ、正《まさし》く紫雲空に聳き、天華交はり下て往生の素懐をとげ給へりける。返々もいみじく侍り。（後略）」とある。

このように源信の姉も妹も高徳を備えた尼僧で、いずれも極楽往生したと描かれている。とりわけ安養尼の評価は高く、『続本朝往生伝』には独自の立志伝が載せられており、彼女の名声は「源信の妹」の位置に留まるものではなかった。

源信は亡くなっても『往生要集』は残った。生前の源信は永延二（九八八）年に、自ら九州まで赴き、『往生要集』を中国の宋に送った。それは中国の天台僧に未決の教義解釈上の疑問点を提示して解答を求める「唐決」の伝統に沿うものであったが、源信は『往生要集』を皮切りに精力的に自著を中国に送り続けた。源信の目ははるか中国の宋の仏教界に注がれていた。それは日本という自国への矜持が高まり、宋仏教界との対論を試みた時代ともされる。この『往生要集』は長らく名著として伝えられ、鎌倉時代に『方丈記』の著者鴨長明も『往生要集』を愛読した一人で、和歌や管弦の書はなくとも、『往生要集』だけは長明の庵の方丈に欠かせない必読の書であったという。

## ㈥　源頼光

### 父満仲は「殺生放逸の者」

源頼光は清和源氏の棟梁で藤原道長の時代に諸国の受領を歴任し、財をなしたことでも知られる。父は源満仲で安和《あんな》の変で左大臣　源　高明《みなもとのたかあきら》を密告したことで歴史に名を残す。永延元（九八七）年に満仲が出家した時、藤原実資は『小右記』同年八月十六日条で、満仲は好き勝手に残忍な殺生を行うと批判している。「前摂津守満中朝臣、多田の宅において出家すと云々。同じく出家の者十六人、尼三十人と云々。満中、殺生放逸の者なり。しかるに忽ち菩提心をおこし、出家するところなり」と記す。また『今昔物語集』巻十九第四話「摂津守源満仲出家の語」にも満仲の出家の様子が記されている。そこでは満仲のことを「世に並び無き兵」であるため、朝廷も公卿も重用したこと、また「我が心に違う者有れば、虫などを殺す様に殺しつ。少し宜しいと思ふ罪には足手を切る」とあるように、満仲がいとも簡単に殺生を行っていたことを記している。

比叡山の僧となっていた息子の源賢は、このようなことでは後生で大変な罪を蒙ることを心配し、あの『往生要集』の著者源信に相談をした。源信は協力を約束し、一計を案じた。たまたま満仲邸を訪問した風をよそおって、その機会に出家の功徳を説いて出家の決心を固めさせようとしたのである。この作戦は見事に成功し、満仲は滅罪のために堂を造ることになった。これが多田寺の始まりである。この話はあの残忍な満仲でも出家するという驚きと、その満仲をも改心させた高僧源信の存在感の大きさを物語っている。清和源氏の祖は系図などでは満仲の父経基王《つねもとおう》とされることが多いが、後の時代からは満仲が武門源氏の祖として強く認識されている。

母は嵯峨源氏の近江守源俊《すぐる》の娘である。頼光という人物を一言で言えば、軍事貴族である。つまり武士の棟梁でありながら、貴族に列せられている。後世の私たちからすると武士と貴族は対立する概念のように思われるが、決してそうではない。貴族というのは朝廷において五位以上の位階を持つものの呼称であるから、その人物が文人であろうが、武人であろうが、貴族であることに変わりはないのである。

## 道長に莫大な奉仕

藤原道長の土御門邸《つちみかどてい》が火災で焼失した時、道長は新旧の受領に割り当てて再建を命じた。寛仁二（一〇一八）年六月二十日、新築された土御門邸に多くの豪華な調度品が運びこまれ、その圧倒的な質と量に人々の目は釘付けになった。この贅を尽くした調度品の提供者が当時の伊予守源頼光であった。

伊予国は院政期には、受領は播磨国と並んで四位以下が任ぜられることになっていたから、受領の最上位であった。『枕草子』一六五段には、受領を列挙して「伊予守。紀伊守・和泉守。大和守」をあげているが、伊予国はその筆頭とされている。また伊予守となった者には従三位となって公卿に昇進する例も多かったから、その政治的権威には高いものがあった。それ故その頃の伊予守の人事を見ると、いずれも道長に近侍した側近中の側近たちばかりである。頼光も道長の腹心として伊予守に任ぜられたのであり、こうしたことへのお礼奉公が先に見た道長への莫大な奉仕であった。

その土御門邸の造営責任者は道長の家司のトップクラスで、その信任の厚かった受領の藤原惟憲《これのり》で、彼の貪欲さは格別で、大宰大弐の任を終えて帰京する際、「随身する珍宝、その数を知らずと云々。九国二嶋の物、底を掃いて奪い取る。唐物また同じ」という様子だった。実資は「已に恥を忘れるに似たり。近代、富人を以て賢者となす」と非難している。おそらく頼光の場合もこれと似たり寄ったりであったと思われる。

『古今著聞集』は、頼光が道長に心服したきっかけについて記す。関白だった父兼家の葬儀の時に騒動が発生した際、兄の道兼は右往左往していたが、道長は泰然と振る舞っており、その姿に感心したという。藤原実資は『小右記』に、「小人、好むところを知り、宝を懐きて四方より来る。奸邪手をかり、これより幸いの門開く」「太閤（道長）の徳、帝王のごとし。世の興亡、わが心にあり。呉王とその志同じ」と記す。道長の権勢を天皇を凌ぐほどであるとするが、その一方で道長を越との抗争に勝利して驕りたかぶり、やがて滅亡した呉王夫差に比定しているところが、実資特有の批判的態度であろう。とはいえこのようにあからさまな批判をした実資自身、その豪華な調度品の目録を記録した一人であった。

このように頼光は道長を初めとする摂関家に経済的に華々しい奉仕を行っている。その経済力は幾つもの受領を歴任することで蓄えられた。備前・但馬・美濃・伊予・攝津といずれも富裕な大国であった。

次に頼光の女婿として知られるのが、藤原道綱である。道綱の父は関白兼家、母は『蜻蛉日記』の作者藤原倫寧《ともやす》の娘である。彼女は『尊卑文脈』によれば、「本朝第一美人三人之内也」と評されるほどの美女であった。道綱は道長より十二歳年長の異母兄にあたる。母は才媛であったが、彼はその資質を受け継がなかったようで、『小右記』に「僅かに名字を書き、一二を知らざる人」「不覚人」「一文に通ぜず（漢文が全く読めない）」と評され、平安公卿の中でも一、二を争うといわれる凡庸な人物であった。彼が右大臣を望んだ時、実資は「一文不通の人、未だ丞相（大臣）に任ぜず、世以て許さず」と記すように、大臣としての適格性に欠けていたため昇進することなく、大納言のままで没した。お勉強はからっきし苦手な道綱ではあったが、彼にも得意なものがあった。それは弓と舞である。道綱の母の『蜻蛉日記』には、道綱の舞が上手だったので、天皇から褒美の衣を貰ったこと、小さい弓を使った的当ての競技で最初に登場した道綱は二本とも矢を的中させ、それによって勝利したことがとても嬉しいと記している。才媛と言われた道綱母も親ばかだったようである。そんな人物だから、強力な後ろ盾としての期待は無理であろうが、それでも摂関家の有力な一門を婿に迎えるメリットには大なるものがあったと思われる。

## 名将として伝説化

ところで頼光は軍事貴族と言われる割にそうした話はほとんどない。『今昔物語集』巻二十五第六話「春宮大進源頼光朝臣、狐を射る語」がある。三条天皇の東宮時代のことである。東南の仏像を安置する堂に狐が丸くなって寝ていた。そこで東宮は優れた武将で兵の道に通じた頼光にあの狐を射よと命じた。しかし頼光は「全く射ることはできません。矢がどこに飛んでいくかわからないので、射当てることなど思いもよりません」と辞退した。話をしている間に狐がどこかに逃げてくれないかと思っていたが、狐はぐっすりと眠っていた。再度射よと命じられたので、仕方なく弓を取った。それでも的に届かず途中で落ちてしまっては物笑いの種になるでしょうと弁解しながらも弓を射た。矢は暗くてよく見えなかったが、的中し、狐は屋根から転がり池に落ちた。こうして源氏の棟梁としての面目を保つことができたという話である。

しかしこの記事から窺えるのは、軍事貴族と言われる頼光が弓矢を射る技量に自信のない姿である。後には坂田金時など四天王を率いたという武門の棟梁としての姿が強調されるようになるが、実際の頼光はもっぱら皇族や貴族と交わり、受領として繁忙な生活を送っていたため、武術の訓練を行う機会などほとんどなかったのであろう。

しかし頼光は武門源氏の名将として次第に伝説化されていく。大江匡房《まさふさ》の『続本朝往生伝』には、一条天皇の時代に優れた人材が多く輩出されたとし、その中で武士として特筆されたのが、源満仲・満正・平維衡・致頼、そして源頼光であった。彼らは天下の一物と称えられている。そして『保元物語』になると、頼光は超人的な王権の守護者の代表となっていく。

## 四天王の活躍物語

その例としてよく知られている『酒呑童子』をあげよう。話のあらすじは次のようになっている。「一条天皇に仕えていた池田中納言の美しい一人娘が行方知れずになり、陰陽師の安倍清明に占わせると、丹波国の大江山にいる鬼がさらっていったと言う。そこで帝は源頼光にその鬼退治を命じた。その命に従った主従一行は山伏姿に身をやつし、一路大江山に向かい、鬼の下働きをさせられていた娘の案内で鬼の屋敷に行き、一夜の宿を乞うた。酒呑童子は怪しいとみて警戒するが、人の血肉を食らう頼光らに気を許し、彼らの勧める酒を飲み上機嫌になって身の上話までした。彼らはすっかり酔って寝てしまった酒呑童子を切り刻み、首をはねた。こうして中納言の娘達を助け出し、意気揚々と帰京した」と言う。

この話の中で、だまされたと知った酒呑童子の言った言葉がふるっている。「われわれ鬼は嘘をつかない。おまえたち人間だけが卑怯な嘘をつくのだ」と。人は鬼を得体知れぬものとして恐れるが、しかし人間は嘘や謀りごとをするとして鬼の方が恐れている。あの世に人を連れて行く鬼が恐れるのだから、人はこの世あの世を含めて最も怖い存在なのかもしれない。

この四天王の一人に渡辺党の先祖とされる渡辺綱がいるが、この一族は滝口を輩出する氏族であった。滝口の重要な任務の一つは四堺（境）祭の勅使の役を務めることだった。この祭祀は天皇の住む都を清浄にし、都に侵入してくる鬼気（伝染病など）を阻止・退散させるものである。祭祀そのものは陰陽寮の官人が行ったが、滝口には「辟邪《へきじゃ》の武」が期待され同行した。その四つの境というのが逢坂・山崎・和邇、そして酒呑童子がいたという大枝（大江）であった。大江は都から山陰道が丹波国に入るあたりで、現在の老ノ坂の大枝山である。そこは鬼を追い払う場所で、それを払う役が滝口の渡辺綱だったことが物語の背景にあったのである。

鎌倉時代の『古今著聞集』には、頼光の武勇伝が記されるようになる。頼光が弟の頼信の家を訪れた。頼信は鬼同丸という悪党を捕縛していたが、頼光はその男の凶暴性を見抜き、さらに緊縛を強化した。しかしそれにも関わらず鬼同丸はそこから抜けだし、かえって頼光を狙ったが頼光もそれを察知した。鬼同丸は鞍馬寺の参詣に出立した頼光を途中で殺害しようとした。そこで彼は市原野付近で牛を殺してその腹中に入って待ち伏せをした。その付近で頼光と四天王の一人渡辺綱らの一行は牛追物を行ったが、その最中に綱は怪しい牛を見つけ矢を射かけた。たまらず鬼同丸が飛び出してきたが、頼光はその首を切り落とした。このように鬼でさえも頼光の前にはいとも簡単に討伐されるのである。こうした話の発展した形が、御伽草子の酒呑童子の討伐説話である。

鬼退治の主役が源頼光であったことについて、頼光が「らいこう」と呼ばれたことと関係があるという。それは菅原道真の怨霊となった「雷公」（らいこう）に通じるからである。鬼を退治する者は、鬼以上の威力を備えていなければならない。四天王の一人坂田金時もまた、雷が鳴った時、山姥が孕んだという。雷こそは鬼以上の威力を持つと当時の人には考えられていたのであろう。またその名は「来迎」の音にも通じることから、浄土信仰との関わりでも注目され、世間に頼光の名が流布することになったのであろう。

## (七)　紫式部

### 「賢后」彰子の宮中女房

『栄華物語』によれば、藤原道長の娘で一条天皇の中宮となった彰子には、その入内に先立ち四・五位の位階の父を持ち、容貌、教養、立ち居振る舞いの優雅な女性を厳選したと記す。四・五位といえば中流貴族、つまり受領層の女性たちが宮中の女房の供給源であった。紫式部・清少納言・和泉式部・赤染衛門などがその代表で、彼女たちの父はいずれも受領で、また文人としてもよく知られた人物であった。唐の詩人白居易の「長恨歌」に「ついに天下の父母の心をして男を生むを重んぜず、女を生むを重んぜしむ」と、美しい女子を持つことによって楊貴妃一門が俄かに立身したことを詠んだ。それは我が国でも似たような状況にあった。しかし美しいだけでは十分ではなく、才知と教養という内面の優美を兼ね備えることも必要だった。そのためには本人の修養はもちろんであるが、身の周りに才女を侍女として配し、それを助けた。

紫式部の女房名は「藤式部《とうのしきぶ》」である。一般に知られている紫式部の「式部」は、彼女の父が式部大丞を務めたことがあったからであろう。そして『源氏物語』の女主人公も「紫の上」あるいは「若紫」として知られていた。つまり彼女は紫の上の物語を書いた式部丞の子として、好意を持っていた人々から与えられた呼称である。

彼女が仕えた彰子は父の道長政権を背後から支えながらも、道長の言いなりになる人物ではなかった。道長に対して批判的な『小右記』の作者藤原実資とも親しく、実資もまた彰子のことを「賢后」と記すように、高く評価している。彰子は和歌の宴などを開いて男性貴族たちを集めるなど、公卿社会に目配りをし、また彼らを束ねる父親譲りの政治力を持っていた。その政治力によって国母となり、一条・後朱雀・後冷泉・後三条と続く皇統の安定化と道長・頼通と続く御堂家流の確立を成し遂げたのである。

紫式部は言うまでもなく『源氏物語』の作者として知られるが、これほど著名な人物にしてもその正確な名前も生没年もわかっていない。彼女の本名は香子（かおりこ・たかこ・よしこ）とする説もあるが、これも根拠に乏しく不明としておくほうがよさそうである。この時代の人々は、本名を口にするのが憚られ、通称や役職名で呼ばれることが多かった。実名は魂と結びついていると考えられ、名には重い意味があったから、軽々しく呼べるようなものではなかった。

## 名声が高い父為時

式部の家系はもともと藤原冬嗣を遠祖とする藤原北家の名門で、多くの学者や文人を輩出している。式部の曾祖父兼輔は堤中納言と称された著名な歌人であった。そして祖父雅正、その弟清正、清正の娘、父為時、その兄の為頼・為長らはもとより、母方の曾祖父文範、祖父為信、その兄の為雅、式部の兄惟規らいずれも勅撰集の歌人であった。そして式部自身も女流歌人の五歌仙の一人である。因みに五歌仙は紫式部・赤染衛門・和泉式部・馬内侍・伊勢大輔である。式部は物心のつかぬうちに生母を失ったが、その孤独な思いと文才の優れた家系やその環境が彼女をただならぬ者にしたと言えよう。藤原実資の『小右記』などには式部のことを「為時の女」と記す。

父為時は世俗的には永く不遇な時代があったが、しかし読書や詩作に親しみ文人、また歌人としての名声は高かった。彼は文章博士菅原文時門下の逸材で、花山天皇が東宮時代に奉仕し、その即位と共に蔵人式部丞となった。為時は中級貴族ながら、天皇の側近として得意絶頂を迎えた。三十九歳となった寛和元(九八五)年の春、『後拾遺和歌集』に「遅れても咲くべき花は咲きにけり　身を限りとも思ひけるかな」とある和歌を詠じている。名誉ある地位につき、その得意と喜びが率直に表現されている。

ところがその翌年の寛和二年、順風満帆にみえた為時の人生は俄に暗転する。花山天皇は寵愛の深かった藤原為光の娘で弘徽殿の女御忯子が病気のためわずか十七歳で亡くなった。妊娠七か月目であった。彼女を失って憔悴する天皇に同情するふりをして、共に出家することを持ちかけたのが右大臣兼家の子で道長の兄道兼であった。天皇は急遽山科の元慶寺に赴き出家するが、一緒に出家するはずだった道兼は姿を消した。天皇はまんまと騙されてしまったのである。彼の栄達を支えていた花山天皇が突如として出家してしまった。為時にとってもまさに寝耳に水の話であった。そして皇太子懐仁《かねひと》親王が一条天皇として即位すると、花山天皇のもとで栄達していた者は凋落し、代わって一条天皇の外戚や側近に光が当たるようになり、当然のことながら為時も不遇の時を迎えることになった。

しかしいつまでも花山朝を偲んでばかりはできず、新しい時世に適応する必要があった。やがて花山天皇を出家させた道兼に近づく。道兼は文雅を好んだ人で、洛東の粟田に山荘を営んでいたが、為時はその山荘の名所絵障子に書く詩を作っている。「海浜神祠」「題玉井山庄」の二首が残されている。こうして道兼の引き立てを期待したが、道兼は関白になった直後に薨じてしまった。そこで次の執政となった道長に近づくことになった。

## 琴の演奏の名手為時

長徳二（九九六）年正月二十五日、除目で式部丞の功労によって下国の淡路守に任じられた。晴れて受領国司に任官したものの為時は不満だった。受領といっても大国・上国・中国・下国と四段階あり、そのランクによって社会的地位や経済面で大きな違いがあった。その最下位だったため文書を奏上した。彼は漢文体を用い、中国の故事を踏まえた美しい文章を作る優秀な文章家だから、その文章は素晴らしいものであった。そこには「苦学の寒夜、紅涙襟を霑ほす。除目の後朝、蒼天眼に在り」と書かれていた。この優れた文章に漢詩や漢文を愛好した一条天皇が深い感銘を受けたという。天皇が食事もとらず涕泣していたのを見た道長が越前守に任じられていた源国盛に辞表を書かせ為時を大国の越前守に任命した。しかし越前守に決まっていた源国盛はショックのあまり病に臥せり、その年の秋には大国の播磨守になったが、赴任する前に他界した。

こうした話は様々に憶説されている。一つは学問好きの一条天皇が文人を出世させるという聖代観から作られた説話だとする。前年九月に越前国に来着していた宋国人との折衝に当たらせるために漢詩文に堪能な為時を越前守に任じたとする。またもう一つは道長が学問好きの若い一条天皇の歓心を買おうとし、同時にライバルである甥の伊周を牽制するためともされる。

ともあれこれ以後、為時は当時漢文学の中心的存在だった具平親王の周辺で文人としての名声を高めた。『続本朝往生伝』には一条天皇の時代に人材が輩出したことを述べ、文士として大江匡衡・大江以言・紀斉名・菅原宣義・高階蹟善・源為憲・源孝道らと共に為時の名が見え、「是天下の一物なり」と評されている。また音楽の才もあり、琴の演奏の奥義にも通じ、その名手であったようである。自宅に箏・琴・琵琶などを置いていた。紫式部の音楽好きもこの父の教育のたまものであろう。

ただ性格的には非社交的・内省的で、人間嫌いな面もあったようで宴会の席は苦手であった。『紫式部日記』には、藤原道長邸で管弦が行なわれ、その席に招かれた為時はその宴が終わると早々に席を立ったため、酔っぱらった道長は「おまえの父さんはひねくれている」と式部に言っている。式部の内向的・非社交的性格はこの父親譲りと思われる。宮仕えの初めの頃の式部を同僚の女房たちは次のように評している。「近づきにくく人を寄せ付けない風があって、物語に傾倒し、深刻ぶって何かと言えば歌を詠み上げ人を馬鹿にしていて小憎らしく他人を見下げる人」だと。

## 紫式部に手を出す道長

その道長が式部にちょっかいを出した話が『紫式部日記』にある。中宮彰子の前で、道長が女房たちをからかったついでに式部に歌を与えた。「すきものと名にし立てれば　見る人の折らで過ぐるはあらじとぞ思ふ」（式部よ、あなたは浮気者と評判だよ、わたしも黙って見過ごすことはできない）と歌った。道長は光源氏という好色者を描いたあなたも浮気な女だろうと戯れたのであろう。これに対し、式部は「人にまだ折られぬものを　誰かこのすきものぞとは口ならしけむ」（ご冗談ばっかり、誰が浮気者などという評判をたてたのでしょう）と生真面目に返歌している。

しかしこれで終わったわけではなかった。その夜、渡殿で寝たが、戸をたたく人がおり、恐ろしく息を潜めて明かしたとある。その翌朝、道長と式部が歌のやりとりをしている。道長は、水鶏のように一晩中戸をたたいたと言い、式部は戸を開ければどんなに悔やむことになったでしょうと返している。これからみると前の夜に激しく戸をたたいたのは道長だったことになる。つまり道長は式部に求愛したが、時の最高権力者を式部はその日は袖にしたのである。

『紫式部日記』にはここまでしか書いていない。が、この後、二人の関係がどうなったのかは大変興味のあるところではあるが、書かれていない以上、推測するしかない。道長の愛人の一人になったとする説、式部が道長に批判的な藤原実資と親密だから、それはありえないとする説とがある。しかしプライドの高い式部があえてこうした話を書いていることは、後に道長との関係が進んだからではないかとも言われる。道長は『源氏物語』を書く上でのパトロンだったから、そうした関係があったとしても不思議ではない。一方、この二組の贈答歌を式部と道長の男女関係を暗示する文脈にしたのは、後人の手になる可能性が高いという見解もある。

## 「この人はまことに才あるべし」

幼少の頃の式部については、『紫式部日記』に次のように見える。「この式部丞といふ人の、わらはにて書よみ侍りしとき、聞きならひつつ、かの人は遅う読みとり、忘るる所をもあやしきまでぞさとく侍りしかば、書に心を入れたる親は「口惜しう、男子にてもたらぬこそさいはひなりけれ」とぞ嘆かれ侍りし」父は男子の惟規《これのり》に本を読ませたが、なかなか覚えず、側で聞いていた式部の方がよく覚えたので、この子が男だったら良かったのにと嘆いたという。しかしこの漢学や漢詩への造詣の深かったことが『源氏物語』

として結実する。一条天皇は、式部を「この人は日本紀をこそ読みたまふべけれ。まことに才あるべし」（本当に学識があるに違いない）と絶賛した。「日本紀」は我が国の正史の六国史を指し、その「才」というのは漢学の学識や教養を意味している。それが『源氏物語』の根底にあることを見抜いたうえで、その造詣の深さに感じ入ったのである。

学問の家に生まれた者としては子供にかける期待も大きなものがあった。惟規も『今昔物語集』巻二十四第五十七話には「いみじく和歌の上手」とされるように歌人として知られている。ただその歌風は耽美的・享楽的と評され、それだけに平素の行いには失敗も多かった。

『小右記』寛弘五（一〇〇八）年七月十七日条には、惟規は懐妊して土御門邸に退出した中宮の見舞いに勅使として派遣されたが、そこで公卿たちに勧められるままに酒を飲み、泥のように酔ってしまい大恥をかいたことが見える。また同年十二月十五日条にも蔵人として疎漏があり、公卿たちから非難されたとあるように緻密なタイプの人間ではなかった。蔵人を退いた惟規は父為時が寛弘八（一〇一一）年二月に越後守に任ぜられ、その父の任務を助けるために越後に赴くことになったが、その途中で重病にかかり、越後に着いて間もなく逝去したという。

ところで、当時は二十代は熟年婚、三十代は晩婚とされるから、式部の二十九歳での結婚は晩婚の直前であった。いささか婚期が遅れたことについて様々な見方があるが、最も大きな理由は、式部が結婚適齢期になった十七歳の時、父為時が失脚し、以後十年ほど不遇の状態が続いたため、為時に政治的・経済的な力がなかったからである。この当時、婿となる人の衣食住は妻となる女性の両親が賄うことになっていたが、その凋落した為時にそんな甲斐性はなかった。したがって式部の意思とは関係なく、まともな結婚はできない境遇にあったのである。

## 結婚相手の藤原宣孝《のりたか》

結婚相手の藤原宣孝は式部とはまたいとこにあたり、受領階級の人物であった。やはり同じ受領層の身分内結婚である。ただ彼は少なくとも四十五歳以上で、既に三人の妻がいた。おそらく夫が通う結婚の形であろう。そして一人娘の賢子《けんし》が生まれるが、しかし二人の関係は間もなく疎遠になり、宣孝の死によって終了した。わずか二年半の結婚生活である。宣孝は派手好きで磊落な性格で、女性関係も多かった。『枕草子』「あはれなるもの」の段に宣孝の人柄を示すエピソードが記されている。吉野の金峯山寺への御嶽詣は、身分の上下を問わず質素な身なりで詣るのが慣例であったが、派手好きな宣孝は色とりどりの派手な衣装を身にまとい、子供にも紅や青の袴を着せて参籠した。人々はこんな姿の御嶽詣では見たことがないと驚愕したという。神仏さえも怖れぬ大胆不敵な人物だったのである。しかしその一方で歌舞にも長じ、石清水臨時祭の舞人に選ばれ、また賀茂祭でも一の舞を献じて「甚だ妙なり」と讃えられている。おそらくこのような晴れ舞台に選ばれるにふさわしい容姿ではなかったかと思われる。また二十年にわたる日記の内容から有職故実に詳しい人物と評される。

その宣孝が紫式部にあてた歌である。「文の上に朱という物をつぶつぶとそそぎかけて、「涙の色」など書きたる人の返りごとに、「紅の涙ぞいとどうとまるる移る心の色に見ゆれば」もとより人の女を得たる人なりけり」とある。式部に冷たくあしらわれたことに対して、手紙の上に朱を点々と濯ぎかけて「これは私の涙です」という。つまりあなたの冷たさに涙も涸れ、血の涙を振り絞ってこの手紙を書いたというのである。この頃、近江介源則忠の娘にも求愛していたのに「あなた以外に二心はない」と言うのだから、かなり厚かましい男ではある。しかし若い男ならこんなユーモアは思いつかないであろう。こうしたことからみて宣孝は堅実な人物ではなく、軽妙な芸術家肌で自己宣伝の好きな男であった。厳しい批評家の清少納言が誉めるほどの人気者だったから、そうした点に式部は魅力を感じたのだろう。しかし賢明で人間の洞察力に富んだ式部には人の欠点もしっかり見え過ぎていたのではなかろうか。新婚早々、式部が宣孝に対して怒っている。それは宣孝が式部がよこした恋文を妻や恋人たちなど、あちこちに見せ歩いたからである。当時の女性は他人に姿を見られぬようにしていたから、手紙などはその人の能力や性格を知ることのできる格好の材料であった。その見せた相手が恋敵なのだから怒るのも当然であろう。とはいえ新婚の故か間もなく仲直りしている。

**短い結婚生活**

しかしこの結婚生活もわずか二年余りで終止符を打つ。それは夫の宣孝が長保三（一〇〇一）年四月二十五日に突如亡くなったからである。この年には伝染病が猛威を振るっており、「道路の死骸数を知らず」という状態だったから、宣孝の死もこれと関係があるのであろう。安楽を得たと思う間もなく、突然不幸が襲ってきた。宣孝が亡くなって間もなくの頃の歌である。「世のはかなきことを嘆くころ、陸奥に名ある所々描いたる絵を見て、塩竈　「見し人の煙になりし夕べより名ぞむつましき塩竈の浦」」親しく過ごしてきたあの人の亡骸を葬った煙りが高く登った夕べから、塩を焼く煙りがたなびく塩竈の浦に親しみを覚えるというのである。その結果、式部が宮仕えすることになり、『源氏物語』になって結実することになる。だからもし式部にそうした不幸がなかったならば『源氏物語』は成立していなかったかもしれない。

千本閻魔堂の紫式部像と供養塔

「ふればかく憂さのみまさる世をしらで荒れたる庭につもる雪」

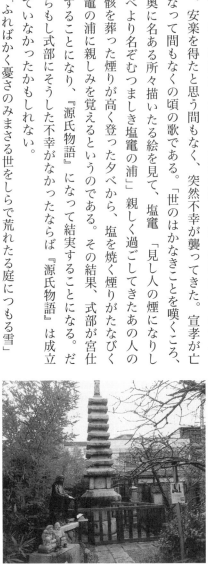

「いづくとも身をやる方の知られねば憂しと見つつもながらふるかな」

「年くれてわが世ふけゆく風の音に　心のうちのすさまじきかな」

最後の歌は式部がある年の暮れも押し詰まった夜、宮中の局で我が身を省みて詠んだものである。この歌には、宮廷生活に違和感を持ち、内面的な孤立感が漂っている。四十近い年齢になって荒涼たる寂寞感に襲われ、不安と苦悩に苛まれていたのではなかろうか。後世、これほど高く評価される作家は希であるが、式部自身は満たされぬ思いを抱きながら若くして没した。その没年については、長和三（一〇一四）年説、同五年説、寛仁元（一〇一七）年説、同三年説、万寿二（一〇二五）年説、長元四（一〇三一）年説など、様々な説がある。しかしどの説も決定的な根拠はなく、結局生没年ともに不詳とする他ないと言えよう。

## 一人娘の賢子の威勢

式部の一人娘の賢子は十五・六歳で母と死別したが、十二歳となった長和二（一〇一三）年に裳着をすませ、母と同じく皇太后彰子の女房として越後の弁という女房名で宮仕えしている。その名は彼女を後見していた祖父為時が越後守だったこと、また後に左少弁であったことによる。彼女は母が苦労した宮仕えを物怖じせず、賢く世渡りをした。彼女は大納言藤原公任《きみとう》の嫡子の定頼、ついで関白藤原道兼の嗣子で四十一歳の中納言兼隆を恋人にしたが、いずれも今を時めく貴公子であった。そして兼隆の子を産んだ二十六歳頃に後冷泉天皇が誕生し、その乳母に抜擢された。天皇が即位すると、その乳母は典侍《ないしのかみ》となり、女房・女官の統率者となる。天皇母の代行的立場のため、様々な特権があり、除目の際には多くの男性官僚が名簿を持参し、天皇や摂関への口添えを依頼したから、経済的にも豊かであった。そして有力官僚と正式な結婚をすることもできた。それは宮中の女房たちの憧れの地位であった。

『栄華物語』根合の巻では、賢子は弁の乳母と呼ばれ、趣味の良い教養ある人で、そのために後冷泉天皇は風雅の道に堪能であったと誉めている。女房としては最高の地位の従三位・典侍となり、宮廷で長らく威勢をふるった。当時帝の御乳母の身分は紫式部の家柄の女性にとっては望みうる最高の社会的地位であった。そして大宰大弐の高階成章《たかしなしげあきら》と結婚したので、大弐三位と呼ばれた。成章は地方官としては最高の職に就いたが、一方で「欲大弐」と呼ばれたほどであったから、その人柄はともかくその夫人の賢子は富裕な生活を送ったと思われる。母式部も娘賢子の後半生を知ったなら、大いに満足したことと思われる。

## (八)　清少納言

### 父清原元輔は三十六歌仙

清少納言の「清」は「清原」氏の姓から、「少納言」は女房名である。清原氏はもともと天武天皇の皇子舎人《とねり》親王の子孫に始まる伝統ある氏族であった。先にみた源信の母親も清原氏であったから、何世代か遡れば清少納言と源信は同じ先祖ということになる。

清少納言は言うまでもなく一条天皇の中宮定子に仕えた女房の一人である。曽祖父の深養父《ふかやぶ》は中古三十六歌仙の一人に数えられる歌人で、父の清原元輔は二番目の勅撰和歌集の『後撰和歌集』を編纂し、また三十六歌仙の一人として知られる著名な歌人であった。この深養父から元輔に連なる清原氏の人々は、評判の高い歌人の子孫として特別に注目されていた。王朝時代の貴族社会では家系が大変重んじられていた。父元輔は文人貴族の一人で、河内・周防・肥後などの受領を歴任し、任国の肥後において八十三歳で没した。

『今昔物語集』巻二十八第六話「歌読元輔賀茂祭に一条大路を渡れること」に見える元輔が清少納言の父である。元輔は賀茂祭の使者となり、馬に乗って一条大路を行進していた。ところが馬が何かに躓き、元輔は落馬し、その時、当時は必ず着用することになっていた大切な冠も落ちてしまった。頭が露顕してしまったが、その頭には髪がなく、夕日に照らされ輝いた。この頃、烏帽子は天皇から一般庶民まで貴賤の別なく被っていた。その色は黒が原則で成人男子の頭頂部を見る機会はめったになかったから、大路にいた人々は「見苦しきこと限り」ない有様に大笑いした。

普通であればすぐに冠をかぶって頭を隠すべきなのに、光った頭のままで、公達のもとに走り寄って、過去に落馬して冠を落とした有名人の名をあげて話をした。洒落の名人で人を笑わすことを得意とした人であったという。清少納言は元輔五十九歳の時の子で、おそらく彼女が二十三・四歳くらいまでは生きていたと思われる。こうした話術や歌や文の巧みさが娘の清少納言にも受け継がれたのであろう。ただ彼女はその才気をひらけかしたり、また人を辛辣に評する面が見られるが、それは父が還暦前の子だったから、父からも周囲からも溺愛されたためにそのような性格になったのではなかろうかとも言う。

## 元輔は源満仲と親友

寛和二（九八六）年に元輔が肥後守として下る時に、共に高齢となった源満仲との友情を示す和歌がある。元輔「いかばかりおもふらんとか思ふらむ　老てわかるるとをきわかれを」満仲「君はよし行すえとをしとまる身の　まつほどいかがあらんとすらむ」と詠んだ。

老いた身ゆえ再会を期しがたい身であり、別離を惜しむ真心のこもった内容で、長年の二人の交流を彷彿させる。ところがこの二人の息子がこれから三十年ほど後に、殺人事件の加害者と被害者になるとは想像すらしなかったであろう。

被害者となるのが元輔の息子、清少納言の兄の前大宰少監清原致信《むねのぶ》で、加害者は満仲の息子の源頼親である。少納言の兄は単なる文人ではなかった。軍事貴族頼光の兄弟で大和源氏の祖源頼親のもとで活動していた当麻為頼《たいまのためより》という人物がいた。その為頼は寛弘三（一〇〇六）年の頼親と興福寺との対立に際して興福寺の僧坊に放火した当事者であったが、その為頼の殺害に清原致信が関与していた。その報復として、寛仁元（一〇一七）年三月十一日午後四時頃、致信は源頼親によって京のど真ん中で殺害された。六角富小路にあった住宅に七・八騎の騎兵と十人あまりの歩兵に襲撃されたのである。この事件を聞いた藤原道長は『御堂関白記』に頼親のことを「殺人の上手なり。度々このことあり」と記している。こうした経歴からも彼らは貴族とはいえ武人的性格が濃厚な人物であった。

ところで父元輔の歴任した官職は従五位上・肥後守が極官だから受領階級に属する中・下級貴族であった。清少納言の結婚相手は橘　則光《たちばなののりみつ》で、その父も受領だったから同じ階層同士で、年も二人とも十代後半くらいの結婚であった。この当時は身分内結婚であったから、通常の結婚と言える。

## 初婚の橘則光は著名な軍事貴族

この橘則光は陸奥守を歴任した軍事貴族として著名な人物である。『今昔物語集』巻二十三第十五話「陸奥前司橘則光、人を斬り殺す語」にその武勇伝が記されている。則光については、「兵ノ家ニ非ネドモ、心極テ太クテ思量賢ク、身ノ力ナドモ極テ強カリケル。見目ナドモ吉ク、世ノ思エナドモ有ケレバ、人ニ所被置テゾ有ケル」とあるように、力たくましく容姿も優れた美男だった。受領で財力も豊かであった。お金持ちでイケメンなら、清少納言ならずとも心を引かれるのは当然であろう。

十代後半で子を儲けたものの、十年ほどして離別した。その後、藤原実方と関係があったとも言われるが、詳しいことはわかっていない。清少納言がイケメン好みであったことは『枕草子』からわかる。「説経の講師は顔よき、講師の顔をつとまもらへたるこそ、其の説くことの尊さも覚ゆれ」と記す。彼女によれば、じっと見入ってしまうほど顔が良くないと、話していることも尊くは聞こえないというのである。その後、宮中に出仕し藤原公任、藤原行成、藤原斉信らを始めとする貴紳と交際し、当意即妙の才能を生かして中宮定子方の代表的女房となった。

『枕草子』「宮にはじめてまいりたるところ」で始まる段に興味深い逸話が記されている。清少納言が宮中に出仕して間もない頃の話である。中宮定子から「我をば思うや（私のことを慕っているのかしら）」と尋ねられた。もちろん清少納言は「いかがわ（どうしてお慕いしないことがございましょうか）」と答えたが、その時、たまたまどこからか誰かもわからないけれど、大きなくしゃみが聞こえてきた。それを聞いた定子は、「あな、心憂。そら言をいうなりけり」と言って退出してしまった。当時の貴族たちにとってくしゃみは不吉なものだと考えられていたため、清少納言の言葉は嘘ととられたのである。

たまたま聞こえてきた他人のくしゃみで自分の言葉を疑われたことは大変迷惑であったろうが、新参の女房のため言い訳もできず意気消沈して部屋に下がった。ここで定子との信頼関係がなくなっていたら、清少納言の活躍の場もなく、歴史に名を残すことなかったかもしれない。たかがくしゃみと言っても、人の人生を大きく変えるだけの影響を持っていたのである。

しかし清少納言が部屋に帰ると、定子から一首の歌が届けられていた。おそらく彼女に弁解の機会を与えるためだったのだろう。清少納言は「式の神もおのずから（式神なら私の潔白をご存知でしょう）」と言葉を添えたうえで「薄さ濃さ　それにもよらぬ　はなゆえに　憂き身のほどを　見るぞわびしき（あなた様を慕い申し上げる気持ちの濃淡ではなく、くしゃみなどのために辛い思いをすることは大変悲しいことです）」と返歌し、これによって誤解は解けた。

清少納言が「式の神」と書いたが、これは陰陽師たちが作った呪物で、陰陽師に使役され、自在に姿を変えるが、一般の人には見えない。清少納言の仕えた中宮定子は藤原道隆の娘で、その道隆とライバル関係にあったのがあの藤原道長である。定子の父道隆が死去、兄の伊周《これちか》らは花山天皇への暴力事件に関与して出家、そして当の定子も第三子の出産と共に死去した。仕えるべき主人を失った清少納言もこの頃に宮中を去った。そして宮中の生活を振り返って書いたのが『枕草子』である。

なお『枕草子』の書名については諸説があるが、私は五味文彦氏の説に惹かれる。一条天皇の御前に献呈された紙には中国の『史記《しき》』が書かれることになったが、中宮定子はこちらでは何を書くことにしようかと清少納言に尋ねた。清少納言は「枕にこそは侍らめ」と申したところ、では紙を与えるので書くようにと命じられて執筆することになったという。そうであれば、この書は中宮定子に捧げられる公的性格を持つ文章だったことになる。「しき」は「四季」に通じる。『枕草子』は「春はあけぼの」「夏は夜」「秋は夕暮」「冬はつとめて」の四季の風景を描いて始まる。この四季を枕にして書いたので『枕草子』となったというのである。

主人の定子が没落してから七十歳を越えていた藤原棟世《むねよ》と再婚して小馬命婦《こうまのみょうぶ》を生んだ。彼女は三十四、五歳と推定される。そして、晩年は京都愛宕郡鳥辺の南にある月輪の棟世の山荘に隠棲した。こうしたことから落魄・零落した、あるいは遠国に流離したという伝承が生じた。

## 三蹟の藤原行成は愛人か

『源氏物語』を著した紫式部は清少納言を嫌っているが、その理由として、清少納言の主人定子が自らが仕えた彰子のライバル関係にあったことがあげられる。しかしそれだけでなく清少納言が定子に忠義顔をしながら、その一方で三蹟の一人藤原行成と愛人関係とされるほど親しかったことも一因と言われる。『枕草子』四十六段には、清少納言の行成評がある。「頭弁、物をいと久しういひたち給へれば、(中略)いみじう見え聞えて、おかしきすぢなどたてたることはなう、ただありなるやうなるを、みな人、さのみ知りたるに、なほおくふかき心ざまを見しりたれば、おしなべたらずなど、まへにも啓し、又、さ知ろしめしたるを、つねに女はをのれをよろこぶ者のために顔づくりす。士はをのれを知る者のために死ぬとなんいひたるといひあはせ給ひつつ、ようしり給へり」とある。この時、行成はまだ二十六・七の少壮官人である。清少納言は、行成は特に風流な立ち振る舞いをしないため、女房たちには平凡な男のように思われているが、私だけはただの人物ではないことを知っているというのだから、この一文だけでも彼に好意を持っていたことは確かであろう。「女はをのれをよろこぶ者のために顔づくりす」というのも、清少納言は行成のために化粧をしていたことを吐露したと受け取れる。ただ行成が『史記』を出典とする「士はをのれを知る者のために死ぬ」というのは、この場の雰囲気には合わない気もするが、若手官僚の意気込みを示したものであろうし、清少納言はその心意気を良しとしたので、ここにあえて記したのであろう。その女心のほどは量りかねる。紫式部と清少納言の二人が気が合わないのも、女流文学界の大家ゆえ、両雄並び立たずというところであろうか。

## ㈨　和泉式部

### 奔放な恋に生きる「うかれ女」

和泉式部は平安時代の女流歌人として名高い。彼女は紫式部と同時期に中宮彰子に仕えていた。父大江雅致《まさむね》は冷泉天皇の妃昌子に太皇太后宮大進《たいこうたいごうたいしん》として仕え、母は昌子の乳母である。大江氏は江家と呼ばれる文人貴族を輩出する家系につながる中級貴族であった。

和泉式部は奔放な恋に生きた人物として異彩を放っている。「和泉」の名は初めの夫橘道貞が和泉守だったことによる。二十歳も年の離れた橘道貞と結婚し、その任国の和泉まで行っており、そして小式部内侍《こしきぶないし》を儲けているから二人の愛情は続いていたのであろう。しかし夫が愛人をつくり、そのために家を飛び出してから奔放で情熱的な人生が展開する。

その数年後には冷泉天皇の皇子で、年下の為尊《ためたか》親王と通じたため、夫から離別され、その親王が死去した後、その弟の敦道《あつみち》親王と激しい恋におち、結婚に至る。しかし式部は受領の娘という身分では、召人としてしか認められない仲であったから、実際にはかなり複雑な立場にあった。日記中に交わされる二人の歌によって恋愛は成立し、成就していく。その歌に全身全霊をかけていく生き方が、日記の世界にやむにやまれぬ愛情の絆となってかたどられていく。したがってこの日記と現実世界とはかなり異なっている。

敦道親王は皇太子の有力候補で、その彼が和泉式部のもとに夜毎に通うことに対して、乳母が「召し使はせおはしまさんと思召さん限りは召してこそ使はせおはしませ」と言うように、宮仕人として召し使わせたらよいと諫めている。それは和泉式部のような身分の女のもとに通うのは、皇太子候補としてマイナスになると考えられていたからである。式部は親王との身分の隔たりにも関わらず、堂々と美しく歌い上げ、自己を表面に強く表し、日記を書き続けた。しかしその敦道親王は二十七歳の若さで没するが、その絶望の淵からも多くの優れた歌を生み出した。そして寛弘六（一〇〇九）年頃、一条天皇の中宮彰子のもとに出仕した。

その後、藤原道長の家司藤原保昌と再婚し、夫の任国の丹後国に下向した。この頃に娘の小式部は京にいたが、その彼女を藤原定頼がからかった。その時に詠んだのが「大江山いくのの道の遠ければまだふみも見ずあまの橋立」という秀歌で百人一首に載せられている。しかし彼女は万寿二（一〇二五）年に若くして亡くなっている。式部は晩年には尼になったともいうが、定かではない。日本文芸史上屈指の詩人で、男性遍歴を重ね、藤原道長から「うかれ女」と呼ばれたが、彼女は才女でまた大変魅力的な人物であった。

「黒髪の乱れも知らずうち臥せば　まづ掻くきやりし人ぞ恋しき」

寝乱れた黒髪を押しやるように掻き上げて愛撫をしてくれたあの男がいとしくてならないと歌ってい

る。この歌のように物狂いのように愛に憑かれた自分の生を歌い続けた。

## 結婚相手は名だたる武者

その最初の夫橘道貞は陸奥守として東北の治安維持にあたった軍事貴族であり、最後の夫藤原保昌も名だたる武者であった。軍記物の『保元物語』上には、「田村、利仁が鬼神をせめ、頼光・保昌の魔軍をやぶりしも」とあり、『十訓抄』にも「頼信、保昌、惟衡、致頼とて、世に勝れたる四人の武士也」と見えるように、坂上田村麻呂や源頼光などに匹敵する著名な武者であった。藤原道長やその子の頼通の家司を勤めるなど、摂関家と近い関係にあり、また源氏とも姻戚関係を持ち、大和・日向・肥前・摂津・丹後など諸国の受領や大宰少弐などを歴任し、巨万の富を貯えていた。二人の夫の共通点は、筋骨たくましく、そしてお金持ちということである。それを好むのは和泉式部に限ったことではなかろう。現在でも美しい女性アナウンサーが稼ぎのよいスポーツ選手と結婚したという報道を聞くたび、今も昔も変わっていないと思わされる。

和泉式部は貴船社に詣でて蛍が飛んでいるのを見た。そこで「もの思へば　沢のほたるもわが身よりあくがれ出づる魂かとぞみる」と詠んだ。恋の思いのあまりその身からあくがれ出た（遊離した）魂の行方は目にすることが出来ないのだが、陰火の如く飛び交う蛍が魂なき心の空しさを際だたせている。魂の不安をこれほど見事に詠んだ歌はないとも評される。すると社の中からしのびやかな声で、「奥山にたぎりて落つる滝つ瀬の　魂ちるばかりものな思ひそ」という返歌が贈られてきた。返歌の主は貴船社の神だったから、彼女の歌は神をも感動させるほどの威力を持っていたのである。

### 紫式部の和泉式部評

和泉式部は紫式部と同世代の人物である。和泉式部は三十四・五歳頃に中宮のもとに出仕したが、その美貌は健在だった。豊かな黒髪を持ち、その上情感豊かな和歌を詠み、その魅力に次々と男達が言い寄ってきた。一方、紫式部は朝早く道長に机帳の上からのぞかれると、その姿と我が身を見比べ、脇を向いて顔を隠したと記すように、自らの容姿に自信がなかったようである。控えめで表面的にあまり自己主張をしない紫式部にとっては和泉式部は苦手な存在ではなかったろうか。

紫式部は次のように彼女を評している。「和泉式部といふ人こそ、おもしろう書きかはしける。されど和泉はけしからぬ方こそあれ。うちとけて文走りかくきたるに、そのかたの才ある人、はかない言葉のにほひも見えはべるめり。歌はいとをかしきこと、もの覚え、歌のことわり、まことの歌詠みざまにこそはべらざめれ、口にまかせたることどもに、必ずをかしき一ふしの目にまる、よみ添へはべり」と言う。文才はあるが、男女関係において「けしからぬ方」と強調している。

## ㈩　小野小町

### 恋歌の名手

ひと時代前まで「○○小町」と言えば美人の代名詞だった。また小野小町はエジプトのクレオパトラや中国唐の時代の楊貴妃と並んで世界の三大美女であると習った記憶がある。今はそうしたこともほとんど聞かなくなったが、秋田県産の米の「あきた小町」の名の方がよく知られているのかもしれない。

美人の誉れ高く伝説の世界では最も人気がある小野小町は平安時代前期の三十六歌仙で、その中でただ一人の女性で、しかも恋歌の名手としてその評価は高い。文屋康秀や遍昭らとの贈答歌があるから仁明天皇の時代（八三三〜八五〇）の頃に活動していたことは確かである。仁明天皇の後宮に入っていたのではないかとも言われる。天皇の後宮には十三人の妻がおり、その内の一人だったが、藤原氏の娘も数人いるため藤原氏の圧力によって天皇から遠ざけられたのではないかとも言う。

実際の彼女の経歴は、『古今和歌集』などの歌集に収められた歌だけで、他は全て謎である。漢詩人・歌人で従三位参議小野篁の孫とも言い、全国各地に小町の遺跡や出生地、墓が数多くある。また母は衣通姫などとする説もあるが信じがたい。その中で、秋田県はさすがに「あきた小町」の里というだけあって小町に関する多くの伝承が遺されている。たとえば都から赴任した郡司と村の娘が結婚し、小町が生まれた。やがて都に上り、歌人として活躍したが、晩年は故郷に戻って暮らした話、あるいは都から里帰りしていた小町を深草の少将が百夜通いをした話などがある。御雄町には盆地中央に二ッ森という双丘があるが、その高い方が深草少将の墓、低い方が小町の墓と伝えられている。

伝説には美しい才能豊かな歌人小町と、老い衰えた小町の二つがある。

「花の色はうつりにけりな　いたづらに我が身よにふるながめせしまに」

この歌は小町の代表的な歌であるが、はかなく移ろう桜の花への名残り惜しさと、容色の衰える我が身の行く末の嘆きを重ねているが、この巧妙で哀切な歌が人々の関心を引いた。それが小町そのものの印象となって様々な伝説が生じた。『古今和歌集』にある小町の歌は全て恋の歌で、恋人への思慕を切なく歌っている。

「うたたねに恋しき人をみてしより　夢てふものは頼みそめてき」

「いとせめて恋しき時は　むばたまの夜の衣をかへしてぞ着る」

「思ひつつ寝ればや人のみつらん　夢と知りせばさめざらましを」

「うつつにはさもこそあらめ　夢にさへ人目を守《も》ると見るがわびしさ」

「わびぬれば身をうき草の根を絶えて　誘う水あらば往なむとぞ思ふ」

「思ひつつぬればや人の見えつらむ　夢と知りせばさめざらましを」

「色見えで移ろふものは世の中の人の心の花にぞありける」

「今はとて我が身時雨にふりぬれば言の葉さえ移ろひにけり」

『古今和歌集』の作者紀貫之が「仮名序」で小町の歌は「古の衣通姫の流れなり。あはれなるようにして強からず。いはば良き女の悩めるところあるに似たり」とたとえられた衣通姫は、その美しさが衣服の外にまであふれ、輝くばかりの美しい女性であったから、小野小町もまた絶世の美女というイメージになった。


銀鼠と白鼠の間の明るい薄鼠色のことを小町鼠と言う。江戸時代にできた色の名称であるが、平安美人の代表小野小町の名を冠することで、若向きの美しい色としての印象の良さを狙ったものと思われる。

## 深草少将の「百夜通」

小町に恋いこがれた深草の少将は百夜続けて通ってくれれば…と言われ九十九夜通い続けたが、心身ともに疲れ果て、とうとう百夜にして世を去った。男が命をかけるほどの美人というのである。ただこの「通小町」の話は事実でなく、架空の話で、そしてその深草少将の「百夜通」の舞台は、京都山科の名刹の随心院だという。ここは小町の住居跡に立てられた寺とされ、今でも小町ファンの足音が絶えることがない。この随心院には薄紅色の美しい梅が植えられており、それは「はねず梅」と呼ばれている。小町が詠った「花の色」はこの梅を詠んでのことではないかとも言う。

今一人、小町に恋の歌を贈った人物がいる。その人は左近衛少将・五位上・蔵人頭の良岑宗貞《よしみねのむねさだ》、六歌仙の一人遍昭である。

「石の上に旅寝をすればいと寒し　苔の衣をれにかさなん」（小野小町）
「苔の衣はただひとえかさねばうとし　いざふたり寝む」（遍昭）
二人とも六歌仙で、「いざふたり寝む」という表現から二人は恋愛関係にあったとする説と大人同士の機知に富んだ戯れ歌とする説とがある。いずれにしても遍昭は出家の身でありながら、こういう艶っぽい歌を詠んでいることからみて、なかなか粋な人物のようである。

小町の歌である。「海松布《みるめ》なきわが身を浦と知らねばや　触れなで海女の足たゆく来る」（私の浦（心）には海松布（あなたへの気持）がないのに、海女（あなた）はそれも知らずに海松布を手に入れようと性懲りも無く何度もいらっしゃるのね）

このように男の誘いを断る歌から、小町は美人としてのプライドが高く高慢な人物であったとされ、その腹いせか、小町は晩年は落剥したという話も多く生まれた。小町は各地を放浪して発狂したとか、乞食になったとかと言う。また在原業平が陸奥八十島の荒野でススキが生えている髑髏を見、それが小町のなれの果てだと里人から聞いたという話などがある。

随分時代が下るが、石川啄木の歌に「はてもなき曠野の草のただ中に髑髏を貫きて赤き百合咲く」というのがある。はてない荒野の草むらに埋もれるように無造作に置かれた髑髏、その目を貫いて赤い百合が咲いている。荒涼とした風景に、髑髏の白と百合の赤の対比が際立つ印象深い歌である。ここには小野小町の名は見えないが、明らかに小町の髑髏を思い出させる。岩手出身の啄木だから、東北の小町伝承は当然知っていてこの歌となったのであろう。

小町が瘡《かさ》の病気にかかり、薬師に祈願の歌を詠むと、薬師の返歌があってたちまち治ったという伝説は、同じ歌を伴って群馬・岐阜・岡山・愛媛などにある。小野氏は神職として全国に広がっている家柄で、社寺の縁起とも関わりが深い。この小町伝説にも小野氏が大きな役割を果たしていたのではなかろうか。

## 小町の落魄伝承

　このように小町にまつわる話が多くあるのは、たとえ絶世の美女と雖もいずれは衰え、骨になるという無情を多くの人が感じていたからではなかろうか。しかし小野小町が零落したという話は平安中期頃の漢文体の一代記『玉造小町壮衰書』（伝空海作）の主人公と混同されて生じたとも言う。小町がかくも話題になるのは、我が身とも重なるものがあるからであろう。人は小町ほどの美しさはなくても、一度は若くて輝いた時期があった。しかし時の移ろいは無常であると、年を重ねると共にその思いは強くなる。彼女ほどの大きな落差はなくとも、ほとんどの人がそのように感じ、共感するからであろう。

　小町の辞世の句とされる歌である。「日ぐらしの鳴く山里の夕暮れは　風より外に訪ふ人ぞなき」（ひぐらしの鳴き声が聞こえるような寂しい山里に住む私の家には、恋人が訪れる夕刻になっても風しか訪れてくれない）この歌には晩年の孤独感が漂っている。こうした歌から落ちぶれ伝説や落魄伝説などが生まれたのであろう。六十九歳の生涯だったという。

　小町が活躍した頃は家父長制が未成立で、女性が一定の社会的地位を持ち得たから、男女の恋愛においても主体的に男性を恋し、ある時は激しく拒否することができた。しかし平安中期に貴族社会で家父長制が成立し、女性の社会的地位が低下してくると、小町は驕慢だとか、家族を形成できない女性の孤愁からくる嘆きともみられるようになる。結婚をして子供を産むという規範から逸脱した女性の末路を家父長制の立場から説いたのが小野小町落魄説話である。

　小町に対する見方は、明治の世になると再び大きく変化する。明治という時代は、男女共にそれぞれの社会的役割を果たすことが厳しく求められ、とりわけ女性には良妻賢母であることが要請され、貞淑な女性、控えめで家を守る女性などが期待された。小町は色好みの女、恋多き女性であったが、この頃には明治婦人の理想とされるようになる。『小野小町貞女鑑』が出され、それによると、『徒然草』や『本朝通鑑』などでは小町を不貞の女と決めつけているが、それらは全て誤りで、彼女は二夫にまみえぬ貞烈清潔であって、婦女子の鑑として尊敬すべき女性だという。小町の真の相手は深草少将一人とされた。

そして黒岩涙香は『婦人評論』で小町論を展開し、「貞女は一夫にだも見えず」ということは女の覚悟でありますと述べ、小町の歌は男性を拒否する歌と解釈した。小町は男のプロポーズを拒否し、貞操を固く守った才媛であったとされ、当時求められていたあるべき女性像と重ねられるようになるのである。小町の場合も、時代の変化とともに、人の評価が変わる一例である。

## (十一)　在原業平

### 「才学無く、善く倭歌を作る」

在原業平は平安時代初期の歌人、六歌仙の一人で父は平城天皇の子の阿保《あぼ》親王である。母は桓武天皇の娘だから、れっきとした王族である。彼は伊勢神宮に天皇の勅使として派遣され、文徳天皇の女伊勢斎宮の恬子内親王と密通するという重大な侵犯を行った。この情事が『伊勢物語』のタイトルの由来になる。しかし、その後も官位は順調に昇進している。業平と言えば、『伊勢物語』の「唐衣きつつなれにし妻しあれば　はるばる来ぬる旅をしぞ思ふ」と詠んだ歌がよく知られている。一方、『日本三代実録』には「業平、体貌閑麗、才学無く放縦にして拘らず、才学無く、善く倭歌を作る」と記す。ここでは眉目秀麗で、細かいことにこだわらず、自分の思うように生き、そして和歌に優れた才能をみせた人物とされている。しかし「才学無く」ともある。これは業平が才能がないとけなしているのであるが、ここで言う「才」は「漢詩文の才」のことである。簡単に言えば「漢詩文はへた」ということである。この当時、貴族達にとって最大にして必須の素養とされたのが漢詩文の能力だった。中国の唐風文化全盛の時代にあっては漢学・漢詩文の能力はその人となりの評価に大きな影響を与えていた。したがって業平だけでなく、政治的に大きな貢献をした人物であっても「才なく」と書かれるのである。漢詩文の出来不出来だけで、しかもこれが千百年を経た現在まで残る国家の正史に書かれるのだから、書かれる方はたまったものではない。

業平のイメージは『伊勢物語』の内容やそこに記された歌によってできた。

「月やあらぬ　春や昔の春ならぬ　我が身ひとつはもとの身にして」

月を眺めながら、失われた人を追憶する歌のように、和歌は巧みであるが、柔弱で色好みの貴公子を彷彿させる。しかし『伊勢物語』はあくまで物語で、『三代実録』は「実録」とあるように事実をそのままに記しているから、後者の方が本人の姿に近い。彼は相撲で人を投げ飛ばしたり、女性を背負って京から芥川（大阪の高槻市）まで夜道を逃げていることなどから、かなりの硬骨漢で、色男でも力はあった。

藤原氏の台頭の圧迫を受けた「柔弱な貴公子」と、「放縦にて拘らず」では、イメージが大きく異なる。貞観十七年に最初の関白となった藤原基経が四十歳になった時に、「さくら花散りかひくもれ老いらくの来んといふなる道まがふがに」と詠んでいる。基経に対しかなりのリップサービスである。藤原北家に接近しつつ自由気ままに生き、それほどストレスもなく生きた人かもしれない。

兄行平は承和九（八四二）年の承和の変で密告をした功績で中納言になり、政界に影響力をもった。しかし弟業平は政治の世界から離れ、風流と色好みに没入した。しかし元慶三（八七九）年十月には陽成天皇の側近として蔵人頭に就任する。これを無事に勤め上げれば公卿への道が開かれていた。ところが翌年五月、業平は五十六歳にして死去してしまった。

『伊勢物語』に見える「つひに行く道とはかねて聞きしかど　昨日今日とは思はざりしを」というこの歌は多くの人の心情に通じているのではなかろうか。皆いずれは死出の道を踏まなければならないことは知っているものの、それが昨日や今日のことと思って生活をしていない。しかしそれは思わぬ時にやってくる。業平にしてもまさか自分の待ち望んだ公卿就任を目前にして寿命が尽きるとはよもや思ってもいなかったであろう。「いつ来てもよい」という覚悟をもって生きることの大切さを思う。

## 在原業平伝承

今一つ『今昔物語集』巻二十七第七話「在原業平の中将の女鬼にくらわるる語」の話を取り上げよう。ここでも在原業平は評判の色好みで美人と聞けば、宮仕えの女性、人の娘であろうがみな契を結んだという人物として描かれている。ところで業平はある人の娘が容貌が比類無く美しいというので熱愛したが、親が立派な婿と結婚させようと大切に世話をしていたため、我がものとすることができなかった。そこで策略を廻らしてその娘を盗み出したものの、隠す場所がなかったので、古い別荘の倉に連れていった。その娘と寝ている時、急に稲光がし、雷鳴がとどろいた。業平は娘を後ろに押し、太刀を抜いて刃を光らせた。するとしばらくして雷鳴は止み、夜も明けた。女は声もあげなかったので不思議に思ってみると、頭と衣装だけしかなかった。業平は恐ろしく取るものもとりあえず逃げ去った。後になってこの倉には、人を殺す鬼が住んでいると知った。様子のわからない場所にはゆめゆめ立ち寄ってはいけないと結んでいる。

怪奇譚であるが、鬼は「百鬼夜行」と言われるように、夜に活動すると考えられていた。朝になって業平が気づくという設定になっているのはそのためである。ここでは在原業平が盗み出した娘が誰であったかはわからないが、後に藤原長良の娘高子《たかいこ》であったという説が取りざたされるようになる。藤原長良は最初の摂政藤原良房の兄で、また初めての関白藤原基経の実父でもある。娘の高子は清和天皇のもとに入内し、後に陽成天皇を生む。そのため陽成天皇は清和天皇の子ではなく業平の子だという噂が流れた。その噂が陽成天皇本人の耳に入った可能性も考えられる。陽成天皇は成長するにつれて乱暴になり、即位後は

「物狂帝」と言われるようになる。その結果、十七歳の若さで譲位させられた。陽成天皇が粗暴でぐれてしまったのは、業平にその一因があったのかもしれない。

ともあれ高子を盗み出すということは、藤原氏の外戚関係の推進を妨害することである。それが事実ならば業平はスキャンダルを引き起こすことによって高子を后妃にと考えていた藤原氏の意図を打ち砕くことになる。父阿保親王は、藤原薬子の変に連座して大宰府で十八年に及ぶ流謫の生活を送っている。のちに帰京を許されるが、阿保親王の意向によって兄たちと共に在原姓を賜い、臣籍となった。阿保親王は承和九（八四二）年七月に起こった承和の変で密告者の役割を果たしており、こうした負け犬的行為は青年業平に暗い影を落としていたのではなかろうか。祖父平城天皇もその事件によって政治的権力を失ったことから、そうした行動は、祖父・父の怨念を晴らすことになる。業平は反藤原氏先棒を担ぐ工作員で、しかもそれを色仕掛けでしたことになる。これでは柔弱な美男の貴公子というイメージとは大きく異なることになるが…。今となっては真相は闇の中である。

**【参考文献】**


・保立道久『平安王朝』（岩波新書・一九九六年）
・井上満郎『桓武天皇と平安京』（吉川弘文館・二〇一三年）
・井上満郎『桓武天皇』（ミネルヴァ書房・二〇〇六年）
・北村優季『平安京』（吉川弘文館・一九九五年）
・春名宏昭『平城天皇』（吉川弘文館・二〇〇九年）
・『ビジュアル日本の歴史』九七（デアゴスティーニ・ジャパン・二〇〇五年）

・目崎徳衛『王朝のみやび』（吉川弘文館・二〇〇七年）
・元木泰雄『源満仲・頼光』（ミネルヴァ書房・二〇〇四年）
・奥富敬之『名字の歴史学』（角川書店・二〇〇四年）
・大隅清陽「君臣秩序と儀礼」『古代天皇制を考える』（講談社・二〇〇一年）
・松本正春「桓武天皇の鷹狩について」『律令兵制史の研究』（清文堂・二〇〇二年）
・林陸朗「古代史、丑年生まれの人々」『日本歴史』第五八四号（吉川弘文館・一九九七年）
・西本昌弘「早良親王薨去の周辺」『日本歴史』第六二九（吉川弘文館・二〇〇〇年）
・関根淳「長屋王の「誣告」記事と桓武朝の歴史認識」『日本歴史』第六六七号（吉川弘文館・二〇〇三年）
・佐伯有清『日本古代の政治と社会』（吉川弘文館・一九七八年）
・西本昌弘『桓武天皇』（山川出版社・二〇一三年）
・西本昌弘「「薬子の変」か「平城太上天皇の変」か」『週刊日本の歴史』一三（朝日新聞出版）
・佐々木恵介「薬子の変」『歴史と地理』五一四（山川出版社・（一九九八年）
・佐藤信「平城太上天皇の変」『歴史と地理』№五七〇（山川出版社・二〇〇三年）
・井上辰雄『嵯峨天皇と文人官僚』（塙書房・二〇一一年）
・河添房江『唐物の文化史』（岩波書店・二〇一四年）
・藤原克己「日本で漢詩集が勅撰された時代」『歴史と地理』№六四五（山川出版社・二〇一一年）
・井上辰雄「檀林皇后とそれをめぐる偶像たち」『日本歴史』第六四〇号（吉川弘文館・二〇〇一年）
・松尾光『古代の社会と人物』（笠間書院・二〇一二年）
・吉田孝『体系日本の歴史三古代国家の歩み』（小学館・一九八八年）
・佐々木恵介『平安京の時代』（吉川弘文館・二〇一四年）
・保立道久『歴史の中の大地動乱』（岩波書店・二〇一二年）
・久野昭『日本人の他界観』（吉川弘文館・一九九七年）
・井上辰雄『平安初期の文人官僚』（塙書房・二〇一三年）

・中村修也『今昔物語集の人々』（思文閣出版・二〇〇四年）
・後藤昭雄「菅原是善伝断章」『日本歴史』第三三四号（吉川弘文館・一九七六年）
・井上勲「良香の風景」『日本歴史』第五〇〇号（吉川弘文館・一九九〇年）
・藤原克己『菅原道真』（ウエッジ・二〇〇二年）
・元木泰雄「摂関政治の衰退」『古代・中世の政治と文化』（思文閣出版・一九九四年）
・志田諄一『風土記の世界』（教育社・一九七九年）
・朧谷寿『藤原氏はなぜ権力を持ち続けたのか』（ＮＨＫ出版・二〇一二年）
・川尻秋生『揺れ動く貴族社会』（小学館・二〇〇八年）
・佐々木恵介『受領と地域社会』（山川出版社・二〇〇四年）
・『ビジュアル日本の歴史』九八・九九（デアゴスティーニ・ジャパン・二〇〇五・二〇〇六年）
・河内祥輔「中世前期の政治思想」『政治社会思想史』（山川出版社・二〇一〇年）
・坂本太郎『菅原道真』（吉川弘文館・一九六二年）
・義江彰夫『神仏習合』（岩波書店・一九九六年）
・山本信吉『小野道風』（吉川弘文館・二〇一三年）
・山本信吉「小野道風と青柳蛙」『本郷』№一〇五（吉川弘文館・二〇一三）
・小林恒夫「杉坂・道風神社」『日本の国宝』〇六七（朝日新聞社・一九九八年）
・朧谷寿『藤原道長』（ミネルヴァ書房・二〇一二年）
・山中裕『藤原道長』（吉川弘文館・二〇〇八年）
・服藤早苗『平安朝の母と子』（中央公論社・一九九一年）
・山中裕「日記の成立と変遷」『古記録と日記』上巻（思文閣出版・一九九三年）
・河内祥輔「村上天皇の死から藤原道長「望月の歌」まで」『史学雑誌』第一一七編一一号（史学会・二〇〇八年）
・服部敏良『王朝貴族の病状診断』（吉川弘文館・二〇〇六年）
・加須屋誠『生老病死の図像学』（筑摩書房・二〇一二年）

・富島義幸「鳳凰堂雲中供養菩薩のまなざし」『本郷』№八十六（吉川弘文館・二〇一〇年）
・速水侑『地獄と極楽』（吉川弘文館・一九九八年）
・吉田早苗「小右記」『歴史と地理』三五八（山川出版社・一九八五年）
・澤田裕子「藤原実資の小野宮第伝領について」『日本史研究』五八六（日本史研究会・二〇一一年）
・繁田信一『かぐや姫の結婚』（ＰＨＰ研究所・二〇〇八年）
・関口力「小右記」『古記録と日記』（思文閣出版・一九九三年）
・松薗斉「藤原実資」『王朝の変容と武者』（清文堂・二〇〇五年）
・岡泰正「白い狐と赤い鳥居」『日本の国宝』（朝日新聞社・一九九八年）
・繁田信一『陰陽師』（中央公論新社・二〇〇六年）
・久野昭『日本人の他界観』（吉川弘文館・一九九七年）
・小原仁『源信』（ミネルヴァ書房・二〇〇六年）
・坂口勉『今昔物語の世界』（教育社・一九八〇年）
・荒木浩「知識集積の場」『日本の思想第二巻場と器』（岩波書店・二〇一三年）
・元木泰雄『河内源氏』（中央公論社・二〇一一年）
・福永栄一『鬼・雷神・陰陽師』（ＰＨＰ研究所・二〇〇四年）
・野口実『武家の棟梁の条件』（中央公論社・一九九四年）
・高橋昌明「境界の祭祀」『日本の社会史』第二巻（岩波書店・一九八七年）
・藤木邦彦『平安王朝の政治と制度』（吉川弘文館・一九九一年）
・繁田信一『紫式部の父親たち』（笠間書院・二〇一〇年）
・服藤早苗「懐妊の身体と王権」『歴史評論』№七二八（校倉書房・二〇一〇年）
・増田繁夫『評伝紫式部』（和泉書院・二〇一四年）
・河添房江『光源氏が愛した王朝ブランド品』（角川学芸出版・二〇〇八年）
・清水好子『紫式部』（岩波書店・一九七三年）

・今井源衛『紫式部』（吉川弘文館・二〇一四年）
・服藤早苗『平安朝の男と女』（中央公論新社・一九九五年）
・武藤武美「女性・愛・想像力」『朝日百科日本の歴史』六二（朝日新聞社・（一九八七年）
・服藤早苗『平安朝女性のライフサイクル』（吉川弘文館・一九九八年）
・槇佐知子『日本の古代医術』（文藝春秋・一九九九年）
・武藤武美「「をかし」の処世」『朝日百科日本の歴史』六二（朝日新聞社・（一九八七年）
・五味文彦『『枕草子』の歴史学』（朝日新聞出版・二〇一四年）
・阿部猛「このドロボー野郎」『日本歴史』第六四二年（吉川弘文館・二〇〇一年）
・関口力「藤原行成」『王朝の変容と武者』（清文堂・二〇〇五年）
・山中裕「日記の成立と変遷」『古記録と日記』（思文閣出版・一九九三年）
・武藤武美「愛の無明」『朝日百科日本の歴史』六二（朝日新聞社一九八七年）
・『ビジュアル日本の歴史』九七（デアゴスティーニ・ジャパン・二〇〇五年）
・小峯和明『説話の声』（新曜社・二〇〇〇年）
・細川涼一『女の中世』（日本エディタースクール出版部・（一九八九年）
・錦仁『小町伝説の誕生』（角川書店・二〇〇四年）
・三宅和朗「古代の人々と夜」『本郷』№九〇（吉川弘文館・二〇一〇年）
・村井康彦『律令制の虚実』（講談社・一九七六年）
・岡泰正「女を背負う業平」『日本の国宝』〇七九（朝日新聞社・一九九八年）

# 第四章　人物評伝について

## 一　立場によって異なる評価

### ㈠　虚構を含む史料

#### 時代で異なる評価

古代の著名な人を取り上げてきたが、そこで述べたことは、その人の一部であり、正当な評価ではないかもしれない。人物評価というのは大変難しく、評価する人の立場によっても異なるし、またその時点における時代の要請によっても大きく違ってくる。こうしてみると「正しい人物評伝」というのは存在しないというべきかも知れない。人物伝に限らず、「歴史は多様な解釈が成り立つ学問」だからである。

そもそも現在残されている歴史資（史）料が中立・公正な立場で書かれているとは言えず、ある特定の立場から記されたものである。たとえば我が国の古代における基本史料は『日本書紀』『続日本紀』『日本後紀』『続日本後紀』『日本文徳天皇実録』『日本三代実録』など六国史で、この人物評伝でも度々それに依拠して述べてきた。我が国の正史だから客観的な史料と思えるが、もう一歩深く見てくると、なかなかそうとも言えない。六国史の編纂者を見ると、『日本書紀』は編者の代表は舎人親王となっているが、その実務は藤原不比等が掌握していたようであり、『続日本紀』は藤原継縄、『日本後紀』は藤原緒嗣、『続日本後紀』は藤原良房、『日本文徳天皇実録』は藤原基経、『日本三代実録』は藤原時平が編者となっている。これらの書は日本の正史とはいうものの、編者はいずれも藤原氏であることから、そこには藤原氏から見た偏った歴史認識が反映されていることになろう。何よりも正史というのは、それを書かせた皇帝や天皇の正当性を証明するという目的を持っている。したがってどれほど史実を踏まえたとしても、そこには虚構が含まれていることは免れないのである。どれほど完璧な事実を積み重ねていったとしても必ずフィクションたらざるをえないのである。読む側にもこうした認識は不可欠である。

## (二)　翻弄される著名人

### 阿倍仲麻呂は名臣か、罪人か

評価する人の立場によって人物評が大きく異なる例を幾つか紹介しておこう。一つは遣唐使として唐に赴き、その地で最難関の科挙に合格し、官僚として重要な地位に就き、また時の玄宗皇帝から特別に目をかけられた国際人として知られる阿倍仲麻呂である。そのように時めく人物であり、また我が国への帰郷を強く願いながら異国の土となったことで悲劇的な要素もあり、人々から賞賛された。平安時代の『続日本後紀』には次のように見える。「今はなき留学問生贈従二品安倍朝臣仲麿、すなわち唐において光禄大夫、右散騎常侍兼ねて御史中丞、北海郡開国公贈潞州大都督を歴任した。朝衡に正二品を贈ることにした。朝衡その人は、鯨のごとき大波立つ大海を渡って、唐において学業を修めてずば抜けた業績を残し、詩文はその素晴らしきこと高き山のごとくにして、学界に波紋を呼ぶほどであった。(中略)今日に残るのは、天に輝く彼の文章であり、その文章が発表された折に鳴り響いた人びとの驚嘆の声だけである。そこで、さらに幽界においても朝衡の名声を顕彰せんがために、既に贈られている従二品の位よりもさらに昇進させて重ねて高い位に叙することとした」とある。平安時代には阿倍仲麻呂の名声は不動のものになっていたことを如実に示している。

ところが、江戸時代には阿倍仲麻呂は罪人であるとの説が主張された。その説を唱えた谷重遠《たにしげとう》は土佐の国学者で垂加神道で知られる山崎闇斎の門下である。その著書『俗説贅辨』は日本の伝説や由来などを収集して項目毎に分類した書である。彼は次のように言う。「世俗、阿倍仲麿名臣にて西土まで揚られしと云ふ。今按ずるに非なり。仲麿君臣の大義に暗し、何ぞ名臣とすべけんや。夫れ人臣たる者は外交無し、境外の交りさえ許さず。況や他国に仕ふべけんや。今日本諸国の士にて見るべし。わが生国譜代の主君の手ぎれもせぬに、傍の国に行きて奉公せば、生国の主人豈許さんや。必ず尋ねさぐりて罪科に行ふべし。我が国の内にてさえかくの如し。まして外国に仕ふべけんや。大義を失ひ国体を害する、是より甚しきはなし。実に本朝の罪人なり」と記す。江戸時代の「忠臣は二君に仕えず」という立場からは、仲麿は二君に仕える不届き者であり、それもあろうことか外国の君主に仕えるのだから、もっての他である。自国を忘れ、中国に魂を売った罪人であると断罪されるのである。

## 陽成・冷泉・花山天皇は「狂気の天皇」か

二つ目は平安時代の陽成・冷泉・花山天皇である。この三人の天皇は「狂気の天皇」とされ、その人物評価は、当然の如く極めて低い。摂関政治の頃になると、天皇の政治的手腕やその資質が問題となることはあまりなかった。

まず陽成は内裏で殺人事件を起こしており、「悪君の極み」「物狂いの帝」と評され、天皇としてはふさわしくなく、それ故に退位させられたとされる。その次が冷泉天皇である。康保四（九六七）年、平安時代に天皇親政を行ない、「天暦の治」と称され、一時代を築いた村上天皇が亡くなり、代わって皇太子の憲平《のりひら》親王が即位した。これが冷泉天皇である。そしてこの冷泉天皇を関白となって補佐したのが摂関常置の基盤を築いた藤原実頼で、秘書官の蔵人頭は道長の父兼家であった。この冷泉天皇は皇太子時代から病弱なうえ異常な行動が多く、「狂気の天皇」と言われる。蹴鞠の鞠を天井の梁の上に乗せようとして一日中蹴り続けたり、父村上天皇から届けられた手紙の返事に男根の絵を描いたり、宮中に伝わる名だたる笛を刀で傷つけたり、大声で歌い、その声は御所を警備している近衛兵たちにも聞こえたという。その治世わずか三年で譲位し、その後、十一歳の弟守平親王が即位して円融天皇となり、ついで冷泉天皇の第一皇子師貞《もろさだ》親王が即位して花山天皇となる。この花山天皇は父冷泉帝の気質を受け継いだようで、「狂気の振る舞い」が見られた。新嘗祭の翌日に行なわれる節会の舞姫をのぞき見したり、即位の日に大極殿の高座《たかみくら》で馬内侍という女官を犯したりしたという。異常なほどに物事に執着する性質で、芸術的な面ではすぐれた才能を示した。

この三代の天皇は「悪君の極み」「物狂いの帝」と評され、天皇としてふさわしくないため退位させられたとされる。ところが倉本一宏氏は、後世の人々の悪意に満ちた「狂気」説話は創作されたものだと断じる。それは皇統が冷泉から円融・一条へと移動することに起因するという。当時の常識的な皇位継承順は、あくまで冷泉が嫡流であり、数々の偶然の積み重ねによって傍流の円融・一条系が皇統を継ぐことになった。本来ならば皇統を継ぐことのできなかった傍流が自らが天皇家嫡流であることを正当化するために、「狂気」の天皇説話を作り出していった。彼らの「狂気」の行状の説話はいずれも史料上疑念のあるものばかりであり、実際には精神的に問題のある人物ではなかった。そして円融・一条系の皇統を支えたのは摂関家の中心となった藤原道長の家だったが、この道長も本来は傍流であった。道長の父兼家は師輔の三男で、道長は兼家の三男だったから、兄たちが早世しなければとても政権の座など夢のまた夢であったろう。本来藤原氏の嫡流でなかった道長・頼通政権の正当性を主張するために歴史物語が作られていった。つまり彼らを「狂気」の人物に仕立てたのは、本来は嫡流ではないにも関わらず新たに皇統を継いだ天皇や、それを後見したのも嫡流でない摂関家に連なる人々であった。三天皇を退位に追い込んだ歴史の勝者が歴史のみならず文学さえも作り出し、それが後世に増幅されて「狂気」「暴虐」を語る説話になっていったとする。「歴史は作られる」という典型例かもしれない。

## 〝不徳の天皇〟から〝英邁な天皇〟へ

三つ目は南北朝時代に、政治の中心にいた後醍醐天皇をあげたい。天皇は、一四〇年続いた鎌倉幕府を倒し、二年半ほど建武の新政を行った。後醍醐の名は古代の理想的な政治とされる延喜・天暦の治を行った醍醐・村上天皇の後を継ぐという意図に因む。本来「後醍醐」のような諡号《しごう》は天皇の死後に諡《おくりな》されるものであるが、彼は生前から「後醍醐」の諡号を望み、それは当時の公家社会の常識からはかけ離れていた。「朕が新儀は未来の先例」と言い、当時の常識を打ち破る〝狂気の沙汰〟と表現される人事を断行したり、公家社会の秩序を無視した専制的な君主であった。その一例をあげよう。現在、上下関係抜きの酒宴を「無礼講」と言うが、これは後醍醐天皇の秘密の集まりに由来する。我が国では一般に、酒は神聖なもので、会合で酒を飲む場合も節度が求められた。ところが後醍醐天皇は「無礼講」と称して歌い踊り、大いに騒いで、果ては人前で男女の交わりまでさせたという。当時の人から見ればこれも狂気であろう。また鎌倉幕府滅亡後、配流先から都に凱旋する晴れがましい場で、後醍醐が着していたのは甲冑であった。戦の装束をまとう例のない天皇であった。

そのため公家社会での後醍醐天皇は〝不徳の天皇〟として強烈な印象を与えていたが、吉野で無念の死を遂げたことで、天皇が怨霊となる恐れが十分にあった。従来、そうした天皇には「徳」の文字を用いて鎮め祭ることが慣例化していた。保元の乱で敗れ、配流先で死去した崇徳上皇、源平の合戦の壇ノ浦の戦いで海に沈んだ安徳天皇、承久の乱で佐渡に配流された順徳上皇などはそうした例である。しかし後醍醐については「徳」ではなく、「後醍醐」とした方が生前の天皇の意向をくみ入れることになり、怨霊化を防ぐのに有効と判断された。その結果、後醍醐天皇となった。そうした認識は幕府側でも共通していた。天皇の悪評は建武の新政の直後より明治の初めに至るまで一貫していた。

一方で、建武の新政府を打倒した足利尊氏の挙兵は正当とする評価が一般的であった。『梅松論』によれば、足利尊氏は、心の強さ、慈悲深さ、気前の良さの三つの徳があり、特に気前の良さについては、八朔の日になると、尊氏の屋敷には多くの贈答品が集まるのに、それを片っ端から人に分け与えてしまうので、夕方には何も残らなかったというエピソードを禅僧夢窓疎石がよく人に聞かせたという。このように長らく後醍醐天皇＝不徳、足利尊氏＝徳という評価が定着していたのである。

ところが明治になって天皇親政が復活し、天皇主権が法的に確立し、天皇の絶対的権威が宣揚されるようになる。天皇の絶対的権威を強調すればするほど〝不徳の天皇〟の存在はその絶対的権威を揺るがすことにもつながる。そのような〝不都合な真実〟は隠蔽され、それのみならず美化されるまでなった。

ただ一般の人々にとっては後醍醐天皇が徳のある天皇であるか、不徳な天皇であるか大して関心のあることではなかった。明治二十三年に教育勅語が出されると、「忠君愛国」思想が強調され、南朝の忠臣楠木正成・正行親子の活躍がクローズアップされるようになるが、この時点でも後醍醐天皇についてはほとんど触れられてはいない。

この後醍醐天皇のように、人物の評価は時代の要請によって変化し、時には全く相反する存在ともなる。その時の都合によって人物像が作られているのであるから、簡単に人は評価できないのである。

後醍醐天皇が〝不徳の天皇〟から装いを新たにして登場するようになるのが、明治の終わり頃に小学校の教科書が国定化され、その内容は天皇中心の叙述となり、この段階で優れた天皇としての後醍醐天皇が登場する。ここにおいて天皇は鎌倉幕府を倒し、天皇親政を始める歴史的偉業を成し遂げた〝英邁な天皇〟という称賛の言葉が並ぶようになってくる。建武の新政が失敗したことも正しい政治を行っていたにも関わらず、功利の逆徒足利尊氏のような者の所に走った人々が充満したからであるというのである。このように〝不徳の天皇〟から〝英邁な天皇〟というように百八十度の転換が行われた。

この事例は政治目的のために歴史的事実が捏造・歪曲された典型的なものである。現在の歴史とて、ある目的のために解釈が曲げられる可能性のあることを示している。

## 二　日本人の好む評価の基準

### ㈠　天才より名人

#### 不断の努力に共感

教科書に載るような著名な歴史上の人物でも本当は案外わかっていないことが多くある。たとえば源頼朝の妻北条政子を取り上げよう。実は、彼女のことを「北条政子」と呼んだ同時代の史料はない。さらに驚くことに「北条政子」の名が流布するようになるのは戦後のことだという。そもそも「政子」の名が付けられたのは、建保六（一二一八）年であり、そうすると夫の源頼朝は建久十（一一九九）年に没しているから、頼朝は「政子」という名の女性は知らなかったことになるのである。彼女の確実な名は法名の「如実」である。

ここに取り上げた人々は、その生きていた時代、あるいは後世の人々によって伝説化され、今日にまでそれが伝えられた。そうであれば、必然的に先人たちが求めた望ましい人物像もそこに描かれているはずである。それは今日に求められる人物像とは乖離があるかもしれないが、ともあれ当時の日本人の求める人物を見ていくことで、その時代の姿もまた見えてくるように思う。

西欧社会では、飛び抜けた才能を持つ天才的な人物が高く評価される。天才は語源的には「生まれつき」という意味があり、人間に生まれながら備わっている一種の守護神のようなものを意味している。創造の源泉となる神的なものは天才を通じて人間に降ってくるとみなされた。一方、我が国でも天才の評価は高いが、それよりも多くの人々が求めるのは名人の方ではなかろうか。それは不断の努力を重ねることで得られた才能に共感するからであろう。

## 浮かばれない死後の評判

古代の史書を見ていると、現在の感覚と随分違うことを感じることがある。たとえば、人が亡くなると皆仏になり、したがって死んだ人の悪口などは言わないということは多くの人に受け入れられていると思う。ところが我が国の正史『日本後紀』などには死者に鞭打つような言葉が氾濫している。その編纂者も正史であるから後世にまで受け継がれていくことは百も承知のことであったろう。千二百年の後まで自分の悪名や悪行が伝わるとは、身から出たさびとは言え死んでも浮かばれない話である。古代における死後の評判について見ていこう。

近衛大将中臣諸魚《もろうお》の薨伝には、「生来、琴や歌謡を好み、他に才能がなかった。喪に服していても興に乗ずると、慎むことを忘れた。財貨を貪り、経済活動を営み、このため当時の人々は諸魚を卑しんだ。行年五十五」。

従三位藤原乙叡《たかとし》は、「生まれつき頑なところがあり、妾を好んだ。山水の好地に多くの別荘を建て、女性と一緒に連夜泊まることがあった。平城天皇が皇太子の時、宴席で近くに座り、酒を吐いて不敬に及んだことがあった。天皇はこのことを根にもち、後に伊予親王の事件の際に連座した。免されて邸に帰ったが、自分に罪のないことを知り、不満のまま死去した。行年四十八」。

正四位上吉備泉（吉備真備の子）は、「生まれつき度量が狭く、短気で、反抗的な態度をとることが多かった。延暦の初めに伊予守となったが、部下に訴えられ、使者が派遣されたが、不敬の言葉を吐き、官司が法に基づき処罰を求める始末となった。（中略）政務をなすに当たり、原則を欠き、強情で人に逆らう性格は老いても変わらなかった。行年七十二」。

従四位下藤原縵麻呂《かずらまろ》は、「生まれつき愚鈍で、事務能力がなく、大臣（藤原種継）の子孫ということで内外の官を経歴し、名声をあげることはなかった。ただ酒色のみ好み、他のことに思いを致すことはなかった。行年五十四」。

平城太上天皇は、「生まれつき他人を妬み排することが多く、人の上にいて寛容を欠いていた。即位の当初、弟伊予親王母子を殺し、多くの者が連座した。当時の人々は刑の乱用であると論じた。その後、藤原薬子を寵愛し、政治を委ねるようになってしまった。牝鶏が時を告げるのは、家の滅びに他ならない。惜しいことである。行年五十一」。

酒人内親王（光仁天皇の皇女）は、「容貌は美しくたおやかであった。桓武天皇の後宮に入り、盛んな寵愛を受け、朝原内親王を産んだ。生まれつき驕りたかぶり、感情や気分が不安定であったが、桓武天皇は咎めず、放任した。そのため淫らな行いが多くなり、自制することができなくなった。行年七十六」。

正四位上石川河主は、「その時代の風潮に合わせて身を処し、利益をあげたが、貪欲で人に施すことがなかった。行年七十七」。

以上七人の薨伝を見てきたが、天皇といえども厳しい評価が下されている。しかしこのような悪名を蒙った人々には共通する部分があることに気づかれたのではなかろうか。「慎みを忘れること」「財貨を貪ること」「酒色に溺れること」「度量が狭く、短気であること」「一部の者を寵愛すること」「驕り高ぶること」「貪欲で人に施しをしないこと」等々が非難の理由となっている。

しかしこうした理由を並べてみると、それは何も古代という時代に限ったことではない。現在でも何ら変わることはないと思う。一方、『日本後紀』には素晴らしい人物だとする薨伝も多く載せられている。それについても幾つか例を示すことにしよう。

## 死後に称讃された人々

僧侶明一は、「法師は仏教をよりどころとしてその教えを広め、教説を修得してその名は天下に知られた。誠に仏教のすぐれた教師であり、仏の大宝と言うべき僧侶であった。晩年になると、近くに世話をする婦人を置いた。軒の花に凋んでも四方を照らす色がある如く、老いてなお輝きがあり、枯れかかった蘭葉に十歩先まで匂う香りがある如く、華やかさがあった。さらに明一の才は世の水準を超え、器は宗師たるに堪えるものだった。行年七十一」。

中納言従三位和家麻呂（渡来系で公卿になった初めての人物）は、「人臣として過分の出世をしたが、天から授かった才質は不十分であったというべき人物である。顕職に就いても旧知の人に会うと、身分の低い者であっても嫌わず、握手して語った。この光景を見た者は感じ入ったことであった。行年七十一」。

大納言正三位坂上田村麻呂は、「赤ら顔で黄ばんだ鬚を生やし、勇気や力が人より優れ、将軍としての力量を有し、桓武天皇は勇壮な人物だと評した。（中略）しばしば征夷のため辺地で軍事行動に従事し、出動する度に功績をあげた。寛容な態度で兵士に臨み、命を惜しまず戦う力を引き出した。行年五十四」。

伝灯大法師仁秀《にんしゅう》（伊予国の人）は、「受戒後は学問に進捗を見せ、中国の会稽の竹箭や華山の金石になぞらえるほどであった。仏教の学問では竜樹を手本とし、俊敏さにおいて馬鳴《めみょう》（インド仏教哲学者）に劣らなかった。論証に曖昧な点や言葉に疑問を抱かせることなく、その著述により研鑽が広まり、仏教を学ぶ者を敬い尊んだ。仁秀の死に儚い思いが人々の心に生じ、深い悲しみを誘った」。

従四位上藤原世嗣（藤原種継の子）は、「若くして広く学び、心を一にして努力した。自ら才能のないことを知り、身分の低い人に尋ねることを恥としなかった。人に接する時は慎み深く、どんな時でもその態度を忘れなかった。（中略）兄の死を聞いて百里の距離を駆けつけ、それから一月経たないうちに死去した。行年五十三」。

従四位下伴勝雄《とものかつお》は、「性格は心が広く大まかで、隠しごとを許さなかった。家風は清く、私欲がなく、ほんのわずかの不正もしなかった。地方官としては辺境の軍事をつかさどり、衛府の幹部として親衛兵を管轄した。行年五十六」。

このように賞賛に値する人物を見てみると、その理由は、「優れた学識と教養があること」「高位に昇っても身分の高低に関係なく接すること」「勇気や胆力があること」「寛容であること」「己を知り、慎み深く謙虚であること」「不正はしないこと」などである。

こうしたことが人々の賞賛を得ることは知っていたとしても、実際にそれを行なうことはなかなかに難しいことである。私は従四位下橘長谷麻呂の薨伝のような生き方が良いと思う。そこには「穏やかな性格で世間に逆らわず、裁判や刑の執行で法令に違反することがなかった。酒を飲んで憂さを晴らした。最後は病に伏して死去した。行年四十六」とある。しかし四十六歳という若死は残念である。

もう一人例をあげよう。征夷大将軍坂上田村麻呂の第二子に坂上広野という人物がいる。伊勢守・陸奥守など受領を歴任し、大納言従二位を贈られた人である。『類聚国史』天長五（八二八）年三月九日条には、次のように記される。「少にして武勇を以て聞え、他の才芸なし。直を執りて不□（欠字）、節操嘉みすべし。酒を飲み度を過ごす。病を発して卒す。時に年四十二歳」酒飲みを自称している皆さんも弔辞で「酒を飲み度を過ごす。病を発して卒す」と言われないように節制したいものである。

## (二)　悪名と佳名を分けるもの

### 「孝廉」を重視

しかし世間で立派な人物と思われている人が、なかなかあくどいことをしていたというケースも多くある。『古今著聞集』巻三には大江匡房《まさふさ》の話が見える。大江匡房と言えば、平安時代の後期の人で、漢文学者としては傑出しており、『江家次第』『続本朝往生伝』『本朝神仙伝』などを著し、また和歌においても漢文学の知識を生かし後世に多大な影響を与えた。大宰権帥大江匡房が康和四（一一〇二）年六月に二艘の船で都に向かった。そのうちの一艘には「道理にてとりたてる物」を積み、もう一艘の船には「非道にてとりたる物」を積んだところ、道理の船は沈み、非道の船は無事に着いた。そこで匡房は「世ははやく末になりにけり、人いたく正直なるまじき也」と言ったという。匡房は末法の世になっており、正直になるのは無駄なことだと言った。盗人猛々しいとはこのようなことを言うのだろう。物語であって実話ではないが、彼は白河院の側近として蓄財につとめたというだけに実像に近いのではないかと思われる。本物の悪人はいかにも善人や立派な人の格好をしてやってくるものである。

漢代の中国では、優れた能力や才能を持つ官吏となる人物を地方の長官から推薦させていた。このような人材登用制度は「郷挙里選《きょうきょりせん》」と呼ばれ、略して「選挙」とされ、我が国の選挙もこれを語源としている。

その人材を選ぶ基準は、「孝廉」（孝悌廉潔の者）「賢良」（才能と人格の優良な者）「方正」（行いの正しい者）などであったが、最も重視されたのが「孝廉」であった。これに推薦された者はやがて高級官僚となり、莫大な富を蓄えることができたから、有力豪族の子弟が才能や能力もないのに推薦される不正がまかり通るようになった。現在の日本でも選挙の度に買収などの不正が問題となるが、その語源である「郷挙里選」でも同様だったのである。このように見てくると、悪名と佳名を分ける最も重要な要素は「孝廉」に尽きると言っていいのではなかろうか。

また我が国では知に優れ、理に動く人はあまり人気がない。鎌倉幕府を開いた源頼朝や関ヶ原の合戦で敗れた石田三成、江戸時代に幕政改革を行った松平定信や水野忠邦、江戸幕府最後の将軍徳川慶喜などはその例であろう。歴史のヒーローとなるのは、勇猛果敢・果断な判断をし、また情に厚い人物である。源平合戦で獅子奮迅の活躍をした源義経や西南戦争をおこした西郷隆盛などが人気があるのはそれ故であろう。

## 人をランク付けする叙勲制度

現在の我が国で人を評価するものに叙勲制度がある。生存者叙勲は戦後になって一旦廃止されたが、昭和三九（一九六四）から再開され、そこでは勲一等から勲八等までの勲章の序列があった。それは生きた人間を数字によってあからさまにランク付けする制度であったが、それは古代以来のもので、手本とした中国にもない日本独自の制度である。しかし、さすがに人権が重視される時代になると人に明確な序列をつけることは問題があるとして、菊花章、桐花章、旭日章、宝冠章、瑞宝章など、名目的には上下関係のない、功労の質に応じた勲章として運用されることになった。ただ死後の叙位については未だに等級によるランク付けがされている。こうした制度の始まりは大宝元（七〇一）年の大宝令からである。それは中国唐の官品令を模したもので、雅を貴ぶ中国貴族社会では一目でわかる数字で官職の等級を示す制度とはならなかった。唐の場合は人の持つ官をランクするが、それも官品令に照らして初めてその等級がわかる制度とした。それに対し、我が国の位階の場合には、それを受けた人の身分のランクを示すから、それがそのまま肩書きになるものであった。一目で上下の判断ができる制度だったのである。律令制下の官吏任用基準の規定は「選叙令」に次のように見える。「まず徳行を尽くせ。徳行同じくは、才用高からん者を取れ。才用同じくは、労功多からん者を取れ」これによれば人物評価の第一の基準は人格、第二が能力、第三が業績という順ということになる。これを徳行才用主義というが、中国から導入したこの制度は間もなく変質する。大臣や摂政関白を出す家柄、公卿となる家柄、受領となる家柄のように門地や出自が最も優先されるようになる。したがって律令の建前としては、第一に個人の人格としたが、本音の部分では個人ではなく、どの氏族・家柄に所属するかが重要だったのである。このように簡単に人を値踏みする制度が形を変えながらも長く続いているのは、多くの人がそれを支持しているからであろう。そこに肩書きを重視する日本人の精神性の一端を見ることができるのである。

最後に、このようにある特定の人物を取り上げ、その事績を称揚することは、ある意味で「英雄史観」ではないかという懸念があるかも知れない。しかし彼らが活躍することができたのは、名もない多くの人々によって歴史が動かされ、そうして形成された時代の条件が整っていたがゆえに活躍できたという面を忘れてはならない。彼らは全体の歴史の動きとは無関係ではなく、彼らは決して時代を超越してはいないのである。

## 【参考文献】

・上野誠『遣唐使阿倍仲麻呂の夢』（角川学芸出版・二〇一五年）
・倉本一宏『平安朝皇位継承の闇』（角川学芸出版・二〇一四年）
・伊藤喜良「後醍醐天皇…「捏造」された聖天像」『歴史評論』№六五一（校倉書房・二〇〇四年）
・高橋秀樹「「尼将軍」北条政子の実像は？」『週刊日本の歴史』一九（朝日新聞出版・二〇一三年）
・田中久文『日本美を哲学する』（青土社・二〇一三年）
・阿辻哲次『漢字の社会史』（吉川弘文館・二〇一三年）
・武田佐知子『古代日本の衣服と交通』（思文閣出版・二〇一四年）
・伊集院葉子『古代の女性官僚』（吉川弘文館・二〇一四年）
・小和田哲男『日本人は歴史から何を学ぶべきか』（三笠書房・一九九九年）

# 第五編　動物たちの歴史

かなり旧聞に属するが、かつて高名な歴史学者は弟子が「民衆の歴史を研究したい」と言ったところ、「民衆だって。君、豚に歴史がありますか」と答えたという。民衆の歴史が歯牙にもかけられなかった時代では、動物の歴史など考えられることもなかったろう。しかし現在では、民衆の歴史を否定する歴史学者がいないように、動物の歴史にも目が向けられるようになっている。「豚にも歴史はある」のである。

現在でも牛・豚・鶏などは肉として人々の食を支えるだけでなく、酪農による牛乳やバターやチーズなどこうした食品は欠かすことはできず、その生産・流通に関わる人は膨大になると思われる。人々の生活・産業、そして食生活に不可欠であれば、そうした動物から人の歴史を照射することも可能になるのである。

さらに古代や中世の人々にとって動物たちの不思議な行動やその生態の背後に、霊的なものを見ることも多かった。

# 第一章　四足獣の動物

## 一　馬

### ㈠　馬は大陸の動物

#### 馬は朝鮮半島からの献上物

犬や猪などは古くから我が国に生息していたと思われるが、馬や牛などの大型動物は大陸文化の摂取と共に導入された。六・七世紀頃には馬飼部、牛飼部、猪飼部、犬飼部などの部民が設定されているように、それらの飼育が組織的に行われるようになる。現在の私たちが目にする馬の多くは西洋馬のサラブレッドで、体高は百六十cmから百七十cmもある。しかし我が国に導入された馬は、これと比較すればかなり小さい。体高百四十七cm以下は西洋ではポニーに分類されるという。このようにサラブレッドと比較して小型であるが、貧弱というわけではない。たとえば中世の武士は弓射騎兵で大鎧・兜を着用し、弓箭・太刀・腰刀などを佩刀していた。こうした武具と騎手自身の体重を加えると百kgは越える。これを乗せて戦うのだから、馬が貧弱であろうはずはない。中型馬としては標準でユーラシアの草原馬ともほとんど変わらないのである。

『日本書紀』神功前紀には、新羅王が神功皇后に降伏し、「今より以後、（中略）春秋に馬梳《うまはたけ》及び馬鞭《うまのむち》を献らむ」とあり、同書応神十五年条には、「百済王は阿直岐《あちき》を遣して、良馬二匹を貢したので、軽坂の上に厩に養い、阿直岐を以て、飼うことを掌らしめた」とある。また『古事記』神功皇后段に、新羅王が天皇の命のままに御馬飼として奉仕したいと言った。さらに応神条には、百済王は牡馬と牝馬一匹ずつを阿知吉師《あちきし》に付けて貢上したとある。これらがそのまま史実とは思えないが、しかしいずれも新羅・百済という朝鮮半島の国から馬が献上されている。馬の繁殖・調教には専門の技術者集団や、広大な土地である牧の運営などの先進的技術が必要である。乗馬の風習が朝鮮半島を経由して伝えられたことを示している。

馬は古墳時代の埴輪にその姿がかたどられているように、この頃には確実に我が国に生息していた。日本に大陸文化の乗馬が定着するのは五世紀頃というのが通説だったが、邪馬台国の女王卑弥呼の墓と言われる奈良県桜井市にある箸墓《はしばか》古墳の周濠で出土したつり輪状の木製品が馬にまたがる際に足をかける輪鐙であると判明した。そしてそれはかなりすり減っていることから、その頃には乗馬が定着していたようである。箸墓古墳は三世紀末から四世紀初めの築造だから、乗馬の定着は五世紀という通説を一世紀も遡ることになった。

埴輪の馬にまつわる話が『紀』雄略九年七月条に見える。飛鳥戸郡の田辺史伯孫《たべのふひとはくそん》は応神陵の下で赤馬に乗っている人に出会った。その馬は竜のように駆け巡り、鳳のように舞い上がった。体格や姿形が抜きんでていたので、その馬が欲しくなった。その駿馬に乗った人は伯孫の葦毛の馬と交換してくれたので、彼は大層喜び、厩に入れて寝た。翌朝になると、赤馬は何と埴輪の馬に変わっていた。不思議に思って応神陵まで行ってみると、馬の埴輪の中に、自分の葦毛の馬がいたという。

『播磨国風土記』飾磨《しかま》郡小川里条には、「英馬野《あがまの》と號《なづ》くる所以は、品太《ほんだ》の天皇、此の野にみ狩したまひし時、一つの馬走り逸げき。勅りたまひしく、「誰が馬ぞ」とのりたまひき。侍従等、對へていひしく、「朕が君の御馬なり」とまうしき。即ち我馬野と號く」とある。これらの話はいずれも五世紀を中心とする時代で、この頃に馬の文化が我が国に確実に根付いていたことを示している。

## (二) 馬の役割

### 高い軍事的能力

馬の用途は多方面にわたるが、その第一は生物兵器と言われるほどの優れた軍事的能力である。馬を用いた騎兵戦法は世界各地で戦い方を一変させた。大陸で騎馬民族が周辺諸国を席巻した例は枚挙にいとまがない。我が国の例である。『紀』仁徳五十三年条には、上毛君田道《かみつけのきみたみち》が新羅軍に対して、精鋭の騎馬軍を連ね、左方を攻撃し、一気に数百人を殺害した。四つの村の人民を捕虜にして帰国したことが見える。同雄略九年三月条には、新羅征討将軍の紀大磐宿禰《きのおおいわのすくね》が朝鮮に渡り、同じ将軍の蘇我韓子宿禰と共に馬に乗り、轡を並べて進軍した話を記す。このように戦時において騎兵の果たす役割が大きかった。六世紀代には馬の数量も増加したようで、継体六（五一二）年に筑紫馬四十匹、欽明七年に良馬七十匹、欽明十五年に馬百疋などたくさんの馬が貢上された記事が見える。

そして白村江の戦いで惨敗を喫した後、天武天皇は唐・新羅軍の我が国への侵攻が想定される対外的危機意識を背景に、騎馬を中心とする軍国体制を作り上げていった。文武官に乗馬を習い、兵馬を常に備えることを命じている。また親王から諸人に至るまでスカートのような形状の褶や脛裳の着用を禁止し、天武十四（六八五）年にズボン状の袴を着けるように命じている。こうした衣服の変化は単なる服制の問題ではなく、戦時体制に直結したものだった。軍事訓練の射礼が年中行事として恒例化したのも天武年間であった。

　こうした体制はその後にも形を変えながら受け継がれる。大宝律令の制定と共に軍事的な目的から各国に馬牛を放牧するための牧が設置され、その馬の貢納を確保するため、官牧・勅使牧・近都牧が置かれた。また「職員令集解」左馬寮条には、「馬は軍国の用、非常の備え」とあるように、馬は軍国体制の中核としての役割を担うものだった。ただ中国などでは馬は戦車を引くことも重要な役割の一つだったが、我が国ではもっぱら戦士の騎馬として用いられた。

　平安貴族たちの馬に乗って疾走する姿はあまりイメージしにくいが、彼らは結構日常的に騎乗していた。『源氏物語』「夕顔」巻でも、光源氏が夕顔を葬って帰宅する段に「御馬にもはかばかしく乗りたまふまじき御さまなれば、また惟光添ひ助けて、おはしまさするに、堤のほどにて御馬よりすべりおりて、いみじく御心地まどひければ」とあり、悲嘆にくれる光源氏の様子が騎乗の姿で語られている。また明石の君と結婚する時、光源氏は馬に乗って出かけている。宇治十帖でも薫や匂宮が馬に乗って宇治に出かけている。このように貴族たちは公私にわたって騎乗していたのである。

## 儀式を荘厳化

　馬は一回の出産で一頭しか子を産まず、しかもデリケートで繁殖・調教も難しいためその価値は極めて高かった。実用的な役割はもとより、様々な儀式を荘厳化するためにもなくてはならない存在であった。『紀』推古十六（六〇八年）年八月条には、遣隋使小野妹子に対する答礼使として隋より裴世清《はいせいせい》がやってきた記事が見える。「唐の客、京に入る。是の日に、飾騎《かざりうま》七十五匹を遣して、唐客を海石榴市《つばきち》の術《ちまた》に迎ふ」。とあり、国賓を馬を飾った儀仗兵が迎えている。このように儀式にも馬が使用される。天武八（六七九）年八月条には、天武天皇が「跡見の駅家で細馬を見る」とあり、細馬は俊足の良馬のことで、その馬の疾走ぶりを鑑賞した。「走馬」の語は『続日本紀』大宝元（七〇一）年条に「群臣五位以上の者に走馬をさせ、これを文武天皇が御覧になった」とあるのが初見である。

そうした臨時の儀式だけでなく、年中行事の儀式においても重要な役割を果たしている。たとえば五月五日・六日の節日に、衛府や馬寮の官人たちが馬場殿で騎射《うまゆみ》と共に競馬を行うのを例とした。もともと五月は中国では悪月とされていたため、邪気を払う様々な風習があり、そのための行事として競馬・騎射などが取り込まれていった。

『山城国風土記』逸文「賀茂乗馬」は賀茂社の走馬神事の由来を記す。欽明大王の治世に風雨が続き、人々は悲嘆にくれていた。悪天候の原因を占わせたところ、賀茂神の祟りであると奏上した。そこで四月の吉日を選び、馬に鈴を付け、人は猪の仮面を被って走るという祭祀を行い、賀茂社に丁重な祈願を行った。すると天候が回復し、五穀の実りも豊かになった。祭日に馬に乗るようになったのはこの時から始まったとある。

寛治七（一〇九三）年堀河天皇の勅願で、天下太平、五穀豊穣を祈って賀茂社で競馬が行われた。競馬は騎手二十人で、赤衣の装束を纏って馬場に入り、左右十人ずつに分かれて疾走する。騎手の腰には邪気を封じる効果がある菖蒲を巻いている。菖蒲は葉の香りが強く、形が剣に似ていることから悪魔払いの力になると信じられていた。そしてこの行事は五月五日に行われていることから、元々端午の節句に由来している。ここでの競馬は軍事的な訓練というより疫病や邪気を払うことに主な目的があった。平安時代の中期頃になると宮中だけでなく、摂関家の邸宅などでも臨時の競馬が盛んに行なわれるようになった。

今一つ馬に関わる儀式として重要なものが白馬《あおうま》の節会である。『万葉集』には「水鳥の鴨羽の色の青馬を今日見る人は限りなしといふ」（四四九四）という歌がある。作者は大伴家持で、青馬の青色を鴨の羽の色にたとえている。正月七日に貴族たちは青馬を見るという節会があり、その時に宴を行っていた。『日本書紀』景行五十一年春正月七日に、「群臣を招いて宴を数日」とあり、天武十（六八一）年にも、諸臣と共に酒を置き楽を賜ったとある。こうした宴を行う日だったが、やがて中国の年中の邪気を避ける儀式の「青馬を見る」ことに重点が置かれるようになった。

『水鏡』には弘仁二（八一一）年正月七日に、「初めて当帝（嵯峨天皇）の御門は世静て御祝、青馬をご覧じき」とある。白馬の儀式も嵯峨天皇の年中行事に対する積極策として整備されたのであろう。しかし正史には長く見えず、『続日本後紀』承和元（八三四）年に、天皇が豊楽殿で青馬を見、群臣と宴を行ったことが記され、以後、毎年のように青馬が見えるようになる。

なお青馬は読みは「あおうま」と訓ずるが白馬と表記されるようになり、『延喜式』には両方の表記があり、『日本紀略』天暦二（九四八）年には「白馬宴」とあり、以後はほぼこの表記に統一されている。こうした変化に我が国独特の意識を読み取ることができる。我が国では白を最高の色としていたために意識的に読みは「あおうま」のままにし、表記のみを「白馬」と改めた。それは我が国では潔白の象徴として白が好まれ、それに祓えの思想が結合して改変されたと思われる。

## ステータス・シンボル

馬の用途は時代を反映する。平安時代のように戦乱のない平和な時代が長くなると、馬の軍事的な役割は低下し、貴族たちも騎馬に長じた者は少なくなった。『栄華物語』巻第三十によれば、王朝時代に栄華を極めた藤原道長の遺産処分の時、馬百匹がその対象になっている。もし乗馬のためだけならば、これほど多くの馬を所有する必要はなかろう。それらの馬のほとんどは贈与されたものだった。道長家で行われる男女の成人式にあたる元服や着裳のような様々な通過儀礼の際に皇族から賜ったものが多い。さらに権勢を誇る道長に取り入り、受領任官に便宜を図ってもらうために受領層も馬や牛をせっせと貢進した。一方、道長も知己の人に対する餞別や就任祝いとして馬を下賜し、あるいは寺社に馬を寄進したりしている。このように馬は高価だったから威信財としての役割もあり、貴族社会では乗馬用よりも贈答用としての価値が高かったのである。

馬は栄誉や身分や権威と結びついていた。馬を飼うための多大な手間と費用、そしてこれを御するためには長期の訓練が必要で、一般の人がそれを行うのは困難である。古墳時代にも彩色古墳壁画にも馬が描かれているように、早くから馬はステータス・シンボルだった。『続日本紀』養老五（七二一）年三月条には、「王侯卿士及び豪富の民、多く健馬を畜へて競ひ求めること限りなし」とあるように、高貴な身分や豊かな富を象徴していた。

『将門記』には、平将門と敵対していた叔父良兼が将門の駈使である丈部《はせつかべ》小春丸に、「実に将門を謀りて害せしめたらば、汝が荷夫の苦しき役を省きて、必ず乗馬の郎頭とせむ」と言って内応を誘っている。実際の戦闘となると馬に乗る武士のためには、それを支える多くの人がいた。馬の口取りをする者、替え馬の用意をする者、馬の餌を調達する者などが必要であり、彼らにとって乗馬の郎党となることは、身に余る栄誉であり、破格の立身であった。乗馬することは、社会的な威信を身に帯びることだったから、そのための資格が必要であった。長保三（一〇〇一）年閏十二月八日の太政官符には、従来品官しか馬料の支給を認めず、諸司の史生や諸衛の府生には事実上乗馬を公認していないにもかかわらず、近年、彼らの中に乗馬が流行し、このため尊卑の別が無視されていると非難している。このように馬は身分や権威を示す威信財としての意味を強く持っていた。それは武士の時代にあっても馬は武士身分を象徴する財産であり、その財力が武士としての器量を担保していたのである。

## 絵馬は平安時代から

大きな神社に参拝すると、絵馬がたくさん掲げられている。もちろん絵馬はそこに願い事を書き込み、それが成就することを祈ったものであるが、なぜそれが馬の絵なのだろうか。そこには人と馬の歴史がある。神事のために馬は必要だったから、神社には生きた馬が献上された。たとえば『常陸国風土記』には鹿嶋大明神に馬を献じるようになった由来が記され、『続日本紀』宝亀元（七七〇）年八月条には、伊勢神宮に馬を献じている。

荒ぶる神に馬を献じて祭ったり、また雨乞いには黒毛の馬を、日乞いには白毛の馬を献上した。黒色は雨をもたらす黒雲に、白色は太陽の照り輝く光の象徴とされた。このように生馬が盛んに献上されたが、その一方で馬は極めて貴重な動物だったため、生馬に代わって馬形を献上する風も生まれた。土製馬形・石製馬形・木製馬形などである。それがさらに簡略化されて板に描いた馬となった。これが絵馬の起こりである。

絵馬の初見は平安時代である。『類聚符宣抄』天暦二（九四八）年条に「板立御馬」が見える。天皇は丹生川上社や貴布禰《きぶねしゃ》社に祈雨のために黒毛馬二匹の供出を命じた。しかし馬寮で飼っている馬がいないため、「板立御馬」が進上された。また『北山抄』は、月次祭で馬寮が引き連れていくはずの馬が腰を悪くして歩けないので、代わりに「板立御馬」を連れて行くとある。この頃には、馬がいない場合には、板立馬、つまり絵馬が進められるようになっている。

絵馬は仏教の殺生を戒める思想の影響でもある。『紀』皇極元(六四二)年条には、日照りが続いたため、「村の祝部の所教の随に、あるいは牛馬を殺して、諸の社の神を祭る」と見える。この牛馬を殺して祭る儀式は、大陸から伝えられた祭祀である。国家仏教を推進する政府は、殺生をやめさせる禁令を度々出した。そのために本物の牛馬ではなく、その代わりに牛馬の絵を書いて神に捧げるようになったのである。

## ㈢　人と近い馬

### 馬好きの陽成天皇

平安時代の陽成天皇は極端な馬好きであった。しかしいささか度が過ぎて乱行が目に余った。『日本三代実録』元慶七（八八三）年十一月十六日条に、「時に天皇の愛好は馬にあり。禁中の閑処において秘して飼わしむ。（中略）（小野）清如《きよゆき》等の所行、甚だ不法多し。太政大臣これを聞き、俄かに内裏に参り、宮中の庸猥《ようわい》の群小を駈逐す。清如等尤も其の先を為す」とある。その不法ぶりを『扶桑略記』寛平元（八八九）年条は、詳細を記す。天皇を退位して数年たった頃、陽成上皇は馬に乗って人の家に飛び込んで、笞や杖で乱暴を働き、あるいは人を追いかけて捕え陵轢を加えた。大臣の別荘に押しかけ、柴垣を破り、山野を荒らし回っている。宇多天皇の日記には、「陽成院の厄世間に満つ。ややもすれば陵轢をいたす。天下愁苦し、諸嗷々たり。もし濫行の徒あれば、只彼の院の人と号す。悪君の極、今にしてこれを見る」と激しく非難している。暴力団同然の所行であるが、彼らが乗馬していたからより厄介だったのである。

また『平治物語』（中）は藤原信頼の落馬の場面を描く。「弓手のかたへのり越て、庭にうつぶさまにどうと落給。いそぎ引おこしみたてまつれば、顔には砂ひしひしとつき、せうせう口にいり、はなぢながれ」というように無様な様を記し、さらに味方の源義朝からも軽蔑されたとある。かつては貴族官人の騎馬は普通のことだったが、平安末期には彼らの騎馬離れが顕著となり、信頼の落馬はその象徴的な出来事であった。

人と馬とは近しい関係にあったから『万葉集』には「妹が門出入の河の瀬を早み馬つまづく家恋ふらしも」（一一九二）と詠われている。人から恋しく思われていると、その男の乗っている馬は躓くと言うのであるが、それは馬は人とが近い関係にあったからこそこうした俗信が生じたのであろう。

## 馬に関わる言葉

人は馬と親しんでいたことから、馬に関わる言葉も多くある。「尻馬」「野次馬」「じゃじゃ馬」「馬が合う」「馬齢を重ねる」「馬脚」「馬耳東風」「馬の耳に念仏」「馬顔」「馬の鼻向け」「野次馬」「生き馬の目を抜く」「馬の骨」「馬が合う」などがある。なお「天高く馬肥える秋」は、秋になれば気候も良く、人も馬も肥え太るという能天気なことわざとされているが、元々は「秋に至れば馬肥ゆ」に続いて「必ず変起こらん。よろしく使者を遣わして辺兵をめぐらしめ、あらかじめ備えをなすべし」とあった。「馬肥ゆ」の馬は北方の異民族の馬のことである。だから秋になれば北方民族の馬が肥えるようになると必ず彼らが攻めてくるから、それに備えるように警告した言葉だったのである。

「毛嫌いをする」の「毛」は馬の毛なみのことである。オスとメスにも相性や好き嫌いがある。そこから相性の悪い相手のことを「毛並みを嫌う」と言い、そこから「毛嫌いをする」となった。旅立ちや人を送る時の「はなむけ」の鼻も馬の鼻である。旅立つ人を送る時に、その人の乗る馬の轡をとってその鼻を進む方向に向ける風習があった。「馬の鼻向け」が「はなむけ」となり、金品を贈ることなども指すようになった。

「はめを外す」の「はめ」は漢字では「馬銜」で「はみ」と言い、轡で馬がくわえる部分で、これで馬をコントロールする。だからこれを外すと馬は勝手に動き出すことから「はめを外す」となった。物事が進まないことを「らちがあかない」というが、この「らち」は馬場の柵のことである。奈良の春日大社の祭礼の夜には神輿の周りに人が近づかないように「らち」を作った。朝に太夫が祝い事を言うと「らち」が開き人々も入ることができた。そこから物事がうまく進むことを「らちがあく」となり、「らちがあかない」はその反対表現である。

「駆け引き」は騎馬武者同士の戦いから生じた言葉である。戦場で相手が劣勢だとみたら馬を駆けさせ、馬上からさんざん矢を放つ、これが「駆け」である。そして味方が劣勢であれば、敵につけ込まれる前に馬を走らせて逃げ、損害を少なくする、これが「引き」である。その両者を合わせて「駆け引き」となった。それを上手に行うことが有能な指揮官であることの証しだった。

「馬の骨」にまつわる話である。中国の戦国時代、燕の宰相郭隗《かくかい》が人材登用の方法を王に進言した。昔、ある王が一日に千里走る名馬を求めて家来に千金を渡して探させた。ところが名馬は既に死んでいたが、その骨を五百金で買った。王は烈火のごとく怒ったが、家来は次のように答えた。死んだ馬の骨に五百金を投じたとの噂が広まれば、そのうち必ず生きた名馬をもたらすはずですと。その言の通り、一年もたたぬうちに三頭の名馬を手に入れることができた。これが「死馬の骨を買う」という話であるが、人材を求めるのも同じことで、この愚鈍な私を厚遇されれば、諸国から優秀な逸材が集まるでしょうと言った。いささか手前味噌で詭弁のようにも思えるが、これが「隗より始めよ」の出所である。優れたものを手に入れるには、金を惜しんではならないということである。

## 二　牛

### ㈠　牛は百済から輸入

**牛乳は栄養剤**

三世紀のことを記した『魏志倭人伝』には「牛馬虎豹羊鵲《かささぎ》無し」と記すようにこの列島には牛や馬などはいなかったという。しかし全国の縄文・弥生遺跡から牛や馬の骨の出土があることから、その頃には牛や馬は生息していたのではないかと思われていた。ところが骨そのものを測定する技術が進歩した結果、牛や馬の骨は後世になって混入したことがわかり、改めて『魏志倭人伝』の記述の正しさが証明された。

牛の初見は、『日本書紀』安閑大王の「牛を難波の大隅嶋と媛嶋の松原とに放て、名を後の世に残そう」とある記事である。ついで欽明大王の時代に百済から牛を輸入した記録があり、さらに孝徳大王の時代に百済からの渡来人の福常が初めて牛乳をしぼって大王に献上したところ、大王は喜んで「和薬使主（やまとくすりのおみ）」という姓と乳長上という職を与えたことが見える。「くすりのおみ」の名からも当時の牛乳はもっぱら薬や特殊な栄養剤と考えられていたのである。

## 牛窓の由来

『備前国風土記』逸文「牛窓」に次のような記事が見える。「神功皇后のみ舟、備前の海上を過ぎたまひし時、大きなる牛あり、出でてみ舟を覆さむとしき。住吉の明神、老翁と化りて、其の角を以ちて投げ倒したまひき。故に其の處を名づけて牛轉《うしまろび》と曰ひき。今、牛窓と云ふは訛れるなり」とある。この話は、「牛窓」の地名の由来について述べたものであるが、大牛が海中から出現するのはいささか奇異な感じを受ける。『続日本紀』延暦四（七八五）年六月十日条には、征夷大将軍坂上田村麻呂が改姓を願い出た上表文から、渡来系の坂上氏の先祖は「神牛教」という牛神信仰を持っていたことがわかる。牛を神の供物とするのは、元々「漢神」つまり外来の信仰で、「牛窓」の話は渡来系の牛神信仰の表れであろう。

古代中国では諸侯が盟約を結ぶ時に、牛の左耳をとりその血をすりあって神前に誓いを立てた。それを盟主が行うようになり、「牛耳を執る」ことが、主導権を握るという意味になった。このように中国や朝鮮半島では牛馬を雨乞いなどの農耕儀礼として用いていたから、我が国にもそうした方法が伝えられたが、しかし日本では屠殺を忌む傾向が強く、農耕に重要な役割を果たす牛馬の供儀が禁じられた。後には猪鹿などの野獣の供儀も次第に排除され、神への供物は動物から米・餅・酒・海産物・野菜などに置き換えられていった。

『日本霊異記』に見える因果応報の話では、死者は罪の報いとして牛に生まれ変わって酷使されるという結末をとるものが多い。それは当時、牛は酷使され、苦しむものの代表と考えられていたからである。中国では古くから牛は農神とみなされ、日本でも牛神として牛頭天王《ごずてんのう》その他の牛を主神とする祭りが盛んに行われた。また牛を天満神社の使いとし、病気平癒や商売繁盛を社前の臥牛石に祈願する風習も生まれた。

## (二)　牛車・丑年の人

### 家紋のルーツ

貴族たちにとって牛は牛車を引くのになくてはならない動物であった。牛車には多くの種類があった。しかし厳しい身分制の時代だから、経済力さえあれば何にでも乗ることができるわけではなかった。官符などによって乗車制限が加えられていたから、乗車行為そのものが貴族社会での身分的階層秩序の表象であった。乗車関係の記事が散見されるようになるのは、弘仁年間頃からで、唐風化を推進した嵯峨天皇の時代風潮が影響している。

朝廷の行事や儀式が行われる時、貴族たちの乗ってきた牛車がずらりと並べられた。すると似たような牛車が多くて誰のものかわからなくなるので目印をつけた。これが家紋のルーツで天皇家は菊の紋、藤原氏は藤の紋を用いた。

牛車は当時においては便利な乗り物だったが、現在の車のように弾力のある座席からみると、おそらく牛車の乗り心地は想像を絶するものかもしれない。『枕草子』「にくきもの」の段に「きしめく車に乗りてありく者、耳も聞かぬにやあれむと、いとにくし。わが乗りたるは、その車の主さへにくし」と記す。牛車の車輪のきしむ音が大変うるさく感じたのだろう。舗装されていない道路、でこぼこになっているところにクッションのない車輪だから、その揺れときしむ音は大きかったろう。また雨の日は生絹や油紙で作った雨皮という覆いや筵を用いていたが、それでも濡れることが多かった。

『蜻蛉日記』には、「雨皮張りたる車さし寄せ、をのこども（轅を）かるらかにて、もたげたれば、はひ乗りぬめり」とある。『枕草子』「わびしげに見ゆるもの」の段に「雨降らぬ日、張筵したる車」と見える。もしこれらの覆いが破れていたり、なかった場合は悲惨である。『とはずがたり』に「いと破れたる車、夜もすがら雨に濡れにけるもしるく、濡れしほたれて見ゆ」とある。後深草院に指名されて訪れた美人がいた。ところが、院は他の女性とあれこれしているうちに忘れてしまったため、彼女は一晩中雨の降る中を待つ羽目になった。車の覆いの破れがひどいために、ずぶ濡れになり、涙に暮れてしまったという。

牛車は貴族の乗り物で馬に乗る武士たちには未知の世界だった。『平家物語』巻第八「猫間」には木曽義仲が院に出仕するために初めて牛車に乗った場面を描く。その時、義仲が牛車を操る牛飼を馬鹿にしたため、牛飼は怒って牛車を疾駆させた。義仲は、「車のうちにてのけにたふれぬ。蝶のはねをひろげたるやうに、左右の袖をひろげて、おきんおきんとすれども、なじかはおきらるべき」という状態だった。都を馬で疾駆し、乱暴を尽くした木曽義仲にしてこの有様である。武士にとって牛車がいかに縁遠い存在であったかを如実に示している。

## 丑年の人

丑年生まれの著名人は聖武天皇とその皇后光明子である。この夫妻は同年齢で大宝元（七〇一）年生まれだが、古代は誕生年がはっきりわかる人は希である。次に桓武天皇も丑年生まれである。そのため延暦十（七九一）年に諸国で牛を殺して漢神を祭ることを禁止している。また『日本後紀』延暦二十三（八〇四）年八月に大暴風雨で京内の建物の倒壊が甚だしかったが、そのため牛が死に「朕に利あらず」と嘆いた。その十二月には斑牛の皮をさいて鞍や胡禄などに用いることを厳禁しているのも、丑年生まれの故と考えられる。

この桓武と同年生まれだったのが藤原種継である。彼は藤原不比等の子で式家の宇合《うまかい》の孫である。父清成は無位で没したが、種継は桓武天皇の厚い信頼を得て長岡京遷都の推進の責任者となったが、反対派によって暗殺された。満四十八歳であった。

もう一人の著名人が菅原道真である。道真を祭る天満宮には必ずと言っていいほど牛の像が置かれている。一般には、それは道真が丑年生まれであるからと思われている。しかしそれは九州の大宰府で亡くなった道真の棺を乗せた車を引いていた牛が動かなくなったために、その場所に廟を営み、それが安楽寺、後の大宰府天満宮になったという縁起による。

## 三　鹿

### ㈠　不老不死のシンボル

**薬喰い**

鹿は縄文時代より狩猟の対象で、弥生時代の銅鐸などに多く描かれている。鹿は稲を食い荒らすため、害獣ともされたが、その一方で立派な角を持つことから霊獣とされたり、また鹿角・鹿茸は薬草ともなったこともあり、不老不死のシンボルでもあった。平城京から出土した木簡に「鹿醢《ししおびしお》」と記されたものがあり、鹿肉の塩漬けと考えられている。日本では主に薬用のために鹿の肉を食べた。鹿の角がぐんぐん成長し、その生命力の強靭さを感じ、人間の衰弱を補うものとして鹿の肉を体内に取り入れようとした。それが「薬喰い」である。また角は粉にされて鹿茸と呼ばれる強壮剤となった。

『延喜式』には鹿角・鹿皮・鹿毛などが貢進され、食用、工芸用、薬用と余すところなく利用された。また鹿の肩胛骨は占いのために用いられ、『万葉集』には鹿占いの歌が残されている。また『古今和歌集』には、「奥山に紅葉ふみわけ鳴く鹿の声聞くときぞ秋はかなしき」とあり、鹿と紅葉は伝統的景物となっている。花札に鹿と紅葉が描かれているのはそうしたことが背景にある。

『今昔物語集』巻十九第七話「丹後守保昌朝臣ノ郎等、母ノ鹿ト成リタルヲ射テ出家スル語」にも母が鹿となって現れる話が載せられている。藤原保昌の郎等が明日、狩りを行う前日の夜の夢に亡き母が出てきて、自分は悪業の故に今は鹿の身になっている。弓を極めたお前が狩りに参加するならとても助かるまい。自分の方から射られるようにするからと言った。男はその鹿を射るまいと思い定めていたが、いざ鹿が現れるととっさに鹿を射てしまった。男は母殺しの罪を悔い、髻を切って法師になったという話である。

奈良の春日大社などでは、鹿は神の使いとされたり、また角のある鹿の雄姿が特別視され、神の乗り物と考えられ、大切に保護された。優しそうな大きな目はとても愛らしく、古代より人間にとって随分身近な存在であった。鹿は千年で蒼鹿、千五百年で白鹿、二千年で玄鹿となるとされるように不老不死の象徴で、また鹿は福禄寿の「禄」と同音であるため、高位と富貴を約束する動物ともされている。

## (二)　鹿子と水主

**泳ぐ鹿**

『続日本紀《しょくにほんぎ》』宝亀元（七七〇）年に伊予国で白鹿を捕えた記事がある。白鹿は天が示す祥瑞の一つで、時の女帝称徳《しょうとく》天皇・僧道鏡の政権を讃える意味を持っていた。その白鹿を捕えた人々は、褒美として位階や品物を賜っているが、その中に「水主《かこ》」が見える。水主は船を操る船乗りのことである。船乗りが陸上を走り回っている鹿の捕獲に関係があるというのは妙である。しかし鹿は海で捕えられているのである。

意外に思うかもしれないが、実は鹿はよく泳ぐ。平安時代の著名な文人菅原道真が讃岐守《かみ》だった時、瀬戸内海の情景を詠っているものがある。道真の詩文集『菅家文草《かんけぶんそう》』の「舟行五事《ふなゆきごじ》」には、「区区《くく》たり　海を渡る鹿兒《かこ》　舌を吐きて蹄《ひづめ》を停めず　潮頭をば再び三度顧みる　故山の谿《たに》を恋ふらむが如し」とあり、多くの鹿が群れになって海を渡っている様子を詠んでいる。道真のような中央貴族にとって、この光景は珍しいことだったかも知れない。しかし、『日本書紀』や『風土記』などにも泳ぐ鹿が多く見える。

『日本書紀』応神十三（四〇二）年条には、応神大王が淡路島で狩猟をしていた時、大きな鹿がたくさん泳いでおり、播磨国の水門に入った。その場所を鹿子《かのこ》水門と呼ぶようになり、のち「加古川」の地名となった。実は『万葉集』の巻七に「名児の海を朝漕ぎ来れば　海中に鹿子そ鳴くなるあはれその水主《かこ》」とあり、鹿子と言えば水主を連想させるものだった。

同書神代下九段一書第一に、天稚彦《あまのわかひこ》が天下る際に天照大神から授けられたのが「天鹿児弓・天真鹿児弓」である。これを天の狩人の弓矢とする説もあるが、鹿子＝水主から、それは水主弓・水主矢と考えられる。おそらく「天鹿児弓・天真鹿児弓」というのは、水主が船から鹿を射止めるのに用いた弓矢であろう。『肥前国風土記』松浦郡値嘉郷《ちかごう》条には、値嘉郷（現在の五島列島）に住む海士たちは隼人に似て騎射を好むとあり、野生の鹿を海に追い込んで狩猟を行っていた。現在でも瀬戸内海では鹿の生息する島が多くある。松山市北条の鹿島、岡山県和気郡日生《ひなせ》町の鹿久居島、広島県宮島などである。また漁民はよく鹿を食べたことから、鹿久居島は鹿喰《ししくい》島とも言う。そうした伝承は徳島県宍喰《ししくい》町にもある。このように鹿はよく泳ぐため、漁民たちと極めて近しい関係にあったのである。

ところで馬と鹿をあわせると「馬鹿」となる。その話は『史記』始皇本紀第六に見える。秦朝の宦官の趙高が卑賤の出ながら権勢をふるっていた頃の話である。二世胡亥《こがい》の時、自分の権勢を確かめるために、鹿を二世に献じ、「これは馬でございます」と言った。二世は笑って「丞相も間違うものか。鹿を馬と言った」と言い、周りの近臣に尋ねた。するとある者は「鹿でございます」と言い、またある者は「馬でございます」と言った。さらにある者は沈黙した。その後、趙高は鹿だと言った者たちを罪に陥れて処刑した。群臣たちはみな趙高を恐れたという。権力の不条理の前に、鹿を馬と言った愚かさから「馬鹿」の言葉は生まれたが、しかし正しいことを主張すれば、処刑が待っているとなれば、その者たちを一方的に「馬鹿」と言うのはためらわれるのではなかろうか。ただこの話を馬鹿の語源とするのは全く根拠がなく、「馬鹿」はサンスクリット語の「バカ」の音写語という説もある。

## 四　犬

### (一)　犬の役割

**狩猟のパートナー・食料の犬**

現在はペットブームと言われるが、そのペットで最も人気があるのが犬である。我が国の犬の登録数は約六八〇〇万頭となっている。そして医療の進化はペットの世界も例外ではなく、犬の寿命も急速に伸び、平均寿命は十三、九歳となっているという。

中国では殷・周時代から殉葬された猟犬が多く発見されているが、優れた嗅覚と行動力から死者を護る役割として犬を犠牲にすることも行われた。「祓」の「犮」は肩の抜けた文字になっているが、それは生気を失った犬の形だとされ、それは犬を犠牲にして神に捧げる動物供儀と深い関わりがあった。なお「嗅」は「犬」と「自」（鼻）と「口」を合わせたもので、犬の嗅覚の鋭さから生じた文字である。

我が国で犬が人間に飼われるようになったのは縄文時代と考えられている。神奈川県の夏島貝塚で犬の骨が見つかっているが、それは約九千五百年前のものと推定され、現在のところこれが日本最古である。愛媛県上黒岩の洞窟でも約八千五百年前に埋葬された犬の骨が発見されている。そして縄文晩期の遺跡からは人間と同じ墓域から犬の骨が多く見える。その体格は小さく体高四十㎝くらいの小型犬で、狩猟のパートナーとしてであった。

弥生時代になると、頭骨に傷のある犬の骨が多くなる。それは縄文時代にはなかったことで、人が犬を殺すようになったことを示している。成犬になるとすぐに殺されていることが多く、各部位が散乱した状態で出土し、埋葬もされていない。骨に解体の跡があることからみて食用になったのだろう。弥生時代には、野生の猪を飼育したイノブタを食用としており、動物に対する観念が大きく変化している。だからこの時代、人が生きていくのも大変な時代だったが、犬も現在のペットのように安穏に暮らせたのではなく、常に食料となる危機に直面していたのである。

## 古墳と犬

古墳時代の埴輪の犬に首輪や鈴を付けているものがある。大切に飼育されている犬はペットとして、また財物の一種として扱われたのであろう。我が国の例ではないが、高句麗の古墳壁画に犬の図が描かれている。胴の部分は剥落しているが、頭部や尾部はよく残されており、口を大きく開き、歯牙も見える。そして首輪をしていることから、この犬は飼い犬であろう。その犬を古墳の入り口に描いていることは、番犬として墓を保護する目的があったと思われる。しかしそれとは違う見方もある。

『後漢書』の烏桓の記事の中に、「葬に至れば則ち歌舞して相送る。肥養せる犬を彩れる縄纓を以て牽く。并びに死者の乗る所の馬衣物皆焼いて之を送る」とある。肥養した犬を葬礼に用いる風習があったのであり、そうすると単に番犬的な意味だけではなく、葬礼の儀式に欠かすことのできない存在だったのかもしれない。

『播磨国風土記』に犬の話がある。託賀郡伊夜丘《いよおか》の条には、応神大王が麻奈志漏《まなしろ》(真っ白な犬)という犬を飼っていたが、その犬が猪を追って丘に走り上がったのを見た大王が「射よ」と命じたので「伊夜岡」という地名になった。また同書賀古郡条では、景行大王が印南別嬢《いなみわけいらつめ》を妻問いした時、大王の行幸に驚いた彼女は島に隠れた。その時、彼女の飼っていた白犬が島に向かって吠えたので所在がわかり、二人は結ばれたという。『出雲国風土記』意宇郡宍道郷の条には、大国主命が追った猪の像と、その猪を追った犬の像が石となったとあり、「猪(宍)の道」から「宍道《しじ》」という名が生まれたとみえる。現在の「宍道湖」の名はこれに由来する。

## 猟犬と鷹の餌に選別

長屋王家から出土した木簡には、「御馬屋犬二口米一升受乙末呂古万呂」と記されたものがある。「御馬屋犬」は馬小屋の番犬のことである。また、「犬司」と記された木簡もあるが、それは鷹狩りの時に用いる犬の管理・飼育していた役所であると考えられている。

『万葉集』には、狩りを歌った長歌がある。「み山には　射目《いめ》立て渡し　朝猟に　鹿猪《しし》履《ふ》み起し　夕狩に鳥踏み立て　馬並《な》めて　御猟《みかり》ぞ立たす」(九二六)とある。射目というのは山に儲けられた射者の隠れ場所で、猟犬によって追いかけられてきた獣を射目から撃ち、また猟犬に追い立てられて飛ぶ鳥を鷹を放って捕った。奈良・平安時代には狩りが盛行していたから、長屋王のような権門勢家では鷹も犬も多く飼っていたのである。

時代は下って戦国大名伊達政宗の分国法の『塵芥集』には、「犬うち候事、鷹の餌に候はば、越度有るべからざるなり」とあり、犬は鷹の餌とされている。この頃に我が国にやってきた宣教師ルイス・フロイスは人々が犬・猿・猫・鶴などをよく食べると記すように、庶民の間では薬食と称して犬を日常的に食べていた。中国では犬の肉は気力を増し、胃や腎臓を安らかにし、犬の種類では黄犬・黒犬・白犬の順で効くという。優秀な犬は鷹と共に狩りをするために使用され、駄犬は餌となった。犬も人の都合によって厳しく選別されたのである。我が家の犬は人に喰われる心配もなく、安眠している。犬も生まれた時代によって生き方が大きく変わるのである。

## (二)　恐れと穢れ

### 人を食う犬

人が犬を食う話を書いたが、逆に犬が人を食うことも珍しいことではなかった。古くは『日本書紀』垂仁二十八年十一月条に、大王は死去した同母弟の倭彦命《やまとひこのみこと》を葬ったが、その時に命に仕えていた近習の人たちを陵の周囲に生きながらにして埋めた。彼らは昼夜うめきながら死んでいった。すると犬や烏が集まってこれを食べた。大王は犠牲になった人たちの嘆きやうめき声を聞いて、心を痛めた。そこで群臣たちに、近習者を殉死させることは大変辛いことである。これは昔から行なわれてきた風習であるが、良くないことには従わなくてもよい。以後は殉死の風習をやめよと仰せられた。この結果、人に代わって埴輪を置くことになったという。

平安時代の『小右記』正暦元（九九〇）年十月十七日条には、「犬、小児の頭を咋い入る」とあり、『権記』長保元（九九九）年九月八日条には、「大内、死穢有り。東北の対の下、小童の死骸有り。犬これを噛み出す」

とあり、その場面を『御堂関白記』では、「家の宿所の下、死人有り。八・九歳ばかりの童なり。所々犬に喰わる」と見える。これらは路頭に放置された病者のなれの果てであろうが、犬に喰われた中には身分の高い高貴な人もいた。それは何と法皇（上皇）の娘の皇女であった。『小右記』万寿元（一〇二四）年十二月八日条に花山法皇の皇女殺害の一件について次のように記されている。「一昨日のこと、花山法皇の皇女が盗賊に殺害されて路上で死んだ。その遺骸は夜中に犬に喰われた。異常なことだ。その皇女は太皇太后藤原彰子に仕えていた。ある者はこれは「盗人の仕業ではない。誰かが皇女を太皇太后の御所の外の路上に誘い出して殺した」と話している。野良犬たちに食い散らかされたが、その遺骸が彼女ものだと判明したのはせめてもの慰めであった。平安京にはこうした犬に喰われた死体が散在していたのである。

もう一つ例をあげよう。『今昔物語集』巻二十九第八話「下野守為元の家に入りし強盗の語」である。京都の三条南、西洞院西に住む下野守為元の家に強盗が押し入った。その家の女をさらって馬に乗せて逃げた。しかしいつまでたっても追っ手が追いかけてくるので、強盗はその女の着物を剥いだが、その時、女を大宮川に落としてしまった。凍り付くような寒い日だったから女は寒さに震えながら近所の家に助けを求めた。しかし関わりを恐れて誰も助けなかったため女は凍え死んでしまった。そこで犬に食われてしまい、長い髪と赤い頭と紅の袴だけが残っていたという。

『今昔物語集』巻二十六第二十話には、「少女が病気になった。そこで家の主人はその少女を家の外に出そうとする。少女は家の外に出されたら犬に殺されてしまうと恐れる。主人は、食物を与え、毎日一、二度は人をやって様子を見に行かせるからと宥めすかして家から出した」という話が載っている。この少女の運命がどうなったかはわからないが、病気が治らなければ、路上で行き倒れになったであろう。少女にとって最も心配だったのは犬に食われることで、それを日常的に目にしていたからであろう。このように犬はとりわけ孤児や病人を食用としていた。保護されない社会的弱者は常に犬に襲撃される可能性があったのである。

## 犬の穢れ

ただ平安時代になると、貴族社会ではケガレ意識が広がり、それにつれて、犬によるケガレがしばしば問題となった。『延喜式』巻三臨時祭にケガレについての規定が記されている。犬・牛・馬・羊・豚・鶏の六畜について、その死の場合は五日間の服忌、産の場合は、三日間の服忌とされている。六畜とされたものの中で貴族たちの生活領域に自由に入り込めるのは犬だけだった。当時の犬は放し飼いで、そのうえ野良犬の数が多かったから、死や産のケガレは度々起こり、それがために重要な儀式や行事などが中止や延期になったりした。

一例をあげよう。藤原道長が念願の金峯山参詣のために長い間精進潔斎を行なったが、その潔斎場所の建物で犬が生まれ、さらにその子犬が死んでしまった。犬の産と死という二重のケガレが発生した結果、この度の参詣は断念することになった。このように犬のケガレによって様々な支障が生じるようになり、朝廷では内裏から犬を追放する犬狩りを行った。犬狩り当日は大内裏の諸門を閉め、近衛府の官人や滝口らが要所要所に配置され、蔵人所に属する官人の所衆が縁の下に入って犬を追い出し、兵衛の陣に集められた。そして衛門府官人の手で放逐された。ただ狩りと言ってもケガレを嫌う貴族にとって犬を殺害して血を見ることはできなかったから、捕えた犬を離れた場所に連れていった。

清少納言の『枕草子』六段に「翁丸《おきなまろ》」という犬の話がある。長保二（一〇〇〇）年頃、時の一条天皇は猫を大変かわいがり、五位の位を与え「命婦のおとど」と呼んでいた。五位の位は現在なら県知事クラスの人たちの位だから、その扱いは尋常ではない。さらに馬の命婦という乳母まで付けて世話をさせていた。ある時、その乳母がその猫を呼んだが、猫はひなたぼっこで気持が良かったのか、来なかった。そこで乳母は側にいた翁丸に冗談のつもりで「猫をかんできなさい」と言うと、犬は本当に猫に飛びかかっていった。ちょうどその時、天皇が見ていたから大変なことになった。天皇は逃げ込んだ猫を抱きかかえ、家臣に「翁丸をうちすえ、犬島に流せ」と言った。犬島に流された翁丸は、それから三・四日後に帰ってきたが、それを家臣たちがまた懲らしめていた。女房たちは止めようとしたが、既に死んでしまったので、門の外に捨てたという。その夕方に、体中が腫れ上がった犬がうめきながら歩いていた。それを見た女房たちが「翁丸ではないか」と言ったが、何の反応も示さなかった。

翌朝、縁の下にうずくまっている犬を見ながら「翁丸はどんなにか辛かったろう」と話していると、その犬が、身を震わせ、涙を流したので翁丸だとわかった。中宮が「おまえは翁丸か」と問うと、犬は地にひれ伏し、大きな鳴き声をたてた。そして天皇も翁丸の勘当を解いたので、やっと元のように収まったという。

清少納言も、同情されて泣くのは人間だけと思っていたのに、犬が涙した姿は感動的であると記している。この話の中に犬島に流したという記事が見えるが、この犬島というのが、犬を捨てる場所だったのであろう。

現在でも妊婦は戌の日に腹帯をするが、それは犬が多産で安産だからである。犬の安産と人の安産とは何の関係もないが、何かにあやかりたい気持ちは今も昔も変わらない。『肥前風土記』養父郡条に、「昔、纏向《まきむく》の日代の宮に御宇《あめのした》しめしし天皇（景行大王）、巡狩《めぐりみそなは》しし時、この郡の百姓、部挙《ともこぞ》りて参集《まいつど》ひしに、御狗、出でと吠えき。ここに一の産婦ありて御狗を見るに、やがて吠え止みき」とある。天皇の狩猟犬が人々に吠え続けたが、一人の産婦が犬を見たところ、犬は吠えるのをやめたという。なぜ犬が吠えるのをやめたかという理由はよくわからないが、産婦と犬が近しい関係にあるとみられていたことは確かである。

## ㈢　人に翻弄される犬

### 犬好きの権力者

犬と人間の関係は、人間の都合で大きく変わる。特に時の権力者が犬好きの場合は犬は人よりも上位になることがあった。その一例が鎌倉時代に執権北条氏の最後の得宗（本家の嫡流）北条高時の頃である。彼は犬合わせという闘犬の見物を楽しみにしていた。一度に百匹から二百匹の犬が噛み合いするから、まるで合戦さながらだった。そのために屈強の犬を必要としたから、配下の武士たちはそうした犬を次々と鎌倉に送った。高時はその犬たちを輿に乗せて移動させ、その輿に出会った武士たちは、馬から降りてひざまずいた。農民たちは、その輿を担ぐ人夫として徴発された。

『太平記』には、「肉に飽き錦を着たる奇犬、鎌倉中に充満して四、五千匹に及べり。月に十二度犬合わせの日とて定められしかば、一族大名御内人《みうちびと》様の人々、或は堂上に坐を連ね、或は庭前に膝を屈して見物す。時において両陣の犬どもを一、二百匹宛放し合せたりければ、入違ひ追合て上になり、下になり、くらい合う声、天を動かし地を動かす」とある。『増鏡』にも、高時は「朝夕好むこととて犬くい、田楽などを愛しける」とあるように、こうした権力者の嗜好によって、鎌倉の町は金銀の紐につながれ、肉を食べることに飽きた錦の着物を着た犬が充満した。

今一度は江戸時代五代将軍綱吉の時代である。よく知られている「生類憐れみの令」が出される。一般にこのように称せられるが、こうした単独法があったわけではない。またこの法令が出された理由として、生母の桂昌院が帰依していた真言僧隆光が、綱吉に子が恵まれないのは前世で殺生を多くした報いであるから、今後は殺生をせず、生類を憐れむようにと進言したことに始まると言われる。しかしそれは根拠のあるものではないようで、この政策は桂昌院が隆光に出会う前に始まっている。

その規制は様々な方面に及んだ。魚や鳥、ウナギやドジョウなどの販売が禁止され、なかにはハエ・蚊・ノミ・シラミまで殺すことを禁じた家中もあったという。とりわけ犬については綱吉が戌年ということもあって事細かく規制を加えた。犬を殺すな、傷つけるな、病気の犬を医者に見せろ、痩せた犬を養生しろ、捨て犬はするな等々である。そして犬が死ぬとその亡骸を山頂の墓に葬るように命じた。ある人が将軍が戌年だからといってあまりにもばかばかしいと言っていたが、するともう一人の男が、先ほどの人を制して「とはいえ将軍が午年で生まれたのよりは幸いである。なぜなら午年であれば馬の亡骸を山頂まで運搬するのは容易ではないから」と言ったという話もある。

それはともあれ当時の犬は飼い犬も捨て犬も全てつながれていなかったから、それを守ることは容易ではなかった。犬を大事にするのは良いが、怒ったり厳しくしてはいけないというのは、それは躾をしないことと同じである。犬は階層社会だから、躾をしなければ、自分が人よりも上位になり、当然増長して人に噛みつく犬も増加した。この生類憐れみ令ではやったのが犬医者である。それまでほとんど需要がなかったが、犬の愛護政策によって俄に仕事が増え、彼らは短期間で財をなした。羽織袴を着用し、六人担ぎの駕籠に乗り、若党・草履取り・薬箱持ちなどを召し連れる身分になった。

一方、犬の飼い主にとってはこれほど細かい規制をされると犬を飼うことが負担になり、結果的に捨て犬が増えた。その対策として中野に総工費二十万両、敷地十六万坪に犬小屋が建てられた。犬小屋とはいえ、一棟が二十五坪というから江戸の一般庶民の家より広かった。犬一匹に一日白米三合に味噌と干鰯が与えられ、その飼育料は莫大になった。しかし俄に豪勢な身分となった捨て犬たちは、飽食と運動不足のため、病気になって死ぬものも多かった。この愛護政策は、必ずしも犬のためになっていなかったのである。

綱吉は法を徹底するため密告を奨励し、密告者には金三十両が与えられたケースもあった。そのことがこの法令に対する反感を募らせることになった。綱吉の死によってこの法令が解除されると、今までの反感が犬への報復となった。このように犬は人の都合によって翻弄された。犬は実用的な意味でも殺された。その一つは三味線を作るためである。三味線はネコの皮で作るのは高級品で、安物は犬皮で作られていた。もう一つは鷹の餌とされた。鷹狩りが盛んになると鼠のような小動物では間にあわなくなり、比較的大きくて捕まえやすい犬が選ばれたのである。

## 忠犬

犬は人の気持ちを察し、従順であるが故にペットとして根強い人気があるのであろう。昔話の世界でも桃太郎の第一の協力者は犬であり、古来から人と共に暮らしていた。『日本書紀』垂仁八十七年二月に、犬が山獣のむじなを殺したという記事がある。また景行四十年にはヤマトタケルノミコトが信濃で道に迷った時に白犬が現われ、これについていったら無事美濃に到着することができた。『古事記』雄略段には、志磯大県主《しきのおおあがたぬし》が雄略大王の怒りを恐れて鈴を付けた白犬を献上したところ、大王はこれは大変珍しいとして求婚の際の贈り物にしたという話がある。このように白い犬は仏縁のあるめでたい犬として珍重された。

忠犬の例を二つあげる。一つは『日本書紀』用明二（五八七）年条である。仏教崇拝をめぐって蘇我馬子と物部守屋が戦い、結果的は蘇我氏の勝利で終わるが、守屋の従者の捕鳥部万《ととりべのよろず》も戦死した。万の飼っていた白犬はその屍の周りを吠えながら回り、屍を古い塚に安置すると、その傍らに伏せ、餓死するまで動かなかった。この報告を受けた時の政府は、後世の鑑とする美談であると賞賛し、万の一族と犬の墓を二つ並べて造らせたと記す。

二つ目は『古今著聞集』に見える信心深い犬の話である。五代民部丞《ごだいみんぶのじょう》という人の飼っていた犬が、毎月十五日・十八日・二十七日に食を断つようになった。十五日・十八日は阿弥陀観音の縁日だからと思われたが、二十七日についてはよくわからなかった。しかしよくよく考えてみれば、まだ子犬だった頃に民部丞の幼い子がこの犬を大変かわいがっていた。ところがその子は先に死んでしまったが、その命日が二十七日だった。この犬はその子の月命日を忘れず、精進潔斎していたのである。

ところで、犬の飼い方にも日本人の特性が見られるという。我が国では犬の躾として「おすわり」「ふせ」

「お手」「おかわり」を教える。欧米では公の場に出しても迷惑をかけないように、社会犬としての躾をする。その際に一番重要なのは「まて」である。日本のように「お手」「おかわり」はあまり教えないという。おそらく日本では好んで「お手」「おかわり」を教えるのは、躾というよりも人と犬とのコミュニケーションという意味合いが強く、またその仕草がかわいいからであろう。仏教の輪廻転生の考えでは、人が動物に生まれ変わること、あるいは逆に動物が人に生まれ変わることもある。だから人と動物の垣根は低く、自然のままの存在として動物に向き合ってきた。こうしたこともあって犬を厳しく躾け、自分の管理下においてコントロールするということに多くの人が違和感を持っているのではなかろうか。

相手をおとしめる時、「○○の犬」と言ったり、また無駄な死のことを「犬死」など、あまり良い表現はない。また自らを卑下して「犬」を付けることもある。室町時代の人である山崎宗鑑は俳諧連歌集を『犬筑波集』名づけたが、それは先行する『菟玖波集』に対して卑下したからである。このように犬は人と親しい関係にあるが、言葉や表現としては感心しないものが多いのである。

## 五　猫

### ㈠　舶来の猫

**唐猫**

猫は奈良時代頃に渡来してきた動物である。それ以前、野生の山猫はいたが飼っていた形跡はない。考古学的には十世紀の徳島市観音寺遺跡から出土した猫が最古とされる。また著名な『鳥獣戯画』には扇子を持ち烏帽子をかぶった猫がおり、それを見た鼠が物陰に隠れる姿が描かれている。

平安時代に宮中や貴族によって飼われていた猫は「唐猫」と言われるように、中国からもたらされた舶来のペットだった。それが確認される最初の史料は宇多天皇の日記『寛平御記』の寛平元（八八九）年二月六日条である。宇多天皇は太宰大弐の源精が任期を終え、都に戻ってきた時、天皇の父の光孝天皇に献上したもので、それは墨のように真っ黒な猫で、毛並みが大変美しかった。体長四十五㎝、高さ十八㎝で、背中を立てると六十㎝にもなった。父から頂いて五年間慈しみ育ててきた。この猫は他の猫よりも鼠を捕ることに優れている。毎日牛乳で作った粥を与えていると記している。この日記には他の猫はみな浅黒い色をしていると記すから、この頃にはあまり多様な種類の猫はいなかったのであろう。

『源氏物語』では、柏木が女三宮を垣間見るシーンにその唐猫が登場する。桜が咲き乱れる六条院の庭で蹴鞠が催され、光源氏の息子の夕霧や柏木たちがうち興じた時、女三宮の飼っていた唐猫が大きな猫に追われ、御簾の下から走り出た。その時、猫の首に付けていた紐が引っかかり、御簾がまくれ上がってしまった。そのため御簾の側で蹴鞠を見物していた女三宮の姿を夕霧や柏木に見られてしまう。はからずも女三宮の姿を見た柏木はそれ以来、恋の虜になった。柏木はその猫を引き取り、女三宮の身代わりと思い、猫かわいがりをする。自ら食事の世話をし、話しかけ、懐に入れ夜は一緒に寝るという愛着ぶりで、周囲の女房もあきれている。このように女三宮の猫のように、舶来のペットを飼うことは特別な身分の象徴でもあった。

## つないで飼った猫

猫の飼い方について、現在は犬はつないで、猫はつながないというのが普通だが、平安時代の頃は今とはまったく逆だったようである。『源氏物語』若菜の巻には「唐猫のいと小さくをかしげなるを、すこし大きなる猫追ひつづきて、（中略）猫は、まだよく人にもなつかぬにや、綱いと長くつきたりけるを」と記しているように、長い首紐で猫をつないでいる。また宮中に飼われていた猫が何匹も子猫を引き連れていたが、それが所々に貰われていったことが描写されている。『枕草子』にも猫に赤い首綱をしていることが見える。さらに『古今著聞集』第三十・十四話「宰相中将の乳母が飼猫の事」には、「その猫高さ一尺、力強くて綱を切りければ、つなぐこともなく、放ち飼けり」とある。このように猫の放し飼いは例外であって、普通はつないで飼っていた。猫は平安貴族たちの愛玩用だったが、鎌倉時代の頃には社寺で鼠を駆除するために用いられた。それは大事な経典や供え物を守るためだった。一般庶民が猫を飼うようになるのは室町時代の頃とされる。

つながれていた猫の飼い方が大きく変わるのは、関ヶ原の戦いが終わってまだ間もない慶長七（一六〇二）年のことで、その年の八月に猫の放し飼い令が出される。猫は穀物を守るから積極的に外に出させよというのである。それは京都を対象にしたものだったが、幕府の命令であったから、諸藩もそれにならった。毛利氏の法令には、「他人の猫の放れたるをつなき候儀、一切停止之事」とある。こうして江戸時代には、黄表紙などにも登場し、また猫の墓石が作られるようになるなど、次第に馴染みの動物となっていった。

## (二)　妖怪の猫

### 「猫又」

一方で猫は「猫の目のようにかわる」という言葉があるように、瞳孔の形が明るさによって変化するその不思議さから、妖怪のような話も生じた。その代表的なものが「猫又」である。その「猫又」の話の起源はかなり古く、鎌倉時代まで遡る。家猫が年をとると尾が二つに裂け、二本足で立ち上がるようになり、様々な神通力を持つようになる。人の言葉を理解し巨大化して、人を化かし喰うという。吉田兼好の『徒然草』には、猫又の話に脅えて、夜遅く帰宅した時に、飼い犬が喜んで飛びかかるのを猫又だと思って、溝に転落した僧の話がある。この当時としては極めて合理的な考えを持っていた兼好法師もこの猫又を否定してはいない。また『新古今和歌集』の編者として知られる藤原定家の日記『明月記』にも猫又のことが記されているから、広く知られていた。

私たちの子供の頃には、尾の短い猫がたくさんいた。私は子供心に猫にはしっぽの短いものと、長いものがいると思っていた。ところが実はこれが猫又防止対策の断尾だったのである。猫又になるには尾が二つに裂けなければならないが、尾がなければ猫又になりようがない。猫のしっぽを切る習俗は広く行われたようで、幕末から明治にかけて日本にやってきた外国人たちは、日本の猫はみな尾がないので欧米の猫とは種類が違うと考えたようである。しかしそれにしても猫又伝説によって日本の猫たちは断尾という動物虐待を受けていたというのは同情を禁じ得ない。

## 六　鼠

### ㈠　人と鼠の攻防

#### 寺院の敵

鼠は太古の昔から生息していたと思われ、古代の人々にとっても身近な存在だった。現在、鼠に関する言葉としては、「頭の黒い鼠」「鼠取り」「濡れ鼠」「鼠講」「袋の鼠」などぱっとしない言葉が多い。それは鼠は人に害をもたらす存在だったからであろう。

弥生時代に米などを保管していた倉庫には鼠返しが付けられ、鼠からの被害を防止していた。その時代から食料を巡って人と鼠の攻防が続いていた。しかし鼠は敏捷で僅かの隙間からでも出入りをし、特に寺院では経典を保管する経蔵があったが、ここにも鼠が入り込み、経典を食い荒らした。現在のようにコピーや印刷が容易にできる時代ではなく、写経師たちが一つ一つ手書きし、その労力を惜しみなくかけて作成したものであった。それが被害に遭えば、寺院にとっては大変な痛手である。そこで導入されたのが大陸から連れてきた猫だった。鼠にとって猫は恐ろしい天敵となった。

文献に最初に登場するのは『古事記』の大国主命《おおくにぬしのみこと》の物語である。スサノオノミコトの計略で焼き殺されそうになった大国主命は白い鼠の案内で穴の中に隠れることができ、命拾いした話がある。大国主命が妻スセリ姫の父神から原野に射た矢を拾ってくるように難題を課せられる。野で矢を捜していると、周囲を焼かれ、火が迫ってきた。その時に鼠が現れて「内はほらほら、外はすぶすぶ」と言ったので、その場所を踏んだところ鼠の穴に落ちて命拾いし、捜していた矢も鼠が見付けてくれた。

## 鼠の語源

鼠の語源には色々あるが、中でも有力なのが「ね」は「根の国」で、「ずみ」は「栖み」とする説である。つまり元は「根栖」で「根の国に栖む」という意味になる。『古今著聞集』第三十・三十六話「伊予国矢野保の黒島の鼠の事」には、この島では鼠が陸だけでなく、海の底まで充ち満ちているという話が載せられている。これは中世前期のことであるが、鼠といえば野鼠で、地下世界の住人というイメージが強かった。

山上憶良は『沈痾自哀文《ちんあじあいぶん》』の末尾に「鼠を以て喩ひと為す、豈愧ぢざらめやも」と記されている。それは鼠をもって喩えとしたのは我ながら恥ずかしい。死んだ人は生きている鼠ほどの価値がないという。鼠ほどの価値であっても生き延びたいという願望を記した。ともあれ鼠はとるに足らないつまらないものに喩えられている。その一方で、「日本昔話」には畑仕事をしていた爺さんが、餅をやったお礼に立派な座敷に通され、小判をたくさん貰ってきた話があるように、福の神や大黒天のお使いなどとして信仰されることもあった。いかに厳重に防いでもわずかな隙から入ってくる鼠は人の知らない場所に住処があると考え、鼠の浄土という話が成立した。そういうことから物語でも「鼠の嫁入り」のように好意的に描かれることも多い。

『日本書紀』には鼠の記事は皇極・孝徳・天智大王の時に集中して現れる。皇極二（六四三）年十一月、蘇我入鹿が聖徳太子の子の山背大兄王《やましろおおえのおう》を襲った時の話である。王は逃げる際、斑鳩宮に火を放ち寝室に馬の骨を投げ込んでいた。蘇我の将たちはその骨を見て王は死んだと思い、囲みを解いた。しかし後になって王は生きていると知った入鹿は部下に捕らえるように命じたが、言を左右にして命に応じない。そこで入鹿自らが行こうとした時に、蘇我派の古人大兄皇子が、入鹿に「鼠は穴に隠れて生き、穴を失いて死ぬ」と言って留めた。そこで入鹿は行くことをやめたという話である。この鼠は一般には入鹿にたとえられ、入鹿は自分の邸宅にいれば安泰だが、外に出れば難に遭うとする。しかし絶大な権勢を振るった入鹿を小さな鼠にたとえることには違和感があり、別な見方もある。その鼠は山背大兄王で、王は斑鳩宮にいてこそ生きていられるが、宮を出て山中に入っては長く持つはずはない、という意味とする。だから今急いで入鹿が出ていくのは軽率だとして諫めたというのである。古人皇子から見れば、山背大兄皇子は父田村皇子（のちの舒明大王）に敗れた人物であるから、彼を無力な人間として鼠にたとえても不思議はないのである。

## (二)　予兆の鼠、鷹の餌

### 「鼠進上」木簡

鼠は「ねずみ算」と言われるほど繁殖力が強く、その集団移動などが人の注目を引いた。それは日本だけでなく、ドイツの民話ハーメルンの笛吹などはその例である。この鼠の集団移動を我が国では遷都の前触れととらえていた節がある。『日本書紀』孝徳大王の時代、大化元（六四五）年十二月条に「天皇都を難波長柄豊碕に遷す。老人等、相謂りて曰く、「春より夏に至るまでに、鼠の難波に向きしは、都を遷す兆しなりけり」といふ」とある。また白雉五（六五四）年十二月条に、「是の日に、皇太子、皇祖母尊《すめみやのみこと》を奉りて、倭河邊行宮《やまとかわらのかりみや》に遷り居したまふ。老者語りて曰く、「鼠の倭の都に向ひしは、都を遷す兆しなりけり」といふ」とある。人が移動の必要がある場合、鼠がそれに先だって移るという俗説は今日でも各地に見られる。だから、当時の人々が遷都について、こういう現象があったことを信じたとしても不思議なことではない。

次に天智元（六六二）年四月条に、鼠が馬の尾に子を生んだとする記事が見える。それを釈道顕《しゃくどうけん》は、北国の人が南の国につこうとする。高麗が破れて日本につこうとするかと占った。鼠の「子」は陰陽五行思想によると北に当たり、馬の「午」は南に当たる。そこからありそうにもない現象を指した。ここではありえないこととして七年後の高麗の滅亡を予言したのである。実は『源平盛衰記』にも平清盛が秘蔵して飼っていた馬の尾に鼠が子を生んだという話がある。そこには「思寄ザル処ニ、鼠ノ巣ヲカクヒ子ヲ生ム事ハ、其家ノ亡ブベキ怪異也」とあるように、このことは平家滅亡の相だったのである。

ところで平城京出土木簡の中に「鼠進上」と書かれたものが十数点ある。その鼠を進上した人の名前が自署されており、進上物に対する責任の重要さを窺わせる。進上された鼠は二十四前後が多い。誰が鼠を必要としたか気になるが、鼠進上の木簡の出土地点から「鷹所」木簡が検出されている。おそらく主鷹司《たかのつかさ》では鷹狩りのための鷹を飼育しており、その餌とするためでなかったかと考えられる。大仏を造立した聖武天皇も鷹狩りを好み、即位後の神亀三（七二六）年八月に鷹飼戸を十戸設置している。一時、皇太子の病気のために天下の鷹を養い飼うことを停止しているが、天平時代には復活させている。ただ鷹の餌は鼠だけでは十分ではなかったとみえ、鶏・馬肉・雀なども与えられている。動物も食うか食われるかなのである。

## 七　珍獣

### ㈠　友好のための献上

#### 駱駝・ロバ・羊・白雉

動物は政治の世界とは無縁のように見えるが、珍しい野生動物の場合には、しばしば政治的な役割を担わされた。『日本書紀』推古七（五九九）年九月に「百済、駱駝一匹、驢《うさぎうま》一匹、羊二頭、白雉一隻を貢れり」と見える。我が国と親交のあった朝鮮半島の百済国からの贈り物として駱駝・ロバ・羊・白雉が献上されている。

珍しい動物を贈呈することによって相手国との友好を図った例であるが、その他にも国威発揚や緊張緩和を図る手段として利用されることもあった。それは今日の中国からパンダが提供され、それによって対中国観が大きく変化した事例をみれば、了解できるだろう。ただパンダの賃借料が年間一億円という高額で、外貨獲得の目論見も窺える。

ラクダは砂漠のような水がほとんどなくても荷物を運んで移動できるため、乾燥地帯では必要不可欠な動物だった。そのためヨーロッパと中国を結ぶシルクロードなどではラクダなしには交易ができなかった。そういう事情だから中国ではラクダはそれほど珍しくはなかった。しかし我が国ではそうした乾燥した地域もなく、ラクダのような動物はとりたてて必要なかった。しかし日本にはいない動物のため珍獣として贈り物となった。

### 羊は「野牛」から

羊の初見はラクダと同様、先の推古七年九月条で、朝鮮の百済から二頭が贈られている。平安時代にも朝鮮半島や中国から渡来し、多くは宮中で飼われていた。なお羊とよく似ている山羊は、『日本紀略』弘仁十一（八二〇）年条が初見である。角があって「野牛」と書いたことから、「やぎ」と呼ばれたらしい。

麒麟は中国で考えられた想像上の動物で、牡を麒、牝を麟と言う。竜・鳳凰・亀と並ぶ四霊の一つである。仁徳者、王者、聖人が出現した時のみ目に触れる。そのため瑞獣、または仁獣と言われる。角が一本、体は鹿、足は馬、尾は牛、腹部は五色、全身は黄色である。才気あふれる少年を麒麟児と呼ぶ。この麒麟の姿はビール会社の図柄で思い浮かべる人が多いと思うが、このビール会社が麒麟の絵を採用する以前は、山羊が描かれていたことを知る人はほとんどいない。それはドイツの黒ビールを「ボック・ビア」と言い、「ボック」はドイツ語で「牡山羊」のことであった。この会社が経営難に陥ったのを、このビール会社が引き継いだ。その時に、図柄が山羊から麒麟の商標に改められたのである。

## ㈡　百獣の王の虎・象

### 宇多天皇の時に来日

虎は我が国には生息しないが中国では百獣の王として恐れられ、また絵画や毛皮などで早くから知られていた。『日本書紀』欽明六（五四五）年十一月条に膳臣巴提便《かしわでのおみはすひ》が朝鮮の百済国に国使として妻子を伴って行った時のことである。「百済の浜に行き着いた時、日が暮れてきたが、我が子が行方知れずになった。その周辺には大雪が降っていたために虎の足跡が残っていたことから子が虎にさらわれたとわかった。そこで刀を持ち、鎧を着て夜明けから虎にさらわれた子を探し求めた。ついに出会った虎は口を大きく開けて噛みついてきた。巴提使は左の手で虎の舌をつかみ、右手で持っていた剣で刺し殺した。そして皮を剥ぎ取って帰還した」という武勇伝である。

生きた虎がやってきたのは寛平二（八九〇）年宇多天皇の時代である。それを平安時代中期の宮廷絵師として名高い巨勢金岡《こせのかなおか》が描いたが、その虎は威風堂々としたものであった。さすが当代随一の絵師である。

我が国に象が初めてやってきたのは室町時代の応永十五（一四〇八）年のことである。若狭国小浜に到着した南蛮船が積んでいたもので、それが足利将軍家に贈られた。この象はわざわざ黒象であると注記されていた。それは中世日本社会では、普賢菩薩などの仏教絵画では「象は白いもの」という観念が一般的だったからである。十一世紀後半に中国宋に赴いた成尋も、その地で象を見ているが、「象は毛無し、膚色は日本の黒牛の如し」と記している。彼らにとって理想の象は白象だったのである。

ところで先の黒象は幕府の四代将軍足利義持から朝鮮国王太宗に贈られた。この時代、象は中国の朝廷では恒常的に飼育され、皇帝の奇獣として利用されていた。この世で最も巨大な陸上動物である象は、外見の珍奇さだけでなく、そこに皇帝性という文化的要素もまとっていた。おそらく義持の持つ強烈な中華思想が象を贈与した大きな理由であろう。その朝鮮に贈られた象の末路は哀れであった。しばらく役所で飼われていたが、ストレスのためか、人を殺してしまい、島に移送されるが、飲食もできず泣いてばかりいるというので、内地に戻されたが、そこで記録が途絶えている。おそらくほどなくして死んだのであろう。この象も人の都合によって翻弄された例である。

【参考文献】

・近藤好和「日本馬は本当に貧弱か？」『牧の考古学』（高志書院・二〇〇八年）
・直木孝次郎『日本古代兵制史の研究』（吉川弘文館・一九六八年）
・山中裕『平安期の年中行事』（塙書房・一九七二年）
・加瀬文雄「藤原道長をめぐる馬と牛」『日本古代の社会と政治』（吉川弘文館・一九九四年）
・高橋昌明『武士の成立武士像の創出』（東京大学出版会・一九九九年）
・岩井宏實「絵馬について、絵馬の起源」『歴史と地理』三五八（山川出版社・一九八五年）
・浅野啓介「平城京に暮らした人々の祈り」『環境の日本史』二（吉川弘文館・二〇一三年）
・伊藤聡『神道とは何か』（中央公論新社・二〇一二年）
・目崎徳衛『王朝のみやび』（吉川弘文館・二〇〇七年）
・松本正春『奈良時代軍事制度の研究』（塙書房・二〇〇三年）
・坂下圭八「馬の骨・馬が合う」『朝日百科日本の歴史』八五（朝日新聞社・一九八七年）
・大塚滋『食の文化史』（中央公論新社・一九七五年）
・米沢康『日本古代の神話と歴史』（吉川弘文館・一九九二年）
・倉田実「平安貴族の乗り物」『平安時代の信仰と生活』（至文堂・一九九四年）
・林陸朗「古代史、丑年生まれの人々」『日本歴史』第五八四号（吉川弘文館・一九九七年）
・千葉徳爾「鹿」『朝日百科日本の歴史』一九（朝日新聞社・一九八六年）
・平林章仁『鹿と鳥の文化史』（白水社・一九九二年）
・今泉淑夫「馬鹿のはなし」『本郷』№五二（吉川弘文館・二〇〇四年）
・滝川政次郎「犬に関する律令の法制」『日本歴史』第二六〇号（吉川弘文館・一九七〇年）
・吉野裕子『陰陽五行と日本の民俗』（人文書院・一九八三年）

・安田政彦『平安京のニオイ』（吉川弘文館・二〇〇七年）
・谷口研語『犬の日本史』（ＰＨＰ研究所・二〇〇〇年）
・谷口研語『犬の日本史』（吉川弘文館・二〇一二年）
・繁田信一『殴り合う貴族たち』（柏書房・二〇〇五年）
・勝田至「中世京都の葬送」『歴史と地理』№五七七（山川出版社・二〇〇四年）
・西山良平『都市平安京』（京都大学学術出版会・二〇〇四年）
・斎藤忠「高句麗の古墳の壁画にあらわれた犬の絵」『日本歴史』第四〇四号（吉川弘文館・一九八二年）
・河添房江『光源氏が愛した王朝ブランド品』（角川学芸出版・二〇〇八年）
・黒田日出男「動物は時代のシンボル」『朝日百科日本の歴史』別冊一〇（朝日新聞社・一九八九年）
・山根洋子「ネコ」『人と動物の日本史』（吉川弘文館・二〇〇八年）
・千葉徳爾「猫また」『朝日百科日本の歴史』一六（朝日新聞社・一九八六年）
・佐々木隆「明治怪猫伝」『日本歴史』第六六四号（吉川弘文館・二〇〇三年）
・坂下圭八「ねずみと根の国」『朝日百科日本の歴史』二一（朝日新聞社・一九八六年）
・坂本太郎「『日本書紀』に見える鼠」『日本歴史』第四二八号（吉川弘文館・一九八四年）
・新川登亀男『日本古代史を生きた人々』（大修館書店・二〇〇七年）
・千葉徳爾「ねずみ」『朝日百科日本の歴史』八二（朝日新聞社・一九八七年）
・森公章「二条大路木簡中の鼠進上木簡寸考」『日本歴史』第六一五号（吉川弘文館・一九九九年）
・千葉徳爾「羊・山羊」『朝日百科日本の歴史』一二一（朝日新聞社・一九八八年）
・岡泰正「麒麟、会社を呑む」『日本の国宝』〇七五（朝日新聞社・一九九八年）
・橋本雄『偽りの外交使節』（吉川弘文館・二〇一二年）
・橋本雄「朝鮮へ贈られた象」『本郷』№一〇二（吉川弘文館・二〇一二年）

# 第二章　虫

## 一　益虫

### ㈠　鳴く虫・風流な虫

**秋の風物詩**

一口に虫と言っても様々で、人に好まれるものから、極度に嫌われるものまである。好ましい虫とされるものの一つが鳴く虫である。それは秋の風物詩とされ、昔から物語や歌の題材となった。ただ『万葉集』では鳴く虫は全てコオロギとされている。

「影草の生ひたる屋外《そと》の夕陰に鳴く蟋蟀《こおろぎ》は聞けど飽かぬかも」（二一五九）
「夕月夜《ゆふづくよ》心もしのに白露の置くこの庭にこほろぎ鳴くかも」（一五五二）
「秋風の寒く吹くなへ我がやどの浅茅がもとにこほろぎ鳴くかも」（二一五八）
「庭草に村雨降りてこほろぎの鳴く声聞けば秋づきにけり」（二一六〇）
「こほろぎの待ち喜ぶる秋の夜を寝る験なし枕と我は」（二二六四）

「草深みこほろぎさはに鳴くやどの萩見に君はいつか来まさむ」（二二七一）
「こほろぎの我が床の隔に鳴きつつもとな起き居つつ君に恋ふるに寝ねかてなくに」（二三一〇）

鳴く虫が全てコオロギというのはありえないから、『万葉集』のコオロギは鳴く虫の総称であろう。平安時代になるとキリギリスや松虫・鈴虫などが登場し、鳴く虫を音や形によって識別するようになる。『枕草子』には好ましい虫としてすずむし・ひぐらし・てふ・松虫・きりぎりすなどをあげているように、清少納言は鳴く虫が好きだった。こうした秋の虫に続いて蓑虫をあげ、蓑虫は鬼に似ているとし、「八月ばかりになれば、ちちよちちよとはかなげに鳴く、いみじう哀れ也」と記す。蓑虫は実際には鳴かないが、平安時代には鳴くものと思われていたのだろう。また十世紀初めに成立した『古今和歌集』にも虫の名を取り違えている例が見られる。「きりぎりすいたくな鳴きそ　秋の夜のながき思ひは我ぞまされる」「秋風にほころびぬらし藤袴　つづりさせてふきりぎりす鳴く」などの歌である。秋にきりぎりすが鳴くと歌っているが、それはコオロギと間違えている。きりぎりすは夏の日中によく鳴き、秋の夜長を泣き通すのはこおろぎである。

虫の話と言えば平安時代末期に成立した『堤中納言物語』の「虫めずる姫君」がよく知られている。按察使《あぜち》の大納言の姫君は大変虫が好きで、たくさんの虫を捕まえそれを飼育・観察していた。年頃の娘なら興味を持つ化粧や美しい衣装などには関心は示さなかった。美しい器量だったが、眉毛は抜かず、歯を黒くせず、黒髪さえも櫛けずらなかった。当然若い男は寄りつかず、からかいの対象であった。人の嫌う毛虫なども、「毛虫が思慮深そうな様子をしているのは奥ゆかしい」と言い、手のひらにのせて飽かずに眺めていた。その毛虫は成虫になって美しい蝶になるからと大切に育てていた。姫君の両親は世間体が悪いのでやめさせせようとするが、全く効果はなかった。この物語は虫好きを主人公とした世界最初の物語であるが、こういう人物は実際にいたとしても一向に不思議ではない。当時は、女がすることではないと白眼視されたが、もし今日に生まれていたら、立派な虫博士になっていただろう。

## 蛍・玉虫

次に人から好まれている虫の代表は夏の風物詩の蛍である。『枕草子』第一段に「夏は夜。月の頃はさらなり。やみもなほ、ほたる多く飛びちがひたる。また、ただひとつふたつなど、ほのかにうちひかりて行くもをかし。雨など降るもをかし」と記す。清少納言は蛍を風流の対象として愛でている。

また『源氏物語』には蛍巻があり、物語の名場面に蛍の妖しい美しさを官能を絡めて描き出している。光源氏が遠い九州から宮廷社会に突如現れた謎の女性玉鬘を引き取って養女にするが、まだ見ぬ彼女に恋い焦がれる貴公子の弟君兵部卿宮に玉鬘を見せる場面である。

「ほたるをうすきかたに、この夕つ方、いと包みおきて、ひかりを包みかくし給へりけるを、さりげなくとかくひきつくろふやうにて。にはかに、かく掲焉に光れるに、浅ましくて扇をさし隠し給へるかたはらめ、いとをかしげなり。「おどろかしきひかり見えば、宮ものぞきたまひなむ。わがむすめとおぼすばかりのおぼえに、かくまでのたまふなめり」（中略）かまへありき給ふなりけり。まことのわが姫君をば、かくしももて騒ぎたまはじ。うたてある御心なりけり」と叙述される。

紫式部の同僚の和泉式部にも蛍の歌がある。「をとこにわすられて侍けるころ、きぶねにまゐりて、みたらしがはにほたるのとび侍けるをみてよめる　和泉式部」「ものおもへばはのほたるもわがみよりあくがれいづるたまかとぞみる」

この「をとこ」は二番目の夫の藤原保昌のことで、その訪れが絶えた寂しさを慰めようとして洛北の貴船明神に詣でた折りに、神前の御手洗川《みたらいがわ》で飛ぶ蛍を見て詠んだ。あまりに深く物思いにふけったため、自分の魂が我が身を離れ蛍の姿で飛んでいるのかと問うた。それに対し貴船明神は、「おくやまにたぎりておつるたきつせのたままちるばかりものなおもひそ」と答えた。あまり思い詰めるとあなたの魂が滝しぶきの水玉のように砕け散ってしまうぞと言うのである。和泉式部は恋の燃える思いを蛍の光になぞらえたのであろう。

外国では蛍は美しいというより不気味なものとして怖れ忌まれるとも言うが、式部は蛍を官能的に描く道具仕立てにした。それは当時の人々も蛍狩りや蛍見という遊びや風流を楽しんでいたという背景があったからであろう。

蛍と並ぶ美しい虫は玉虫である。古代中国では玉虫を女性が身に帯びていると意中の人に愛されるという俗説があった。法隆寺の玉虫厨子は玉虫の羽を使っていることで知られる。その玉虫の量は膨大なもので、四千五百匹分に相当すると試算されており、玉虫にとっては大変な受難であった。今はその輝きは失われているが、当時はその美しさは多くの人を魅了したことと思われる。

## (二)　役にたつ虫

### 金のなる虫・蚕

鳴かない虫であるが、人々にとても大切にされたのはカイコである。その名は「飼い蚕」に由来する。そのカイコは現在でこそ日常的に目にするものではなくなったが、かつてはカイコの繭から取り出した生糸は我が国の最も重要な輸出品であった。まさに「金のなる虫」である。だから農家はこれを大切に育て、「お蚕」と丁重に呼んでいた。また生糸から作られた絹は極めて貴重で高価だったからヨーロッパの商人が中国までそれを求めてやってきた。その道がシルクロードである。このように絹は世界的な商品として流通していた。

ところでカイコの飼育は『魏志』倭人伝には「蚕桑」と見えるから、三世紀前半頃までは確実に遡る。『古事記』仁徳段には、大陸からの渡来人たちが飼っている虫は一度ははう虫になり、一度はカイコとなり、一度は飛ぶ鳥になる。三色に変わる不思議な虫なので皇后に献上されたと見える。

同書には大気津比売神《おおげつひめのかみ》の死体にカイコが生じた話も載る。また『日本書紀』では保食神《うけもちのかみ》の死体の眉の上にカイコが生じ、それが作った繭を天照大神が口に含んで糸を引き出したのが、養蚕の始まりとする。また同書雄略六年条に大王は后妃に桑の葉を摘ませ、養蚕を勧めた記事がある。また『万葉集』には作者不詳の「たらちねの母が養ふ蚕の繭ごもり　いぶせくもあるか妹に逢はずて」（二九九一）という歌がある。この「かふ蚕」を繭に籠もっていることを憂鬱な感じと捉え、恋人に逢えないで鬱々しているという意味の歌である。

## 蚕の吉祥文字で改元

『続日本紀』天平宝字元（七五七）年八月条に、駿河国益頭郡《やきず》の人、金刺舎人麻自《かなさしとねりまじ》が蚕の卵を献上している。それは卵の連なった様子が文字のように見え、「五月八日開下帝釈標知天皇命百年息《かいかたいさくへうちてんわうめいひやくねんそく》」と読めた。この五月八日は聖武太上天皇の一周忌のための悔過の終わる日である。蚕の文字は帝釈天が孝謙天皇と光明皇太后の至誠に感じて、天門を開き勝れる行事に鑑みて、陛下の御宇を標し、百年の遠期を授け、皇室の繁栄と徳化を国内に広く及ぶ徴であるとする。そして「国内、茲《こ》の祥《しるし》を頂戴《いただ》き、踊躍歓喜して、進退を知らず」と随喜した。蚕の糸から美しい衣装は作られ、政治や神事に関わる服もこれによって作られる。ゆえに神の虫とされ、その神の虫が書いた文字は神意を表わす霊字と考えられた。これによって天平勝宝の元号から、天平宝字元年と改元されたのである。

この文字を献上した金刺舎人麻自は従六位上に叙され、絁《あしぎぬ》・綿・稲などを賜り、またそれを持参した賀茂君継手《かものきみつぎて》も従八位下に叙されている。しかし国郡司にはその恩恵は及んでいない。本来、祥瑞の貢上は国郡司らを経て中央政府に届けられるが、直接中衛舎人によってなされており、それは極めて異例である。それだけに蚕の吉祥文字進上には強い作為を感じるが、その中心にいたのは藤原仲麻呂であろう。そもそも中衛府の大将は藤原仲麻呂その人で、その文字を奏上した賀茂君継手は中衛府の官人だから、仲麻呂の配下の人物である。金刺舎人麻自も仲麻呂一派であろう。この祥瑞は皇位継承の不安を払拭すると共に律令制的支配や儒教的な理念の浸透を図り、結果的に自らの政権基盤の強化を図る狙いがあったと思われる。ともあれ蚕は国家の一大事に関与する神の虫であった。

## 野蚕

石川県津幡町の加茂遺跡から、嘉祥二（八四九）年の年紀を持つ古代の御触書が出土し、注目されている。その第一条には、農民は朝四時に田に出て、夜八時に仕事を終えなさいと命じている。第二条には、農民は勝手きままに酒を飲んだり、ごちそうを食ってはならないとある。まるで江戸時代の慶安の御触書を彷彿とさせるような内容であるが、その第六条には、「桑原なくして、蚕を養ふ百姓を禁制すべきの条」とある。これは桑原を持たない百姓が養蚕することを禁じたもので、逆に言えば、養蚕をするなら桑畑を持っていなければならないということである。律令政府にとって水田耕作と養蚕は生産の基本であった。わざわざ桑畑に関する条文を設けたのは、律令国家の理想的な民衆像を示す上で、桑栽培が不可欠の要素であったことを示している。

ただこの蚕に関する条文については、別の見方もできる。つまり当時の百姓の中には、蚕に桑ではなくそこらに生えている草を与えている者がいた。そのために生糸の品質が低下し、それを防止する目的だったという。蚕にも人に飼われていない天然のものがあり、桑以外の葉を食べる。それを野蚕と言うが、それによっても生糸を得ることが出来た。しかしそうした蚕の生糸は品質が劣るため、できるだけ均質な生糸の確保を意図する律令国家にとっては不都合なことだったのである。

生糸から作られる絹は雅な宮廷貴族たちの衣生活を彩り、その需要は極めて高かった。『万葉集』には「たらちねの母がその業《な》る桑すらに願えば衣《きぬ》に着るといふものを」（一三五七）「筑波嶺《つくはね》に新桑繭《にひぐはまよ》の衣《きぬ》はあれど君が御衣《みけ》しあやに着欲《きほ》しも」（三三五〇）とある。この歌の発想の根底には絹は高級品という意識がある。ただ絹の需要は宮廷貴族と結びついていたため、武士の時代になると養蚕業も衰退していった。京都にいた職工も四散していたが、文明年間に応仁の乱が始まると、身の危険を感じた職工たちが一箇所に集まってきた。そこはかつて乱の西軍方（山名持豊方のこと）が陣を敷いていた場所だったので西陣と呼ばれ、ここで製作された織物を西陣織と言うようになった。

## 食べる虫

数年前、韓国を訪問した時、宴席に見慣れない食べ物が出ていた。何か虫のように見えたので、手を出さないでいたが、前に坐っていた女子学生はおいしそうに食べていた。その食材を尋ねてみるとカイコだと言った。糸をとったあと、虫を捨てるのはもったいないので、こんがりと揚げて食材としているということだった。私も勧められたが、遠慮した。我が国でもかつては虫を食べることは珍しくはなく、蜂の子、蝉の子、イナゴの佃煮などがあったが、現在ではほとんど見かけることがなくなった。世界的には虫を重要な食料とする食虫習俗を持つ民族は結構あるが、我が国ではあまり虫を好んでは食べていなかった。『日本書紀』応神十九年条に、吉野の国樔について「国樔はその人となりがまことに淳朴である。常に山の木の実を取って食べ、蝦蟆《ひきがえる》を煮て上等の味付けをする。これを毛瀰《もみ》という」と見えるのが我が国最初の食虫記事である。かつては蛇やカエルまで虫と呼んでいたのである。

ところで平安時代末期に成立した『類聚雑要抄』には、正月大饗《おおあえ》という大宴会の食物に虫が出されていた。それは和名「い」で、大きなミミズのような姿をしていた。「ゆむし」という異名もあって、海底の泥の中に生息し、長さ十から三十㎝のウジに似た形で、鯛やチヌ・カレイの餌にもなった。いささか気味が悪いが、それが正月の宴会のしかも最も高貴な客にのみ提供されていたのである。何を食材とするかも、時代によって大きく異なる例である。

## 予兆を知らせる虫

昔から人は未来のことは予見できないだけに将来起こるであろう出来事や現象を知ることに意を注いだ。これらは前兆とか予兆と言われ、現在なおかつ有効なものも多くある。「夕焼けになると晴れ」「月が雲をかぶると雨」「魚が水面にはねると雨」など天気に関するものや、動植物では「ネズミがいなくなると火事」「竹に花が咲くと凶作」などあり、日常生活の中では「他人に噂されるとくしゃみ」「茶柱が立つと吉」等々である。古代には人々は様々な不思議な現象を何かの前兆と考えていたから、そうしたことが歴史書にも記された。

『日本書紀』から幾つかの記事を紹介しよう。推古三十五（六二七）年二月条に「陸奥国にありて人に化りて歌ひき」とあり、続いて「蝿ありて聚集《あつま》り、その凝《こ》り累《かさな》ること十丈、虚《おおぞら》に浮きて信濃の坂を越え、鳴く音雷の如く、東のかた上野の国に至りておのづからに散せぬ」という奇怪な話が載せられている。これは対蝦夷戦争の敗北の予兆とされる。これに似たような話が斉明六（六六〇）年是年条にもある。「科野《しなの》の国言さく、「蝿、群れて西に向かひて、巨坂《おおさか》を飛び踰ゆ。大きさ十囲許《といだきばかり》、高さ蒼天《あめ》に至れり」とまをしき。或は軍の敗績《やぶ》れむ怪《しるし》といふことを知りき」とあり、斉明大王が派遣した百済救援軍の敗戦を予言したものである。

『続日本紀』延暦三（七八四）年五月十三日条には「摂津職が次のように言上した。今月七日、卯の時（午前六時頃）、長さ四分ほどで色が黒くまだらな蝦蟇《がま》二万匹ほどが難波の市の南の道にあるたまり水から約三町ばかり連なって道にしたがって南行し、四天王寺の境内に入り、午の刻（十二時前後）になって全て散り散りになりました」と記す。この蝦蟇の行進は平城京から長岡京への遷都の前触れで、蝦蟇は神の使いとして神意を表わしたものとされた。このように動物の奇異な行動は何らかの異変や予知とされていたから、史書に多く記載されているのである。

## 二　害虫

### ゴキブリ

人に好まれない虫は害虫とされる。清少納言は、その例としてハエ・蚊・蚤などをあげている。「蚤もいとにくし。衣のしたにをどりありきてもたぐるやうにする」とあり、蚤を憎悪している。

農耕に被害をもたらす害虫の大発生は凶作や飢饉に直結するだけに人々の関心は強く、そうした現象は神の怒りや死霊の祟りと考えられていたから、害虫退散を神仏に祈った。今でも虫送りの行事を行う地域がある。死霊に見立てたわら人形を中心にたいまつを連ね、鐘・太鼓・ホラ貝などではやしながら練り歩き、わら人形を川や海に流したりする。そのわら人形は斎藤別当実盛をかたどったものが多いが、それは平家の老雄実盛が加賀国篠原の合戦で源氏の若武者手塚太郎光盛と一騎打ちをした時に稲株につまづいて落馬し、首をはねられたため、実盛の怨霊が害虫になって稲を枯らすようになったという伝承に基づいている。

害虫の代表はゴキブリである。ゴキブリは太古の時代から生息していたと思われるが、文献に現われるのは平安時代である。『本草和名』には「阿久多牟之《あくたむし》」「都乃牟之《つのむし》」とある。平安京で目につくようになったのであろうが、それがゴキブリという名となったのは、「五器齧《ごきかぶり》」に因む。蓋のついた椀を「御器」と言い、その椀にかじりついたように見えるので、生じたのであろう。

ところで家にいるゴキブリは家ゴキブリで、それはゴキブリの中では少数派である。世界中のゴキブリの種類は三千五百種類を越すと言われ、そのほとんどは木や石の下で暮らしている。ゴキブリ世界も格差社会で、少数の勝ち組は食料事情が良く、暑さ寒さの少ない家の中におり、大多数の負け組は食料が少なく、暑さ寒さが直撃する家の外にいる。だから多くは屋外の隠れた場所に生息している。そういえば秋口になるとコオロギや鈴虫などが鳴き始めるが、庭掃除をしているとゴキブリがコオロギや鈴虫と同じ所にいることをよく見かける。人はゴキブリを嫌い、コオロギや鈴虫の音を愛でるが、彼らの多くは同居している。確かによく見るとゴキブリもコオロギや鈴虫も体型といい、色といい、似ている。事実、昆虫の分類によってもゴキブリはバッタ・イナゴ・コオロギと同じ種類とされている。そう考えれば人の勝手な都合によって害虫と名指しされたゴキブリはかわいそうに思えてくる。このようにゴキブリは害虫として大変嫌われているが、古代中国ではこれを薬として服用しているというのだから、驚きである。さすが四千年の歴史をもつ漢方の国である。何でも商品にしてしまうパワーには脱帽するしかない。

# 第三章　鳥

## 一　鳥霊信仰

### ㈠　鳥は神の使い

**八咫烏《やたがらす》**

烏は人里近くにおり、ゴミをあさったりするので嫌われることが多い。その鳴き声もけたたましく少し不気味な声なので良い感じはしない。動物の死体をついばむことなどから、烏が騒げば天変が起こるとか、烏の鳴き声が悪いと人が死ぬというように不吉な鳥とされている。やはり烏の漆黒の姿が暗闇の世界や冥界を想像させるからであろう。黒いのは烏のせいではないが、色だけでこのように嫌われるのはいささかかわいそうでもある。その一方で、カラスを霊なる鳥であるとする話もある。

『日本書紀』神武即位前紀には、神武大王が山の中で道に迷った時、夢の中に天照大神が出てきて、「今、私が八咫烏を遣わす。それを導きの者とせよ」と言った。すると八咫烏が大空より降りてきた。大王は「この鳥の来ること良き夢に叶っている。皇祖の天照大神が我が業を助けんとするものであろう」と言った。

そして烏の向かう方向を追っていったところ、目的地の菟田下県《うだのしもあがた》に到達した。神武軍を勝利に導いた八咫烏は、サッカーの日本代表を勝利に導くとしてそのロゴマークとなった。また同じ即位前紀に、神武の軍が長髄彦と戦った時、なかなか手強く勝つことができなかった。その時、空が俄に曇り氷雨が降ってきた。そして金色の不思議な鳶が飛んできて、天皇の軍の弓に止まった。その鳶は光り輝き、その様子は稲光のようであった。そのため長髄彦《ながすねひこ》の軍は皆な眩しくて戦うことができず、その結果、神武軍が勝利を収めた。戦前、軍人に贈られた金鳶《きんし》勲章はこの話に因んでいる。

『万葉集』に、「烏とふ　大をそ鳥の　真実にも　来まさぬ君を　児ろ来とそ鳴く」という歌がある。「カラスという大慌て者め。あの人は本当は来もしないのに、来る来ると言って鳴く」としてカラスはおっちょこちょいだと言うのである。カラスの鳴き声から恋人が来るか来ないかを判断しているが、それは鳥占いの一種である。

『枕草子』六十九段「夜烏どものゐて」には「夜烏どものゐて、夜中ばかりに寝《いね》さわぐ。落ちまどひ木づたひて、寝おびれたるこゑに鳴きたるこそ、昼の目に違ひてをかしけれ」と見える。夜に烏どもが集まって、夜中に寝ながら騒ぐ。木から落ちそうになりあわてて木を伝わって、寝ぼけ声で鳴くのは、昼と違ったおもしろさがあると言う。また九十三段の「あさましきもの」では、「かならず来なんと思ふ人を、夜ひと夜おきあかし待ちて、暁がたに、いささか打忘れて寝入にけるに、烏のいと近くかかとなくに、打見上げたれば、ひるになりにける、いみじうあさまし」とある。清少納言は前者の烏の鳴き声を「おもしろい」と感じており、後者の場合も、烏がカーカー鳴いているというだけで、嫌な感じは抱いていない。むしろ烏に親近感を持っているようである。

## 魂の象徴

鳥霊信仰は人間の霊魂が鳥形であると考えられていたことから生じた信仰である。鳥が魂の象徴とされたのは、ひらひらと飛んでいく姿やそのリズムからであろう。死者の魂が鳥と化すのは、死の訪れとともに身体に棲んでいた魂が外に飛び立っていくと考えられていたからである。鳥は船に止まる姿で表現される例が早くから見られる。『古事記』には、「天鳥船」と記されるように、鳥や船は大空や海原を通じて彼方の世界を行き来する。特に渡り鳥は再来のイメージがあることから、神の使いともされ、神意を伝える役割を果たしたとする話が生じたのであろう。

雄略五年二月に大王が葛城山で狩りを行った。その時、霊なる鳥が現れた。その大きさは雀くらいで、尾が長く地面に着いていた。そして「努力努力《ゆめゆめ》」（怒り狂った猪が出てくるのを警告し、用心を怠るな）と鳴いた。すると俄に草の中から猪が現れた。大王は弓で突き刺し、足で踏み殺した。ところが側に仕えていた舎人は猪を恐れ、木に登っていた。そこで「はなはだ悪しくまします天皇」の雄略はその舎人を殺害した。

同書には、「爾に即ち其の海辺の波限に、鵜の羽を葺草に為て、産殿を造りき。是に其の産殿、未だ葺き合へぬに、御腹のあわただしさに忍びず。故、産殿に入り坐しき。（中略）是を以ちて其の産みまし御子を名づけて、天津日高日子波限建鵜葺草葺不合命《あまつひこひこなぎさたけうがやふきあえずのみこと》と謂ふ」とある。これは海神の女の豊玉姫が産屋で出産する場面であるが、その産屋の屋根を鵜の羽で葺いているのも、鳥が新生児に新しい霊魂を運んで来ると考えたからであろう。

『日本書紀』仁徳元年正月条には、「初めて大王生れます日に、木菟《きつ》、産殿に入れり。明旦に、誉田天皇、大臣武内宿禰を喚して語りて曰はく、「是、何の瑞ぞ」とのたまふ。大臣、対へて言さく、「吉祥なり。復昨日《またきのう》、臣が妻の産む時に当りて、鷦鷯《さざぎ》、産屋《うぶや》に入れり。是、亦異《またあや》し」とまうす。爰に天皇の曰はく、「今朕が子と大臣の子と同日に共に産まれたり。並びに瑞有り。是天つ表《しるし》なり。以為《おも》ふに、其の鳥の名を取りて、各相易《おのおのあいか》へて子に名けて、後葉《のちのよ》の契《しるし》とせむ」とのたまふ。則ち鷦鷯の名を取りて、太子に名けて、大鷦鷯皇子《おおさざぎのみこ》と曰へり。木菟《つく》の名を取りて、大臣の子に号けて、木菟宿禰《つくのすくね》と曰《い》へり。是、平群臣が始祖なり」とある。

木菟はミミズク、鷦鷯はミソサザイのことであるが、これらの鳥が産屋の中に入ってくることは、天のしるし、吉祥であるから、その鳥の名をとって子供の名としたという。これも新生児の霊魂は鳥形をしてやって来るという信仰の表れである。現在では新生児を運んでくるのはコウノトリということになっているが、こうした伝承をみると、様々な鳥がその役割を果たしており、古代の人々は様々な鳥に「霊的なもの」を見ていたと思われる。

『玉葉和歌集』に行基菩薩が詠んだ「山鳥のほろほろと鳴く声聞けば父かとぞ思ふ母かとぞ思ふ」という歌がある。今耳にする山鳥の声を通して、自分の父や母の生まれ変わった姿を想像している歌である。父母は地獄や極楽の遠い世界ではなく、木々の梢で山鳥となって自分たちを見守ってくれているというのである。平安時代の『本朝文粋』巻十三の願文には、「禽獣魚虫、何れの物か流転の父母に非ざる」とある。このように鳥を初めとする動物たちと人間が近い関係だとするのが、我が国の動物観である。

## (二)　鳥と怪異現象

### 鳥に霊をみる

一方で鳥たちの異常に見える行為を怪異とすることもあった。鎌倉幕府の正史『吾妻鏡』寛喜二（一二三〇）年六月五日条によると、幕府の小御所の上に白鷺が集まっていたが、それを怪異として執権北条泰時や連署北条時房らと幕府の評定衆が集まり、この白鷺群集の意味を陰陽師に占わせている。その結果、「口舌、闘諍のことがあるので、将軍頼経はお慎みになる必要がある」となった。幕府にとって重要な議題として評議されているのである。怪異に対する占いは平安時代に盛んに行われたが、鎌倉時代の武家社会においてもそれに対する依存度はあまり変わっていない。

このように鳥に霊的なものを見る歴史は長かったが、ところが明治時代になるとそうした信仰は忘れられ、利益の対象として乱獲されるようになった。江戸時代にはトキ・ツル・コウノトリのような大型の鳥類が多く生息していたが、明治になると羽毛を輸出するために乱獲され、絶滅寸前になった。トキはその典型的な例である。また現在世界遺産となっている小笠原諸島には多くのアホウドリが生息していた。この鳥は食用には向かないが、その羽毛は良質なため盛んに捕獲された。小笠原諸島の鳥島ではおよそ三十万羽のアホウドリが撲殺されたという。人を恐れず、容易に捕獲できるため、山師的な実業家がアホウドリを求めて太平洋の島々に手を伸ばした。南鳥島や尖閣諸島はもとよりミッドウェー諸島にまで及んだ。動物を支配することと領土支配とは無関係ではない。動物支配が、日本の領域を東や南に拡大した面がある。鳥霊信仰を喪失したことが絶滅するほどの乱獲もたらしたと言える。こうしてみると鳥霊信仰には動物愛護の精神と通じるものがあり、それは今の社会にあっても大事な視点ではないかと思われる。

### 吉祥を示す鶴

大化二（六四六）年二月には、穴戸国の国司が朝廷に白雉を献上しているが、この時、高句麗僧道登が自国では白鹿・白雀は吉祥であると述べている。白雀・白雉・白鷹など、白い動物に対する信仰が窺える。白い鳥は人々から好まれ、たとえば鶴は美麗・優秀、そして情愛の細やかさの象徴であり、鶴の鳴き声を耳にすれば吉事あり、また霜の降るのを予告するとされた。さらにその姿と音声は権力者のイメージに重ね合わされ、「鶴の一声」という言葉が生まれた。

鶴は亀と共に長寿の象徴で大変めでたいとされる。中国では鶴は鳥の中の第一位で、その寿命は千六百年に及ぶという。別名一品鳥とも言われ、文官トップの一品の装束には鶴が織り出されていた。中国の宮廷では、鶴の図柄は高位の官僚を暗示していた。こうしたことから結婚式や掛け軸などに鶴の図柄が用いられ、航空機会社の鶴のマーク、さらには清酒の白鶴や沢の鶴などの商標も生まれた。

『古事記』允恭段には、同母の兄と妹である軽太子と軽皇女が近親相姦の罪をおかして伊予の湯に流される時に歌を詠んだ。「天飛ぶ鳥も使ぞ　鶴が音の聞えむ時は　我が名問はさね」(空を飛ぶ鳥は使いだよ。鶴の音が聞こえた時は、鶴に私の名を聞いて、私からの使いだったら私の近況を聞いてください）このように鳥を神の使い、あるいは神の意志を伝えるものであると考えられていたのである。

## 白鳥

『日本書紀』には、垂仁大王の皇子の誉津別命《ほむつわけのみこと》が生まれ、大王は慈しんで育てたが、三十八歳になるまで言葉を発しなかった。垂仁二十三年十月に大王が皇子と共に殿舎の前に立っていた。その時、白鳥が大空に飛び立ったのを見た皇子は「これは何者ぞ」と言った。大王は皇子が白鳥を見てようやくものを言うようになったと知って喜んだ。そして家臣たちに「あの白鳥を捕えて献上せよ。捕えることができたならば厚い恩賞を与えよう」と言った。そこで鳥取造の先祖である天湯河板挙《あめのゆかはたな》が「私が必ず捕えて参ります」と言い、白鳥の飛ぶ方向を見て、出雲国で捕えた。ある人は但馬国だとも言う。この白鳥を献上すると、誉津別命はこの鳥と遊び、とうとうものを言うようになった。

鳥は生命の根源の魂を揺り動かし、見る者に強い生命力を与えるのである。とりわけ白鳥は大型の鳥であるため、鳥の中でもとりわけ強い呪力を持つと考えられていた。誉津別命が口をきけるようになったのは、白鳥を見たからであり、そこに鳥に対する呪力信仰を見てとることができる。

また近江国の豪族の伊香連《いかごのむらじ》も白鳥にまつわる有名な羽衣説話を伝えている。『近江国風土記』逸文には「近江国の余呉湖に八人の天女が白鳥となって降り立ち、水浴びをしていた。伊香刀美《いかとみ》は西の山から白鳥を見るのにその形が不思議だったので、近くまで来て見ると神仙女（天女）であった。そこで彼は白い犬に命じて天の羽衣を取ろうとしたが、それに気づいた天女たちは天に飛び去ったが、一番年下の天女だけ羽衣がないので天上へ帰ることができなくなった。伊香刀美はこの天女を妻とし、男女四人が産まれた。しかし後に彼女は羽衣を探し出し、天に昇った。伊香刀美は一人となって嘆き悲しんだという」と見える。

今一つヤマトタケルノミコトが死去した時に八尋白智鳥《やひろしろちとり》（大きな白い水鳥）となって天に昇っていった話がある。このように白鳥は天より神霊を運んでくると観念されていた。その白鳥が舞い降りる場所は聖なる泉で、それは共に清浄の象徴だったからである。

## 二　身近な鳥

### (一)　時・季節を告げる鳥

**鶏**

鶏は身近な鳥で、「鶏鳴暁を告げる」とあるようにかつては鶏の声で目覚めることもあった。その声は気持も良く、時刻をはかる基準ともされていた。鶏は弥生時代には既に生息していた。『古事記』の「天の岩戸神話」に「常世の長鳴鳥」というニワトリが見える。その鳥は「常世」の長鳴鳥と表記されるように、不老長寿の桃源郷の「常世」の鳥と考えられていたのであろう。スサノオノミコトの乱暴に腹を立てた姉の天照大神は天の岩戸に隠れ、その結果、闇の世界となり様々な災いが起こった。そこで天の岩戸の前で「常世の長鳴鳥」を鳴かせることによって神々の活躍する時間の終わる夜明けを告げ、日の神を呼び戻そうとしたのである。

ところで前方後円墳にはその初期から終末期に至るまで、鶏型の埴輪が使用されている。その中でも大きな鶏冠をもつ雄鶏を表現していることが多く、葬送儀礼と「時を告げる雄鶏」が密接な関係にあったようである。また埴輪を製作した野見宿禰《のみのすくね》を先祖とする土師《はじ》氏の地には鶏塚があって両者に関係があることを示唆している。河内の藤井寺には土師郷があり、そこに菅原道真が大宰府に流される時、いとまごいのためその地に住む伯母を訪ねていった。その夜、鶏が時を間違えて早く鳴いたので、道真は「鳴けばこそ別れも憂けれ　鶏の音の聞こえぬ里の暁もがな」という歌を詠んで不満足な別れをしたという。鶏の話に道真が登場するのは、彼が土師氏の出だからである。つまり土師氏は天皇陵を初めとする葬送儀礼に深く関わり、そして鶏が鳴くのは、その儀式において魂の復活を促す重要な要素であった。そこには鶏が人の魂を運ぶものという観念のあったことを見てとることができる。

鶏は「庭つ鳥」に由来するが、和名は「かけ」または「かけろ」と言う。私たちは鶏の鳴き声は「コケコッコー」としているが、古代の人たちは「かけ」と聞こえたようである。『万葉集』には「明時《あかとき》と　鶏《かけ》は鳴くなり　よしえやし　ひとり寝る夜は　明けば明けぬとも」（二八〇〇）（鶏が夜明けを告げている。鳴きたければ勝手に鳴くがよい　一人で寝ている夜は明ければ明けたでかまわない）とある。また催馬楽《さいばら》にも「にわとりはかけろと鳴きぬ」と見える。このように昔から夜明けを告げる鳥であったが、鳴き声は全く違う。ただよく聞いてみると、鶏の普通の時の鳴き声は「かけろ」とも聞こえる。

しかし室町時代の頃には鳴く声はやはり「コケコッコー」とされていたようである。それは五山の禅僧の名から推測される。その人物は京都建仁寺二四三世の古桂弘稽で、その名は「こけいこうけい」と読む。

それは鶏の鳴き声の「こけこっこ」を連想させる。彼の詩文集『鶏肋集《けいろくしゅう》』もやはり鶏に因む。その書名は、鶏の肋骨は何の役にも立たないが、多少の肉は付いているので、直ちに捨てるには惜しいという故事に由来する。変わった名をつけた禅僧のおかげで、その時代の鶏の鳴き声をどのように聞いていたかがわかるのである。

『日本書紀』では雄略七年八月条の闘鶏が初見である。吉備下道臣前津屋《きびしもつみちのおみまえつや》は小さい雄鳥を大王の鳥として毛を抜いて翼を切り、大きい雄鳥を自分の鳥として鈴と金のけづめを付けて戦わせたと見える。その闘鶏によって戦いの勝敗を占ったのであろう。

闘鶏は平安時代の朱雀天皇の頃から盛んになった。天慶元（九三八）年三月三日に十番の鶏合が行われている。ついで陽成院や花山院もそれを好んだが、とりわけ花山院の時には八十組という組み合わせで楽屋を設けて音楽、舞などもさせる華やかで大がかりなものになった。それは三月三日の年中行事ともなり、『年中行事絵巻』には貴族と庶民の闘鶏とが描かれている。前者は寝殿造の邸宅内で行われている。庭の左右に五色のテントを張り、舞楽のための準備をした。一つの勝負が終わるごとに、勝った方が、曲を演奏し、舞を舞う。儀式として洗練された雰囲気が漂っている。一方、後者では多くの人が車座になって集まり、大口を開けて何か言っている人、鶏を追っかけている人、鶏をめぐって喧嘩している人など、賑やかな様子が見てとれる。その人々の円の中央で二匹の鶏が睨み合っている。そして参加者の中には巫女がいて鼓を打っており、かなりの喧噪中で行われていた。このように身分を問わず闘鶏が行われており、早春の風物詩であった。

なお鶏に関する言葉に「牝鶏の晨」がある。それは『書経』に見えるもので、牝鶏が鳴いて時を報ずるのは陰陽の常に反する故に、家が滅びる凶兆であり、妻が夫の権を奪うたとえだとされる。しかし後世には、牝鶏は鳴かず、鳴かばすなわちその家果たして大利あらんとされている。これに従えば、牝鶏の晨は吉兆となる。女性の社会的進出が進み、その活躍が期待される今日の社会にあっては、「牝鶏の晨」は当然のことながら吉兆である。

## 鶯（うぐいす）・郭公（ホトトギス）・郭公（カッコウ）

鶯は古来より春告げ鳥、花見鳥、歌詠み鳥、経読み鳥、人来鳥、匂鳥、春鳥、金衣鳥など多くの異名を持つが、その鳴き声は春の景物とされてきた。『万葉集』には鶯は五十一例あるが、万葉後期に多く見られる。三例あげておこう。

「春されば木末《こぬれ》隠れてうぐひすぞ鳴きて去ぬなる梅が下枝に」（八二七）

「うちなびく春ともしるくうぐひすは植木の木間を鳴き渡らなむ」（四四九五）

「梅の花散らまく惜しみわが園の竹の林にうぐひす鳴くも」（八二四）

『古今和歌集』には、春初めの歌として、「春来ぬと人はいへども鶯の鳴かぬかぎりはあらじとぞ思ふ」が載せられている。鶯の声は人々の心を動かすものであり、和歌では鶯は早春に花を咲かせる梅との取り合わせが最もポピュラーであった。ところが清少納言の『枕草子』では、鶯の欠点を書き連ねている。

「あゆしき家の見どころもなき梅の木などには、かしがましきまでぞ鳴く。夜鳴かぬもいぎたなき心地すれども、今はいかがせむ。夏秋の末まで老い声に鳴きて、「むしくひ」など、ようもあらぬ者は名をつけかへて言ふぞ、くちをしくくすしき心地する」これが清少納言独特の鶯評である。彼女が素晴らしいとほめた鳥は郭公（ホトトギス）であった。同書三十八段には、「郭公は猶、さらにいふべきかたなし。いつしかしたり顔にも聞こえたるに、卯の花、花橘などにやどりをして、はたかくれたるも、ねたげなる心ばえ也。五月雨のみじかき夜に寝覚をして、いかで人よりさきに聞かんとまたれて、夜ふかくうちいでたるこえの、らうらうじう愛敬づきたる、いみじう心あくがれ、せんかたなし」とある。夏を告げる鳥とされるホトトギスは全く言い表すことができないほど、素晴らしい。その声は気がきいて愛敬があり、悔しいほど素晴らしいと絶賛している。清少納言は断然ホトトギス派であった。確かに『万葉集』にはホトトギスは百五十五回も登場しており、鳥の中では断然第一位である。こちらも三例あげておこう。

「藤波の咲き行く見ればほととぎす鳴くべき時に近づきにけり」（四〇四二）

「古に恋ふらむ鳥はほととぎすけだしや鳴きしわが念《おも》へる如《ごと》」（一一二）

「信濃なる須賀の荒野にほととぎす鳴く声聞けば時すぎにけり」（三三五二）

当時の人々にとってはホトトギスは五月の鳥として、菖蒲や橘との関連で詠われることが多く、また田植えの季節を告げる鳥として注目されていた。ただ、ホトトギスの生態を知っていたら、清少納言は絶賛しただろうか。ホトトギスは托卵といって、自分では巣を作らず、鶯などの巣に産卵し、それらに育てさせる。そして孵化したホトトギスの雛は、鶯の雛を巣の外に放り出し、鶯の親の持ってくる餌を独占して育つのである。托卵と言えば聞こえは良いが、まさに寄生虫的生態である。ホトトギスを子として育てる親鶯は誠に哀れである。このことを詠んだのが次の歌である。

「うぐひすの生卵《かひこ》の中にほととぎす　独り生まれて己《な》が父に似ては鳴かず己が母に似ては鳴かず　卯の花の咲きたる野辺《のへ》ゆ飛びかけり来鳴き響《とよ》もし…」（一七五五）

都会育ちの清少納言はこのようなホトトギスの生態を知らなかったのであろう。

人々が鶯やホトトギスの鳴き声を様々に書き留めているのは、それだけ鳥の鳴き声を身近に、そして概ね好意をもって受け止められているが、それに対し、郭公《かっこう》の鳴き声は不吉なものと見なされていたようである。この郭公はホトトギスと同じ表記であるが、ここでの鳥はカッコウである。『花園天皇宸記』元亨二（一三二二）年四月二十六日条に「今日、郭公耳に満つ。朕、隠所に於て之を聞く。世俗、近古以来、之を忌む。祈禱すべきの由、女房等諷諫す」という記事が見える。花園天皇がトイレに入っていた時に、郭公の声を聞いた。それは不吉なことなので、祈禱をすべきだと口うるさい女房が進言したのである。

ほとんどの人はそのようにしていたのであろうが、さすが学者天皇と言われる花園天皇は実に理性的であった。祈禱しない理由を、「未だ本説を聞かず、由緒を見ず、太だ以て信用するに足らず。凡そ近来、凡俗、此くの如き諱忌多し。是併せて愚迷の甚しき也。佐誕の説を信ずるは、聖人の旨に非ず。朕の取らざる所也。仍って許容せず」と記す。さらに続けて「此くの如きの末事に至りては、太だ以て言うに足らず。縦い実の妖と雖も徳に勝たず。畏るるに足らざる也」とある。当時、陰陽道の煩雑なタブーに呪縛されていた公家社会の風潮を合理的な物の見方から断固として否定している。天皇の見識の高さを示す話である。

## トキ・サギ・雀

かつてトキは田に入って苗を踏み荒らす害鳥として農民たちから憎悪されていた。鳴き声からダオ、ドウドウ、トキ色からアカサンギ、アカテンドリ、また長いくちばしからカマサギ、ハナグサリなどと呼ばれた。学名はニッポニア・ニッポンだから日本を代表する鳥である。トキはその長いくちばしで勤勉に水中の虫魚を漁るので、その連想から古代エジプトでは、勤勉努力の成果の知識・学問・文字・言葉・知恵・記録などの象徴とされていた。講談社学術文庫のシンボルとなっている。

トキと似た鳥にサギがいる。そのサギ科の中でゴイサギいう鳥は「五位鷺」とも記されるが、その名の起こりを伝える話がある。平安時代、醍醐天皇は遊宴を好み、御所近くの神泉苑に度々出かけた。ある日の遊宴の途中、天皇が庭を見ると、どこからか飛んできた白い鳥たちがうるさく騒いでいた。そこで天皇は「静まれ」と言うと、鳥たちは一斉に動きを止めて片足で立ったままの姿勢をとった。その健気な姿を気に入った天皇は、お前たちに五位の位を与えようと言った。それを聞くと鳥たちは次々と飛び去っていった。ここから「五位鷺」の名が起こったという。

白鷺や白鳥やコウノトリといった鳥は、大きくて、人の生活する場所の近くで営巣するために昔から人目についた。しかしそれらの鳥が水田を荒らし回ったりするので害鳥扱いされることも多かった。今再びコウノトリを自然に戻そうと大変な努力をしているが、このコウノトリにしてもかつては害鳥とされていた。人の身勝手さをつくづく思う。

雀は仕草がかわいいが、収穫時には群れをなして穂をついばむので、農家では害鳥とされる。しかし害虫となる虫も食べており、益鳥の面もある。『源氏物語』若紫の巻では、紫の上が光源氏に見初められる場面に雀が登場している。紫の上は雀を大切に飼っていたが、侍女がうっかり逃がしてしまったので、泣きじゃくっていた。祖母の尼君にそれをたしなめられているところを偶然源氏が見たことで、源氏と紫の上の物語が進行することになる。雀がペットとして飼われていたように、人にとって最も身近な鳥であった。『古事記』には天稚彦《あまのわかひこ》の殯《もがり》にあたって「其處に喪屋を作りて、河雁《かわかり》を岐佐理持《きさりもち》とし、鷺を掃持《ははきもち》とし、翠《そ》鳥《に》を御食人《みけひと》とし、雀を碓女《うすめ》とし、雉を哭女《なきめ》とし、かく行ひ定めて、日八日夜八夜を遊びき」とあり、雀や鷺だけでなく、様々な鳥が奉仕している。この記事からも魂を他界に誘う役割を鳥が果たしていたことを知ることができる。

## (二)　益鳥

**燕・鳩**

燕は人にとっての害虫を食するために益鳥とされ、その渡来は人々から歓迎された。かつては農家の庭先や土間で燕が子育てをするので、わざわざ燕の出入り口を作っていた。そして雛がかえるとまめまめしく餌を運んで食べさせていた。こうしたことから燕は人にとって大変身近な鳥で、またそのかいがいしい子育ての有様から愛情の深い鳥と考えられた。そこから安産・多産のお守りともなった。また南方から渡来してくることから常世国から福を運ぶともされ、燕が飛来しなくなると家運が傾くなどと言われた。さらに燕は防火の神、秋葉神の使いであり、これに危害を加えると火事になるとされた。このように燕は人によって保護される鳥であった。

鳩は平和のシンボルと言われるが、それは聖書に基づく欧米流の考え方で、日本の昔からのものではない。しかし現在でも寺社などではたくさんの鳩がおり、一応保護されているようにみえる。それは鳩が八幡神の使いとされることに由来する。もともと八幡神は、現在の大分県宇佐市の宇佐八幡宮に祭られた神で、奈良時代には鎮護国家の神として朝廷から尊崇され、また東大寺の大仏造立や僧道鏡が皇位を窺った事件などでは神託を下すなど、よくものを言う神として知られていた。そしてこの神を貞観元（八五九）年に都に近い山城国の男山に勧請し石清水八幡宮となった。王城鎮護の目的で勧請したが、武士の時代に清和源氏が自らの氏神とした。そしてその源氏によって鎌倉の地に幕府がつくられ、そこに鶴岡八幡宮を創建したために軍神として武士たちから厚い信仰を得るようになった。そうなると八幡神の使者とされた鳩もまた神聖視されることになった。そして武士の時代が長く続いたため、鳩は大切に保護される鳥となり、鳩を食料として捕獲したりすることなく、大切にする考え方が一般社会にも浸透したのである。

話が変わるが、老人のつく杖に鳩杖というのがある。杖の頭部に鳩の形を飾り付けたもので、古代中国では、宮中から老人にはむせないようにということから鳩杖を賜う習わしがあった。それは我が国にも取り入れられ、『平家物語』四には「鳩の杖にすがり」とあり、『古今著聞集』五にも「鳩杖をつきて」などと見えており、一般社会にも浸透していたようである。この例も鳩が人から好ましいと思われていたことを示している。

### 美味な鴨

鴨はその仕草がとても愛らしい。最近、無農薬農法の一つとしてあい鴨農法が注目され、時々報道されているのを目にするが、しかしその鴨が稲刈りが済むとどのようになっているのかはほとんど知られていない。鴨は冬を越すことなく、鴨肉となって売られていくのである。鴨肉は鍋にするとその脂肪が多く、大変美味である。縄文時代の貝塚からたくさんの鴨の骨が出土しているように、昔から食されていた。平城京出土木簡に「鴨四羽百文」とあるから一羽二十五文で売買されている。酒一石が百文だから、かなり高価だった。

『万葉集』にも鴨が詠われている。「葦辺ゆく　鴨の羽交《はがひ》に　霜ふりて　寒き夕は　大和し思ほゆ」（六十四）とある。この歌は天智の第七皇子志貴皇子が文武天皇の難波行幸に従った時に難波で詠んだものである。この志貴皇子の第二皇子の湯原皇子もまた鴨を「吉野なる夏実の河の川淀に　鴨ぞ鳴くなる山かげにして」（三七五）と詠んだ。吉野の宮滝の上流にある菜摘という場所あたりを流れているのが夏実の河である。静かに水を湛えている所に浮かんでいる鴨に注目し、静かな光景を詠んだ。「水鳥の鴨羽の色の青馬を今日見る人は限りなしといふ」（四四九四）とあり、青馬の青を鴨の羽の色に喩えている。

### 鮎漁の鵜

次に鵜は鮎を捕らえることから、人々の関心も高く、『万葉集』に多くの歌が詠まれている。「やすみししわが大君　神ながら神さびせすと吉野川　たぎつ河内に高殿を　高知りまして登り立ち国見をせせばたたなはる青垣山　やまつみの奉る御調と　春べには花かざし持ち　秋立てば黄葉かざせり　行き沿ふ川の神も大御食に仕え奉ると　上つ瀬に鵜川を立ち　下つ瀬に小網さし渡す　山川も依りて仕ふる神の御代かも」

この歌は初期の万葉歌人柿本人麻呂が持統天皇の吉野行幸に従った時に詠んだものである。山の神は春には花を、秋には紅葉を貢ぎ物として奉り、川の神は上流の瀬では鵜飼漁をし、下流の瀬では小網を用いて川魚をとって大御食に献上するという。

ここに見える鵜飼漁はかなり古くから行われていたようで、『古事記』神武段に、吉野川で鵜飼を生業としていた「阿陀《あだ》鵜飼」という氏族がいた。『令集解』職員令大膳職条には、八世紀初期には三十七戸の鵜飼の存在している。養老五（七二一）年七月四日の詔には、大膳職が飼育する鵜を放生するように命じていることから、奈良時代には朝廷に直属する鵜飼人がおり、専用の漁場で鵜による鮎漁を行っていた。また『延喜式』内膳司式には、吉野御厨《みくりや》の鵜飼が見え、都の周辺では吉野の鵜飼が有名だった。

鵜飼そのものは鮎漁の有効な漁法であるため、全国で見られる。万葉歌人大伴家持が越中守の在任中に富山湾に注ぐ小矢部川の支流で鵜飼漁をする人々を詠んでいる。「あらたまの年行き変はり　春されば花のみにほふ　あしひきの山下とよみ　落ちたぎち流る辟田《さきた》の川の瀬に　鮎子さ走る島つ鳥　鵜飼伴へ篝《かがり》さし　なづさひ行けば我妹子《わぎもこ》が　形見がてらと紅の八入《やしお》に染めて　おこせたる衣の裾も　通りて濡れぬ」（四一五六）また九頭竜川の支流の日野川でも、「平瀬には小網さし渡し　速き瀬に鵜を潜けつつ」（四一八九）と詠まれているように越中国を初め北陸地方でも広く鵜飼漁が行われていた。

『延喜式』には鮎やその加工品を貢進している国は二十六国に及ぶが、それらのほとんどは鵜飼による調達であろう。さらに藤原京や平城京から鮎を貢進した木簡が出土しているが、それらの中には、先の二十六国に含まれていない国もあることから、ほぼ全国に及んでいた。『万葉集』には、「鮎走る夏の盛りと島つ鳥　鵜養《うかい》が伴は行く川の清き瀬ごとに篝さし」（四〇一一）とあるように、夜に篝火をたいて行う鵜飼漁で、それは今日と何ら変わりはない。

院政時代に後白河法皇が編纂した『梁塵秘抄』三五五には、「鵜飼はいとほしや万劫年経る亀殺し鵜の首を結ひ現世はかくてもありぬべし。後生我が身をいかにせん」と見え、四七五には、「淀河の底の深きに鮎の子の鵜といふ鳥に背中食はれてきりきりめくいとほしや」とある。ともに淀川に船を浮かべて宴席に臨む江口の遊女の歌である。前者は鵜飼は生業にいそしんで亀を殺し、鵜を酷使するため、来世は地獄に落ちるのにと気の毒がっている。後者は鵜に背中を食われた鮎の子に憐憫の情を注いでいる。同情はしているものの宴席の膳に出た鮎はもちろん皆でおいしく頂いたのであろう。

## 三　異国の鳥

### (一)　極楽に住む鳥

**迦陵頻伽《かりょうびんが》**

迦陵頻伽は極楽に住む鳥である。祇園精舎と言えばお釈迦さんが説法の拠点とし、身よりのない人々に食事を与えた僧院である。そこに迦陵頻伽という瑞鳥が飛んできて、天空で美しい声で鳴き舞い遊んでいた。この様子を見ていた妙音天女、別名弁財天が舞曲に作り上げ、釈迦の弟子である阿難尊者《あなんそんじゃ》に伝えたという。舞曲は童子が鳥の翼を背に負い、天冠をつけ管弦で舞う雅楽で、これが天平時代に伝来した「林邑八楽《りんゆうはちがく》」の一つとして、仏供養の法会などで演じられた。平安時代の中期の『栄花物語』巻十六の中にも迦陵頻伽が登場する。「ひ若く細く、うつくしげに…迦陵頻伽の聲もかくやと聞こえたり」という一節である。迦陵頻伽は、鳴き声が美しいことから美音鳥《びおんちょう》、妙声鳥《みょうじょうちょう》、妙音声鳥《みょうおんじょうちょう》などと呼ばれる。殻の中にいる時からよく鳴き、

大沢の池を泳ぐ水鳥

その美妙な声を聞くものは飽きることがないという。仏典ではこの鳴き声は仏の音声にもたとえられる。

その迦陵頻伽は『源氏物語』にも見える。「源氏の中将は、青海波をぞ舞ひたまひける片手には大殿の頭の中将、容貌、用意、人にはことなるを、立ち並びては、なほ花のかたはらの深山木なり。入りかたの日かげ、さやかにさしたるに楽の声まさり、もののおもしろきほどに、同じ舞の足踏み、おももち、世にみえぬさまなり。詠などしたまへるは、これや仏の御迦陵頻伽の声ならむと聞ゆ」とある。光源氏の父の桐壺帝が朱雀院に行幸し光源氏と頭中将に青海波を舞わせようということになった。その舞の姿はこの世のものとは思えず、その声は「仏の御迦陵頻伽の声」だというのである。その感動の余り帝も親王、上達部たちもみな泣いたという場面である。

後白河天皇が建立した蓮華王院

## 孔雀

孔雀が大きく羽を広げている姿には、神秘的な美しさを感じる。そしてその美しさに似ず、孔雀は毒蛇や毒草をも自分の栄養に変えてしまう強い生命力を持っている。それ故に仏教の発祥地のインドでは様々な禍を取り除いてくれる存在とされ、そこから孔雀明王という仏像が考え出された。

我が国に初めて孔雀がもたらされたのは推古六（五九八）年八月である。さらに大化二（六四六）年にも新羅から孔雀と鸚鵡《おうむ》が一羽ずつ献上されている。「新羅、上臣大阿飡《だいあさん》金春秋を遣して、博士小徳高向黒麻呂、小山中《しょうさんちゅう》中臣連《なかとみのむらじ》押熊《おしくま》を送りて、来りて孔雀一隻、鸚鵡一隻を献る」とあるように、朝鮮の新羅から一羽が貢上されている。孔雀と鸚鵡は極楽浄土に住む鳥とされていたから、それらが宮中や貴族の庭園に置かれたことは、そこに極楽浄土を再現するという意味が込められていた。

こうした珍しい鳥獣は宮廷内で飼育された。『日本書紀』武烈八年三月条には、苑池を造り、多くの禽獣を飼育し、鳥養部がその任にあたっていたことを記す。奈良時代、宮内省の園池司は蔬菜や果樹の栽培を行っていたが、天平十七（七四五）年、その役所から「孔雀鳥壹翼料米漆（七）升貳合伍夕」が請求されている。これは園池司の苑池で飼われている孔雀のための食料品で、その餌は主に米だった。

我が国で孔雀を飼っていた人物として知られるのが藤原道長である。彼の日記『御堂関白記』には長和四（一〇一五）年四月条に「蔵規朝臣《くらのりあそん》の献ずるところの孔雀、未だ雌雄を弁ぜざるも、酉の時に東の池の辺りに卵を産む。近辺に食ひ置く草葉に之を蔵す。見つけた者が言うのに、巣のようなものを作って卵を入れる」とある。この孔雀は『日本紀略』によれば、宋国の商人が大宰府に持参し、大宰府の役人の藤原蔵規が天皇に献上したが、それを天皇が道長に下賜したものだった。道長はそれを大切に飼っていたようで、孔雀に関する記事がたくさん見えるようになる。

四月十一日から三日間に十一個の卵を産んだ。雄がいないのに次々と卵を産んだことが不思議だったようで「有る事稀なり」と記している。無精卵だから孵化しないのは当然であった。道長の孔雀への関心は、その異国的な美しさもあろうが、おそらくは当時、孔雀王経の修法が重視されたことによるのであろう。孔雀王経を読誦《どくじゅ》すれば、諸龍歓喜して、もし雨滞ればすなわち晴れ、もし亢旱《こうかん》すれば必ず雨降るとされて、農産物の豊穣を祈念する経であった。道長の建立した壮麗な法成寺の庭園に孔雀と鸚鵡がいることは、極楽浄土をこの世に現出しようとした意図に叶うものであった。

鎌倉時代、華厳宗の高僧明恵の『夢記』の中に「夢に金色の大孔雀二翅有り。その身量、人身より大いなり。その頭尾ともにくさぐさの宝瓔珞《たからようらく》を以て荘厳せり」と見える。大孔雀が菩薩の徳を讃えたり、また二巻の経典を授けられ、感極まったという。このように孔雀は仏の世界では重要な位置を占める鳥である。孔雀の生態について、東京国立博物館に収蔵されている孔雀明王像は四つの手に蓮華、具縁果、孔雀の尾羽、そして石榴を持っている。この石榴を持っているのは安産祈願の対象だったことによる。孔雀は多くの卵を産む鳥と認識されていたからであろう。

**鸚鵡**

平城宮跡から「鸚鵡鳥の坏、取る莫れ」と書かれた土師器の皿が見つかっている。「オウムのえさ入れだから持っていかないでください」というから、誰かが飼っていたことは確かである。ただこうした珍しい鳥は権威の象徴だったから、この飼い主も高貴な人だったろう。『枕草子』「鳥は」の段には、「鳥は、こと所のものなれど、鸚鵡いとあはれなり。人の言ふらむことをまねぶらむよ」とある。「鳥は、異国のものだが、鸚鵡は本当にしみじみした感じがするものである。人間の言うことを真似するようだ」という意味だから、清少納言は直接鸚鵡を見たことはなかったようでその噂を聞いて書いている。宮中の女房ですら見たことがないのだから、孔雀や鸚鵡というのは、皇族や摂関家など極々限られた人の庭にしかいなかったのである。

## ㈡　皇帝の象徴

**鳳凰**

鳳凰は中国の伝説上の瑞鳥で、麒麟・竜・亀と並ぶ四霊の一つである。雄を鳳、雌を凰と称し、諸鳥の長と言う。梧桐《ごとう》（梧桐《あおぎり》）に住んで竹の実を食べ、醴泉（味のよい水）を飲み、聖人の世にしか出現しない五色瑞鳥《ごしきのずいちょう》とされる。中国では皇帝を象徴する霊鳥で、日本もこれを受け継ぎ、天皇の象徴となった。

日本史では飛鳥時代の次は白鳳時代と呼んでいる。しかしその「白鳳」という元号は定められたことがない。そもそも鳳凰は伝説上の鳥だから、この世に現れるはずはない。その鳳凰の代わりとされたものの正体は雉であった。『日本書紀』白雉元（六五〇）年二月条には、穴戸（長門）国の国司草壁連《くさかべのむらじ》醜経《しこぶ》が白雉を献上してきた。そこで百済君《くだらのきみ》豊璋《ほうしょう》に尋ねたところ、「後漢の明帝の時に、白雉が見えたという」と答えた。また中大兄皇子らの師の国博士僧旻《そうみん》は、「これはよきしるしである。王者の祭祀や儀式が誤らず、王者が清廉潔白で、王者の徳が優れている時に白雉は現われる」と言った。

そこでこの儀式は大々的に行われ、巨勢大臣《こせのおおおみ》は臣下を代表して大王に次のようにその喜びを奏上した。「陛下は浄く穏やかな徳をもって天下を治められていますがゆえに、白雉が西方より出現しました。陛下には千年万年に至るまで清らかに四方の大八島を治めていただき、公卿・百官・人民は忠誠を尽くしてお仕えしたいと願っています」これに対し、天皇は次のように答えている。「聖王が世に出て、天下を治める時に天は応えて祥瑞を示す。（中略）我が日本国の応神大王の御世に白鳥が宮殿に巣を作り、仁徳大王の時に竜馬が西に現れた。鳳凰・麒麟・白雉・白鳥はみな天地の生み出す吉祥、嘉瑞である」。そこで天下に大赦し、白雉と改元した。そしてこの「白雉」の元号を後の時代になって「白鳳」と美称したのである。それは鳳凰を天下太平の瑞鳥と見るからであった。

ただこの白雉をめぐる大々的な儀式の背景には、その前年に起こった右大臣蘇我石川麻呂の謀反事件があったのではないかと言われる。この事件は冤罪とされているが、大臣が斬殺されたことを聞いた娘で中大兄皇子の妃の造姫（遠智姫）は心痛のあまり死に至った。白雉の出現は、こうした政界の動揺を覆い隠す狙いがあったのであろう。

鳳凰を瑞鳥とみる考え方は、白雉の時よりさらに遡る。六世紀後半に築造されたとみられる奈良県の藤ノ木古墳からは鳳凰を描いた金銅製の鞍が出土している。その後も、正倉院の八角鏡や宇治の平等院鳳凰堂など、多くの例がある。天皇の乗り物を鳳輦《ほうれん》と言い、屋根の頂上には金色の鳳凰の飾りが立てられているが、それは王権の象徴の一つであった。また天皇の袍が黄櫨染《こうろせん》（櫨などで染めた黄色）に桐竹鳳凰《きりたけほうおう》の紋を用いるのも聖天のシンボルの故であり、他の者の着用は許されなかった。それがいつ頃から天皇家特有の文様となったかは不明であるが、延喜七（九〇七）年までは天皇と臣下に文様に区別はなかったから、それ以後と考えられる。

### 玄宗皇帝の「被底《ひてい》の鴛鴦《えんおう》」

仲の良い夫婦のことをたとえて「鴛鴦夫婦《おしどりふうふ》」という。鴛鴦は雌雄の区別がつきやすく、その美しい色彩から人目につきやすかったためにこうした言葉が生まれたのだろう。鴛鴦を男女相愛の象徴とするのは中国に起源がある。中でも唐の玄宗皇帝と絶世の美女楊貴妃にまつわる話がよく知られている。時に玄宗皇帝六十一歳、楊貴妃は二十六歳の女盛りであった。長安城の東南にある興慶宮の庭園には大きな池があり、そのほとりに建てられた高殿の部屋で二人は戯れあっていた。皇帝付きの女官たちはその近くで控え、蓮池に遊ぶ雌雄の鴛鴦を眺めていた。すると玄宗が彼女たちに声をかけた。「汝らは水の中の鴛鴦を愛するが、どうして被《ふとん》の中の鴛鴦に勝ろうぞ」。この言葉から蒲団の中の男女を「被底《ひてい》の鴛鴦《えんおう》」と形容するようになったという。

おそらくこうした話を受けて『源氏物語』にも鴛鴦が主人公の光源氏によって「かきつめて昔恋しき雪もよにあはれを添ふる鴛鴦《おし》の浮寝《うきね》か」と詠われている。この歌は光源氏が紫の上の可憐で光輝くその美しさを愛で、子までなした中宮藤壺を紫の上に添えつつ夫婦の想いを織り込んだものである。彼は紫の上の横に臥しつつも、藤壺が忘れられないという場面の歌である。

『古今著聞集』七十三話にも鴛鴦に関する話がある。「陸奥国田村郷の馬允某《うまのじょうなにがし》という男が、鷹狩りの帰り道、赤沼という所に雌雄の鴛鴦がいたが、そのつがいの一方の雄を撃ち殺した。そして家に持ち帰ったその夜、男は不思議な夢を見た。若くて美しい女が枕元に現われ、夫が撃ち殺されたことの恨み言を言った。そしてさめざめと泣き、歌を一首詠んだ。「日くるれば　さそひしものを　赤沼の　まこも隠れの　ひとり寝ぞうき」と。夢から覚めた男は撃った雄を入れていた袋の中を見てみると、何と互いにくちばしをくわえあってつがいの鴛鴦が死んでいた。これを見た男は、鳥でもこれほど夫婦の情愛が深いものか、そしてそれを殺してしまった自分を恥じて、出家したという。

鴛鴦の雄は左、雌は右に羽を並べて飛び、夜は雌雄がお互いの羽をもって覆い合い、首を交えて寝ると考えられていた。もし伴侶を失えば、再び連れ合いを求めないともされ、理想の夫婦愛の象徴とみなされた。鴛鴦を夫婦相愛とする意味づけは早く伝わったようで、『日本書紀』『万葉集』にも見えている。ただ実際の鴛鴦がつがいとして動くのは繁殖期だけのことで、相手も毎年新しく変わるようである。

「山川に鴛鴦二つ居て偶ひよく偶へる妹を誰か率にけむ」。これは妻を失った中大兄皇子に、野中川原史満《のなかかわはらのふひとみつ》が奉った『日本書紀』に見える挽歌である。『万葉集』には「妹に恋ひ寝ねぬ朝明に鴛鴦のこゆかく渡る妹が使ひか」（二四九一）とある。鳥の飛来を人の使いとするが、その鳥を鴛鴦としていることで仲むつまじいという意味を持たせ、募る思いを強調している。人が勝手に鴛鴦を仲睦まじい鳥としたことではあるが、それは鴛鴦にとっても人に大切に扱われる鳥とされたのであるから、幸運な鳥と言えよう。

## 四　日本人の動物観

日本人の伝統的な動物観について、幾つかの特徴がみられる。第一は、動物に対する無邪気な態度である。動物は本能に従って嘘をつくこともなく、無邪気な存在とみなされているためか、悪者になる例がほとんどない。また人が動物に変身したり、逆に動物が人に変身する例が多くあり、動物と人間の連続性や親密性を物語っている。馬に蹄鉄を付けたり、犬を去勢したりすることに忌避感がみられる。そのことが捨て犬や捨て猫の問題ともつながってくる。さらにはペットは強く躾けることにも拒否感があり、出来るだけ自由にさせたいと考えている。

第二は、動物を神の使者とみなす考え方が見られることである。その例を幾つかあげよう。八幡神社の鳩、日吉神社の猿、伊勢神宮の鶏、気比神社の白鷺、春日神社・鹿島神宮・厳島神社の鹿、熊野神社の霊烏、熱田神社の鷺、二荒山神社の蜂、愛宕神社の猪、出雲大社・大神神社の蛇、諏訪神社の烏と狐、稲荷社の狐、天満宮の牛など、かなり多い。陰陽師安倍清明の母は葛の葉の狐であったように、動物に人にはない特別の力があり、そのため神に近い存在と考えられたのであろう。

また仏教説話集の『日本霊異記』の中には「畜生と見るといへども、我が過去の父母なり」とあるように、自分を産んでくれた両親が馬や牛や豚になっているかもしれないから、心して食べよと言う。仏教の輪廻転生によれば人は様々なものに生まれ変わるから、そこに人と動物との壁はほとんどないことになる。

こうした感覚は動物だけでなく、より根本的には日本人の生命観と深く関わっている。生命あるものに対して、臓器移植や安楽死といった人為的に管理したり、機械的に対応することを好まないのである。安楽死を選ぶ場合、相当の倫理的確信が必要となる。そのためには宗教的教義や社会的ルールが必要であるが、我が国にはそれはない。その決断は個人が行うことになる。そうであればその決断には何らかの後ろめたさを伴うことになる。こうして残された道は、最大限の努力をすることによって悔いを残さないという選択となる。死後の慰霊・供養などの行為もこの延長上にあると考えられる。

我が国においては、動物と人間との関係に何らかの原理を求めて、そこから動物の取り扱いを導きだそうとする思考スタイルを持っていない。動物と人間の関係を考えるにあたって、論理や普遍性を求めず、社会的ルールもないと言ってよい。すべからく経験的であり、その時々の社会的事情で決められ、なおかつ個人的であった。このように人間と動物との関係においても原理原則はなく、全ては状況によって変化している。それは動物と人間だけではなく、政治においても人間関係においても通底する日本的特徴と言えるのである。

【参考文献】

・小西正泰「鳴く虫」『朝日百科日本の歴史』七（朝日新聞社・一九八六年）
・小西正泰「虫をめずる姫君」『朝日百科日本の歴史』六四（朝日新聞社・一九八七年）
・小西正泰「カイコ」『朝日百科日本の歴史』二三（朝日新聞社・一九八六年）
・米田雄介「天平宝字二年正月の宮中行事」『日本歴史』第六三二号（吉川弘文館・二〇〇一年）
・三上喜孝「「平安時代のお触れ書き」を読む」『歴史と地理』№五七五（山川出版社・二〇〇四年）
・有富純也「日本古代の野蚕」『日本歴史』七七四号（吉川弘文館・二〇一二年）
・鈴木晋一「平安時代の食虫」『日本歴史』第五九六号（吉川弘文館・一九九八年）
・小西正泰「ゴキブリ」『朝日百科日本の歴史』五九（朝日新聞社・一九八七年）
・槇佐知子『医心方の世界』（人文書院・一九九三年）
・高橋睦郎『歳時記百話』（中央公論新社・二〇一三年）
・瀬戸口明久「野生動物」『日本の動物観』（東京大学出版会・二〇一三年）
・阿部猛・『摂関政治』（教育社・一九七七年）
・『日本の国宝』十二京都高山寺（朝日新聞社・一九九七年）

・伊佐治康成「苑池と「嶋官」」『日本歴史』第六七一号（吉川弘文館・二〇〇四年）
・石山勲「装飾古墳」『歴史と地理』四七八（山川出版社・一九九五年）
・山本大「酉年にちなんだ鶏の話」『日本歴史』第三九二号（吉川弘文館・一九八一年）
・玉村竹二「鶏鳴を称呼とする禅僧」『日本歴史』第四四〇号（吉川弘文館・一九八五年）
・谷川健一「鶏型土器について」『古代日本人の信仰と祭祀』（大和書房・一九九七年）
・芳賀幸四郎「郭公の声」『日本歴史』第四七五号（吉川弘文館・一九八七年）
・高野菊代「『源氏物語』初音巻における明石の御方の手習歌」『長安都市文化と朝鮮・日本』（汲古書院・二〇〇七年）
・中野玄三「予兆と寓意」『朝日百科日本の歴史』七一（朝日新聞社・一九八七年）
・岡泰正「鶴と十字架」『日本の国宝』〇六三（朝日新聞社・一九九八年）
・井上辰雄『古代王権と語部』（教育社・一九七九年）
・小島美子「闘鶏を楽しむ貴族と庶民」『朝日百科日本の国宝』〇一七（朝日新聞社・一九九七年）
・中西進『万葉古代学』（大和書房・二〇〇三年）
・佐々木清光「燕」『朝日百科日本の歴史』五八（朝日新聞社・一九八七年）
・岡泰正「被底の鴛鴦」『日本の国宝』〇九四（朝日新聞社・一九八八年）
・佐々木清光「鴛鴦」『朝日百科日本の歴史』一一四（朝日新聞社・一九八八年）
・廣野卓『食の万葉集』（中央公論社・一九九八年）
・樋口知志「川と海の生業」『暮らしと生業』（岩波書店・二〇〇五年）
・五味文彦『梁塵秘抄のうたと絵』（文藝春秋・二〇〇二年）
・佐々木清光「鳩」『朝日百科日本の歴史』一〇七（朝日新聞社・一九八八年）
・佐々木清光「鳳凰」『朝日百科日本の歴史』四〇（朝日新聞社・一九八七年）
・近藤好和「天皇の装束」『本郷』№五四（吉川弘文館・二〇〇四年）
・築達榮八「想像の鳥」『日本の国宝』〇九二（朝日新聞社・一九八八年）
・石田戢「動物観のこれから」『日本の動物観』（東京大学出版会・二〇一三年）

# 第六編

# 社会生活・社会問題

古代や中世の時代と現代社会を直接に結びつけることはなかなか難しい。特に政治や経済ではその断絶が大きい。しかし生活レベルの問題では、多くの事柄が古代や中世に起源を持っていることが多い。そういう意味で、本編の「社会生活・社会問題」は現在と過去の歴史が結びつき、連続していることを多くの分野で確認できるのである。

その時代の人々がどのような生活をしてきたか、あるいはどのように考え、行動していたのかという問題について見ていこうと思う。

# 第一章　社会生活

## 一　古代のライフサイクル

### ㈠　誕生から成人まで

#### 天皇制と関わる「謹賀新年」

歴史学は人間と社会を対象とする学問であるが、人にとって重要な「生・老・病・死」についてはあまり取り上げられない。しかしそれは考えてみれば不自然である。むしろ過去に生きた人々の生活を見つめることで、その時代の社会や人間の有り様を理解できると思われる。

人生の通過儀礼には様々なものがある。最初はこの世に生を受けた誕生日である。現在は誕生日は自分にとって一番大切な日として記憶されているが、ところが古代では人の誕生日を知ることは極めて難しい。『源氏物語』の作者の紫式部、『枕草子』の作者の清少納言のような有名人にしても、正しい名前すら明らかでなく、まして誕生日は皆目わからない。さらに権力の頂点を極めた藤原道長にしても生年はわかるものの、誕生日の月日まではわからない。このことは古代の社会では誕生日を重要視していなかった証である。

古代には生まれ年が大事とされ、全ての人はその生年に伴って北斗七星を十二支に割り当てた本命の属星が自己の運命に重大な影響を与えると考えられていた。星の運行によって人の運命の吉凶を占う宿曜の予言はほとんど絶対的なものと信じられていた。『源氏物語』「桐壺」では、桐壺帝が光君を親王にすべきか、臣籍に降下させるべきかを決める時に、「宿曜のかしこき道の人に考えさせ給ふにも、同じさまに申せば源氏になし奉るべく思しおきてたり」とある。光源氏は宿曜の吉凶判断によって誕生したのである。

今でこそ人の年齢を尋ねれば、まずほとんどの人が満年齢を言う。しかし、かなりの高齢の方の場合は、数え年で答えられるたり、また還暦や古希の祝いなどは数え年ですることが多い。このように現在は満年齢と数え年とが混在しているが、数え年の歴史の方がはるかに長いのである。

そもそも人の年を満年齢で数えるようになったのは、アジア・太平洋戦争後のことで、たかだか七十年余の歴史しかない。数え年の廃止は私たちにとっては単なる年齢の数え方だけで大した問題ではないと思える。ところが数え年を廃止し満年齢とすることは、実は国家の有り様に関わる大きな問題が背景にあった。数え年は生まれてから迎えた正月の数によって人の年齢を数える。こうした風習が我が国に入ってきたのは、七世紀頃と思われるが、それは中国の思想に由来する。中国の皇帝は時間や空間を支配し、それゆえ暦を作り、日時を知らせることは朝廷の専権事項であった。そして暦年の初めの一月一日を元日と称し、その日には臣下を朝廷に参入させ、皇帝の時間に服させることを誓わせた。この朝賀の儀式は年中行事の中で最大のものだった。

我が国もこうした中国の方式を天皇制の導入と共に取り入れ、独自の元号を作り、毎年の元旦に朝賀の儀式を行った。これに故なくして参加しなかった官人は禄の半分を奪われた。そしてそれは地方においても国司が天皇の代理として国府の儀式を行う国庁で在地有力者を参加させ、朝賀の儀式が行われた。したがって正月の元日は単なる年の始まりではなく、天皇によって定められた暦の元日であり、そしてこの日をもって国民の全てが新たに年を加えた。天皇の下にある者は皆この日に年を重ねたから、元旦は日本人全員の誕生日だったのである。

この元日の儀式は天皇の臣民であるという自覚を持たせるのに有効だった。それが社会に定着し、数え年齢で年を重ねることは自然であったから個人の誕生日というものに重きをおかったのである。それは天皇の場合も同様で、誕生日はそれほど重視されていなかったが、天皇の誕生日を祝う天長節が明治以降に国家的行事とされたことで、大きく転換した。明治政府はアジアから脱し、いち早く近代化、欧米化を目指したが、その天皇の誕生日を祝う天長節は中国の唐皇帝から始まり宋代に到るまで継続して大規模に祝われていたものである。中国からの離脱を図った日本が唐皇帝に由来する天長節を国家行事の中心に据えたのは歴史の皮肉である。

現在でも年賀状に「謹賀新年」「恭賀新年」と書いている。「慎んで祝うこと」「恭しく祝うこと」これは何もへりくだって言っているのではなく、天皇の定めた暦の元日であるが故に、「慎む」「恭しい」のである。このように数え年は天皇制と極めて深い関係にあった。つまり数え年は天皇を主権者とする国家の仕組みの中に位置づけられていたのである。だからこそ、ＧＨＱは敗戦後の占領政策の中で、数え年を廃止し、天皇制とは無関係で個人毎の満年齢で数えるように改正を指示した。そういう意味で満年齢で年を数えることは、天皇主権から国民主権への転換の象徴的な出来事だったのである。

**通過儀礼**

誕生日の次の通過儀礼は七五三である。これは子供が健やかに成長するために悪霊を祓ったり、成長を自覚させるための儀式である。現在では三歳（男女）五歳（男）七歳（女）の時、十一月十五日に氏神や神社で祈願する。この風習は平安時代に公家社会で始まった。七五三は、中国では奇数を陽数として好むことから、縁起が良いとされるが、十一月十五日となったのは時代がかなり下る。それは江戸時代の五代将軍綱吉に由来する。綱吉は生来体が弱く無事に五歳となったのが慶安三（一六五〇）年の十一月十五日だったので、それを祝って以来、この日に行なうようになった。また綱吉の子の徳松の髪置きの儀式が十一月十五日だったからとも言う。もっともそれは江戸の呉服屋が子供に晴れ着を着せたいという親心につけ込んで仕掛けたキャンペーンだったとも言われる。

幼児は七歳まではいつ病気や事故で死ぬかもしれない弱い存在で神の庇護のもとにあり、何をしてもバチは当たらないと考えられていた。「七歳までは神の子」と言われるように七歳までは神に近い存在で「人」とは異なる特別な存在と見られていた。七歳は神と人との境界だったから七つの祝いをすることは、庇護されてきた幼児の段階から今度は神様を祭る側の人間になることを意味していた。もう甘えは許されなくなり、一人前に成長するための出発点でもあった。なおこの行事に千歳飴はつきものだが、それは七五三のしきたりとは関係がない。千歳飴は棒飴なので、長く伸びるという縁起にあやかっている。

一人前の大人として認められる儀式は、時代によってかなり異なっている。相当遡るが、縄文時代には健康な歯を意図的に除去する抜歯という風習があった。抜く歯は上あごの左右犬歯の場合が多く、その他の歯の場合もあった。それを行なった年齢は十二歳から十八歳の者が多いことから、成人式の通過儀礼と考えられている。麻酔のない時代だから、大変な激痛に耐えることによって「人と成る」ことができたのである。

農耕が主な生業になると、一人前の仕事が出来ると成人と認められた。たとえば、男は一俵を背負うこと、田を耕すのは一日に五畝、草取りも同様であった。女はおおよそ男の六割が目安とされていた。このようなことができるのはだいたい十五歳くらいだったから、その年齢が子供と大人を分ける目安であった。古代中国では五歳以下を童、十歳を幼、二十歳を弱、三十歳を壮とした。そして二十歳で元服の儀式を行ない冠を着けた。二十歳のことを「弱冠」というのはこれに由来している。

我が国の古代では大人の仲間入りの成人式に相当するのが元服だった。男子が頭に冠を加える儀式で、元は首、服は冠を指す。一説には元は初めで、服は初めて大人の服を着る意味とも言う。元服以前の年少者は何もかぶらず、これを童と言い、年齢的には成長していても元服の式を経ていない者は一人前の大人とはみなされなかった。成人の儀式は天武十一（六八二）年に規定された男子の結髪加冠の制以後、子供や僧などを除き、冠や烏帽子を着用する風習が普及した。明白な元服の初見は『続日本紀』和銅七（七一四）年条で、首《おびと》皇子のちの聖武天皇が十四歳で立太子し、頭に冠を加える儀式を行ったことが見える。平安時代には清和天皇が十五歳で元服しているが、その時、藤原氏の四尺五寸以上の者十三名が元服しており、身長を一応の基準としていたようである。平安時代の歴代の天皇の元服年齢の平均は十三・一八歳である。

平安貴族の社会では元服儀礼は最も重要な通過儀礼であった。とりわけ天皇の元服は吉日を選んで最高の儀式によって盛大に挙行された。

元服をした男性はかぶり物を人前で取ることは非礼で、それは露頂と言って非礼を通り越して恥辱とする観念さえ生じていた。女子の成人式は裳着と言い、初めて裳をつける儀式である。裳の紐を結ぶ役は腰結《こしゆい》と言って親族や人望のある人が選ばれた。この裳着の儀式は結婚を前提に行われることが多く、中には裳着と結婚が同時に行われている例もあった。

## (二)　結婚

### 平安貴族の結婚年齢

平安時代の貴族たちの結婚年齢を見ると、年の離れた夫婦が多く、また妻の方が年上ということが多かった。元服すると添臥《そいぶし》といって添い寝をする女性と性的関係を持ち、その女性を正式な妻とすることも多かった。そうしたことから必然的に年上の妻が多くなった。しかし一夫多妻だったから、二番目以降には、多くの場合、逆にはるか年下の女性を妻とした。紫式部が二十代後半で結婚した時、夫の藤原宣孝は四十五歳、『蜻蛉日記』の作者の子、藤原道綱は六十歳前で十代の娘を妻としている。『小右記』の作者藤原実資は五十五歳で女児千古《ちふる》を儲けたり、清少納言は父元輔が五十九歳の時の子であったが、この場合も妻の年齢がかなり若かったからである。

成人を過ぎるといつ災厄がふりかかってくるかもしれなので、一定の年齢が厄年とされた。女の三十三歳と男の四十二歳が大厄である。それには特別な根拠があるわけではなく、単に三十三は「さんざん」、四十二は「死に」という語呂合わせからきている。ところで四の数字はその音から死に通じるとして嫌われるが、それはかなり古い時代からである。我が国最古の漢詩集『懐風藻』には四十歳となったことを祝う年賀において、それを「賀五八年」と記す。それは世間では四十という響きを忌んでこれを五八としたように、四十の四という数字を忌んでを五八と言い換えたと考えられる。

そうした例あげる。『小右記』天元五（九八二）年三月十一日条には、集まった人数が四人だったので、四の忌みによって一人を加えて五人としている。あるいは他書では、四人の場合はそのうちの一人がその場を避けるという例などがある。このように平安時代には四を忌むことが社会生活の中で定着していた。

## 神前結婚式は百年余りの歴史

「遠くて近きは男女の仲」という人口に膾炙した言葉があるが、これは清少納言の『枕草子』から出た表現である。そこには「遠くて近きもの、極楽。船の道。男女の仲」とある。だから既に平安時代には生まれていた言葉なのである。

現在、日本では非婚化が進み、結婚する場合も年齢が以前と比べかなり高くなった。そして女性の側に専業主婦を希望する者が多くなったという。欧米では好きになれば、夫となる人の収入などは気にしないケースが結構あるというが、我が国では夫を主な稼ぎ手とみなし生計を期待しているため、十分な収入のない男性にはなかなか結婚のチャンスがない。現在の結婚の多くは恋愛結婚という形をとってはいるが、実質的には男が稼ぎ、女が家事労働をし、それへの対価として生活費を出す契約結婚である。それは本当の意味で自立した者同士の結婚とは言えないのではなかろうか。

神前結婚式では多くの場合、三三九度の杯を飲みかわしている。中国では奇数は陽数という縁起の良い数で、三は天・地・人を表し、その目出度い数をさらに三度重ね、陽数の中で最も大きい九にすることは、最上級の目出度さを表現することになる。因みに三三九度の始まりは、室町時代の武家の婚礼からである。多くの人は神前結婚式は古い時代から連綿と続いて今日に至っていると思っている。しかしそれは意外にも百年を多少越えるほどの歴史しかない。日本の宗教は結婚式に関わりを持っていなかったが、日本に滞在する外国人がキリスト教式の結婚式を挙げているのに影響されて神道式の結婚式が生まれた。我が国では明治三十六（一九〇三）年の東京日比谷大神宮で行われた神前結婚式が最初だという。そして大正天皇が皇太子の時代に宮中で式を挙げたことが大きな契機になった。

当初はごく少数の都会の上層の人々の間で行われていたが、大正から昭和期には中間層の人々にも受け入れられ、戦後の高度経済成長期に農村にまで浸透した。新郎・新婦が神の前で誓いをするのは、教会で神の前で永遠の愛を誓うヨーロッパの伝統的な儀式を取り入れたものなのである。上流階級が行っていた神前での結婚式やホテルでの披露宴が大衆化したが、それが最近若者の間では「地味婚」が主流で神前結婚式は敬遠されつつある。

## 『記』『紀』にみえる結婚

古代の結婚について見てみよう。『日本書紀』神代上第四段には次のように見える。「陰神先づ唱へて曰はく、「美哉、善少男」とのたまふ。時に、陰神の言先つるを以ての故に、不祥《さがな》しとして、更に復改め巡る。則ち陽神先づ唱えて曰はく、「美哉、善少女」とのたまふ。遂に合交せむとす。而も其の術を知らず。時に鶺鴒《せきれい》有りて、飛び来りて其の首尾を揺す。二の神、見して学ひて、即ち交《とつぎ》の道を得つ」とある。現代訳をする。まず女神が「おやまあ、すばらしいお方ですこと」と声をかけられた。その時、女神が先に声をかけたことは良くないということで、もう一度やり直すことにした。今度は男神が「ああ、素晴らしい女性だ」と声をかけられた。そこで夫婦の交わりをしようとしたが、その方法がわからなかった。その時にセキレイが飛び降りてきて、その首と尾を揺すった。二神はそれをご覧になって真似をして、交わりの方法を知った。

また一書にも同様の話があるが、不具の子が生まれたのは女性が先に言葉をかけたからだという。八世紀初頭の頃、既に男を優位とする中国の儒教思想の影響を見てとることができる。

現在では結婚を「とつぐ」は「嫁ぐ」「婚ぐ」などと表記するが、『日本書紀』の先の記事のように、本来は「交《とつぐ》」で「と」＝「男女の性器」を「つぐ」＝「継ぐ」ことだから、性交そのものである。時代が下ると共にそうした露骨な意味が弱められ、結婚を意味するようになった。

今一つ結婚を意味する言葉に「まぐわい」がある。『日本書紀』では「夫婦」と記して「まぐわい」と読ませているが、『古事記』ではイザナギノミコトが「然らば、吾と汝と是の天の御柱を行き廻り逢ひて、美斗能麻具波比為よ。とのりたまひき」。ここでは「美斗能麻具波比《みとのまぐわい》」と記している。「美斗」は婚姻の場所で「麻具波比」は「目合」のことで、これも性交の意味である。「目合」とは、本来は文字通り「目と目を合わせて愛情を通わせること」で、愛情を交わすことから、性交の意味となり、さらに夫婦とされるようになった。男女が目配せによって合意し、性的関係を持つことで婚姻が成立したことを示している。

ここには親や親族などは全く登場していない。律令法（戸令聴婚嫁条）によれば、結婚が可能な年齢は、男は数えで十五歳、女子は十三歳だった。しかし実際の結婚年齢は、二十代以降が多かった。日本古来からの言葉には婚姻制度的な用語がなく、性交そのものを意味する和名が婚姻用語になるということは、婚姻制度や秩序が成立するのが大変遅れたことを意味している。

## 未婚者・既婚者も集う歌垣

『万葉集』の第一番歌には、「籠もよみ籠持ち　ふくしもよみぶくし持ち　此の岡に菜採ます子　家告らせ名告らさね　そらにみつ大和の国は　おしなべて吾こそ居れ　しきなべて吾こそ坐せ　吾にこそは告らめ　家をも名をも」とあり、「家告らせ名告らさね」と家と名を名乗ることが対句となっている。これと似たような歌がまだある。「家問へば家をも告らず　名を問へど名だにも告らず」（三三三六）、「家問へど家道も云はず　名を問へど名だにも告らず」（三三三九）とある。

これらの歌から、名や家を名乗ることは、それが男女の場合であれば求婚を承諾することだったと考えられる。だからこそみだりに名や家をあかすことは憚られた。恋愛や性愛が成立する前提として相手の女性の名や家を知ることが必要だった。それほど名乗りは重要な意味を持っていたのである。

ところが、『日本書紀』皇極三（六四四）年六月条には、それとは異なる大変興味深い歌が載せられている。「小林に我を引入れて奸《せ》し人の面も知らず家も知らず」（林の中に私を誘い込んで犯した人の顔も知らない。家も知らない。）この歌の内容は、現代の人には理解しがたい。性的関係を持つのに相手の男の顔も名前も知らないのは、ちょっと考えられず、「間抜けな女」の行為ではないかとする解釈もある。今一つの歌には、「向つ峰に立てる夫らが柔手こそ我が手を取らめ誰が裂手」（向こうの山の男の方の柔らかい手こそ、私の手を取ってもいいけれど、まあこんなにひどくひび割れしたどなたの手が私の手を取るのでしょうか。）とある。これは男の誘いを断ったのだろうが、この歌の場合、男は女性の名も家も聞かず、その前提なしにいきなり性的関係を持とうとしている。それは歌垣の時で、それは春の初めの山遊び、野遊びで、共同飲食、性的解放を伴う一種のピクニックであり、妻選びの行事でもあった。だから基本的には未婚者が集うが、中には既婚者も参加していた。古代の日常の狭い共同体では男女の出会いの場が少なかったが、それを補完していたのがこの歌垣である。そこはかなり自由な恋愛の場だったようで、それは夜にかけても行われたから、相手の顔すら知らず、男の誘いを受け入れることもあったのである。ただこうした男女の結びつきは、極めて流動的だから、排他的な男女関係を意味する婚姻という制度や儀礼は一般には十分根付いていなかったと思われる。

『日本霊異記』上巻二話にも似たような話がある。美濃国大野郡の人が妻とすべき女性を求めて出かけ、広野で麗しい女性と出会った。「その女、壮《おとこ》に媚びなつき、壮睇《おとこめかりう》つ。言はく「何に行く稚嬢《おみな》ぞ」といふ。嬢答ふらく「能き縁をもとめむとして行く女なり」といふ。壮も亦語りて言はく「我が妻と成らむや」といふ。女「聴さむ」と答へ言ひて、すなはち家にいてとつぎ相住む」と見える。いきなり初対面同士なのに、男が「私の妻になってください」と言ったら、美人の女性が「いいですよ」と簡単に承諾して一緒に住むようになったという。こういう男女の出会いもあったかも知れない。ただこの話では後に女が狐であったことが露見するように、それほどうまい話は現実には多くないのである。

## 結婚は女性の財力が必要

『今昔物語集』には、結婚には女性の側の財力が必要だったという話がある。巻三十第四話には、「祖のおはせし限りは、とかく構へてあらせ聞こえしを、かく便りなくなりにたれば、そこの御扱ひなどもかなはず。宮仕へは、いかでか見苦しくてもおはせむ。ただいかにもよからむ様に成り給へ」とある。親がいた時はあなたの宮仕えのための衣服の調達などをしてきましたが、今は出来ません。どうぞ気の済むようにしてくださいと、申し出た。男は妻の家から出て行き、裕福な女性をみつけ婿入りした。このように婿を取るためには女性側の財力が必要であった。

同巻十六第九話には「京に父母もなく、類親もなくて極めて貧しき一人の女人ありけり。年若く形美麗なりといえども貧しきにより、夫具せずしてやもめにてあり」とある。年が若く美しい女性でも父母や親族に財力がなければ、夫を得ることができなかった。

ただその夫を得る場合でも、いわゆる仲人口を簡単に信じてはいけないという話がある。平安時代の『本朝文粋』に従三位中納言の紀長谷雄《きのはせお》の漢詩「貧女吟《ひんじょぎん》」がある。ここに登場する貧しい女性は、もとは深窓で育ち、美しい衣装をまとい、玉のように美しかった。多くの貴人が言い寄ってきたが父母はそれを断り、媒介者の言うことを真に受けて娘を京都の若者と結婚させた。しかしこの婿は素行が悪く、博打や酒にうつつを抜かし、家業は衰え財産もなくなった。その後、父母が死に兄弟も離れると、婿は妻を全く顧みなくなった。ついに家計は尽きて、貧窮孤独の極みとなった。そこで次のように記した。「語を寄す世間の豪貴の女に、夫を選はば意を看人を見ること莫かれと。また世間の女の父母に、願はくは此の言を以ちて諸れを紳に書せと」（世間の貴族や豪族の娘の皆さんよ。夫を選ぶ時には心で選びなさい。顔や外見で選んではいけませんよ。また娘のご両親、この言葉を銘記して忘れないで欲しい）。これは今の時代にも通じる言葉であろう。

## 婚姻儀礼の実態

婚姻儀礼は十二世紀初頭の『江家次第』の記事が初出だから、平安中期頃でも我が国の男女の性愛関係は私たちが思う以上に自由度が高かった。結婚式は新郎・新婦が三三九度の盃をかわす祝言の後に正式の夫婦となる。夫婦のことを「めおと」「みょうと」と言うが、それは「め」は妻のことで、「おと」は夫の意だからである。盃をかわした後に妻の親族が出席して挨拶や酒宴を行うのが通常の形だった。そこには神仏は登場せず、神仏に誓約することもない。互いが夫婦になった後に親族が出てくるから、何よりも本人同士の結びつきが重視されていた。そもそも古代には嫁という言葉さえ存在しなかったことは重要である。妻は自分の家に住んでいたから、夫の父母とは顔を合わす必要がなかった。古代の妻は夫の妻で、夫の家の嫁ではなかったのである。

結婚の仲立ちをする仲人を媒酌人と呼ぶが、その「媒」の文字は「女」偏である。それは長く女性が仲人をしていたことを示す。男の媒酌人の歴史は短く、せいぜい近世頃からである。かつて「家」制度が重視された時期もあるが、その歴史も案外と短いのである。

ただ結婚して妻となっても正妻とその他の妻とでは大きな違いがあった。正妻は夫と同居しているため夫の帰りを待っていればよかったが、それ以下の次妻や妾などの場合は、その関係がいつ切れるのか常に心配しなければならなかった。『蜻蛉日記』の作者は藤原道長の父兼家と結婚したが、兼家には既に正妻の時姫がおり長男も誕生していたから、次妻として扱われた。才色兼備でプライドの高い彼女は当初は結婚を拒絶していたが、受領クラスの娘にとって上級貴族の公卿の息子との結婚は父母にとっては願ってもない縁談だったから、父母の勧めによって渋々承諾した。しかし通ってきたのは初めのうちだけ、彼女が妊娠すると兼家の足は遠のいた。そこで彼女は兼家に歌を送った。「嘆きつつ独り寝る夜のあくるまは如何に久しきものとかは知る」と詠んだ。あなたがこないので、寝返りを打ち続け嘆きながら独りで寝ている夜の明けるのがどんなに堪えられぬほど長く感じるものか、あなたはご存じですか。夫の通ってくるのをひたすら待つ女性の辛い心境をよく示している歌である。

## 清少納言の結婚観

一方、宮仕えをした清少納言は次のような結婚観を持っていた。平凡な結婚をして人妻となり、将来の希望もなく、ただ真面目に夫の出世を幸福と心得て夢見ているような女性は、うっとうしくつまらぬ人のように思いやられ感心できない。やはり身分ある家庭の子女などには宮中に奉公して、社会の様子も十分見聞させ、習得させてやりたいとキャリアウーマンらしい考えを持っていた。

結婚に際して様々なしがらみよりも本人同士の結びつきが重視されるのであれば、別れる場合も本人同士の意思で容易にできることになる。しかしそれでも離婚にはそれなりの作法があった。結婚が決まると、男から女へ財物を意味する「つまどいのたから」が提供され、女から男には飲食物の「もものとりのつくえしろもの」が贈られた。したがって離婚する場合には妻は男に財物を返却しなければならなかった。また前夫のもとを去った女に後夫ができた場合、前夫は後夫に財物を要求することができた。逆に言えば、物を返さなければ、形式的にではあれ、結婚生活が続いているとみなされたのである。

時代は下るが、戦国時代に我が国にやってきたイエズス会宣教師のルイス・フロイスは、「女性とその風貌、風習について」の中で、中世の頃の日本女性に関して大変興味深い観察を記している。「ヨーロッパでは妻を離別することは、罪悪であるうえに最大の不名誉である。日本では意のままに離別する。妻はそのことによって名誉を失わないし、また結婚もできる。日本ではしばしば妻が夫を離別する」「日本の女性は処女の純潔を少しも重んじない。それを欠いても名誉も失わなければ結婚もできる」「日本では娘たちは、両親に断りもしないで、一日でも数日でも一人で好きな所へ出かける。日本の女性は夫に知らせず好きな所に行く自由をもっている」「日本では、堕胎は極めて普通のことで、二十回も堕ろした女性がある。日本の女性は、赤子を育てていくことができないと、足を乗せて殺してしまう」とある。

なかなか衝撃的な文章で、それはカトリックの厳しい倫理観を持つフロイスの偏見ではないかという見方もあるが、それはほぼ実態を記しているとするのが通説である。女性の自由度が高いという背景は、「ヨーロッパでは財産は夫婦の共有であるが、日本では夫婦それぞれが自分の分を所有していたからである。「時には妻が夫に高利で貸し付ける」とされるように、女性が財産を所有し、経済的な自立があった。ヨーロッパでは神に誓って結婚するから、離婚は神との誓約を破ることになる。それは重大な罪となり、名誉を失うことになる。しかし古代や中世の我が国の結婚は神仏に誓っていないから、それは罪にもならず、したがって不名誉になることもないのである。

そうであれば当然離婚する割合も高くなる。明治三十一（一八九八）年の明治民法の施行以前の離婚率は三割を越えていたといわれ、離婚に対するタブーもなかった。離婚が良くないこととされ、また離婚することは罪だと言うようになったのはキリスト教の影響である。それに明治民法の「家」制度の成立によって強固な家族主義が主張され、また妻の地位が著しく低く自立することが困難となったため、離婚の数は急激に減少していった。しかし離婚率の減少が妻たちの幸福感の増加につながったということはなかったであろう。

## 長い歴史をもつ夫婦別姓

ところで近年夫婦の別姓が問題となっている。別姓を望む側は、個人が尊重される時代にあって大半の妻がそれまで名乗っていた姓をやめ、夫の姓を名乗るのは、時代に合わないと主張する。一方、別姓に反対する側は、夫婦同姓の伝統を尊重し、また家族の一体性を維持するためにも家族全員が同姓であることが必要だと言う。その賛否はおくが、後者の主張する同姓の「伝統」にはいささか問題がある。我が国の社会で夫婦が同姓とされたのは明治民法が公布されて以降のことである。だからたかだか百十数年の歴史しかない。明治に入ってからでも政府は妻は生家の姓を名乗るべきとされていた。これは武家も庶民も同様だった。鎌倉時代の源頼朝と北条政子や室町時代の足利義政と日野富子のように夫婦別姓が普通で、その歴史は千数百年に及ぶ長い伝統があったのである。

妻の呼び名は古代でも一番多いのは「妻」である。ただし読みは「つま」ではなく、「め」であった。そのほか「室」「室家」「北方」「妾」「女房」「上」「女方」などがある。後に武家社会で一般的になった「北の方」の呼称は中国から伝来した陰陽思想による南と北、陽と陰の対比からきたもので、寝殿の北に妻の居所が設けられたことによる。宮中や公家の世界では、父親のことを「おもうさま」、母親のことを「おたあさま」と呼んでいる。「おもうさま」は「主屋」「母屋」からきた言葉で、「主屋」「母屋」に住む人という意味である。一方、「おたあさま」は「対屋《たいのや》」に住む人のことであり、北の「対屋」に住む人が「北の方」となる。

## 身分制に基づく婚姻制限

古代社会は厳しい身分制の時代だから、婚姻には様々な制限があったが、とりわけ天皇の子女の場合は極めて厳格だった。皇親女性の婚姻については、『養老律令』継嗣令王娶親王条には、「凡そ王は親王を娶り、臣は五世王を娶ることを聴せ。唯し、五世王は親王を娶ることを得ず」とある。

これによれば諸王は内親王以下、五世王は諸女王以下、諸臣は五世女王以下を娶ることが出来るというのである。天皇との血統の遠近によって婚姻の範囲が定められている。臣下の者は五世の女王以下であり、それより上の四世までの女王の場合の婚姻は厳禁されていた。四世までの王族の女性は臣下との婚姻が閉ざされていたから、相手は王族しかいなかった。このように皇親女性の婚姻対象は極めて限定されていた。臣下が天皇の許可なく王族女性と通じた場合には当然厳しい処置が待っていたのである。

ところが『日本紀略』延暦十二（七九三）年九月十日条には、「大臣良家の子・孫は、三世以下の王を娶ることを許せ。但し、藤原氏は累代相承して摂政絶えず。此を以て論ずるに同等とすべからず。殊に二世以下の王を娶ることを聴すべし」とあり、現任の大臣や良家の子・孫は三世・四世王との婚姻が許され、藤原氏は特別に二世王でも婚姻できることになった。この婚姻規制の緩和に拍車をかけたのが、賜姓源氏などの臣籍降下である。藤原良房が嵯峨天皇の皇女で一世源氏となった源潔姫を娶り、実質上一世王との婚姻が可能となった。そして醍醐天皇の皇女の勤子内親王と雅子内親王は王族の身分を保持した内親王の立場で臣下との婚姻を行っている。こうして醍醐天皇の死後には、継嗣令の婚姻規定は遵守されなくなった。

このように規制緩和の道を辿ったが、東アジア諸国の場合と比べると顕著な相違がある。それは日本の古代の皇女の場合には、国際婚姻がないという点である。中国の王朝が北方・西方諸国との外交の一環として婚姻を用いた。しかし日本では、この方法を採用せず、そのことが現在まで貫かれているということは日本の王権の大きな特質と言える。

天皇の後宮は平安京に至って整備されたが、それ以前、王族はそれぞれに皇子宮を持っており、大王の后も后の宮に居住していた。つまり后は大王とは別な独自の宮にいたのであり、夫婦同居ではなかった。

## 妻の呼び方

平城京の左大臣長屋王の邸宅から多くの木簡が出土しているが、その中に妻の吉備内親王の居住場所を示すものがあった。それには「西宮」とあり、邸内の西の区画である。また律令国家の創出に多大な貢献をした藤原不比等の妻の県犬養《あがたいぬかい》橘《たちばなのみ》三千代《ちよ》は「西家」「西宅」に居住していた。この例のように「北方」でなく、西に妻が居住するのは中国の例にならっている。中国では皇后は西方に居住し、漢語では「西宮」は妻妾の居住場所を示す。奈良時代後半までは王侯貴族の妻たちは邸内の西に居住していたのである。

ところが光仁天皇の時、平城宮の内裏北部に後宮が成立し、后たちは、独自の家政機関を備えた居住の場が否定され、宮殿内に取り込まれていき、王の居住空間の後方に従属する後宮に住むようになった。それが平安宮の内裏にも受け継がれた。

また内裏を模した寝殿造邸宅の成立によって王侯貴族の妻たちが邸宅の北方に居住するようになり、「北の方」「北政所」という呼称が成立した。藤原道長の日記『御堂関白記』寛弘七（一〇一〇）年三月二十五日条に、妻倫子のことを「女方所」、そして「家北政所」と記しており、これが最も古い例とされる。また『大鏡』巻七太政大臣道長の条にも、「あるはこの北の政所のさかへきはめさせ給へり」とある。さらに『源氏物語』若菜の巻にも、「北の政所の別当ども、人々ひきゐて」と見える。道長の子の藤原頼通の妻隆姫も「北の政所」と呼ばれており、この頃には「北政所」は妻を指すことが一般的になっていた。

なお人の妻のことを「〇〇夫人」と呼称することがある。本来夫人という称号は令制では天皇の妻に限られる称号であった。ただ実際には天皇だけでなく、奈良時代初期の長屋王や舎人親王の妻や藤原不比等の妻橘三千代にも使用が認められていたが、ともあれ、夫人は天皇や極めて高位の貴族の妻にしか使用されない呼称で、本来は庶民の妻をそのように呼ぶことは不遜の限りであった。女房も「恋女房」「古女房」などと結構一般に使用されているが、この「房」はもともと役所や執務室で、今流に言えばオフィスである。房（役所）で執務する男性を男房と呼び、女性を女房と呼ぶ。平安時代の史料には、蔵人所の男官と女官を合わせて「男女房」と記した例がある。そうであれば、女房は今で言えば、国家公務員のキャリア組の女性ということになろう。だからこの女房も普通の人の妻の呼称としてはいささか過ぎたものと言えよう。

## (三)　出産と子育て

### 子供を罰しない子育て

我が国は欧米の国々からみて、子供に大変甘いと見られている。戦国時代後期にやってきたイスパニア商人は、日本人は刀で人の首をはねるのは何とも思わないのに、子供たちを罰することは残酷だと言う。また宣教師のルイス・フロイスは「われわれの間では鞭でもって息子を懲罰する。日本ではそういうことは滅多に行われない。ただ言葉によって譴責するだけである」と言う。彼らには日本は「子供天国」に見えていた。実は子供を罰しないという歴史は相当古くまで遡る。奈良時代の『養老律令』には、十歳以下の者については、たとえ殺人などの死罪に相当する罪を犯しても上請して勅裁を仰げば免除され、盗みや傷害の場合には贖いを出せばよいことになっていた。そして「九十以上、七歳以下、死罪有ると雖も、刑を加えず」とあるように九十以上の老人と共に、七歳以下は刑を加えられることはないという規定であった。刑事責任能力において、十歳以下は制限能力者で、七歳以下は絶対責任無能力者とされていた。これは中国唐の律令を踏襲したものだったが、こうした法規定が子供を罰しないという風潮を促したと思われる。

子供たちに関わる言葉について、自分の息子のことを「せがれ」と言うが、これは「やせがれ」からきている。やせた枯れ木のように頼りない子供なのでよく面倒をみて欲しいという気持ちを込めた呼び方である。また「むすこ」「むすめ」とも言う。その「むす」は「苔むす」「草むす」のように、勢いよく茂る有様を示す。だから「むすこ」「むすめ」はともに「元気よく育つ子」という意味である。

次は「伯仲」である。中国では兄弟の順番は、上から伯・仲・叔・季としていた。甲乙付けがたい時に、「伯仲」しているというのはこれに由来する。兄弟だから似ているのは当然で、しかも一番目と二番目では年齢が接近しているため、なかなか優劣が付けがたかったためである。

## 難産が多い出産

奈良時代のことを記した正史『続日本紀』には多産によって褒賞を受けた記事が十八例見える。その多くは一度に三人の男子、もしくは三人の女子を産んだとするもので、二男二女が二例、二男一女が一例、三回のお産で六人の男子というのが一例ある。その褒賞としては一般に絁《あしぎぬ》・綿・布・稲などを賜い、乳母を与えることが行なわれた。慶雲三（七〇六）年二月条には、「山背国相楽郡の鴨首形名《かものおびとかたな》が、六人の子を三回に分けて産んだ。初め二人の男児、次に二人の女児、最後に二人の男児を産した。その初産の男二人については、詔によって大舎人《おおどねり》に取り立てられた」とある。

ところで出産は「産七日」とされるように七日の忌むべき穢れの一つだったから、後宮女性の場合、多くは内裏から里邸に退出した。出産が穢れとなると、女医生と言われる助産婦は、それが仕事であるだけ直接的に穢れを受けることになる。そのため賤民の女性を訓練し、その任に当たらせていた。

しかし高貴な後宮の女性の場合は、賤民を奉仕させるわけにもいかないから、乳母や女房の中で助産の経験のある者が新生児を取り上げることになった。出産の形態は座産が多かったが、出産には危険が伴い、平安時代の妊婦の死亡率は四分の一に近く、まさに命がけだった。それは医療の未熟にも原因があったが、一番大きな理由は、出産年齢が若すぎることだった。古代では、女性が成人と見なされるのは、「裳着」の儀式からである。それは十二歳から十四歳くらいだから、その頃に結婚し間もなく出産していた。体がまだ成熟していないため、難産になることが多かったのである。

二つ例をあげよう。藤原教通の妻は結婚が十三歳、十五歳で長女を出産、以後十七・十八・十九・二十二・二十三・二十四歳と立て続けに出産し、そして最後は産後の肥立ちが悪く、二十五歳の若さで亡くなっている。『栄華物語』ではさらに一人か二人子がいたようだから、ほとんど毎年のように出産していた。体が弱るのも道理である。

もう一例は藤原行成の妻の場合である。彼の日記『権記』には次のように記されている。「去る永延三（九八九）年八月十一日以降、今に至る十四年、母子の命一日たちまち没す。松羅の契り、千年相変ず、所生の子惣じて七人、三人すでに夭す」と見える。行成の最愛の妻の享年は二十七歳だった。結婚した時は十三歳、十四年間で七人の子を産み、既に三人は死亡し、ついに自分も死去した。

### 子育ては乳母の仕事

こうした貴族の女性たちは多くの子を産むことがある意味で義務のようなものだったから、それに専念する必要があった。そのために子供が生まれた後の授乳は乳母が行った。それは不妊期間を短縮するためで、母として我が子に授乳することはしなかった。

そうなると乳母は授乳だけでなくその子の教育にも関わるようになるから、乳母は宮中でかなりの権勢をふるうことができた。清少納言の『枕草子』に、高貴な女性の乳母となった女房は、その家の主人のような顔をして、本来は同僚の女房たちを気ままに召し使っている。中宮の乳母になるのは「天人」に生まれ変わるにも等しいと述べているように、臣下の女性が就きうる最高の地位であった。

また『栄華物語』第三十六は後冷泉天皇の乳母のことを記す。後冷泉天皇は大変上品でもの柔らかく、人を遠ざけることもしない。折にふれ管弦の遊びを開催され、月の夜、花の折を見逃さない。素晴らしい人物であると誉めたあとで、「弁の乳母をかしうおはする人にて、おほしたてならはし申し給へりけるにや」と記す。つまり弁の乳母の風流心ゆえにこのように立派に育ったと乳母を誉めている。実はこの弁の乳母というのはあの紫式部の娘の賢子その人であった。『紫式部日記』は将来娘が女房勤めする時のために書いたのではないかとも言われるが、母の期待に応える教養ある才女となり、また母親譲りの負けず嫌いも受け継ぎ、「天人」に生まれ変わるにも等しいとされる天皇の乳母として権勢をふるったのである。

## ㈣　名前

### 氏姓は百済からの輸入

現在の私たちの名前は苗字（氏）と名とからなっている。その歴史について見ていこう。『魏志』倭人伝に見える卑弥呼や壱与、埼玉県稲荷山古墳の鉄剣の意冨比垝《おほひこ》から乎獲居臣《おわけのおみ》までの人物、熊本県江田船山古墳太刀銘文の牟利弖《むりて》や伊太和《いたわ》など、いずれも名だけで氏は見えない。こうしたことからみて五世紀末の雄略朝の頃まで、倭人の名前には氏はまだなかったようである。氏の名が記された我が国最古の確実な史料は六世紀後半と推定される島根県松江市の岡田山一号墳の太刀の「各田卩臣」（額田部臣《ぬかたべのおみ》）である。この「部」姓の「部」はもともと百済の官司組織を示す語であり、それが百済の官人たちの人名表記になっていった。こうした百済風の名称を導入しようとしたのが、我が国の「部」姓の始まりと考えられる。この氏姓の成立について、継体・欽明朝の頃、我が国の人の名を記すにあたって、百済からの影響が強くあったとする説がほぼ定説になっている。その理由は、新羅では姓の発生は六世紀半ばから七世紀半ばと遅いが、百済では貴族層においても五世紀後半頃には成立していた。さらに我が国では「物部」「大伴」「蘇我」のように二字姓が多いこともそれを裏付ける。中国では今も昔も一字姓が一般的である。それに対して百済では二字姓が圧倒的に多い。こうしたことから、我が国の氏姓は百済からの輸入、もしくは強い影響のもとに成立した可能性が高い。私たちの個人名もまた朝鮮半島に起源があるのである。

我が国は朝鮮の百済を経由して東アジアの大国中国文化を取り入れたが、それに大きな役割を果たしたのが、五経博士であった。五経博士の始まりは紀元前一三六年に漢の武帝が董仲舒の献策を容れて『書経』『易経』『詩経』『春秋』『礼記』のそれぞれの専門の博士を選び、宮中で講義をさせたことにある。これは後世、儒教が中国の支配的な教えとなるうえで大きな画期となった。その後、この制度は途絶えたが、南朝の梁の武帝が五〇五年に復活させた。百済は洗練された南朝文化の摂取に最も熱心だった。梁に学者の派遣を要請し、その貴重な学者を倭国に送ってきた。だから倭国にやってきた五経博士はいずれも中国人であり、これほどのインテリが我が国にやってきたことはかつてなかった。そしてその後も交代要請をしており、百済から新任の五経博士がやってきている。彼らのもとで儒教に基づく儀礼の中国化がはかられ、文字による統治が行われるようになる。その多くの事績の一つが氏と名からなる人名表記だった。そういう意味で氏と名の人名表記は当時の東アジアのグローバルスタンダードに入るための象徴だったのである。

## 実名を避ける長い歴史

ところで現代では名前は単なる記号のようになりつつあるが、かつては人でも物でも、それに名を与えることは人や物に生命を与える意味を持っていた。その名前は古代には母親が名付け親になる場合が多かった。『古事記』垂仁段には、「凡そ子の名は必ず母の名づくるを」とある。そうした大切な人の名はめったに他人に告げるものではなかった。

今でも他人の名前を呼ぶことを憚る風も残っている。たとえば上司の名前を呼ぶ時に、名前ではなく「社長」「部長」のように役職名で呼ぶことが多い。学校では「先生」、そして同僚同士でも特に親しい人は別としても名前ではなく苗字で「○○さん」と呼ぶ。それは実名を呼ぶことを避けてきた長い歴史の名残であろう。また自分の人生がうまくいかない時に名前を変えるという話を聞く。それは名を変えることによって事態の転換を図ろうという意味が込められている。これも名と実（事態）は一体であるという観念の影響であろう。名には実名のほかに仮名・幼名・諡《おくりな》・字《あざな》・号《ごう》など、様々あるが、人格として重要なものは実名であった。

古代社会は言霊の社会で、そこにおいては人の名前を知ることは、その人の全人格を所有する行為だった。名前を他人に知らせるということは、名前が持っている霊的なものをその他人に委ねる意味があったからである。自分の生命や運命を他人に握られてしまったり、また呪詛される危険性もあった。実名のことを諱《いみな》と言うが、それは他人に知られるのを「忌《い》む名《な》」という意味である。したがって日常生活においては、実名を秘し、その代用として字や官職名などが使用されたのである。

『源氏物語』には主人公の光源氏以外にも多くの人物が登場する。それらの人々は実名で呼ばれていない。「頭中将」「宰相中将」「大臣」「左馬頭」のようにいずれも官職名で呼んでいる。この当時、それは極めて常識的で、実名を呼ぶことは著しく礼を欠くことだった。

その一方で、律令政府の作った戸籍には実名が載せられていた。戸籍は全ての人々から徴税をするために欠かせないが、理念的には天皇が戸籍を閲覧することが重要だった。それは天皇は支配下の人々の全ての実名を知ることによって、彼らの全人格を支配できると考えられていたからである。

当時の人々は名前は実体そのものと考えていた。天平宝字元（七五七）年に、橘奈良麻呂の乱が起こり、謀反計画に加わった関係者が多く処分された。そのことを記した『続日本紀』には、「黄文《きぶみ》名を多夫礼《たぶれ》と改む、道祖《ぶなど》名を麻度比《まどい》と改む、（中略）賀茂角足《かものつのたり》姓を乃呂志《のろし》と改む」と見える。事件に関係した黄文王は「たぶれ（気の狂った）」、道祖王は「まとひ（迷った者）」、賀茂角足の姓を「のろし（鈍い）」と改名・改姓されている。謀反を企てた人間に、立派な名やまともな姓はふさわしくないと考えたから、その名を剥奪し、悪い印象を与える名・姓を与えたのである。

もう一例は、称徳天皇・僧道鏡の時に起こった宇佐八幡神託事件に関連した話である。宇佐八幡の神が「道鏡を皇位に即かせれば、天下は太平になるだろう」と告げた。称徳天皇から姉の法均尼に代わって神の託宣の内容を確かめることを命ぜられた和気清麻呂は、天皇の意に反した報告をした。そのため清麻呂は別《わけ》部穢麻呂《べのきたなまろ》、姉も広虫売《ひろむしめ》と改姓された。これもまた名・姓は人柄や人品に対応するものでなければならなかったからである。

近年、各地で古代木簡が見つかっているが、人の名に関する興味深い木簡が長岡京から出土した。これは「迷子の告知札」で、当時十一歳の「錦織□麻呂」という少年が迷子になったが、その実名と共に「字名者錦本云音也」とあって字名は「錦本」と記されている。そのことは普段は字名が一般的に用いられていたことを示している。

## 律令制の官職が名前に

子供漫画の人気キャラクターのドラえもんの名前も千三百年以上の長い歴史がある。その説明はいささか長くなる。『日本書紀』崇峻即位前紀に衛士《えじ》の称が見えるが、「いくさひと」の訓があるように、一般的な守衛をする人、あるいは兵士の意味である。『養老令』軍防令にその規定が見える。諸国の軍団に所属する農民出身の兵士の中から交代で上京勤務した。

延暦二十四（八〇五）年の時点で衛士は衛門府四百人、左右衛士府各六百人で、合計千六百人だった。その人数を二分し、一日ごとの交代勤務で、下番の時は武芸の教習を行うことになっていた。ただ宮城の門といってもその数は多かったから、どこの門を誰が警備するのかが定められていた。大宝令の宮衛令の注釈書の「古記」によれば外門は衛門府の門部、中門は衛門府と左右の衛士府、内門は左右の兵衛府が守っていた。

その職務は宮城や行幸時の警備などで、上京時には課役が、帰国すれば一年間の勤務が免除されたり、衛士を出した郷も課役を軽くするなど様々な恩典もあった。一方、その任務の重大性ゆえに監督も厳しく、下番の日も京より三十里以外の地に行くことはできず、父母の死によっても帰郷は許されなかった。そのため平城遷都の頃より逃亡が激化し、「壮年に役に赴き、白首にして郷に帰る」という惨状を改め、年期を三年とし、『養老令』では一年とされた。しかし衛士は時代の変遷と共に軍事力の重要性を失い、兵衛府などにその地位を取って代わられるようになる。

多くの衛士の職務は重かったが、それでも花の都での生活だから思わぬ幸運も希にはあった。『更級日記』

に「たけしば」という男の話が記されている。たけしばは武蔵国から都に送られた衛士であった。彼は独り言を言う癖があり、仕事中でもぶつぶつと国元での楽しい情景を述べ、その一方で、現在の境遇を嘆いていた。天皇の娘の内親王がその独り言を聞きつけ、たけしばを呼びつけ、国元の情景を語らせた。そしてその光景を見たいから、武蔵国まで連れて行けと命じた。たけしばは内親王をおんぶして武蔵へと向かった。都では内親王が行方知れずになり、衛士も一人いなくなって騒ぎになった。目撃証言もあって武蔵国に追手がきた。内親王はその追手に対し、私は武蔵国で過ごすと頑として譲らなかった。結局はたけしばに武蔵国を賜り、内親王の世話をさせることにした。その後、子孫は衰え、跡だけが残り、たけしば寺になったという。「東男に京女」というロマンスの元祖である。

話題が変わるが、平城京の宮内において「此所不得小便」と記された木簡が出土した。内容は説明するまでもなく、「ここで小便をしてはならない」といういわゆる小便禁止木簡である。その出土場所は大極殿西楼と呼ばれる建物の跡だった。このような立て札が立っているのは、ここでかなりの人が小便をしていたからであろう。その犯人は一体誰なのか、興味がそそられる。ただこの場所は天皇が政務をとる大極殿という重要施設で、宮城の中心地にあたることから、一般庶民ではない。宮城の諸門の管理は厳重で、大極殿にまで到達するには幾つもの門を通過しなければならない。一方でこの場所に出入りできる天皇や高級貴族がそのような立ち小便などという仕儀に及んだとは考えられない。

このように消去法で推測すれば、この付近の門を警備していた衛門府に配属された衛士か、あるいは兵衛府に配属されていた兵衛たちが犯人である可能性が強いと言えよう。兵衛は全国の郡司の子弟や、下級官人子弟が当てられた。律令官人の最末端に位置したが、兵の中では格の高い人たちであった。兵衛であることを足がかりに郡司にまで出世する可能性もあった。ともあれ、木簡はこの時代に生きた人々の生活の様子や、この場合であれば、臭いまでも生々しく伝えてくれる格好の史料なのである。

ところで、中世から近世にかけて人の名前に「兵衛」「左衛門」「右衛門」の人物を多くみかける。「兵衛」は律令時代の宮城の警備を担当したが、その五衛府の中で天皇に最も近い場所を守衛し、また天皇行幸の際の警衛もつとめた。下級官人の子弟や諸国郡司の子弟などから選抜されて採用されたから、多くの人々にとっては憧れの職であった。そして「左衛門尉《さえもんのじょう》」「右衛門尉《うえもんのじょう》」は中世においては地方の国衙《こくが》などにおける官職の名になった。中央では下級官人ではあるが、地方では国衙官人に連なることは大変名誉なことで、他の武士たちよりも上位であった。したがって実際にそうした官職とは無縁な人々もそうした夢や可能性を見込んで名を付けたと思われる。

ここまで述べてやっと「ドラえもん」に辿り着いた。その「えもん」＝「衛門」は夢のある名前として人気があった。十二世紀以降の民衆の一人一人の名前まで官位秩序が反映され、「衛門」「兵衛」は社会全体に深く浸透した官職だった。いずれも律令の官職名で、律令国家の影響が長く人々の生活の中に入り込んでいたのである。

このように律令制度の地位が名前となっている例をもう一つあげよう。律令の位階制度のもとでは五位以上が貴族とされている。したがって五位とそれ以下では大きな違いがあった。その五位にある人を通称「大夫」と呼んだ。それは一般庶民にとっては雲の上の話だったが、時代が下って近世の頃になると、船乗り集団の船頭になると「大夫《たいふ》」と名乗る例が多くなる。その称号は社会のステータスシンボルとして認識されるようになったから、遊女の世界でも最高位の者を「太夫《たゆう》」と呼んだのである。

### 女性の「子」は嵯峨天皇から

我が国の名前の歴史において大きな転換点となったのは嵯峨天皇の時代である。天皇は唐風化政策を推進したが、名前についても同様の政策をとった。幼名と成人名（実名）を区別し、実名に良い意味をもつ嘉字をつけ「系字（通字）」を導入した。系字は一族の実名のうち一字を共有するものである。親王には二字の嘉字のうち「良」を系字とし、内親王には嘉字一文字の下に「子」を付けて命名した。これ以前の七世紀には、蘇我馬子や小野妹子のように「子」は男性優位であった。しかし八世紀になると藤原宮子や光明子のように女性にも付けられるようになり、嵯峨天皇の命名法によって「子」はほぼ女性名となった。このことが契機となって男の名前は嘉字の二字となり、女は一字の嘉字に子をつける形が、貴族や武家、さらには庶民にまで普及していった。現在では、女性に「子」を付けることは減っているが、男性の場合は、今も嘉字の二字の形がほとんどである。私たちの名前もその多くはこの時代に淵源しているのである。天皇家では、後三条天皇が三人の皇子に自分の実名である「尊仁」の「仁」を付けて以来、現在まで「仁」が通字となっている。昭和天皇は「裕仁」、現在の天皇は「明仁」、皇太子は「徳仁《なるひと》」、秋篠宮は「文仁」である。「仁」を最初に用いたのは清和天皇の「惟仁《これひと》」であったが、もとより仁徳を備えた君主になるようにとの願望である。桓武平氏は「盛」、北条氏は「時」、足利氏は「氏」である。

## 長かったアニミズム的命名

とんでもない名前をつけられている者もいる。『続日本紀』神護景雲二（七六八）年五月三日条に、「最近、諸司の奏上する官人の名簿を見ると、天皇や皇太子の諱を自分の名に使用している。また仏菩薩や賢聖の名を使用する者もいる。今後そのようなことがないようにせよ」という命令が出されている。実際に大宝二（七〇二）年の美濃国戸籍には、「阿弥多《あみだ》」「无量寿《むりょうじゅ》」など仏に関係する名前があり、こうした名前が礼をわきまえないとされた。

平安時代の著名な歌人で、『古今和歌集』の編纂者紀貫之の幼名は「阿古久曽《あこくそ》」である。「阿古」は我が子、「久曽」は「糞」である。それの女性版もある。『古今集』巻十九の「誹諧哥」に「いとこなりける男によそへて人のいひければ…」という歌を詠んだ人の名前が「屎《くそ》、源つくるが女」と書かれている。つまり「源つくる」という貴族の娘で、「屎」という名前だったのである。これは不浄の名前を付けて取るに足らない子供とみせかけ、悪魔や鬼などが寄りつくのを防ぐ魔除けになると考えられていたからである。また疵《あぎ》麻呂《まろ》や疵女《あざめ》などの名前も見られるが、これは神が他の者と区別するための目印と考えられていた。このように名前にはアニミズム的な命名の歴史が長かったのである。

男性に多い「麻呂（丸）」は、奈良時代には女性にも付けられていた。天平勝宝三（七五一）七月七日条に見える「女孺无位《じょじゅむい》刑部勝麻呂《おさかべのかつまろ》」、宝亀八（七七七）年正月二十五日条の「女孺无位物部得麻呂」などはその例である。中世の頃になると男性名となってくる。最もよく知られているのは、豊臣秀吉の幼名の日吉丸である。この「丸」は古代の人名に多く付けられた「麻呂」から変化したとする説と、便器の「おまる」に因んだ辟邪名ではないかとする説とがある。ただ「麻呂」はもっぱら人名に用いられるのに対し、「丸」は船や刀・鎧・兜などの武器類や笛・笙・篳篥などの楽器類にも用いられている。その理由を網野善彦氏は次のように説明する。「丸」は聖俗の境界にあるものに付けられた。この頃、幼児は聖俗の境にある特異な存在とみなされていたし、戦場で命をかけて戦う武器に呪的な力を持つと考えられた。また楽器は神仏を呼び出し、神仏を喜ばせるもので、神・仏の世界と俗界を媒介するものであった。さらに船も船底の下は地獄と言うように、命を託しており、そこに呪的な力を頼ったことによると考えられる。

それに関連して東大寺の「二月堂縁起」という史料に天文五（一五三六）年の逸話が見える。年貢を携えた東大寺僧が寺田という所を通りかかったところ、寺田の住人によって年貢を奪われた。怒った東大寺は二月堂に寺田住民の「名字を籠め」て仏罰を祈願した。するとその十年後に寺田住人が東大寺に詫びをするため参上してきた。村では疫病のため死亡するものが数多く、数百あった家も五十～六十に激減した。彼らはこれは二月堂の仏罰であり、今後は心を入れ替え東大寺に帰依しますと言ったので、寺は彼らを許したという。時は中世末期であるが、この頃においても寺社では敵対する人物に災いが起こるようにと「名を籠める」呪術が行われており、それをされた側の住人たちも、疫病の流行はその仏罰の結果だと受け止めていたのである。

このように他人の実名を籠めたり呼ぶことは、その人格を支配することになり、逆に他人に実名を明かすことは、服属の意思表示となった。中世の頃、主従関係を結ぶ場合に、実名を書いた名札の「名簿《みょうぶ》」を提出したのはそのためである。『玉葉』の著者九条兼実が摂政になった時、『平家物語』の作者される藤原行長が父に連れられてやってきて、実名を記した名簿を差し出している。こうして行長は兼実と主従関係になったのである。

## 武士の名は武功・名誉の表示

武士の人名は単なる識別記号ではなかった。とりわけ根本所領の地名を負う名字は、その土地を所有・維持している事実を示し、また先祖代々の武功・名誉の伝説を表示することだった。そうであれば、戦いに敗れ、その所領を失えば、その名は堂々と名乗ることはできなくなるから「名折れ」「名を汚す」ことになった。そして主君であっても家臣の実名を呼ぶことは非礼とされた。『吾妻鏡』正治元(一一九九)年八月条に、当時十八歳だった鎌倉幕府二代将軍源頼家が北条氏の人々を実名で呼んだため、恨みをかっているとして母の北条政子が注意している。鎌倉新仏教の開祖の一人法然の正式な名は源空だった。人は正式な名で呼ぶことを憚り通称の法然で呼んでいたのが本来の名前のようになったのである。

室町時代の話である。六代将軍足利義教はくじによって選ばれたため「くじ引き将軍」などと揶揄されたが、僧侶から還俗した時の名は「義宣(よしのぶ)」であった。しかし彼はこの名を嫌い短期間で改名した。理由は、「よしのぶ」は「世を忍ぶ」に通じるからという。

ただこのような自らの都合による改名は稀で、多くは自分よりも尊貴者・権威者の名前に左右されていた。銀閣を建てたことで知られる八代将軍足利義政は、初め「義成（よししげ）」であった。しかし後土御門《ごつちみかど》天皇が即位して「成仁（ふさひと）」という名前に決まると、義成は「成」の文字を敬遠して「義政」と改名した。将軍義政は天皇を自分より上位の存在としていたからである。このように名前の命名や改名から当時の身分秩序や政治状況の一端が浮かび上がることもあるのである。

かなり旧聞になるが、親が子供の名に「悪魔」という名前を付けて役所に届け出をしたが、役所はその名前はひどすぎるというので受付を拒み問題となったことがあった。また最近では奇妙な名前を付けられた子供が増えている。そういう名前を「キラキラネーム」とか「ＤＱＮネーム」と言うそうである。後者は「ドキュン」と読み、とんでもないといった程度のネット世界の言葉である。こうした名前を付けられた世代がそろそろ就職活動をする年代に達しつつある。企業の就職担当者はその名前を見て大丈夫かなと構えるという。であれば、へんてこな名を付けられることは子供にとってのリスクとなる。現在においても名は子供が選択できないことだけに親は子供の将来までを見越して熟考して名付ける必要があろう。

## ㈤　壮年期と労働

### 早朝出勤の役人たち

現在の私たちの忙しい生活から見れば、奈良・平安時代の官人たちは随分と悠長だったのではないかと思われる。しかしその実態はかなりハードだった。朝食をとる前の働きのことを朝飯前と言うが、現在のように夜型の生活になって朝は出勤のぎりぎりまで寝ているという生活をしている人にとっては、この言葉は無縁であろう。しかし照明の発達していない時代には、人は長らく日の出とともに起きて働き、日の入りとともに就寝し、自然の運行に従って生活をしていた。だから早寝早起きは当たり前のことだった。

大化三（六四七）年には、宮殿への出勤基準が次のように定められた。「凡そ位を有てる者は、必ず寅の時（午前三時から五時）に南門の外に、左右に羅列し、日の初めて出る時を伺いて、庭に就きて再拝し、乃ち庁に侍れ。もし遅く参る者は、入り侍ることをえざれ。午の時（午前十一時から午後一時）に到るに臨みて、鐘を聴きて罷れ」とある。これによると午前五時には朝廷の入り口の南門前に並んで日の出を待ち、日の出と共に朝廷内に入り、内裏の方向に向かって拝礼をし、その後それぞれの仕事場に行く。遅刻者は入れてもらえない。そして仕事の終わりは昼ごろに合図の鐘が鳴るので、それを機に退出するという規定であった。現在の我々の感覚からすれば、早朝出勤と言っても半端ではない早さであった。地方の役人の場合もこの規定に準じていた。

それは律令制にも受け継がれるが、その一方で官僚機構の整備と共に自然の運行との間に乖離が生じるようになり、先の規定よりはやや緩められた出勤時間になってくる。本格的な律令国家が誕生した奈良時代、役人たちは宮城の中枢の建物である朝堂院に出勤するが、その朝堂院のある宮域の門は午前三時には開かれ、朝堂院は午前六時半頃に開門となっていたからそれまでに出勤しなければならなかった。これでもかなり早起きである。その上、都の住居は身分の高い者ほど宮域に近く、身分の低い者ほど遠くにあった。下級の役人の住居は都のはずれだから、四～五㎞くらいは歩かなければならなかった。この当時の通勤は車など便利な移動手段があるはずもないから、徒歩で一時間はかかったであろう。朝の五時頃には家を出なければならなかったはずである。彼らは仕事場が近くになるにつれて身分の高い貴族たちの広い屋敷のある高級住宅街を歩くことになるが、毎日通勤するたびに何を思ったのだろうか。

貴族たちの政務は正午前後の鐘を合図に終わっており、執務時間は短かった。しかしその会議にあたっての細かな書類の作成は下級役人の仕事だったから、午後も当然のように働かなければならなかった。彼らの出勤は、「日」は午前中の通常の勤務、「夕」は残業というように区分されていたが、「夕」の数が多くある。さらに宮廷を警備する武官などの場合には宿直もあった。今も昔も下級役人は「サラリーマンは気楽な稼業」となどと言ってはおれないのである。

ところで古代の食事は「朝夕常食」というように二食が通常で、昼食は「間食」と言い、常食ではなかった。そのため食事時間は朝食は十時頃、夕食は午後五時頃だった。朝は相当早くから出勤しているため、その朝食の前にかなりの仕事ができた。だから古代には朝飯前にかなりの仕事をこなすことができた。だから「朝飯前」は現在のようにちょっとした仕事というわけではなく、かなりの仕事量を意味していた。因みに食事が一日三食となるのは室町時代頃である。

## お手盛りの勤務評定

律令官人の数は約八千三百人ほどで、この他貴族の家政機関や地方の国司や郡司などを加えると膨大な数になる。職種や勤務形態も様々であるが、彼らの勤務はこと細かく分類されて評価されていた。今日で言うところのエリートコースあるいはキャリア組の官人が官僚組織の中枢にいたが、彼らの評価基準は次の四点であった。「徳義の聞こえあること」「清らかで慎み深いことが顕著であること」「公平であること」「勤務状態がまじめであること」という徳目と各官ごとの職務目標で評価された。下とされるのは、「好悪の感情のままに道理に背いた処断をする」(下上)「私事を公事に優先させ、職務が損なわれる」(下中)「追従や偽りをなし、また貪欲さがあらわである」(下下)

勤務評定の事務は、中国のそれを手本にして入念に行われたが、肝心の評定が正確ではなかった。評定は上中下の三段階だったが、圧倒的に「中上」や「上」の評価が多い。次の木簡はそうした例の一つである。「去上位子従八位上伯禰広地年四十二河内国安宿郡」と記されている。「位子」というのは中・下級官人の嫡子の呼び名であるが、従八位上という位を持った伯禰広地という人物は年齢は三十二歳、出身地は河内国安宿郡である。一番上の部分に「去上」とあるのがこの人物の勤務評定である。その成績は、昨年は「上」の評価を得ていることを示す。したがって彼の働きぶりは良かったのだろうが、「去上」と書いてある所には今年の勤務成績を記されなければならないが、それが未記入ということは必要な出勤日数が不足のために評価ができなかったか、あるいは死亡していたためであろう。

最低条件を満たしていれば、評定結果はだいたい「上」だった。もしきちんと勤務ぶりを評価するなら、上中下に分散するはずであるが、よっぽどの失態がない限り「下」と評価されることはなかった。役人が役人を評価するから、お手盛り、そして横並び意識からこのような結果になった。そして勤務評定を六年間重ねると一つ位階が上がる仕組みになっていた。したがって三十六年という長い期間真面目に働き、勤務評定を受けると六階上がった。従八位下から始まったとすれば、正七位下までであった。貴族となる従五位下に達するには、なお三十六年が必要だから、それは不可能である。

それだけに六位以下の官人にとって五位の位階を賜ることは、憧憬の的であった。『万葉集』に「この頃の我が恋力　記し集め功に申さば五位の冠」（三八五八）という歌がある。「この頃あなたに対する私の恋の力は大変なものです。その恋心を記録として集めて勤務評定をして貰ったならば、おそらく五位の冠を貰うことができるでしょう」という意味である。この歌を作った男は、ある女を恋して夜な夜な通い詰め、物を貢いだり誠心誠意の努力をしたのだろう。このくらい職務に精励していたら、抜擢されて五位の栄誉にあずかれただろうと慨嘆している。おそらくこの恋は成就しなかったと思われるが、五位は官人たちの憧れの地位であった。

大多数の官人は五位に到達することはできなかったが、それでも歩みは徐々にでも年月がたてば確実に上がっていくのだから、典型的な年功序列制度であった。しかし貴族の子は蔭位《おんい》の制といって二十一歳になればいきなり高い位になり、順当にいけば父親の位には到達できるようになっていた。いつの時代もお手盛りの制度で高級貴族の地位は守られていたのである。

天暦五（九五一）年の高級貴族の出勤例を見ると、左大臣藤原実頼が一一七日、右大臣藤原師輔《もろすけ》が一九七日、中納言藤原在衡《ありひら》が二六八日、大納言藤原顕忠は九九日、同藤原元方は九四日であった。これからみると人によってかなりばらつきがある。彼らの仕事は政務や儀式であるが、それがあまり得意でない者もいた。そういうことに優れた能力を持つ人物が精力的に活動することで維持されていた。「出来る者に仕事が集中する」のはどの時代も変わりはない。ところでこの煩瑣な勤務評定は細かく念を入れることで官人たちの士気や勤労意欲を高めることに目的があったが、結果からみるとその多くは「中上」に落ち着いている。「中上」は評価する方としては最も無難であった。こうして中国の複雑な評価制度を導入したものの、我が国では形骸化し、あたかも儀式同然になった。現在の年功序列制度や官僚のお手盛り評価など、様々に議論はされているが、その歴史は古代に遡り、それが社会にしっかりと定着しているだけに、その改革は容易でないのである。

ここまでは男性の役人の場合であるが、女性も様々な場で労働に従事していた。『万葉集』の編纂者とされる大伴家持の妻は大伴坂上大娘《おおとものさかのうえのおおいらつめ》であるが、彼女が家持に贈った歌に、「吾が蒔ける早稲田《わせだ》の穂立《ほたち》造りたる蘰そ見つつ偲はせわが背」（一六二四）「吾妹子《わぎもこ》が業《なり》と造れる秋の田の早穂《わさほ》の蘰見れども飽かぬかも」（一六二五）がある。大娘は名門大伴氏の娘であるが、自らの所有する田で収穫し、蘰を作って家持に贈ったのである。まして庶民の場合は、男女に関係なく貴重な労働力であった。『万葉集』から労働を詠んだ三首をあげよう。

「君がため手力疲れ織りたる衣ぞ春さらばいかなる色に摺りてば好けむ」（一二八一）

「稲春けば吾が手を今夜もか殿の若子が取りて嘆かむ」（三四五九）

「漁する海未通女《あまおとめ》らが袖とほり濡れにし衣干せど乾かず」（一一八六）

ここに詠まれているのは機織、稲の脱穀、漁業であるが、多種多様な労働に従事する女性が詠まれている。古代社会はもとより男女参画型社会であった。

## 中国に由来する印鑑

印鑑（ハンコ）は我が国の代表的な文化の一つであろう。印鑑一つがないとなかなか事が進まない事例が多くある。たとえば銀行に行って、いくら自分の預金だから引き出したいと言っても、印鑑がないと到底無理である。本人が言うことより印鑑の信用の方が高い。その文字はわずかなのに、大変重要な役割を与えられている。人生の始まりの出生から終わりの死亡届けまでハンコがいる。このハンコの文化も中国の強い影響を受けた結果で、日本と韓国は今でもハンコは日常生活では不可欠なものになっている。

ハンコにも三文判から高級なものまで様々であるが、かつて高級なハンコの材料となる象牙の消費が大きな社会問題になったことがあった。その頃、日本の象牙の消費は一年間で三万頭分で、そのうち半分がハンコ用だった。その頃に生存していたアフリカ象は七、八十万頭だったから、世界中の象の運命は日本のハンコが握っていたとさえ言える状況にあった。アフリカ象保護の動きに押され、一九七五年に象牙の輸入を禁止した。

我が国のハンコの起源は福岡県志賀島から出土した「漢委奴国王」と記された金印である。『後漢書』東夷伝には、建武中元二（五七）年倭の奴国の使者が都の洛陽にやってきて、光武帝に謁見して「印綬」を賜ったことが見える。発見したのは天明四（一七八四）年二月二三日、百姓の甚兵衛さんが、田の境の溝を修理中に掘り出したもので、黒田藩から白銀五枚を頂戴している。名もない百姓の甚兵衛さんは我が国最古のハンコの発見者となって歴史に名を残すことになった。

次いで邪馬台国の女王卑弥呼が魏の国から賜ったという「親魏倭王」の金印である。これも「印綬」だったろう。綬は印につけられた紐のことで、これは必ずセットになっており、印は身分を示すものであり、綬も官位のランクごとに色が定められていた。それらの大きさはせいぜい二㎝ほどの小さなもので、木簡に書いた文書を封じる際に用いられたが、中国社会における身分の標識だった。現在でも勲章に「紫綬褒章」や「黄綬褒章」などがあるが、これも綬の色で等級が分けられているのはその名残である。ただこれらは中国から賜ったものであり、印鑑の文化も中国に由来している。

そして中国の律令制が導入されると、大量の文書が作成され、「文書主義」が徹底された。その役所の発行する書類の偽造阻止のため紙面に印鑑を捺すことが制度化された。なかでも天皇や中央の役所からの重要文書には、「天皇御璽《ぎょじ》」「太政官印」が捺された。それは中央集権国家の権威を示すだけに七㎝から九㎝もある大きなもので、これより大きい印章は認められなかった。また慶雲元（七〇四）年には「諸国印を鋳す」と見え、その諸国印は地方の「国印」のことで、大きさは六㎝四方だった。こうして役所社会で普及してくると、公印だけでなく個人用の私印も使用されるようになった。私印としては聖武天皇の皇后光明子の「積善藤家」「内家私印」やその甥の藤原仲麻呂の「恵美家印」が知られている。

このように我が国の印鑑を重視する文化は律令制の導入と共に始まったが、庶民が普通に印鑑を使用するようになるのはまだまだ先のことだった。律令制が衰退してくると、あらゆる文書に印鑑を捺すのは煩雑であるため、次第に敬遠されるようになった。古代の終わり頃から印鑑のない文書が増えるが、その代わりとなったのが、自筆で名前を書く方法であった。初めは楷書で書かれていたが、やがてそれを崩した草書体となり、さらに本人が独自に崩した花押が主流になった。戦国大名などの花押《かおう》はそれを研究している人からみれば、見ただけで人物を特定できると言う。

そうすると古代の印鑑の使用は現在の印鑑文化に直結しないことになる。実はもう一度印鑑が盛んに使用される時期がある。それは中世に中国の宋から臨済宗や曹洞宗などの禅宗がもたらされた頃である。宋朝禅林では宋風印章が普及し、禅僧の間では花押に代わって捺印をすることが一般的になっていた。時代が下ると、印章が花押よりも優位になる場合もあった。それでも花押も根強く使用され、そうしたことが、現在でも大事な書類には必ず署名・捺印するのは、花押と印章を共に受け継いだからである。

また印鑑に使用される印肉であるが、私たちは朱肉という赤いものと思い込んでいる。確かに古代の文書に捺印されたものは朱印である。ところが鎌倉時代頃からは黒印が見られるようになり、それが後には一般的となり、江戸時代頃には庶民も認め印を使用するようになるが、それは全て黒印だった。そしてこの頃から印鑑万能時代が始まる。朱肉を用いるようになったのは明治になってからである。明治新政府がそれを勧めたからで、その歴史はそれほど長くはないのである。

## 左を優先する古代社会

現在は右を優先する時代である。「…の右に出るものはいない」「…は私の右腕だ」「右上がりの景気」「人は右、車は左」などプラスイメージになっている。一方、左は「会社が左前」「左下がりの景気」など、マイナスイメージが強い。しかしそれは古い時代からそうであったわけではなく、明治時代からである。古代には左を優先する考え方が一般的だった。

『古事記』の冒頭の国産み神話では、男神のイザナギが天の御柱の回り方について、女神のイザナミに、「汝は右から回り、我は左から回って廻り会わん」と言うように、男が左、女が右となっている。またアマテラス・ツクヨミ・スサノオの三神が誕生する時に、左目から太陽神が、右目からは月の神が生まれている。この場合も太陽の方が月より重視されていたことを考えれば、やはり左が重視されている。

古代の律令制の太政官制では左大臣・右大臣が置かれていたが、左大臣の方が上位だった。太政大臣が初めて登場するのは天智大王の子の大友皇子であるが、その時、左大臣は蘇我赤兄《あかえ》、右大臣は中臣金連《なかとみかねのむらじ》であった。この当時の力関係でみれば、蘇我氏が上位だから、やはり左を重んじていた。また律令の官制は多くの場合、左右兵衛府・左右衛士府・左右京職など左右の役所が設けられているが、令の規定では、左の官職のみ説明があって、右の官職はそれに準じるとされるように、やはり左を重視している。

一方、左を低くみる表現もある。よこしまな呪術を「左道」、降格人事を「左遷」というようにマイナスの意味で使用されている。『続日本紀』天平宝字四（七六〇）年五月九日条に、「右大舎人大允正六位下《みぎおおどねりだいじょう》大伴宿禰上足《おおとものすくねうえたり》、災事十条を記して人間に伝え行うに坐せられ、多褹嶋掾《たねしまじょう》に左遷せらる」と見えるのが初見である。しかしこれは中国の用例をそのまま使ったもので、日本においては左を上位とする考えは基本的に変化していない。

古代には左が右に優位するという考え方の一つが陰陽道である。その例をあげよう。これによれば全てのものは陰と陽に分かれるが、草花の場合は、花が陽、実が陰である。左右の場合は、左が陽、右が陰である。そうすると花と左がともに陽、実と右がともに陰となる。平安京の紫宸殿の階下に「左近の桜」「右近の橘」が植えられていることはよく知られているが、それは桜は花の代表で、橘は実をつける木の象徴である。つまり「左近の桜」は左と花で陽を、「右近の橘」は右と実で陰を表しているのである。また「左近の桜」はその散り際の姿から「武」を、「右近の橘」は匂い立つ香気から「文」を象徴しているとされる。文化勲章の意匠が白い橘であるのはこうした伝統によるものである。中国では陽を好んだため、左右でいえば左が上位となった。また上方で行なわれる雛飾りでは私たちから向かって右が男雛で当の雛からみれば左、そして向かって左が女雛で、雛からみれば右となる。したがって左・男が陽、右・女が陰の組み合わせとなっている。ただ江戸時代には、上方に対抗意識を持った江戸ではこれを反対にした。それでも芝居では舞台の演者からみて左手を上手、右手を下手というが、それは現在も変わっていない。

酒飲みや酒好きの人のことを左党というが、これはほめ言葉である。近年飲酒運転による事故が続出して酒飲みは肩身が狭くなったが、日本人は酒を飲むことに対して寛容だった形跡がある。酒飲みのことを上戸というのは律令時代に働き盛りの正丁《せいてい》（二十一歳から六十歳）が多くいて、勢いのある様を言い、また逆に酒の飲めないことを下戸と言うが、それは正丁が少なくて意気のあがらない様を言う。さらにこれは駄洒落の類に属するが、大工や石工は大事な商売道具であるノミを左で持つことから「飲み手」とも言う。またとっておきの手段や方法、あるいは技芸などの秘訣のことを「奥の手」と言うが、この手も左手のことだった。この言葉も長い間、左手が尊重されていたことから生まれた言葉である。こうした左を優先する長い歴史があったが、明治以来の文明開化や右を優先する西欧文化の流入によっていつの間にやら右優先社会となったのである。

## ㈥　老年期

### 「老」は人格の完成

江戸時代に『養生訓』を著した貝原益軒は、「人の身は百年を以て期とす。上寿は百歳、中寿は八十歳、下寿は六十なり」とあり、六十歳でも目出度いと言っているが、現在の人生八十年は益軒のいう中寿に相当する。高齢者を尊ぶ会を尚歯会と言う。「尚」は「尊ぶ」で、「歯」は「齢」のことで、年齢を意味する。中国唐の白居易が尚歯会を行った例に倣い、我が国でも行われるようになり、陽成天皇の時代の元慶元（八七七）年に大納言南淵年名《みなみぶちとしな》の山荘で行ったのを初見とする。そのことは『菅家文草』『本朝文粋』『古今著聞集』にも記されているから確かなことと思われる。その様子は『今鏡』「唐人の遊び」に見える。「尚歯会とて年老いたる時の詩つくりの七人集まりて、文を作ることを行ひ給ひき。唐国に白楽天ぞ序書き給ひて行ひたまへりける。（中略）齢の老いたるを上臈にて、庭に居並びて詩作りなど遊ぶことにぞ侍なる。（中略）唐人の遊びの如く、この世のこととも見えざりけり」と記されている。

益軒の言う下寿の六十歳は還暦、七十歳は古稀で、また「懸車の齢」とも言う。「車を懸く」は、老年になって官を辞することで、隠退する年齢のことである。喜寿は七十七歳、八十歳は傘寿、米寿は八十八歳である。八十八歳の祝いを米寿とか「米（よね）の祝い」と言うが、それは「米」の文字を分解すると「八十八」となるからであるが、我が国では米の大切さを教えるために「お米ができるまでには八十八回も手をかけているから感謝しなければならない」とか「米飯がお椀に盛られるまでに八十八人の人が関わっている」という教訓的な話も背景にある。九十歳は卒寿、九十九歳は白寿、百歳は上寿である。だいたいはここまでであるが、まだ上がある。百八歳の茶寿は「くさかんむり」を廿（二十）とし、その下の文字を「米」と見立てて八十八とするから百八歳となる。極めつけは百十一歳の老翁の賀で皇字の賀とも言われる。

先の益軒は「老に至りて娯を増す」と言っている。老いて楽しみを増す人生を送るには、「養生の術を学んで、よくわが身を保つべし。是人生第一の大事なり。人身は至りて貴とくおもくして、天下四海にもかへがたき物にあらずや。然るにこれを養なふ術をしらず、慾を恣にして、身を亡ぼし命をうしなふ事、愚なる至り也」と言う。

古代の官人社会で高齢者となるのは七十歳からだった。官人は七十歳になると「致仕」と言って辞職が許されたから、一応それが定年ということになる。そしてその年になれば食料や衣服などが支給される賑給《しんごう》の対象となった。さらに八十歳になると子孫や近親から世話をするための百姓の男があてがわれることになっていた。八十歳で一人、九十歳で二人、百歳では五人だった。このように古代では儒教的な孝養の精神を体現するために長寿者には手厚い保護がなされた。しかし当時の平均寿命が五十歳をはるかに下回る時代だから、長命な人は実に幸運だったろう。したがって七十歳定年は実質的には生きている限り働き続けるという意味であった。

人は老いると自然と死を考えるようになる。しかし人間は誠に不思議な動物で、他人は死ぬが、自分が死ぬとは思っていない。とはいえ人生の晩年をどう過ごすかということは極めて重要なことである。おおよそ六十歳が大人と老人を分ける年齢である。「棺を蓋うて事定まる」という言葉があるように、晩年の始末の仕方までを含めてその人となりが決まる。現在は寿命が延び老後が長くなったが、その分、そのことをしっかり考えるという意識が希薄になっているのではなかろうか。

## 古代人の平均寿命は四十代

イエズス会の宣教師フランシスコ・ザビエルが日本の鹿児島にやってきたのは一五四九年八月のことであった。その時に見聞したことをインドのゴアに送った。その中に、日本人は「はなはだ健康にして多数の老人あるは驚くべきことなり。日本人につきて、我らが本来、十分な物資なきも、僅少の物をもって己を養ひ得ることを察知し得べし」とある。日本人は少ない食料で健康を保ち、その結果、老人や長寿者が多いことに驚いている。

しかしそれはヨーロッパに比べてのことであり、その頃には人の一生の短さを「人間五十年」と表現していた。この言葉が常識となったのは、織田信長の強烈な個性が強く関わっている。信長が好んだ幸若舞の「敦盛」の「人間五十年、下天の内をくらぶれば、夢幻の如くなり」という有名な一節がある。下天というのは四王天の世界で、それ

建勲神社の「敦盛」の一節

にあてはめると人間の五十年はたったの一昼夜に過ぎない。そのような夢幻のようなわずかな一瞬を生きているに過ぎないというのである。

その時代より寿命は格段に長くなったが、それでも六十歳の還暦を過ぎると人は自然に自分の「老い」について考えるようになる。『古今和歌集』の編者の紀貫之は、「うばたまのわが黒髪やかはるらん鏡の影に降れるしらゆき」と詠んでいる。いつの間にか、黒髪が雪が降ったような白髪になったことを嘆いている。また『更級日記』の作者の菅原孝標の女は、「年はややさだすぎ行くに、若々しきやうなるも、つきなうおぼえならるるうちに」(年は盛りを過ぎ若々しく振る舞うのはもう自分には似合わないと感じ始めた)と言ったのは、五十歳の時だった。若かりし頃は大変な美人だったこの女性も五十歳で老いを自覚している。

今から見ると、古代の人の寿命は大変短い。美濃国では大宝二(七〇二)年の加毛郡半布里《はにゅうのさと》の戸籍が残されている。これで当時の社会を復元してみると、典型的な多産多死で、五歳以下の乳幼児死亡率はほぼ五十%だった。そして出生時の平均余命は男で三十二・五歳、女で二十七・七五歳だったから、大部分は四十代で死亡していた。江戸時代でも、平均余命は三十〜四十歳程度だから、奈良時代の出生時の平均余命が三十歳前後というのはそれほど外れてはいない。

平安京に都を移した桓武天皇から平氏政権の時代の高倉天皇まで三十一代の天皇の平均寿命は四十四歳だった。短命の理由は疫病の蔓延と飢饉である。鴨長明の『方丈記』には養和元(一一八一)年の飢饉の様子を記す。「(死んだ)人数を知らむとて、四五両月を計へりたりければ、京のうち、一条よりは南、九条より北、京極よりは西、朱雀よりは東の、路のほとりなる頭、全て四万二千三百余なんありける。いはんや、その前後に死ぬる者多く、また河原・白河・西の京、もろもろの辺地などを加へて言はば、際限もあるべからず。いかにいわんや七道諸国をや」とある。これは京と言っても左京だけであるが、そこだけで四万二千三百人余の餓死者がいたという。一体全国ではどれだけ多くの人が死んだのだろうか。このように平安京に暮らしていた人々も常に死と隣り合わせの生活をしていたのである。

## 「老い」は知恵の集積

生まれてきた以上、死は免れないが、「老い」はその予兆と思われる故に人々から嫌われる宿命を負っている。清少納言の『枕草子』には、老いの姿をマイナスイメージで描写している場面が多くある。似つかわしくないとかみっともないものとして、「年老いた男が猫なで声を出す」「髭だらけの老人が椎の実をつまんで食べる姿」「歯のない老女が梅の実を食べてすっぱがっている姿」「翁が烏帽子を被らずに髻をむき出しにしている姿」「格別に人に知られたくないものは女親の年をとっているもの」等々である。このことは紫式部の『源氏物語』でも同様である。「老いゆがむ」「老いかがる」「みにくく老い」「歯が抜け落ち顔がこけ口がゆがむ」「呂律があやしい」等々、老醜を多く描写している。

時代が下って江戸時代後期の平戸藩主松浦静山は『甲子夜話』に老いの狂歌を載せている。「皺がよるほくろが出来る背かがむ　頭は禿げる毛は白くなる」「くどくなる気みじかになるぐちになる　思いつくことみな古くなる」と老人の特徴を表現している。

一方で、「老」をプラスイメージとして捉える場合も結構あった。老醜をさんざん書き散らした清少納言も『枕草子』第五十五段では、「年老いて物の例など知りて、面なきさましたるも、いとつきづきしう目やすし」と記す。老人は先例をよく知っており、その経験豊かさに基づく落ち着きがあり、見ていて難がないというのである。

江戸時代の貝原益軒も、「人生五十に至らざれば、血気いまだ定まらず。知恵いまだ開けず。古今にうとくして、世変になれず。言誤り多く、後悔多し」と清少納言と似たようなことを言っている。人は五十歳を越えて初めて真価が現れるとし、老いの価値は、人生の経験や円熟した人格にあるとしている。未熟な若さに対比される老いの価値は時間の集積によって静けさや落ち着きを生み出す。そして高度な人間的価値の実現、すなわち人格の完成という積極的な価値が生じることになる。たとえば梅の古木が巌のようになっているのを見た時、冬の凛烈な寒さを凌いで清香を吐く高雅な姿に見える。古さに永遠性や普遍性があることは昔も今も変わらない。現在の中国でも「老師」という言葉は、「年をとっている」という意味ではなく、「老練な」「成熟した」「経験を積んだ」という意味で使われている。

我が国でも「老」を良い意味で使う言葉も多くある。「長老」「老成」「老練」「古老」など、長生きした人たちには多くの生きるための知恵があり、それを人生の後輩達は尊重していた証である。「老い」は「追い」のことで、追加することで付加価値があることを示しているとも言う。加齢による経験の蓄積は同時に生きていくための知恵の蓄積でもあったから、尊敬や憧れの眼差しで見られることも多かった。たとえばかつての宴席の席次は神仏（祖霊）を最上位に、次いでそれに近い長老たちが座り、以下年長者から順番に並んだ。老いを経て神の領域に入るとされていたから、神は老人の姿で現れることも多かった。桓武天皇の時代の延暦二十三（八〇四）年十一月に老人星（南極星）が出現した記事が見える。「老人星は目出度い瑞兆の星である。出現すれば、穏やかに治まり長寿をもたらす」とされていた。

現在では子どもの名前に「老」や「祖父」など付けることはまず考えられない。幼児の死亡率の高い社会では、親が子供の長寿を願う心情には切実なものがあった。古代の個人名には、「あおによし寧楽《なら》の都は今がさかりと見ゆるなり」と歌ったのは小野老《おののおゆ》であり、それ以外にも穂積朝臣老・大伴宿禰老人・引田朝臣祖父のような名前が見られる。また戸籍や計帳にも「老」が付されたりしているが、それは子どもの長寿を願い、また「老益」にあやかろうとするものであった。

## 人生の後半こそ幸せ

中世の村落の世界では「おとな」の発言が重視されたため「おとな」は指導者を意味する言葉になった。それは近世の世界でも言えることで、江戸時代の政治組織の職制に「大老」「老中」「若年寄」「家老」などがあり、また町の政治を司った町役人を「町年寄」「惣年寄」などと呼んでいる。このように老人が尊重される時代であれば、早く老人になりたいというのもよくわかる。江戸時代は若い間は一生懸命働いてしんどいことも多いが、その後は隠居して楽に暮らすことを求めていた。隠居は多くの人々の夢だったから、そこに負のイメージは少ない。人生の後半にこそ幸せはあるから、老後と言わず「追い入れ」という言葉を使っていた。だから「若返り」とか「アンチエイジング」という発想はなかったのである。

「老」のプラスイメージを強調したが、しかし現在の社会ではプラスに評価されることはまずない。かつて「老」がプラスとされた頃は、社会全体の知識や価値体系があまり変化せず、また子供が親の家業を継ぐことが当然視された時代だったから、老人の知恵や経験を生かすことができた。現在のように技術革新が目覚ましく、激しく変化する社会や職業選択が自由となった社会では老人の知恵や経験は旧式となっていて役に立たないことが多い。それはパソコンを初めとする情報機器類の進歩に老人は追いつくことができず、若者に教えてもらい、足手まといになっている状態を考えれば、実感としてよくわかるはずである。

また人が商品的価値で見られるようになると、老いて稼ぐことができず年金のお世話になって税金を食いつぶすことはマイナスで、粗大ゴミ扱いとなる。だからいかにして老化に抵抗するかというアンチエイジングが大きな関心を集めているのである。

具体的に言えば、男の場合の一番の関心は頭髪の再生で、キーワードは「ふさふさ」、女の場合は、シワやシミのない美しい肌で、そのキーワードは「すべすべ」である。それ故こうしたことを売りとしている産業規模は巨大になり、重要な市場の一つとなっている。見た目の若さだけではなく、見えない部分の若さにも関心が高まってよいと思う。

つまるところ人を商品としてどれだけの価値があるかを計る世相がある。こうした状況で「老」の復権を図ろうというのは土台無理である。老いを価値のないものとし、また死を忌み嫌い生から切り離していく社会では人間の尊厳を見いだすことはできない。不幸に思える病気や老いや死も健康や生と一体のものとして受け入れていく他はない。生と死は一人の人間だけではなく、親と子、さらに次の世代まで含めた関係性の中で相続されていく。生と死は陸続きであり、そこに世代を超えて受け継がれていく生の醍醐味があるのではなかろうか。

現在、老いの終末期は老人ホームや病院であることが多く、そして死は八割が病院等の施設で迎えている。生活の場から死が遠ざけられ、また年齢や健康状態によって棲み分けられている。元気な者だけが人生を謳歌し、老いた者、病人、障害者などを排除する社会はいびつである。

## 生き方こそが死の有り様を決定

古代にも「老」＝「疾」＝「穢れ」＝「罪」として忌避する考え方も当然あった。その「穢れ」を取り除き、共同体の中を清浄に保とうとすれば、その「老」を養う必要があった。それが「養老」の思想で、奈良時代の初期には「養老」の元号ともなった。このように「老」には両面あると認識されていた。

私たちは、人は全て老いる者と知りながら、それにも関わらず老いを悲しむのかと言えば、「若いままでいたい」という願望があるからで、それは「若い方が価値がある」と思っているからである。しかし仏教的な見方では、それは単なる一つの見方であって、一つの見方に固執することから「苦」に陥るのである。だから老いることを肯定的に受け止め、それを深く探求することで「苦」からの転換が可能と考える。

曹洞宗の「修証義《しゅしょうぎ》」は道元の『正法眼蔵《しょうぼうげんぞう》』を中心に引用して編纂したものである。「無情たちまちに到る時は、国王大臣親昵従僕妻子珍宝たすくるなし、ただ一人黄泉に赴くのみ」国王大臣のように身分が高かろうが、金持ちだろうが、死ぬときは一人である。一人死んでいく寂しさに耐えられるか、死は生の終末点だとすれば、充実した生き方なくして安らかな死があるはずはない。死を見つめることは充実した生き方なのだよと教えている。井原西鶴に「この人死光り」という言葉がある。それは死に際が立派なこと、あるいは死後に誉れが残るという意味である。死に際を立派にするという生き方は、若いうちからそれなりの年輪を重ねてきて初めて可能になる。

生き方こそが死の有り様を決定する。釈迦は「頭白いとてこのことによりてのみ彼は長老にあらず。彼の齢より熟したりとも、これ空しく老いたる人とのみ呼ばん」と語っているように、年をとるだけでは人生は空しい。「精進は人生のサビを取る」と言うように、生き方の決算期の老年期こそ、まさに生の充実を最も図るべき時期であろう。死に方は選ぶことはできないが、いかなる者として死ぬかは選ぶことができる。「死光り」と言えるような生を送りたいものだと思う。

## (七)　弱者を大切に扱う古代国家

### 親・高齢者

老人となる年齢は、『律令』戸令では六十一から六十五歳までを「老」とし、六十六歳以上を「耆」としていたが、天平宝字二（七五八）年に、六十歳以上を「老」、六十五歳以上を「耆」とするように改めている。「老」となれば税は半分になり、兵役は免除される。「耆」になると税は全額免除となる。そして八十以上の高齢になれば、看護や介護にあたる侍丁が給付されるなどの優遇措置がとられていた。儒教を根本としているから親や高齢者を大切にすることが社会に組み込まれていた。たとえば村で共同飲食する場合、六十以上の者は座り、それ以外の者は立つこととし、料理は六十歳では三皿、七十では四皿、八十歳では五皿、九十では六皿を用意することになっていた。村の祭りの主人公は高齢者であり、儒教的徳治主義によって老人を尊敬し、敬うことが教え込まれ、強要されていたのである。

また役人については七十歳を定年としていたが、有能であればさらにその職に留まることができた。その例として平安時代に政界で活躍し、『小右記』の著者として知られる藤原実資は八十七歳まで仕事をしている。彼は大病もなく、健康に恵まれていた。痔の病気には苦しんでいたが、命に影響するものではなかった。実資が八十四歳の時、彼は右大将だったから、天皇が行幸する際には大将が威儀をただして従う必要があった。しかし実資自身が「衰老の上、所労なり、これ寸白なり。よって進退ますます便なかるべし」(『春記』長元元（一〇二八）年十二月十日条）という状態なので馬に乗ることができず、右大将としての役目を果たせなかった。大将のいない行幸は前例がないとして周囲は困り果てるが、彼は「しかれども天の授けるところ期ありや。今に至りては、終身を期すべきなり」（同）と、終身職だからと言って辞める気配は微塵もなかった。これに対して「辞退の思い無し。この事天下の人、多くもって謗訕するは尤も道理なり。九十の人これ職に居るべきや、公私の為に尤も不便の事也と云々」（同）とある。また二十一日条に、「後に聞く。右府除目の間、多く礼を失わしめ給う云々。猶是れ老耄給うなり。一家大愁と為すなり」と見える。この『春記』の作者藤原資房は実資の養子の中でも特別扱いをし、相続人ともしていた資平の子で実資の孫である。その孫が祖父が右大将を辞めないことに憤慨し、政務の場において礼を失うことは「一家大愁」であると非難している。

しかし「賢人右府」と讃えられた実資に正面から「やめろ」とは誰も言えず、結局実資が辞めたのは、そのさらに三年後の八十七歳だった。このように実質的に定年はなかったが、賢人実資にしても自分の引退時期を決めるのはなかなか難しいのである。

### 姨捨山《おばすてやま》の話

『大和物語』（一五六）に姨捨山の話が見える。「信濃国の更級という所に男が住んでいた。若い時に親が死んでしまったので、伯母を親のように思ってきた。ところが男の妻が年をとった伯母を「深い山に捨ててきなさい」と責めるので、男もとうとうその気になった。月夜の明るい日に、「ばあさんや、寺でありがたい行事があるので見せてあげましょう」と言うと、大変喜んでその男に背負われて行った。そして高い山の麓に置いて逃げ去った。しかし家に帰って色々と思うに、長い間、親のように親しんでいたのにと悲しく思った。明るい月を見て、夜も寝られず、悲しんで、「わが心なぐさめかねつ更級やをば捨山にてる月をみて」と詠んだ。そして迎えに行った。それでこの山を姨捨山と言うようになった。

この物語と類似した話が『今昔物語集』巻三十第九話「信濃国夷母棄山語《しなののくにのおばすてやまのこと》」にも載せられている。紀貫之の「さらしなは昔の月の光かはただ秋風や姨捨の山」とあり、赤染衛門の「まことにや姨捨山の月は見るよもさらしなと思ふわたりを」と、姨捨山を美しく詠んでいる。『枕草子』二六五段「御前にて」で中宮が「いみじくはかなき事にもなぐさむなるかな。姥捨山の月は、いかなる人の見けるにかなど笑わせ給ふ」と記す。『源氏物語』若菜下の巻にも「慰めがたき姨捨にて」とあるように、人々の間で悲しみの象徴として取り上げられていた。

養老令の注釈書で平安初期に成立した『令義解《りょうのぎげ》』には「信濃国の俗に、夫死すれば即ち婦をもって殉となす。若しこの類いあればこれを正すに、礼の教えを以てす。これをもって清く風俗を粛しまん」とある。信濃国では夫が死んだら、その妻は殉死するという風習があったと言う。『令義解』という大変信頼できる書物に見えるのだから、それは事実としてあったのであろう。

姥捨山の話は全国にあるが、こうした伝説は昔は老人を捨てることになっていたと説きながら、話の力点は捨てるのをやめた事情に置かれている。やめた動機は、孝子が匿っておいた母の知恵で難題を解いたので、老人の価値を知ったとか、祖父を捨てるのに用いたもっこを孫が拾い、父を捨てる時に使うといったのが多い。捨てられる母が、我が子の帰り道の目印に木の枝を折るのに感じてやめたという形式は日本で発達したものらしい。

## 弱者への福祉

近年、親による児童虐待が増加し、また逆に子供が親を殺害する事件が起きている。親子関係は近いだけに、こじれると両者にとって息苦しくなる。それは現代も古代でも変わるものではない。古代社会の律令には親子関係について様々なきまりが定められていた。

「戸婚律」によれば、祖父母・父母がいるのにその子孫が戸籍を別にし、また財産を別にした場合、懲役二年の刑に服さなければならなかった。また「儀制令」よれば、父母が重病または牢屋にいる時は子の婚姻は許されず、もし親が命じて婚姻させる場合でも、宴会は許されなかった。さらに「闘訟律」には、教令に違反し、親の供養に欠ける者は懲役二年、祖父母・父母を罵る者は懲役三年、さらに殴る者は斬、つまり死刑となっていた。このように律令社会にあっては親子は同居、共有財産が原則であり、親権が強くそれに対する子孫による違反は重罪とみられていたのである。

ただこれは法律の建前で、それが必ずしも当時の実態を示していたわけではなかった。『日本霊異記』などでは親子は別居で財産もまた別だった。中国の儒教を基盤とする律令を移入した我が国では緊密な親子関係を理想としたが、それはなかなか根付かず、政府は人民に度々説諭している。

律令政府は儒教的家族主義に基づいて夫や父に孝養を尽くす女性を節婦《せっぷ》として表彰した。賦役令子順孫条には、節婦がいた場合は、太政官に報告し、家の門と里の道の門に柱を立ててその孝養の有り様を示し、税を免除すると定められていた。かなり大げさな顕彰であるが、それは逆に言えば、そうした例が極めて少なかったことを示している。

中国の孝行話である。病気の重くなった老母が真冬にタケノコを食べたいと言うので、その子は雪を踏み越えて竹林に入った。子の祈り、孝行の心に感じたのか、たちまち地が裂け、雪中にタケノコがたくさん顔をのぞかせた。これを母に食べさせ、病を快癒させた。「二十四孝」の一つ「孟宗」である。中国から渡来した孟宗竹の名はこの話に由来する。

現在、社会的弱者への公的扶助の施策を福祉という言葉で呼んでいる。古代社会では福祉という言葉はないが、それに類したものが、「撫育《ぶいく》」「賑給《しんごう》」「落ち穂拾い慣行」である。「撫育」は『続日本紀』養老五（七二一）年三月七日条の元正天皇の勅に見える。「朕、四海に君として臨み、百姓を撫育し、家の貯へ積み、人の安く楽しからむことを思欲《おも》ひき」と述べる。気候が不順で旱魃と水害が起こり、農耕と養蚕への被害が大きく、ついに衣食にこと欠き、飢えと寒さに苦しむ姿を、はなはだ憐れみ、そこで天皇は人々の生業を助けるため課役を軽減した。

次に「賑給」である。これは災害などに際し、老人や身寄りのない人たちに米穀を与えることをいう。『続日本紀』天平九（七三七）年五月十九日条には、「四月より以来、疫・旱並に行はれ、田苗燋萎《でんびょうしょうい》す。是に由りて、山川を祈禱し、神祇を奠祭《てんさい》するといえども効験を得ず。今に至りて猶苦しぶ。朕、不徳を以て実にこの災いを致せり。寛仁を布きて民の患を救はむと思ふ。（中略）高年の徒と鰥寡惸独と京内の僧尼・男女の疾に伏せるとの自存すること能はぬ者に、量りて賑給を加えよ。また普く文武の職事以上に物賜へ。天下に大赦す」と見える。

この詔の出された天平九年は、遣唐使のもたらした天然痘が猛威をふるい、当時政権の中枢にいた藤原不比等の四子が全員死亡するなど、貴族の三分の一が死亡する大変な事態が生じた年であった。全国では百万人〜百五十万人が死亡したとも言われる。聖武天皇はこうした災いが生じたのは「朕、不徳を以て実にこの災いを致せり」と言う。つまり自分の徳が足らないことが疫病や旱魃の原因だとしている。この当時、儒教では天命思想、あるいは祥瑞災異思想という考え方があった。皇帝（天子）は天帝から地上での支配を委ねられ、皇帝が徳をもって良い政治を行っていれば、良いしるし（祥瑞）を示し、逆に不徳で悪い政治を行っていれば、悪いしるし（災異）示すとされる。未曾有の天然痘の大流行は、聖武天皇の不徳が理由ということになるから、徳を示す仁政を行う必要があったのである。

その具体的な政策が賑給で、高齢者・鰥《やもめ》・寡婦・僧尼・病者・自立できない者たちに米穀を給付することだった。聖武天皇は病弱で、都を転々と変わり精神的にも弱さが見えるが、しかし先の詔からもわかるように、政治に真摯に向き合い、とても誠実な人物だったようである。そして災異の起こったことを一身に背負う強い責任感を持っていた。だからこそ何としてでもこの状況を克服する必要があり、それを仏教の呪力に求めた。その具体的な現れが大仏造立や国分寺・国分尼寺の建立であった。あれほど大きな大仏となったのは、聖武天皇の不安の大きさと自責の念であったと思われる。為政者の謙虚さと自責の念は時代を越えても必要なことではないかと思う。

**落ち穂拾いを許す社会**

「落ち穂拾い慣行」も福祉の一つである。『日本霊異記』上巻三十三話には、死去した夫のために妻が阿弥陀の画像をつくる費用を落ち穂拾いをして捻出した話が見える。当時、零落者には落ち穂を拾うことを許す社会慣行のあったことがわかる。それは細々とではあるが、共同体による扶養が行われていた。しかし十世紀以後には、稲刈りの雇用労働が広く行われるようになり、『延喜式』雑式には、「凡そ百姓雇われて稲を刈る日、人を率いて穂を拾うこと得ざれ」と見えるようになる。この規定は稲刈りに雇われた百姓は落ち穂拾いを認められているが、人を率いて穂を拾うことは禁止されている。落ち穂拾いは零落者に対してではなく、労働報酬の一部となったのである。社会的弱者の暮らしは困難になってきた。

古代には種籾を貸し付ける出挙《すいこ》という制度があった。これは本来は春に稲の植え付けのできない農民たちにその種籾を貸し付け、秋に利息とともに返却させるもので、困窮する農民を救済する福祉政策の一つだった。しかしその利息による収入の増大を目的としてそれを全員に貸し付けるようになり、結果的に農民全員に借金を強制することになった。国が行うものを公出挙《くずいこ》と言い、寺社や富農が行うものを私出挙《しずいこ》と呼んだ。その利息は、公出挙で五割（のちに三割）、私出挙では十割まで認められていた。『伊予国正《しょう》税出挙帳《ぜいすいこちょう》』には伊予国各郡で出挙を行ったことを示す文書がある。

『養老令』雑令には銭の貸借についての規定がある。家財が尽きて返済が滞ったら労働奉仕で返済させる。もし利息の額が元本を越えるようになっても返済が行われない場合は、所轄官司に報告して質を売却してよい。債務者が逃亡した場合は保証人が弁償しなければならないとある。ここには利息制限、自己破産者への対応、保証人制度など、現在の債務者への対策が一通りみられるのである。

高齢者福祉については、八十歳以上には介護者が付けられ、その介護者は課役が軽くされた。近親者に介護者がいない場合には、その地域で面倒をみることになっていた。障害者については、障害の程度によって残疾・廃疾・篤疾に分け、残疾は課役の軽減、廃疾と篤疾は課役が免除され、篤疾者には介護者が付けられた。

現在の人々から見ると、古代にこのような手厚い福祉政策を行っていたことは意外に思えるかもしれない。しかし中国の先進文化の象徴である律令制度を積極的に取り入れていた奈良時代には、福祉政策もまた中国並みのレベルを追求しようとしたのである。

**有徳思想**

中世には「富める者は一般に貧者に比して高い徳を備えている」とか「高い徳を備えているべきだ」とする素朴な民衆思想があり、それを有徳思想、福徳一致思想と呼ぶ。そこからは傲慢で貪欲な有徳人《うとくにん》というのはそもそも存在しない、あるいは存在してはならないことになる。その頃には有徳銭《うとくせん》(有徳米・有徳役)と呼ばれる税があった。それは有徳人に賦課された一種の富裕税であり、これも福徳一致思想が決定的な役割を果たしていた。この思想では、有徳人は人徳ある行動をとる必要があり、それが要求された。そのことが有徳銭賦課の主要な根拠となっていた。有徳銭はいわば強制された慈善としての側面を持っていた。

室町時代の税の項目として酒屋役・土倉役というのがある。この税を負担した酒屋・土倉はこの時代の有徳人の代表である。その彼らだけに税を負担させたことは、一種の有徳銭である。またこの頃、徳政令の発布や頻繁な徳政一揆などが起こるが、これも貧者が富める者（この場合は貸上という金融業者）に債務破棄という喜捨を強制しているのも、有徳思想・福徳一致思想の影響と見ることができる。

## (八)　終末期

**「頓死往生」は理想の逝き方**

そもそも人は「病の器」「病のいれもの」であり、実際に死因を見ても、不慮の事故や自殺などを除いた九二・三％は何らかの病気である。大半の人は病死だから、これを最後まで避けることは不可能に近い。むしろ病気を得ることによって、日頃の何気ない生活に感謝する気持ちが生まれたり、健康であることの有りがたさを痛感することがある。『古今著聞集』巻二には、「我苦痛に依りて深く菩提を求む」、『拾遺往生伝』には、「病は是善知識なり。我病痾に依りて、いよいよ浮生を厭ふ」とあるように、病気になることによって、かえって自分の内面としっかり見つめ合うことで精神的な深みを獲得する例もよく聞く話である。死に至る病でなければ、病気は人生を豊饒にさせるのかもしれない。

人は生まれを選ぶことはできないし、どのような最後を迎えるかも選ぶことはできない。『徒然草』の著者吉田兼好は、「若きにもよらず、強きにもよらず、思ひかけぬは死期なり」（一三七段）とあるように、老少不定であり、また体力のある者が長生きするとも限らない。

江戸時代の俳人小林一茶は厄年の四十二歳になった時、「としよりの仲間に入らん月よ哉」「秋の風我は参るはどの地獄」と詠み、五十歳になった時は、「仏ともならでうかうか老の松」「是がまあ死所かよ雪五尺」などと詠んでいる。しかしその後、五十二歳できくと結婚し、五十四歳で長男を、五十六歳で長女を、五十八歳で次男を、六十歳で三男を儲けた。しかし還暦の年までに四人の子どもと妻も死んだ。その後、ゆきと結婚、そして離婚し、六十四歳でつやと三度目の結婚をし、六十五歳で急逝した。一茶はP（ピン）K（コロリ）を実践した人である。「無病息災にて頓死はうらやましき事なり」というように「頓死往生」「ぽっくり往生」は理想的な死に方とされている。PPKとなるにはそれなりの準備が必要である。①普段から常に前向きに考え、積極的に生活をする。②できるだけ楽しみながら体を動かす習慣をつける。③家人・友人・隣人と良い人間関係を保ち、社会とのつながりを忘れない。たとえ小さな生活習慣の改善でも続ければ人生の最後に大きな実りをもたらしてくれる。

もう一つの理想の死は、苦しむことのない安らかな死である。それは加齢による臓器の機能低下による老衰死は、まさに天寿を全うするのだから、眠るように亡くなっていく。

「人は血管とともに老いる」と言われる。血液によって十分な酸素や栄養が組織に行き渡らなくなると、組織の機能が衰え、老化する。目はかすみ、耳が聞こえにくくなり、物忘れが多くなる。「肌は年齢を隠せない」ともいう。髪が抜けたり、つやがないなどの現象も髪を育てる毛根にまで十分な酸素や栄養が届いていないために起こる。外側に気をつかうよりバランスのよい食事を心掛けたいものである。好きなことだけして、楽して「健康」に逝くことは結構難しいのである。大徳寺の一休宗純が詠んだと伝えられる句がある。「門松は冥土の旅の一里塚めでたくもありめでたくもなし」大変含蓄のある言葉と思う。

## 二　交流・文化

### (一)　コミュニケーション・エチケット

**阿吽**

大きなお寺を訪れると、門の両側に金剛力士像が置かれていることが多い。「金剛」はダイヤモンドのことで、固く結ばれた煩悩をも粉砕するという意味である。一般に「仁王」と書かれるが、本来は「二王」である。似たような姿をしているが、よく見ると一方は口を大きくあけた「阿」であり、もう一方は口を固く結んだ「吽」の形をしている。これが言わず、語らずとも気持ちがぴったりと合うという「阿吽の呼吸」の姿である。「阿」は字句を発する最初の言葉で万物万法発生の太初根源で、「吽」は字句の最後の言葉で一切万法の究極帰着であり、対照となっている。密教では「阿」は存在するもののあるがままの理体が表され、「吽」はその智徳が表されているとする。また阿吽は呼気と吸気の働きから、自ら悟りを求める心と、他の人に対して悟りに至らせる心、いわゆる自利自他の二利の働きが円満に備わっているともされる。これらの像はいずれも神聖な信仰の場を守り、邪悪なものや不浄なものを寄せ付けない役割がある。

この阿吽像はどちらを右左に置くかについては決まりがある。向かって右、寺の本殿から見ると左にな

高麗犬の「阿」像

る方が阿形像で、向かって左、本殿から見ると右が吽形像である。それは陰陽道の陰陽説に基づいている。言葉の始まりを示す「阿」は陽だから本殿から見て左となり、「吽」は陰だから右となるのである。

これに似たものが神社でも見られる。神社の入り口に一対の狛犬がいる。これもやはり一方は口を大きくあけ、一方は口を固く結んでいる。狛犬は魔よけのために神社の門前などに置かれたもので、本来は「高麗犬」であるが、その名は朝鮮の高麗に由来するというより、「異国の犬」くらいの意味である。唐風の獅子が和風化されたものである。

多くの人が信仰している寺院や神社に「阿吽」の像が安置されていることは、日本人は人の気持ちを推し量るという行為を古い時代から重視してきたことを示している。「阿吽」像は日本人の理想とする人間関係を形にしたものであろう。それは今の言葉で言えば、コミュニケーションの究極の姿でもある。

かなり前のことであるが、人類初の有人宇宙飛行を目指したのはロシアのポストーク一号であった。そのロケットに乗り組む乗員は最終的にガガーリンとチトフの二人に絞られた。選考スタッフは二kg体重の軽いチトフを推したが、責任者のコロリョフ博士は、ガガーリンだと言った。そしてその理由としてあげたのが、「ガガーリンは笑顔がとてもいい。素晴らしい笑顔はいつも心が安定している証拠だ」ということをあげた。

高麗犬の「吽」像

そして乗員はガガーリンと決定した。もしガガーリンの笑顔が乏しかったら、あの有名な「地球は青かった」という台詞は生まれてなかったかもしれないのである。このことは人と人との関係で笑顔がいかに大切であるかを示している。

ある時、釈迦の侍者の阿難（アーナンダ）は、釈迦に質問をした。「わたしどもが善き仲間を持ち、善き交遊を持つということは、どうやらこの聖なる道の半ばにもあたるように思われますが、いかがでしょうか」。この質問に対し、釈迦は次のように答えた。「アーナンダよ、人々は私を善き友とすることによって老いねばならない身にして老いから自由になることができる。病まなければならぬ身でありながら病から自由になることができる。あるいは死なねばならぬ身でありながら、死より自由になることができる。このことを考えてみても、善き友を持つことがこの道の全てであるということがわかるではないか」。

アーナンダは善き友を持つことが自分たちの目指す道の半ばと言ったのに対し、釈迦はそうではなく、それが道の全てであると言い切ったのである。これは釈迦の僧集団での話ではあるが、友人関係を初めとする人間関係の重要性を指摘した言葉であろう。

この阿吽と似た言葉に「啐啄同時」がある。鳥の雛が誕生する時、雛が卵の中から殻をくちばしでつつくと、それに呼応して親鳥が殻の外側からつつく。この両者の行為が一致した時に卵の殻は割れ、雛は無事に誕生するという意味である。しかしこのタイミングがうまくいく確率は四分の一ほどに過ぎないとも言われる。この親鳥と雛の関係を禅の悟りを伝える師資相承にたとえたものであるが、「啐啄同時」は人間関係の基本であるが、それがなかなか難しいことを物語っている。

## 文字は神仏の声

中世の史料で日本史の教科書にも必ずと言っていいほど掲載されている「紀伊国阿弖河《あてがわ》荘民《しょうみん》の訴状」

というのがある。「耳を切り鼻を削ぎ、髪を切りて、尼になして、縄をほたしうちて、さえなまんと候うて」というように地頭の横暴を訴えたものである。「耳を切り鼻を削ぎ」という猟奇的な光景から地頭の残虐性を示す史料とされてきた。しかしその見方は間違っている。実は中世社会での「耳鼻削ぎ刑」は一部に例外はあるもののほとんど女性に科せられた刑罰であった。「耳鼻削ぎ刑」を科せられた女と同じ罪を犯した男は斬首とされている。そして本来死罪とされるべき女が「耳鼻削ぎ刑」となっている例などから、この刑罰は本来なら殺害されるべきところを特別に免じてやったという人命救済の措置であった。つまり残虐とされた「耳鼻削ぎ刑」は女性の殺害を忌む通念から生じた「やさしい刑罰」だったのである。

またこの元の文章は全てカタカナである。地頭の非法に対して、まともに文字の書けない農民たちがたどたどしいカタカナで切々と訴えたものというように理解されていた。しかし字がまともに書けないから、カタカナで書いたというのは、どうやら間違いのようなのである。この頃、カタカナで表記するのはある特定の場合であることが多かった。どういう場合かと言えば、神仏に何かを誓う起請文、願い事をする願文、神の託宣等で、口頭で語られ時に顕著にカタカナが使用されている。また裁判や訴えの申状や落書も同様である。阿弖河荘民の場合は申状に該当するが、またそれは言上書と言われるように口頭で読み上げられた可能性があると言われる。

ところで落書とは落とし書のことであるが、人の手から落とされたものは、人のものではなくなり、神仏のものになる。だから落書は人の力を越えた神仏の声の意味を持っている。建武の新政の時に、その政治を批判したこれまた有名な「二条河原の落書」がある。「此比《このごろ》都ニハヤル物夜討強盗偽綸旨《にせりんじ》」とあるように漢字とカタカナの組み合わせである。日本語は漢字とひらがなとカタカナの三つを組み合わせて文章にするが、その中から特に一つだけを取りだして使用することなどはしない。しかし中世社会にあっては、カタカナは特殊な場合、特殊な意味をもって使用されていたが、こうしたことも現在からの目線ではなかなかわからないことなのである。

このように古代から中世の前半頃までは、文字には特別な力があると認識されていた。だからその頃に書かれた文字は大変丁寧で美しい。写経の文字などはその代表であるが、ここには文字に対する畏敬の念が感じられる。だから文字を乱暴に扱うことはしなかった。しかし室町時代に入ると、全体に美しい文字が減り、走り書きのようなものが多く、乱雑になってくる。それは文字の普及や実用化と深く関わっている。社会一般で日常的に文字が使用されるようになると、それは神聖なものではなく、単にコミュニケーションの道具として認識されるようになったからである。

## 字の習得は律令官人の大前提

我が国の文字使用は、三世紀の邪馬台国の頃と考えられている。女王卑弥呼は魏に使いを送り、「親魏倭王」の金印を授けられている。このような朝貢は国家と国家の外交関係だから、正式な文書の国書を携える必要があった。それは当然中国の格式の高い書式に従って漢文で書かなければならないから、高度な知識を持つ人がいたと思われる。ただそこでは権力の中枢にいるごく一握りの者が文字を独占していたから、文字は権力そのものの象徴であった。

古代には文字は呪力を持つと考えられていた。たとえば埼玉県稲荷山古墳から出土した鉄剣には、刀身の面と裏に金象眼の文字が輝いている。この刀は儀式に用いられたと思われるが、神秘感あふれる文字に呪力を期待したのであろう。その一方で文字は実用的な伝達手段でもあった。古代の人たちのどの階層にまで受容され、またどのような手段で伝達されたか、こうした簡単にわかりそうなことが案外わかっていない。

近年、そうしたことを知ることのできる木簡が発見され、注目を集めている。それが石川県の金沢市の北に隣接する津幡町加茂遺跡出土の加賀郡牓示《ぼうじ》木簡である。時代は平安時代で、古代北陸道傍に掲示するためのものだった。この札は中央から伝えられた文書をそのまま転記したもので、地方の末端まで文書行政が及んでいた証とされる。また当時の農民たちがどのように生活していたかを再現できる貴重な史料である。

たとえば「田夫、朝は寅の時を以て田に下り、夕は戌の時を以て私に還るの状」「五月卅日前を以て、田植えの竟《おわ》るを申すべきの状」とあり、早朝の三時から五時の間に田圃に行き、日の暮れた午後七時から九時の間まで働いてのち、家に帰れと記している。あるいは田植えの時期についても期限を決めて農作業の進捗状況にも意を払っている。しかしそれにも関わらず、「田夫、意に任せて魚酒を喫《くら》ふを禁制するの状」「里邑の内にて故《ことさら》に酒を喫ひ酔ひ、戯逸《ぎいつ》に及ぶ百姓を禁制すべきの状」とあるように、魚を食べ、酒を飲み、遊楽する者もいたようであるが、それは村の秩序を乱すため禁制の対象となっている。そして村の有力者にこの禁制を村毎に廻って諭すことや、この命令を国の道の傍に掲示することなどが記されている。文章で掲示すると共に口頭で諭すことが求められていることは、文字を理解できなかった人々が多く存在していたことを示している。

古代においては文字を習得することは律令官人となる大前提であった。中央の官庁に入るためには、その当時唯一の大学で学ぶことが有利だった。しかしここでの勉学はなかなか厳しかった。『養老令』学令条によると十日に一回の休日の前日に過去十日間の授業内容の習熟度を確かめるために教官が口頭試問を行うことが定められている。つまり十日ごとに試験が行われたのである。そして三問中二問以上正答であれば合格とされ、不合格者は鞭打ちの罰を与えられることになっていた。試験の内容は教科書の文字千字毎に三文字を伏せて読ませる、また二千字毎に文章の大意を問うものであり、教科書の講義内容の丸暗記を求めるものだった。

一方、地方の役人になるための学習の場が国学であった。文字を学び覚えるためには、何度も何度も書いて覚える必要がある。現在なら紙に書くが、紙が貴重品であったため、木に書き付けた。それが手習木簡、あるいは習書木簡で各地で出土している。ただそれだけではなく、手すさびとして書かれた墨書土器などもある。その中には愉快なものもある。平城京の内裏北方官衙東辺の井戸から出土した土器杯の面に「醴太郎」とあり、さらに「炊女取不得若取者笞五十」と墨書されている。前者は「のんべえ太郎」、後者は「飯炊き女よ、取ってはならぬ。もし取れば五十たたきにするぞ」という意味である。そして底部に「我」「念」「君」の文字があるが、これは夫婦離別のための呪術的な組み合わせ文字であるとされている。そうだとすると、これは手すさびの落書というより、真剣に離婚を望み、壺に「念」を込めたものかもしれず、愉快な話だと笑ってばかりではいられないかもしれない。

## 高札は古代からの伝達手段

かつて人々に禁制を知らせるための方法として高く掲げた木の札が使われ、それを高札と言った。それは奈良時代の遺跡からも出土しており、古い時代からの伝達手段だった。平城京の大路の側溝から出土した告知札の木簡があり、それには「往還の諸人に告知す。走り失せし黒の鹿毛の牡馬一匹。験在り。片目白、額やや白し。件の馬、今月六日申の時をもって山階寺の南花園の池の辺りにて走り失すなり。もし見捉える者あらば、山階寺の中室、南端より第三の房に告げ来たるべし」と書いてある。長さ一メートルもあり、先が尖っていることから、突き刺して立てたのであろう。

今一つ長岡京で出土した告知札には、「謹んで往還の上中下の皆様に宛てて迷い子の少年について告知します。戸籍名は錦織□麻呂、年は十一で字名は錦本と呼びます。右の少年は今月十日に近江国勢多郷より…。どうか皇后宮舎人で字名は村太の家まで…」この木簡が出土したのは東市周辺と推定されており、先の告知札と同様に不特定多数の人々が頻繁に往来する場に掲げられているということで共通している。

情報は人の多く集まる場で発生する。古代には都の東西市では物資の売買だけでなく、ざわめく喧噪の場、情報交換や情報操作の場でもあった。『今昔物語集』巻十四第四十話には空海と修円が験くらべを競う話が載っている。空海は修円を油断させるために自らの死を偽装し、弟子に自らの葬式の道具を市に買いに行かせ、空海が死亡したという噂を広めさせた。その噂を聞いた修円はすっかり安心し、その隙をついた空海が調伏する話である。市での情報操作がその勝敗を分ける重要な意味を持っていたことを示している。

『今昔物語集』巻三十一第六話に「賀茂祭の日、一条の大路に札を立てて見物せる翁のこと」という話が載っている。「賀茂祭りの日、朝早くから一条大路に高札が立てられていた。その高札には「ここは翁が見物する場所である。立ち入るべからず」と書いてあった。それを見た人々はこれは陽成院がご覧になるために立てたに違いないと思って、その場所には近寄らなかった。そして祭りが最高潮になった頃、浅黄の服を着た翁がやってきて、その高札の場所で誰にも邪魔されず、のどかに見物して帰っていった。すると周囲の人々は口々に「陽成院はどうしてご覧にならなかったのだろう」とか、「自分で院だと思わせるために立てたのだとすればけしからんことだ」などと言った。このことが陽成院の耳に入り、その翁を呼び出して事情を聞くことになった。院の家臣が翁に「なぜ院より立てられたると書いた札を立てて、したり顔で祭りを見物したのか」翁は「立て札はしましたが、院より立てられたる札とは書いていません。年が八十になりましたが、今年は孫が祭りの行列に参加することになったので、それを一目見ようと思ったのです。何分年なのでゆっくりと孫の晴れ姿を見たいと思ったからです」と言った。院はこの話を聞いて、「大変賢いやつだ」と感心し、家に帰した。

このように高札を掲げることができる人は、大変権威がある人物と考えられていたから、この翁はそれを逆手にとってゆったりと祭り見物をしたのである。これは立てられた高札を見て、人々が察することを推し量ったという話であるが、この「推し量る」ことのできるのが、大人というものであった。私たちはしばしば曖昧で煮え切らない意思表示をするが、それはかつては「奥ゆかしい」と良い意味で評価されていた。今の時代は奥ゆかしさより自己主張を良しとする風潮があるが、日本では物も心も包んできた長い歴史がある。たとえば贈り物をする場合にでも、美しい包装紙で丁寧に包むことが美徳とされていることと通じる。本屋に行っても、店員さんがブックカバーを丹念にするように、そのものを直接人目にさらすことを避けている。これは日本人の感性の一端であろう。

普通、外出する時や人に会う時は身ぎれいにしていくのがエチケットである。ところが古代の人々は通常の日には顔を洗うことはしていなかった。私たちは朝起きると顔を洗うのは当たり前であるが、その洗面が行われるようになったのは、鎌倉時代の禅宗寺院からである。特にそのことについて大きな功績があったのは我が国の曹洞宗の開祖道元である。道元には「洗面の巻」があり、その一部を抜粋する。「つぎにまさしく洗面す。両手に面桶の湯を掬して、額より両眉毛、両目、鼻孔、耳中、顱（口）、頬、あまねくあらふ。まづよくよく湯をすくいかけてしかしてのち摩沐すべし。涕唾、鼻涕を面桶（洗面器）の湯におとしいるることなかれ」とあり、実に懇切丁寧な作法を記す。

続いて中国人と日本人の風習の違いについて述べている。「天竺国、震旦国者、国王、王子、大臣・百官、在家、出家、朝野男女、百姓万民、みな洗面す。家宅の調度にも面桶あり。あるいは銀、あるいは鑞なり。天祠神廟にも毎朝に洗面を供ず。仏祖の塔頭にも洗面をたてまつる。在家、出家、洗面ののち衣装をただしくして、天をも拝し、神をも拝し、祖宗をも拝し、父母をも拝す。師匠を拝し、三宝を拝し、三界万霊・十方真宰を拝す。いまは農夫、田夫、漁父、樵翁までも、洗面忘るることなし。しかあれど嚼楊枝なし。日本国は、国王、大臣、老少、朝野、在家、出家の貴賤、ともに嚼楊枝漱口の法をわすれず。しかあれども洗面せず。一得一失なり。いま洗面、嚼楊枝ともに護持せん」と記す。

当時の中国では皆な洗面器を持っており、上層の者も下層の者も全ての人が顔を洗っている。在家、出家に関わらず、また天祠神廟や仏祖の塔頭にも洗面を供している。ところが歯を磨くための楊枝がなく、口を清潔にすることをしていない。一方、日本人は上から下まで皆楊枝を持ってそれで口をきれいにしている。しかし洗面をする者はほとんどいない。そこで道元は洗面も楊枝で口を清潔にすることも、両方とも護持すべきだと結論している。

中国では楊枝の法を知らなかったので、当時の中国の人たちは「天下の出家在家ともにその口気はなはだくさし。二三尺を隔ててものいふとき口臭きたる。かぐものたへがたし」と言う。その楊枝は柔らかい川柳の枝を小指大の大きいものをとり、長さは短いもので四指、長いものでは十六指までとし、太い方の一端を三分ばかり細くして牙歯を洗うとしている。その洗い方についても詳細に記す。「歯の上歯の裏、磨くがごとくとぎあらふべし。たびたびとぎ荒いすすぐべし。歯の元のししの上、よくみがき洗うべし。歯の間よくかきそろへ清く洗うべし。漱口たびたびすればすすぎ清めらる。しかしてのち舌をこそぐべし」と細かく指示している。

道元は洗面や楊枝法だけでなく、トイレでの用便の作法やその出入りの仕方にまで、気を配っている。「洗大小便怠らしむことなかれ」「厠屋（トイレ）は仏法法輪の一会なり。この道場の進止、これ仏祖正伝せり」と記す。トイレは道場そのものであるから、心しなければならないと説く。この他にも髪の長さや爪の長さにまで注意すべきだとする。古今東西、名僧と言われる人は多くいるが、日常生活のここまでの細かいことにまで懇切丁寧な指導書を残している人はいない。道元は日本にエチケットの大切さを伝えた元祖というべき存在である。しかしそれにしても、洗面が中国宋から伝来した風習だったのは、ちょっとした驚きであろう。

## ㈡　予兆の噂・わざ歌

### わざうた流行は異変の前兆

人は心の内に思っていることを言わないということは辛い。まして大事な秘密を知ったとなると、誰かに話したくて仕方がなくなる。平安時代の歴史物語『大鏡』は「おぼしきこといはぬは、げにぞ、はらふくるる心ちしける。かかればこそ、むかしの人は、ものいはまほしくなれば、あなをほりては、いひいれ侍りけめ」と記す。「思っていることを言わずにいるのは本当に腹のふくれる心地がする。だからこそ昔の人は、ものを言いたくなったら、穴を掘ってその中に言い入れたのでしょう」と言う。

西欧でも「王様の耳はロバの耳だ」と穴を掘って叫んだ話があるが、これと同じことを書いている。秘密や噂話を一人でしまっておくことがいかに難しいか、これは古今東西同じである。噂を意味する言葉には、「人口」「風聞」「巷説」「沙汰」「雑説」「口遊」など多様な表現がある。

今一つは童謡と記すものがあるが、それは子供の歌などではなく、都市にたむろする遊民の口ずさみに発した流行歌である。それは自然の災厄占いのように、政治の得失や社会的事件や異変を占うしるしであった。巷間の歌の流行現象も看過しえない一つの異変だった。

童謡について、『聖徳太子伝略』に童謡と聖徳太子について興味深い話がある。「人ありて奏して曰く、土師連八島《はじのむらじやしま》あり、唱歌絶世なり。夜、人ありて来り相和して争い歌う。音声常にあらず。八島これを異として追い尋ぬるに住吉浜に至る。天暁海に入ると言えり。太子側に侍りしに奏して曰く、是熒惑星《けいこくせい》也と。天皇大いに驚き之を問う。何の謂ぞと。太子奏して曰く、天に五星あり。五行を主り、五色を象る。歳星色青くして東を主る。木なり。熒惑色赤くして南を主る。火なり。此の星降化して人となり、童子の間に遊ぶ。好んで謡歌を作り、未然の事を歌う。蓋し是星歟。天皇はなはだ喜ぶ」と見える。

土師連八島という大変歌の上手な人がいた。ある夜、彼の所に人がやってきて、八島と調子を合わせ、歌を競い合っていた。その音声は常人のものとは思えなかったので、その人が帰っていく後を追いかけていくと、住吉の浜に行き、夜が明ける頃には海に入っていった。

その話を側で聞いていた九歳の聖徳太子は「それは熒惑星でしょう」と言った。敏達大王がそれはなぜかと聞くと、太子は次のように答えた。天には木・火・土・金・水の五つの星があり、それぞれ五色を司っている。熒惑星は色は赤く、南の空を司っている火星である。この星は、地上に降りてきて人の姿に変わり、童子の中に入って一緒に遊び、好んで歌を作り、未来の出来事を予言するような歌を歌うと言われている。きっとこの星がやってきたのでしょう」と言った。

この話は、聖徳太子の超人的能力を示す話であるが、それはともかく、この時代の人たちは流行する歌には、熒惑星という星の力が関わっている、つまり人知を越えたものがあると考えていた。そしてそれは未だ誰も知ることのできない未来のことを予言していると思っていたのである。鎌倉時代においても「熒惑星と申す星なり。（中略）彼星童子に形を現し、人間の者に相交りて、未来善悪の事を歌に作りて披露す。天に口なし。人のさえずりを身って事とすと云うへり」（聖徳太子伝記）とあるように、流行の歌は天の声、神の意志であると考えられていたのである。

## 噂から事件に

『宇治拾遺物語』巻十一の六「蔵人得業、猿沢池の竜の事」に噂の威力を物語る話が載せられている。奈良の僧の蔵人得業恵印という者が、若かりし頃、猿沢の池の端に何月何日に「この池から竜が昇る」という立て札をした。するとそこを往来する者は、老いも若きも立て札を見て、「ぜひ竜の昇るのを見てみたいものだ」と騒ぎ立てた。

恵印は大騒ぎしているのをおかしく思ったが、素知らぬ顔をしていた。そしてその日には噂を聞いた人々が畿内一円より集まってきてものすごい混雑になった。その人数の多さに驚いた恵印は、自分がしでかしたことではあるが、これほどまでに大勢が集まってくるのには何か訳があるのではないかと思うようになった。そして本当に竜が昇るのではないかと思い、いてもたってもいられなくなって興福寺の南大門の壇の上に登って、いつ竜が昇るかと一日中待っていたけれど、結局何も起こらず日が暮れてしまったという話である。自分がまいた嘘の話をあまりもの群衆の数に当の自分がその気になってしまったという笑い話である。たとえ噂とはいえこれほどの人を動かすことができるものなのである。

今一つ、時代は下って明治二十四（一八九一）年五月に起こった大津事件についてである。この事件はロシア皇太子ニコライが琵琶湖遊覧を終えて、大津市の市街を通過中に警護にあたっていた巡査の津田三蔵が抜刀して斬りつけ、頭部にかなりの傷を負わせたものである。政府は驚愕・狼狽し、その犯人の刑量をめぐって日本中が大揺れに揺れた事件であった。

ニコライの一行の車列が通過するのを民家の前に立って警衛にあたっていた津田三蔵がなぜ凶行に及んだのかについて、実は噂が背景にあった。それは西南戦争で敗れた西郷隆盛に関する噂だった。

西郷は西南戦争で死んだことになっているが、実はこの当時、西郷は死んだのではなく、密かにシベリアに渡り、ロシア兵の訓練にあたっており、そしてニコライを案内して帰国するという風聞が新聞紙上な

猿沢の池

どでまことしやかに喧伝されていた。当時の大阪日報の雑報には、「この節毎夜二時ごろ辰巳（南東）に現出せる赫色の星を遠めがねにてよく見れば、西郷隆盛氏が陸軍大将の官服を着せる体なりと。何人がこれを言い出したるか、かかる妄説さえ伝えに伝えて、物干棚に夜を更かす人のある由」（明治十年八月三日）とある。また東京曙新聞も、「西郷さんの精霊が天に昇りこのような星になり、恨みのたけを晴らさんとかように光るのでありましょう」（同八月十一日）と記す。このように西南戦争が終わって間もない頃より西郷星の話が錦絵まで取り上げられ、その噂はなかなか消えなかったのである。

今からみれば実に荒唐無稽な話であるが、津田三蔵にとってはそれは他人事ではなかった。津田三蔵は旧伊賀上野藩の士族で、明治五年に名古屋鎮台に入営し、明治十年に起こった西南戦争に伍長として従軍し、熊本大野山の戦闘で敵の鉄砲に撃たれたがその奮戦の功によって軍曹に昇進し、勲七等の勲章と金百円を与えられている。もし噂通りに西郷が帰国をすることになれば、自分が誇りとしてきた西南戦争で得た勲章を剥奪されるかもしれないと考えたのである。勲章への強いこだわりが大事件の重要な原因だったのである。

## (三)　星と人の運命

### 日蝕・月食

古代においては天空の星の動きは君主の運命に関わるものと考えられていた。その怪異現象の第一は、日食であった。推古三十六（六二八）年三月二日、「日蝕尽きたり」とあるのが初見である。ただこの記事は単なる天体の怪異現象というだけでなく、推古大王が病に臥せ、危篤状態となっていることと結びつけられ、その結果、大王は遺言を述べた後、俄に崩御したのである。

天延三（九七五）年七月一日に日蝕があった。『日本紀略』には、「卯辰の刻（午前七時）に皆既、黒色のごとくにて光なし。群鳥飛乱し衆星ことごとく現わる。詔書して天下に大赦す。大辟（死罪）以下常には赦すことを免れざるものも全て赦す、日蝕の変によりてなり」とある。普通の恩赦では該当しない者まで大赦が及び、また貞元元年と改元していることからみて、当時の政府の驚愕ぶりは尋常ではなかった。

このように日蝕を凶兆とすることは中世社会でも継続される。鎌倉時代、順徳天皇の有職故実の書『禁秘抄』「日月蝕」の項に興味深い記事がみえる。「主上、日月に当りたまふ時は御慎み殊に重し。（中略）天子殊に其の光に当りたまはず。蝕以前以後と雖も、其の夜光に当りたまはず、日月惟れ同じ、席《むしろ》を以て御殿を裹《つつ》み廻《ま》はす、供御の如く、其の光に当らず」とある。日蝕・月食の時には、天皇の御所を筵で包むことが行われているが、これは天変地異による妖しい光を穢れと考え、それから天皇を守る作法であった。天皇は王としての身体的清浄性が求められていたため、日蝕・月食の光を忌避したのである。掃部寮が筵二十五枚、竹釘五十一本をもって清涼殿を囲み、邪気を払った。

こうした凶兆への対処として『続日本紀』天平九（七三七）年五月に日蝕があった時、「僧六百人を宮中に請ひ、大般若経を読ましむ」とある。また『日本三代実録』元慶元(八七七)年四月の日蝕の際の記事には、「皇帝事を視ず、百官務を理ず、常楽を挙げず」とある。日蝕になると天皇・百官は政務をとらず、また恒例の祭祀も行わず、「慎む」ことが必要とされた。このような国家的な対応がなされていたのである。

## 彗星

第二は彗星や新星であった。たとえば彗星や新星の場合、ある日、まったく突然に天の一角に見慣れぬ星が現れ、連日煌々と光を放ち、あるいは長い尾をもち仄かに光る天体が数ヶ月にわたって見える。古代・中世の人々はそこに不吉な予感・予兆を感じた。飢饉・疫病・天皇、皇族の病気や死亡などがそれに結びつけられた。中には彗星の出現で時の政権が交代するケースもあった。だから貴族や寺社などの日記には

「可恐」と書かれた。

『日本書紀』舒明六（六三四）年八月条には、「長星、南方に見ゆ。時人、彗星と曰ふ」とあり、七年三月条には、「彗星、廻りて東方に見ゆ」とある。八年正月には日食があり、九年二月には、「大きなる星、東より西に流る」、十一年正月には、「長き星、西北に見ふ。彗星なり。見れば飢ゆ」と多くの記事が見える。そして十二年二月条には、「星、月に入れり」とあり、十三年十月、舒明大王は百済宮に崩じた。中国の『漢書』では星が月に入ることは君主が亡くなる前兆とされていた。また彗星が見えることは、天下が飢えることであるとするように、星の動きは凶兆とみなされていた。

こうした考えは仏教経典に基づいているという。たとえば『大般涅槃経』には、「彗星の天下に出現して、一切の人民を飢饉、病瘦瘻《びょうそうえい》、諸苦悩せしむるが如きに譬ふ」とあるように、彗星の出現は、飢饉や病気をもたらすものとされている。また『金光明最勝王経』にも、「彗星数出で、両日並び現れ、薄蝕恒なく、黒白の二虹は不祥の相を表し、星流れ地動き、井内に声発り、暴雨悪風時節に依らず。常に飢饉に遭ひ、苗実は成らず。多く他方の怨賊の侵略あり。国内の人民、諸の苦悩を受け、土地に楽しむべき処あることなし」と見える。

このような仏典の星空の変異を凶兆とする思想は、その後も長く受け継がれていった。天皇や上級貴族を初めとする人々の未来を予兆するものと考えられていた。だからこそ星の動きから彼らに降りかかってくる災厄を事前に察知する天文博士の役割は重大だった。火星、水星、木星、金星、土星は五星とされ、平安時代にはそれぞれ熒惑星《けいこくせい》・辰星《しんせい》・歳星《さいせい》・太白星《たいはくせい》・鎮星《ちんせい》という名称で呼ばれていた。

承和四（八三七）年に彗星が現れた。当時、遣唐留学僧として中国に渡っていた円仁の貴重な旅行記『入唐求法巡礼行記《にっとうぐほうじゅんれいこうき》』にその様子が記されている。「早朝彗星を見る。寺僧の令徴は談《かた》って言う。「先日、昨日、今夜の三個夜現れたり。天子は驚怪して殿上に居らず。別に卑座に在って細布を着し、長斎して放赦せり」

と。また李相公の随軍沈弁来って言う。「彗星出ず、即ち国家は大いに衰えて兵乱に及ばん」と。夜に入り暁に至るまで房を出て此の彗星を見たり。東南隅にありてその尾は西を指す。光の長さは計るに一丈以上あるならん」。

中国の皇帝は彗星の出現に驚愕して身を慎み、また宰相も天下大乱の予兆としている。今では皆既日食などの天文に関する現象は一種のショーとして喜ばれているが、古代・中世の頃にはそれは天変地異の予兆として恐怖の対象であった。天体現象は天の啓示とされていたから、通常とは異なる現象が現れるとよからぬことが起こるとして為政者は恐れ慎んだのである。それは中国のそうした思想を取り入れた我が国でも、凶兆として大いに恐れている

承和四年三月四日、彗星が東南の空に見え、その尾が天涯に至るとあるから、相当大きな彗星であったようである。そして翌五（八三八）年十月二十二日の深夜、再び東南の空に長い尾を持つ不思議な星の記事が見える。前年の三月に姿を見せていたが、この日から十一月十七日まで、ほぼ一ヶ月にわたって深夜になると東の空に現れ続けた。朝廷はこのハレー彗星の出現を大いに恐れた。当時の仁明天皇は全国の国司・郡司に寺社への寄進を行わせ、般若心経を書写させることを命じた。

こうした天文現象に対する対応は近世以降大きく変化する。それは天文の知識が豊かになり、日食や月食は自然現象の一つで、その周期も計算の上で予知されるようになったからである。陰陽道を家学とする土御門家では相変わらず、昔ながらに彗星勘文を宮中に奏上していたが、幕府天文方では、「妖星と申儀には之なく奉り存じ候」と明確に怪異現象でないとしている。こうして天文現象に対する恐怖感は次第に薄らいでいった。

とはいえ今から百年ほど前の明治四十三（一九一〇）年五月にハレー彗星が現れた時、とんでもない噂が流れ、パニックになった。ハレー彗星の最接近で地球は彗星の尾の中に包まれ、激しい光のために全人

類は盲目になるとか、彗星の尾の青酸ガスのために地上の生物は全滅するなどと噂された。最接近するという五月十九日には、この世の終わりだとして田畑を売り払い乱痴気騒ぎをする者も出た。また紡績工場で働いていた女工さんたちは、どうせ死ぬなら親元で死にたいと次々に帰郷したという。百年前でもこういう状況だったから、古代の人々の恐怖心はただならぬものであったに違いない。

## ㈣　贈り物

### 土産は「みやこけ」から

日本人は贈り物好きだと言われが、旅行に行くとほとんどの人が必ずといっていいほど土産を買い込んでいる。土産の元の言葉は「みやこけ」で、「都笥（みやこけ）」と表記した。それは都から持ち帰った笥（かご）のことであった。だから本来は京都に行った人々が贈り物にしたものだった。しかし江戸時代には京都ではなく、江戸の将軍や幕府の役人への贈り物が多くなったので、「土産」と記されるようになった。

ただ土産は高価な物はほとんどなく、安価で手頃な値段のものが多い。それは自分の好意の気持ちを示しながらもお返しを期待しない程度のものというのが、暗黙のルールだからである。贈り物は細やかな人間関係を作るのに有効である。こうした配慮をすることでマイナスの人間関係を回避することができる。

一方、誰かから結婚式のお祝いや葬式の香典を頂くと、何らかの形でお返しをしなければならないと考え、逆になった時は、それとほぼ同等の金額を包む。贈られたら、お返しにまた贈ることになる。贈り物好きというその背景には、こうした日本的な人間関係がある。

現在は贈り物は人と人との絆を確認するものになっているが、古代社会では贈り物は世俗的ではなく、神との関わりをもつ聖なる物だった。そして贈り物といっても、単なる「もの」だけでなく、それが「いけにえ」や「ひと」の場合もあった。

たとえば我が国の贈り物の歴史のなかで最も早い例は『後漢書』東夷伝の記事である。そこには倭国王帥升《すいしょう》が後漢の光武帝に対して「生口（奴隷）百六十人を献ず」とある。それは人が最良の贈り物と考えていたことの証であろう。「人身御供」という言葉があるように人を贈る習慣は当時の社会に根付いていた。

贈り物も下心があると賄賂になる。古代にも賄賂が横行していたことを示すのが、『日本書紀』天武十（六八一）年五月条である。「凡《およ》そ百寮《つかさつかさ》の諸人《ひとども》、宮人を恭敬《いやま》ふこと、過ぎて甚し。或いは其の門《かど》に詣《いた》りて、己が訟《うたえ》を謁《あつら》ふ。或いは幣《まいない》を捧げて其の家に媚《こ》ぶ。今より以後、若し此の如きこと有らば、事の随《まま》に共に罪せむ」とある。これは百寮の役人たちが後宮の女性に対して過度に追従し、賄賂を提供することを戒めたものである。既に七世紀後半頃には後宮女性に取り入って、天皇の意思を変えるための賄賂が横行していたのである。

これと関連して思い出されるのが、清少納言の『枕草子』三段である。「太政官に提出する申文を持ち歩く若々しい者は前途有望で頼もしく見えるが、年をとって頭の白くなった連中がその筋の人に手づるを求め、また女房の局によって自分の偉さを自慢して聞かせるが、若い女房たちは馬鹿にしてその真似をしている。しかし本人は一向にご存じない。「主上に奏上してください」「中宮に申し上げてください」などと女房に頼んでいるが、任官出来た者はよいが、そうでない者は大変可哀想である」とする。このように権力者の側に仕える女房たちに自分を必死に売り込む様は古今東西変わることはないのかもしれない。

### 熨斗袋は熨斗鮑から

ところで今日、贈り物として現金を贈る場合、普通は熨斗袋に入れて渡す。最近は熨斗を初めから印刷しているものもあり、ほんの形だけのものも増えてきた。しかしその「熨斗」もそれなりの歴史があって今日に至っている。熨斗は現金を包んで結んで渡すが、この包むという行為は日本人の得意技の一つである。贈り物をする時、粗末な包装紙で雑に包まれていたら多くの人は不快な思いをする。それが日本人の美意識なのだろう。

そもそも生け贄などの言葉に見える「贄」は神に捧げ、供える食べ物の意味である。それを供えることによって神に豊かな実りを祈願したり、収穫を感謝するためである。その供え物は鳥獣や野菜・果物・海産物などだったが、なかでも海産物が多く、とりわけ鮑は贈り物の代表だった。ただ生のままでは長期間保存がきかないため、鮑の肉を薄く長くはぎ、引きのばして乾燥して「熨斗鮑」とした。この干し鮑はアミノ酸が豊富に含まれていて、心臓や血管を丈夫にする作用があり、老化防止に役立つ。そして熨斗は「延《の》し」に通ずるために長寿や不老長生につながり、縁起のよい食材となった。

こうした経緯から贈り物＝熨斗鮑になったが、後の時代には次第に簡略化され、鮑の一片を紙にはさむようになった。ただ熨斗は本来、鮑に代表される魚などの生臭い物を意味しているから、生臭い物を贈る場合に添えるのは間違いということになる。だから現金を包んだりするのはよいが、鮭や明太子やエビ・カニのようのものを贈る場合は不用なのである。しかし今の私たちは中元やお歳暮の時に熨斗を付けるのは食品の内容とはお構いなしになっている。こちらが圧倒的大多数になれば、それが正しい習慣になっていく。なお鮑は贈り物とは別に「片思い」の比喩に使われることもある。『万葉集』に「伊勢の海人《あま》の朝《あさ》菜夕菜《なゆうな》に潜《かづ》くといふ鮑の貝の片思いにして」（二七九八）と詠んでいる。それは二枚貝とは異なり貝殻が一片しかないため、「片思い」となるのである。

贈り物の中でも結婚の約束をする結納は人生の中でもとりわけ重要な贈り物である。古代には結納のことを「つまどいの財《たから》」と呼んだ。『日本書紀』安康二年条によると、大王は大泊瀬皇子（のちの雄略大王）のために大草香皇子の妹である幡梭皇女《はたびのひめみこ》を妻に迎えようとした。そこで家臣の根使主《ねのおみ》を使者とし、金銅製の冠である玉縵《たまかづら》などの贈り物を届けさせようとしたが、根使主はその豪華な贈り物に目がくらみ、横領したという話が見える。さすが大王家だけに立派な結納品である。

一方庶民の場合は、豪華とはいえないが、それなりに高価な物を贈った。『常陸国風土記』や『肥前国風土記』は結婚相手を見つける行事である年に一度の歌垣の状況を記す。お互いが歌を贈りあい、それで話がまとまれば、男から女へ高価な贈り物をした。歌垣はよく乱婚の象徴的行事とされるが、男にすれば高価な贈り物を贈る相手を探すことで、女は高価な贈り物を貰える相手を探すのだから、それは真剣だったろう。楽しむだけの行事ではなかった。

欧米の贈与は慈善というキリスト教の精神を背景にしているため、贈与をプラスイメージでとらえたものが非常に多い。そのような歴史を欠く日本の贈与には、義理や虚礼、賄賂といった負のイメージや功利的性質がつきまとう。日本は先進諸国の中で贈答儀礼文化をよく保存している。さらにバンタインデーやホワイトデーのような新たな贈答文化を次々と再生産している。企業戦略に乗せられているとわかっていてもやめることができないのは、贈り物を一種の債務・負債と感じる意識があるからである。贈り物を受け取ることによって受贈者には「借り」ができ、贈与者には「貸し」ができる。ホワイトデーがスムーズに定着したのも、男性の債務意識と女性の債権意識を巧妙に利用した結果である。贈り物を拒否することは、贈与者との間に特別な人間関係を築くことの拒否でもあった。だから贈与者がそれを納得しない時には、寂しさから恨み、憎悪にまで発展するケースがある。贈り物によって人間関係が深まることもあれば、壊れることもある。なかなか人に物を贈るというのは難しいものなのである。

## 「折り紙付き」は約束手形

古代では収穫された稲は穀霊＝稲魂を持つ呪術宗教的な生産物だった。収穫物の一部を初穂として神の代理人たる首長に貢納する慣行から贈与は発生した。寺社の賽銭や供物も贈与の例である。日本の神仏は人に多くを要求することがなく、極めて慎ましい。この安上がりで微温的な信仰の在り方は、多神教に起因する。神々の競合状態が贈与額の高騰を抑制してきた。三途の川はわずか六文で渡れる。それに比べると新興宗教の多額な布施料などは明らかに異様であり、近代の産物以外何ものでもない。

中世の公家や武家はほとんど毎日のように膨大な量の贈与を繰り返していた。しかしそれほどの経済力を持たなかった彼らはどのような方法で贈答品を確保していたのだろうか。その方法の第一は、贈答品を換金することである。当時の都には巨大な換金市場が成立していたから、いつでも換金することが可能だった。第二は人から贈られてきた贈答品をそのまま別人への贈与にあてるという。贈答品の流用である。第三は、馬や太刀という現物に代わって馬代・太刀代のように代銭で行う方法である。こうなると次第に銭そのものが贈答品として通用するようになる。そうした慣行の中から折り紙だけで贈与を行う「折り紙銭」という方法が編み出された。折り紙というのは、銭を贈与する際の目録のことで、目録のことを単に折り紙と呼んだ。これが「折り紙付き」の語源である。ここには最初に「進上」と書き、ついで金額、最後に贈与者の名前を書く。

それは本来は銭に添えて相手に渡される儀礼文書だったが、後になると、最初に相手方に折り紙を贈り、後から銭を届ける形態が一般化し、中には折り紙が手渡されてから銭が届くのに数年かかるケースすら生じている。こうなると一種の約束手形である。さらには銭の授受を行うことなく、折り紙の上だけで計算・相殺されることもあった。そうすると銭を用意することなく、日々繰り返される贈与を乗り切ることが可能になる。そして神仏への祈願についても折り紙を使い、祈願成就のあかつきには銭を進上することも行われた。しかし支払い期限も決めておらず、それまでの利息もつかないのであれば、延滞はもとより踏み倒しが横行するようになり、現金の回収は困難を極めることになる。そうしたことから受贈者は次第に現金での贈与を求めるようになり、折り紙の使用は衰退していくのである。

現在、役得というのはあまり聞こえが良くない。しかし中世にはそれは実質的な収入源だった。中世の実務官僚には、それに付随する所領や手当のない役職も多く存在した。それらの役職では、非公式の礼銭収入が実質的に役職に付随する唯一の収入源であった。江戸時代になると役料と呼ばれる役職手当が成立するが、それがないため役得に依存せざるをえなかった。だから賄賂社会とは、役職手当や公的手数料の発想を根本的に欠いていた社会が必然的に辿らざるをえなかった道だったのである。

## ㈤　芸能の歴史

### 楽器に歴史あり

芸能に関わる楽器について、牧畜民族ではホルンは「角」の意味があるように、牛の角で作るが、我が国でこれに相当するのはホラ貝である。牧畜民族が牛の角を吹き、漁労民族が貝殻を楽器にしているように、それぞれの風土にあった楽器が作られている。またオーボエはその発生は紀元前にまで遡る古い楽器であるが、その原点は「葦笛」で、チグリス・ユーフラテス川あたりの葦を削って作られたものだった。それがドイツではシャルマイと呼ばれ、これが日本ではチャルメラになったという話はよく知られている。そのオーボエやクラリネットのような木管楽器は木材を管状にして作るが、それは大変難しかった。しかしアジアでは中空で管状の竹という便利なものがあったから、多種多様な管楽器は竹で作られたものばかりである。「糸竹」というのは楽器の総称で、「糸」は弦楽器、「竹」は管楽器を指すから、管弦と同じ意味である。このように楽器もそれぞれの人々の住んでいた風土と密接に結びついている。

楽器が上手にひけるというのは、そうでない者にとってはうらやましくまた憧れるものである。『枕草子』

一五三段の「うらやましく見えるもの」の段には、「琴や笛など習う場合もまた、それほど上達しないうちは、上手な人のように自分はいつになったらなれるだろうかと、思われるに違いない」とある。

楽器は古来より魂が宿るとされ、神事や祭礼に用いられてきた。本来、歌舞・演奏などの芸能は天皇への服属を誓う手段で、楽器は天皇の権威を構成する重要な要素であった。たとえば相撲節は天皇の御前で相撲を取り、それが終わると音楽と歌舞の華やかな姿を天皇が「見る」ことによって儀式が成り立っていた。

奈良時代最大の国家的イベントであった東大寺の大仏開眼供養では雅楽寮の官人はもとより貴族や渡来人までを含め、大々的で国際色豊かな歌舞を演じた。その伎楽には「安摩」と「二之舞」という二つの舞がセットになっているものがある。安摩の後に二之舞を行うが、咲面と腫面を付けた二人の踊り手がわざと間違えながら、安摩の舞の真似をし、観客から笑いを誘った。ここから他人と同じ失敗を繰り返すことを「二の舞を演じる」という言葉が生まれた。雅楽に由来する言葉が「千秋楽」である。現在では大相撲興業の最後の日を「千秋楽」とするが、元々は雅楽の曲名の一つであった。朝廷の法会の終わりにその曲が演奏されたため、物事の終わりを「千秋楽」と言うようになった。また「太平楽」という言葉も雅楽の曲名に由来する。曲の流れが悠長であることから、のんびりしていること、うっかり者の有様を「太平楽」と言ったのである。

芸能には律令国家の威儀を誇示する政治的な意図があった。九州の隼人が風俗歌舞を奏上したのも服属と忠誠を誓うもので、そうしたことは天皇が地方に行幸した際にも行われ、国司らが行在所に赴いて「土風歌舞」を奏上した。また『続日本紀』天平六（七三四）年には、聖武天皇が朱雀門に出席して、五位以上の風流ある皇族が参加し、長田王、栗栖王、門部王、野中王等が歌の頭となり、各種の曲が演奏されている。これは歌垣の遊びを宮廷に取り込んだものだったが、やはり天皇は見る側であった。

平安初期の仁明天皇の時代に、外来の歌舞を中心に様々な改変が加えられた。外来歌舞は左方唐楽として唐楽・林邑楽など、右方高麗楽として高麗楽・新羅楽・百済楽・渤海楽などが配され、いわゆる左右両部制が成立する。また楽器も唐楽は、竜笛・篳篥・笙・琵琶・太鼓・鉦鼓・羯鼓、高麗楽は狛笛・篳篥・太鼓・鉦鼓・三ノ鉦と整理された。この改革は仁明朝の楽制改革と称され、後の雅楽、歌舞に大きな影響を与えた。音楽においても外来文化の影響は圧倒的であった。

### 琴は神を呼ぶ楽器

古い時代の代表的な演奏楽器は琴である。現在では琴は女性専用になっているが、平安時代より前までは男性が演奏者だった。古墳時代の埴輪には琴を弾く男性の像が多く見える。また『古事記』には、大国主命が根の国を訪問し、須世利毘売《すせりひめ》を背負って逃げる時、大神の持っていた生太刀や生弓矢と共に、天の詔琴を持ってくる話がある。また神功皇后の新羅征討の項では、仲哀大王が熊襲を討とうとして自ら琴を弾く話がある。琴の音に導かれて降りてきた神は、神功皇后の口を通して様々な財宝のある新羅を攻めるように教えた。しかし大王は高い山に登っても西に国は見えなかったため、嘘をつく神だとして琴を弾くのをやめてしまった。この情況をまずいと思った武内宿禰《たけうちのすくね》は大王に琴を弾き続けるように勧めた。大王は中途半端に琴を弾き出したが、少しして琴の音が聞こえなくなった。見ると大王は絶命していたという。この話から、琴は特別に神聖な楽器で神を呼び寄せる力を持つと考えられていたことがわかる。そして武内宿禰が火をあげて仲哀大王の死を確認したように、弾琴による託宣は闇の中で行われている。神がかりの状態を維持するためには、琴を弾き続けることが必要だったのである。現在の私たちにとって音楽はその文字の通り、「音を楽しむ」ものであるが、古代にあってはもともと楽しむのは人間ではなく、神霊であった。

さらに雄略大王が吉野行幸の際に、大王が琴を弾き童女が舞っているが、この場合もその時の歌に「神の御手もち弾く琴」とあり、やはり神事的要素が濃厚である。埴輪に見える弾琴の人物も男のみと思われ、琴は託宣を得るための神がかりの際に使用される神事の重要な楽器であった。これらの事例のように、琴を弾いているのは全部男性である。『記紀』神話や『万葉集』も圧倒的に男性であり、奈良時代まではこの傾向が続いていたようである。

## 琴の演奏者が男性から女性に

琴の話をさらに続ける。『万葉集』には、「右の歌二首は、小鯛王、宴居《うたげ》する日に、琴を取れば登時《すなわち》、必ずまづ此の歌を吟詠せり。更《また》の名を置始多久美《おきそめのたくみ》といへる、この人なり」（巻十六）とあり、琴の伴奏によって吟詠が行われている。また同巻には、河村王の歌二首の詞書に、「右の歌二首は、河村王、宴居する時に、琴を弾けば、すなはちまづ此の歌を誦して、以ちて常の行と為しき」とある。琴は奈良時代においてはまだ男性が演奏する楽器だった。

ところが平安時代中期になると、文学作品に琴を弾く姫や女房が多く登場するようになる。この頃を境に琴は男性から、女性の弾くものと大きく変化する。『源氏物語』（常夏）には、「御前の御遊びにも、まづ書の司を召すは、人の国は知らず、ここにはこれをものの親としたるこそあめれ」とあり、和琴は全ての親の楽器であるとするように、紫式部は我が国第一の楽器は琴であると認識していた。

琴は箏の文字が当てられるが、それにまつわるエピソードがある。中国の秦の時代の人である婉無義《えんむぎ》が二十五弦の琴を持っていた。ところが二人の娘が共に琴が欲しいと争ったので、彼はその琴を縦に二つに割り、十三弦の琴と十二弦の琴にして娘たちに与えた。このように娘たちが争ってできた琴なので、竹かんむりに爭をあてて「箏」になったという。

## 楽器演奏の名手の天皇

かつて天皇はそれらの歌舞・演奏を「見る」存在だったが、九世紀以降になると、天皇自らが演奏するようになってくる。その代表的人物が嵯峨天皇である。天皇は教科書などでは、空海・橘逸成らと共に三筆と称される書道の達人であるが、それればかりでなく笛・琴・琵琶などにも秀で、中でも琴は、後に琴の名手として讃えられた高橋文室麻呂《たかはしふんやまろ》を自ら教えたというのだから、天皇自身が名手の域に達していた。

『日本三代実録』貞観十（八六八）年十二月二十八日条には、嵯峨天皇の子の源信《みなもとのまこと》の薨伝があるが、そこに嵯峨天皇自身が源信に笛・琴・箏・琵琶を教えたと見えており、多様な楽器に堪能だった。このように宮廷において頻繁に楽舞が奏され、宴飲の時まで行われるようになると、天皇に近侍していた近衛府の官人が奏楽を担当するようになるため、雅楽に堪能な者が近衛府に任ぜられるようになっていった。

続く淳和・仁明・宇多天皇なども琴をひき、歌を歌い、舞を舞い、笛を吹いたと伝えられる。『続日本後紀』の仁明天皇の崩御伝には、父嵯峨天皇の芸術的資質を受け継ぎ、琴と横笛に優れ、また長生楽などの曲を作った。承和十二（八四五）年正月十日には、この時百十三歳という長命の尾張連浜主《おわりのむらじはまぬし》を召し、清涼殿前において長寿楽を舞わさせ、大いに賞賛したという。仁明天皇に続く文徳・清和天皇は先に嵯峨天皇に手ほどきをうけ、琴師の号を持つ高橋文室麻呂から琴を学んでいる。

このように平安時代になると、天皇も侍者も演奏者となったが、それは音楽によって儀式を荘厳にするだけでなく、主君と家臣が共に演奏を楽しみ和すという「君臣和楽」の姿であった。そして礼楽思想の影響を受け、帝王学の一つとして天皇の楽器の修養が始まり、天皇が自らが公的な場で演奏するようになる。これに伴って高位高官の貴族たちにも管弦は必須の教養となり、「左琴右書」という言葉も生まれた。中国では書物を右に、琴を左に置くのが君子の生活だったから琴は教養人にはなくてはならない楽器であった。そうしたことから琴だけでなく楽器一般への関心も高まり、特別な扱いされる名物楽器も生まれるようになった。

『枕草子』八十九段には、「御前にさぶらふ物は、御琴も御笛も、皆めずらしき名つきてぞある。玄上、牧馬、井手、渭橋、無名など。又和琴なども、朽目、塩竈、二貫などぞきこゆる。水竜、小水竜、宇陀の法師、釘打、葉二、なにくれなど、おほく聞きしかど忘れにけり」と記す。玄上などは琵琶、朽目は和琴、塩竈は箏、そして水竜以下は笛の名前である。これらは天皇の御物として宣陽殿に置かれていた名器であった。

そして芸能に堪能な人物が多く現れるようになった。天皇が楽器演奏の名手を召し、演奏させ、禄を賜うという記事が多くなる。我が国の横笛の祖と言われるのは、尾張連浜主で、彼は称徳天皇から仁明天皇までの七代の天皇に仕え、雅楽の和風化を推進し、大陸の音楽を定着させた楽人である。また百歳を越えてから遣唐使に従って唐に赴き、五年間横笛と舞を学んで帰国したという。浜主らの活躍によって雅楽が天皇家や貴族たちにも好まれるようになり、以後、次々と名手と言われる楽人が現れることになる。

なお中国の古代に笛の長短によって定めた音の高低、音調を陰陽に分け、陽六を六律，陰律を六呂と呼び、合わせて十二律と言う。この六律六呂のことを律呂《りつりょ》と言う。これを反対にすると呂律となり、音が合わないことを「呂律がまわらない」と言い、それが転じて酒飲みが酩酊して言葉がはっきりしない様を「ろれつがまわらない」と言うようになった。「めりはりがきく」の「めりはり」は邦楽の「減り張り」で、「減り」は低い音、「張り」は高い音のことである。一本調子ではなく抑揚があることを「めりはり」と言い、それが音楽だけでなく広く生活態度までを指すようになった。

『古今著聞集』管弦歌舞には、「貞保親王桂河の山庄にて放遊の時、唐の廉承武が霊現はるる事」の話が載せられている。貞保親王は清和天皇の第四皇子で横笛・琵琶琴などに極めて堪能で、後世の人から音楽家として重視された。その親王が桂川の山荘で五常楽を奏していたところ、その背後に影が現れ、自ら唐の琵琶の名人廉承武であると名乗ったという。

また『今昔物語集』巻二十四第二十三話には、「源博雅朝臣《みなもとのひろまさのあそん》、行会坂盲許《おうさかのめしいのもとにゆくこと》」という話がある。源博雅は醍醐天皇の孫で、もとより音楽の達人であった。その彼が盲目で琵琶の名人蝉丸を尋ねて行く。それは蝉丸しか知らない名曲を聞くためであったが、長くその機会が得られず、三年間通い続けてやっとその曲を口伝されたという話である。このように、平安時代にはこうした第一級の名人と称せられる音楽家たちが次々と誕生するようになるのである。

## 極楽浄土の管弦歌舞の音楽

平安時代中期になると極楽信仰を勧める浄土教思想が流布されるようになる。阿弥陀仏が極楽へと導いてくれる時に妙なる音楽が聞こえるとされるが、そうした浄土の音楽、来迎の音楽は雅楽の発展と結びついて、天皇や貴族の催す法会などで奏楽されるようになった。極楽浄土には伎楽歌詠が満ちあふれているという。だから現世で行われている雅楽で西方浄土への往生を願うことになった。こうなると音楽は極楽浄土の管弦歌舞であり、音楽そのものが仏の教えとなる。こうしてかつて神事としての音楽が仏事としての音楽に大きく変化していくのである。

平安時代の初期には琴や箏のような弦楽器が中心だったが、村上天皇が箏と共に笛を愛好して以降、笛が重要な位置を占めるようになった。中でも堀河天皇は笛の名手で、宮廷の音楽界に多大な影響を与えた。十二世紀以降になると、二条天皇は笛でなく、琵琶を愛好し、その後の後鳥羽上皇も琵琶に傾倒したため、琵琶はことさら高貴な楽器とされ、以後、その習得が天皇の重要な教養とみなされるようになった。

鎌倉時代の初期に在位した順徳天皇は有職故実の書『禁秘抄』の中で、天皇が身につける芸能の第一は学問、第二は管弦であるとする。管弦は「延喜・天暦以後、大略絶えざる事なり」とあるように、醍醐天皇以来、ほとんどの天皇がたしなんだという。

九世紀を境に「見る天皇」から「演奏する天皇」へと変化したが、その一番大きな要因は唐風文化の影響であろう。嵯峨天皇は様々な面で唐風化を進めた天皇として知られるが、それは従来の歌舞演奏の服属的・呪術的側面を薄めることになり、結果的に「君子左琴」と言うように、君子の生活にとって演奏することは欠かせない要素となったのである。

こうして多く「名人」が出現することになるが、その「名人」という言葉には我が国特有の考え方がある。それに至るには優れた能力や資格はもとよりであるが、稽古や精進を必須の契機と考え、不断の錬磨によって神的なるものに近づくとする芸能観が横たわっている。名人は一つの道に深い志を持ち、芸術的領域で優れているだけでなく、倫理的側面を含めた人格的陶冶も要求される。そこには「道」という観念があり、日本の「芸能」がしばしば「芸道」と呼ばれるのはそのためである。その「道」が広く流布するようになったのは、「仏道」であったが、その場合の「道」は悟りを意味した。したがって「仏道」は仏教において目指すべき究極の境地を意味した。そしてさらには悟りに至る修行の道をも意味するようになった。こうして我が国では、「道」は究極の境地を目指して進み行くプロセスという意味で使用されるようになった。

## 「やたら」は雅楽の「八多羅拍子」から

ところで音楽に由来する言葉が幾つかある。「やたらに忙しい」というように使われる「やたら」は雅楽のリズムの「八多羅拍子」に因む。ほとんどの雅楽は二拍子や四拍子で奏でられるが、八多羅拍子は特殊なもので、二拍子と三拍子が繰り返して演奏され、しかも速い。だから普通の人にはその拍子をとることが難しく、無秩序な演奏のように聞こえることから、わけもわからず混乱した様子を「やたら拍子」と言い、後に拍子がとれて「やたら」となった。

「どんちゃん」や「ちゃんぽん」も鐘（鉦）や太鼓に由来する。「どんちゃん」の「どん」は太鼓の音、「ちゃん」は鐘の音で、共に鳴り物なので打ち鳴らされ大層賑やかだった。そこから賑やかで乱れた騒ぎっぷりを「どんちゃん騒ぎ」と言うようになった。「ちゃんぽん」は舞のお囃子などで鉦と鼓を交互に打ち鳴らすと、鉦は「ちゃん」と鳴り、鼓は「ぽん」と鳴る。このように種類や性質の違うものが混ぜ合わせることが「ちゃんぽん」となった。

最後に「甲乙」である。「甲高い」「乙な」という言葉も雅楽に由来する。甲は正統な音、高い音を言い、乙はそれとは少し調子が違う低い音を言う。正統美に対する傾斜美を表すものとして「おつ」となった。ただ「乙な」という言葉は現在では音楽ではなく、渋く味わい深い意味になっており、「乙な味」などのように使われる。それは低い音というのは目立たないが、しかしそれでいてよく聞くと味わい深いということから転じたものと考えられる。

このように「甲乙」は音楽に関する言葉だったが、中世の時代には「甲乙人」という言葉が見える。この場合は不特定多数の庶民層のことを意味していた。こうした呼び方をしたのはその当人たちではなく、為政者で彼らから見れば甲も乙も共に有象無象の輩であったからその優劣などはどうでもよいことだった。しかし為政者にとって一般庶民をそのように見ていたことは何も古代・中世だけでなく、現在にも通じるものであろう。かつて某政治家が最初の国政選挙に出て、その第一声が「下々の皆さん」と言ったという話があるが、それは思わず出た本音であろう。高みに立って一般庶民を見、その庶民は単なる数にすぎず、それはまさに有象無象という感覚と軌を一にする。こうした立場からは決して庶民の心情は理解できないと思われる。

## ㈥　外国との文化交流

## 唐物の横溢した国風文化

高校日本史の教科書は国風文化の特色として次のように記されている。「中国文化を日本の風土や思想に調和させようとする、いわゆる文化の国風化の兆しは、既に九世紀中ごろから見られたが、十世紀以後は唐の衰亡や遣唐使の廃止も影響してその傾向が強まり、藤原氏による摂関政治が行なわれたころ国風文化（藤原文化）は最盛期を迎えた。特に仮名文字の普及は国文学の発達を促し、浄土教の普及は仏教芸術に新局面を開いた」とある。

しかし最近ではこの「国風文化」という歴史的用語が実態を示さず不適当とする意見も見られるようになった。そもそも国風文化という概念は近代の国文学成立時に語られはじめたもので、古くからの用語ではない。近代日本は日清・日露戦争を経て、初めて中国より優位な国際的地位を得た。「脱亜入欧」をスローガンとする国家においては中国の漢文化から脱し、自立した国民文学を定立する必要があった。そのために国風文化の独自性が必要以上に強調されたために、実際とは異なるイメージが作られた。この用語は二十世紀以降に登場し、満州事変以降の一九三〇代に定着していることからも、ナショナリズムの影が二重三重にまとわりついていると言えよう。

「国風文化」の表記から受ける印象は、教科書の記述に「中国文化を日本の風土や思想に調和する」とあるように、日本の文化が主体であり、それに中国文化を合わせたとするのが一般的である。つまり日本文化を主とし、中国文化を従とみる見方である。しかしその当時に生きた人々はそのように見てはいなかった。その例を示そう。

寝殿造は和風建築の象徴とされるが、その屋内に目を転じると、大和絵と並んで唐絵を描いた障子や屏風で仕切られ、家具・調度品も中国商船によって運ばれてきた紫檀・白檀などの輸入材を用いたものが多く、部屋はやはり輸入された香料の臭いに包まれていた。和風装束も日本人向きに優美なデザインで作られたが、その素材には唐綾・唐絹・唐錦などがふんだんに使われていた。このように和風・唐風が混在していたが、それは両者を対等なものとみなしていたわけではない。たとえば紫式部の『源氏物語』の「絵合」には、「左は紫檀の箱に蘇芳の花足、織物には紫地の唐の錦、打敷は葡萄染の唐の綺なり。童六人、赤色に桜襲の汗衫、衵は紅に藤襲の織物なり。姿、用意など、なべてならず見ゆ。右は沈の箱に浅香の下机、打敷は高麗の錦、あしゆひの組、花足の心ばへなどいまめかし。童、青色に柳の汗衫、山吹襲の衵着たり」とある。また同書「若菜上には、「御しつらひは、柏殿の西面に、御几帳よりはじめて、ここ（日本）の綾錦をまぜさせ給はず、唐土の妃の飾りをおぼしやりて、うるはしくことごとしく、かがやくばかり調えさせ給へり」とあるように、日本のものではなく、中国製のものを用いることで、「ことごとしく輝く」ことが出来たのである。『源氏物語』は国風文化を代表する文学作品であるが、「紫檀」「蘇芳」「唐の錦」「葡萄染の唐の綺」「高麗の錦」など、唐物で満ちあふれている。これらを所有することが貴族社会における権威と財力の象徴だったのである。

また『宇津保物語』では遣唐使として赴いた清原俊陰の唐で身に付けた学識が賞賛されるが、それだけでなく、彼が唐土から将来した多くの唐物の存在が権威を高めるのに役立っている。「蔵の唐櫃一つに香あり、といへるを取り出でさせたまひて、母北の方も一の宮にも奉りたまへば、この御族の香どもは、世の常ならずなむ」（蔵開上巻）「楼の高欄など、あらはなる内造りなどは、かの開けたまひし御蔵に置かれたりける蘇枋、紫檀をもちて、造らせたまふ。黒鉄には白銀、黄金に塗り返しをす。連子すべき所には、白く青く黄なる木の沈をもちて、色々に造らせたまふを、さるべき所々には、白銀、黄金筋やりたり」（楼の上上巻）とある。唐物づくしの楼閣を建てており、それが天皇家を初め貴族たちの羨望の的となっている。このように国風文化時代の文学作品の『宇津保物語』は国風ではなく唐物の横溢する世界であった。

たとえばこの時代の正式な書類は漢文で書かれ、漢詩文は貴族にとって必須の教養であり、白居易の漢詩文集である『白氏文集』の与えた影響は極めて大きかった。この当時の女流文学もその影響下にあった。『源氏物語』には、『白氏文集』の引用や構想の模倣・翻案が数多く見られるなど、そこから得たものが作品の重要な構成要素となっているが、それは『枕草子』の場合も同様である。漢文学の素養のうえに傑出した文学として登場したものである。

また書道では、空海・嵯峨天皇・橘逸勢らは唐風書道の名人だから、王羲之の書法を学ぶのはもとより、和風書道で三蹟の一人として知られる小野道風の書は書聖王羲之の再生として讃えられたし、同じ三蹟の藤原佐理・藤原行成もまた王羲之の書に学んでおり、それを模範としていた。

そのことは絵画においても同様であった。天皇の住まいする清涼殿の母屋の昼の御座の障子には唐絵と和絵が描かれていた。唐絵はその主題が中国にあり、和絵はそれを日本に求めているが、それは漢と和を並列しているということではなかった。昼の御座側のハレの空間には唐絵を、西庇の私的な空間には和絵が描かれている。つまり公的な側は唐で、私的な側は和であることは、国風文化の最盛期とされる摂関期の朝廷は、公的なものは中国的と考えていたのである。

理想的な美しさを「唐絵」にたとえたり、また華麗な美しさを「唐めく」と表現しているように、唐（中国）文化は明らかに和風文化の上に位置していた。「国風」と言われる時代にあっても依然として中国文化は憧憬の対象だった。和風の形成に「漢」が深く関わっていたことが知れるのである。

## 遣唐使の廃止以後、日中関係が密接化

国風文化が形成される大きな理由として、遣唐使の中止が常にあげられる。しかし遣唐使の派遣は十五年から二十年に一度であり、実際に派遣されたのは二百六十年でわずか十六回だった。もちろん遣唐使のもたらしたものは中国文化の粋というべき一流品を集めたものが多かったから、その重要さは特筆すべき

かもしれないが、あまりにも間隔があきすぎており、密接な関係があったとは言えない。それに比べ渤海は頻繁に来日しており、中国文化に強く傾倒し唐の文物を積極的に受容した嵯峨・淳和朝の頃、それは遣唐使ではなく、渤海使によって入手したものの方が多かった。むしろ九世紀以降になると中国や朝鮮の商船が頻繁に来日するようになり、その貿易によって唐物の流入は増大した。したがって遣唐使の廃止によって日中関係が途絶し、唐風文化が衰退したのではなく、むしろ逆に交流が密になっていた。国風文化は、中国文化の高揚の上にその骨組みを利用し、日本的文化の創造がなされたのである。表面を日本的な装いに改めたものされるのが「国風」と言われる文化の正当な評価であると思われる。

国風文化の一つとして仮名文字が成立し、それを用いていた宮廷の女房たちによって女流文学が隆盛したことがあげられる。かな文字の創造がどれだけ偉大なものであったかは殊更に言う必要はないかもしれないが、その成立は日本文化の特性をよく示していると思われる。漢字は画数が多く、読みも複雑だから、それを完全に習得することはなかなか容易ではなかった。そこでこの漢字を徹底的に簡略化した。簡略化した草書体からひらがなが、また万葉仮名からカタカナが生まれ、ひらがなは日本語表記の主流となっていった。この「簡略化」こそ日本人の得意とするところであり、このような文字を持ったのは日本だけである。

## 桓武天皇の母高野新笠は百済系

我が国では新しい知識や技術や思想に至るまで、そのほとんどは大陸伝来のもので、それを担ったのは渡来人と言われる人々だった。平安時代に編纂された『新撰姓氏録』には、貴族の系譜が記されているが、その三分の一は渡来系の出自である。平安京の遷都を行った桓武天皇の母の高野新笠が朝鮮半島の百済系の人物であったことはよく知られている。今上天皇が韓国に「ゆかりを感じる」と言ったのは、血筋の上でもつながっていることを念頭においてのことだったと思われる。

ただ一口に渡来人と言っても我が国に定住して長くなると先進文化を常に保持することは困難になる。そのような話が『日本書紀』敏達元（五七二）年五月十五日条に見える。高句麗から大王のもとに烏の羽に書かれた上表を東西の史《ふひと》たちは読解することができなかった。そこに登場したのが王辰爾《おうしんじ》で、手こずる史たちを尻目に鮮やかに読解して見せた。大王と大臣は「勤《いそ》しきかな辰爾、よきかな辰爾」と誉め讃え、史たちに対して「汝ら衆《おお》しと雖も辰爾に及《し》かず」と叱責したことを記す。朝廷の外交文書などを一手に引き受けていた古くからの渡来人では対応できなかったのである。渡来人と言えども常に新しい知識を摂取していなければ、大和王権の中に確かな位置を占めることは困難であった。

奈良時代の初期、左大臣長屋王の邸宅の発掘によって、大量の木簡が発見され、当時の高級貴族の生活ぶりが詳細にわかるようになった。「新羅人一口一升　受持万呂　七月三十日　甥万呂」という木簡がある。この木簡は長屋王邸の出納原簿で、七月三十日に邸内の役人である甥万呂が新羅人一人分の米一升を持万呂という人物に渡したという内容である。朝鮮半島の新羅の渡来人が長屋王の邸宅内に住んでいた。ただ名前がなく、単に新羅人とあるのはまだ渡来してから日が浅く、あるいは一時的に長屋王邸に逗留していたのかもしれない。

実はこの新羅人以外にも「百済人」「狛人給米一升受田□」という木簡も出土している。百済人は朝鮮半島の百済国、狛人は同じく高句麗の人と考えられるから、長屋王邸には新羅・百済・高句麗の人たちが居住していたことになる。渡来人たちは様々な技術をもってやってきたが、「○○人」という表記をする場合には音楽の演奏や舞楽に携わる人が多く、彼らもそのような役割で長屋王に奉仕したのであろう。左大臣長屋王の日常生活に彼らは欠かすことのできない存在だったのである。

## 今も昔も外国語を苦手

国際交流には外国語の習得が必要であるが、日本人が外国語を苦手としているのは何も現在だけのことではなかった。たとえば遣唐使などは国威発揚の場であり、国家の体面に関わるだけに律令政府も通訳の養成に力を注いだ。『続日本紀』天平二（七三二）年三月条には、漢語に堪能な官人に弟子をとらせて教習させたり、『日本紀略』延暦十一（七九二）年十一月条には、大学に漢語を専門に学ぶ学生定員を設けたことなどが見えるが、はかばかしい成果はなかった。たとえば『続日本後紀』に大学博士の善道（伊与部）真貞《まささだ》は、元来漢音を学んでおらず漢字の四音も弁別できず、一般に流布している呉音を使うだけだったので、深い考察は出来なかったとある。大学博士という我が国の学問の頂点に立つ人物にしてこの有様である。彼の父の伊与部家守は宝亀の遣唐使に派遣され、自らが中国からもたらした春秋公羊伝《しゅんじゅうくようでん》を伝習できる第一人者であった。発音で引くことのできる中国語辞典も自在に利用でき、語学力抜群の人物だった。しかし早くも次世代にはそれが継承されていない。やはり日常的に外国人に接することのできなかったことがその一番の要因であろう。

また延暦期の遣唐使書記官の上毛野頴人《かみつけのかいひと》の伝記には、訳語が通じないところがあれば、筆談によってコミュニケーションをとったと記す。その後、来日外国人や長期の在唐生活を経た人物を必要に応じて抜擢するという現実的な方法に転換した。遣唐使と言っても二十年に一度程度の海外交流だから、会話能力が低いというのもやむをえない話なのである。

## 外国での名乗り

ところで外国に行って自分の名を名乗る時、本来の名ではなく、名を先に姓を後にするということが行われている。かつて英語の授業ではそれは普通のことだった。このように外国人に対して名前を変えるのは、外国人との交流が盛んになる明治以降と思われているようであるが、実は古くからの日本の伝統と言ってもよい。

それは遣隋使・遣唐使の時代にまで遡る。隋や唐に赴いた人々はいずれも中国風の名を名乗っていた。こうした唐名は中国側がそうさせたのではなく、使人たちがあらかじめ用意した。それは入唐した時に、口頭や書面でもスムーズに通じるように配慮したためであろう。このように和名と唐名を内外で使い分けることが、中国文化に対する日本の態度であった

他の中国周辺諸国では、自国内でも中国的な名前となっているが、我が国では唐風化が頂点に達した九世紀初めの嵯峨・淳和・仁明朝の時代に中国風の一字姓である源・平などが生まれたが、それ以後はやはり二字姓となっている。こうしてみると現在の西欧諸国に対して相手に合わせる名乗り方と極めて類似している。外国に対する憧れと距離感は長い歴史を経ても根本の所ではあまり変わっていないのである。

遣隋使の小野妹子は「蘇因高」と名乗っていた。「おののいもこ」と「そいんこう」はよく似ている。姓を一字としたのは、中国のような文明国であることを強調するためだったのだろう。この時の副使難波吉士《なにわのきし》雄成は「乎那利（おなり）」と一音一字で表記している。白雉五（六五四）年に派遣された遣唐押使高向玄理の場合は、「高玄理」で小野妹子の場合と同じである。ところが、そのように名を中国風に改めず、日本でのフルネームの場合も少数ながらある。それは多治比真人広成・藤原朝臣葛野麻呂・高階真人遠成・藤原朝臣常嗣の四例である。彼らはいずれも遣唐使の代表者だったのでフルネームとした。律令制の成立以降、代表者のみという限定付きではあるが、日本の姓秩序を憚ることなく使用しており、ここに中国的な文化様式への盲目的な追従からの離脱を目指したことがわかる。ただ日本と中国の両方の名乗りが抵触することがある。たとえば中国の唐から名や官職を賜った阿倍仲麻呂や藤原清河の場合である。二人とも唐王朝に出仕し、皇帝から仲麻呂は「朝衡」、清河は「河清」の名を賜った。唐皇帝から官職を授けられることは、

唐皇帝の臣下になることを意味していた。ただし遣唐使たちが賜ったのは実体のない名目的な官職だったから、実際に唐皇帝に仕えなければならないというわけではなかった。またその官職は日本国内においては通用しなかった。天皇に仕える官人としては、その官職は不都合なこととして公にはされなかったようである。彼らの改名が日本に伝わった時、我が国では、唐による改名を否定して日本的な名乗りを主張することはなかった。唐を建前上「隣国」としながらも、ここに越えることのできない壁があったことを示している。

## 今も昔も同じ外国への憧れと距離感

法隆寺の柱

法隆寺の柱は中央部が上下よりも太くなっているのは、古代ギリシア建築様式の影響でエンタシスの柱であるという話は一度は聞いたことがあると思う。しかしそれは、現在においては全く根拠がないと一蹴されている。とはいえ、それは国民的常識というくらいに広く浸透していたのだから、何らかの理由はあったのであろう。実はそれは明治期の「脱亜入欧」の時代思潮と関係する。古い日本が文明開化を推し進め、懸命に西洋に追いつこうとしていた当時の日本人にとって、西洋とのつながりを見いだすことは大きな励ましとなった。そうした近代の眼差しから、法隆寺とギリシャ建築とが結びつけられたのである。これはその当時の時代の眼差しによって古代の歴史が歪められた典型的な例である。

明治のお雇い外国人の一人で、日本の芸術美を高く評価したフェノロサは文明が東漸したのはギリシアのアレクサンダー大王が東征して文明の種子をインドに遺し、そこから中国・朝鮮半島を経て日本に伝わったと考えていた。フェノロサは日本の古代美術に西欧の影響を強く見ようとしたが、彼の後継者である岡倉天心、さらにその教え子にあたる日本建築史学の先駆者であった伊東忠太にも受け継がれた。そして彼が「法隆寺建築論」という論文を発表し、そこで初めて法隆寺の柱は古代ギリシア建築の影響だと指摘した。しかし古代ギリシアと法隆寺をつなぐ遺構が存在しない以上、この説は実証性を欠くもので今日では否定されているが、しかし脱亜入欧を目指す時代の雰囲気の中でこの説は世間に広く流布することになった。その頃はナショナリズムの勃興期であったが、西欧文明の源流のギリシアとの共通性を探し出すことは時代の要請でもあった。そして和辻哲郎の『古寺巡礼』によってそれは決定的になった。和辻は言う。「仏教と共にギリシア建築の様式が伝来したとすれば、それが最も容易な柱にのみ応用せられたというのも理解しやすいことで、これをギリシア美術東漸の一証と見なす人の考えには充分同感ができる」と。そしてそれは法隆寺だけでなく、唐招提寺金堂もエンタシスこそ消えているが、精神において実にギリシア的であると述べている。『古寺巡礼』が出された時代は大正デモクラシーの最盛期であった。吉野作造の民本主義に共鳴していた和辻にとって、ギリシアはデモクラシーの故郷であり、そのギリシアが日本の古美術に与えた影響を確認することは、直ちに現代日本のデモクラシーの可能性を確認することにもつながっていたのである。

## 遺唐使の艱難辛苦

遺唐使のもたらしたものが我が国の多方面に与えた影響は絶大であったが、その一方で度々の遭難などの苦難も並大抵のものではなく、無事に故郷に帰れるという保証は何もなかった。遺唐使に選ばれることは大変名誉であったが、子供を見送る母の心境は複雑だったろう。『万葉集』にその母の歌がある。「旅人の宿りせむ野に霜降らば　吾が子羽含《はぐく》め天《あま》の鶴群《たずむら》」（一七九一）と詠んだ。母親の思いの届かない異国での野宿を思い、鶴の群に我が子のことを頼んだ。そこには今生の別れになるかもしれないだけに悲哀が込められていた。

遣唐使の後期には「四つの船」で構成されていたが、これらの船には名前が付けられ、位階が与えられた。大宝の遣唐使粟田真人の船は「佐伯」、天平勝宝の時は「播磨」「速鳥」、承和の時は「太平良」で、それぞれ従五位下が与えられている。これは船に対しても人格的性格を認めるという「船霊」信仰が背景にあり、航海の安全を祈願した。

しかしその航海が極めて危険だったことは変わらない。遣唐使の留学生として派遣された阿倍仲麻呂や最近になって墓誌が発見されて話題となった井真成のように帰国を果たせず没する場合も多くあった。阿倍仲麻呂の場合、渡唐三十七年にしてやっと帰国のチャンスが訪れ、唐の人々が送別の宴を開いてくれたその席で「唐土にて月を見て、よみける」歌、「あまの原ふりさけ見れば春日なる三笠の山にいでし月かも」と詠み、はるか故郷を偲んだ。しかし船は安南に流され、帰国は夢となった。この時、仲麻呂が海難によって死亡したという誤報が伝えられた時、詩聖李白が「晁卿衡を哭す」と仲麻呂を悼んで詠った。「日本の晁卿　帝都を辞し　征帆　一片　蓬壺を遶る　明月帰らず　碧海に沈み　白雲　愁色　蒼梧に満つ」（日本の阿倍仲麻呂は、帝都長安を去って、小さな帆掛け船で仙人の島・蓬壺をめぐるはずだった。それなのに、明月のように美丈夫である君は、今は青海原に沈んでしまい、白い雲が愁わしげに、南の蒼梧の山に掛かっている）ここには李白の仲麻呂を悼むまっすぐな心情が吐露されている。

遣唐使の艱難辛苦の例を二つあげよう。一つは漂流した日本人の中で最も長い距離を経て帰国した平群広成《へぐりのひろなり》である。彼は天平五（七三三）年遣唐使の判官として入唐した。その帰国の時、大海に出た所で暴風に遭い、南に流されてベトナム方面に漂着した。ここで現地人との戦いで多くの者を失い、さらに抑留されてからも熱病などで亡くなる者も多く、百五十人の乗船者のうち結局広成ら四人だけが命を長らえ、長安に戻ることができた。そして渤海を経由して帰国した。それは天平十一（七三九）年のことで、六年に及ぶ苦難であった。ただその時の第四船は行方不明になり、誰一人として帰ってこなかった。それとの比較で言えば、艱難辛苦を味わったとはいえ、平群広成らはまだ運があったと言えよう。

今一つは延暦二十四（八〇五）年の遣唐使である。その第三船に乗り込んだ判官三棟今嗣《みむねのいまつぐ》は五島列島付近を航行中、暴風に遭い、船は岩に当たって浸水し、今嗣は命からがら助かった。しかし船も船員たちも流され、行方不明になった。『日本後紀』延暦二十四（八〇五）年七月条によると、その報告を受けた朝廷は次のような勅を下した。「使命は国信を以て重きと為す。船・物、人力を須《ま》ちて乃はち全《まった》し。而るに今、公途を顧みず、偏に苟存を求む。船を泛《うかべ》るに人無くば、何を以て能く済《すく》はん。奉使之道、豈に其れ然らんや。宜しく科責を加え、以て峻しく懲沮すべし」とある。遣唐使の使命の一番は「国信」であり、それは命よりも重くそれが果たせていないから厳しく懲罰するというのである。その「国信」とは唐皇帝への朝貢の贈り物で、これを届けることで唐から国書と豪華な返礼を受け取ることができた。第三船に積んだ朝貢品が届かないとすれば、それは当然返礼の回賜品の質や多寡にも影響が及ぶことになる。だからこそ九死に一生を得た三棟今嗣に対しても厳しい処置が待っていたのである。

我が国では遣唐使によってもたらされたものに注目が集まりがちであるが、唐の側からみれば、日本の遣唐使は唐皇帝の権力や権威を誇示するためになくてはならない要素であった。正月の元日に行われる朝賀の儀式は非常に大規模で、皇帝を中心とした唐帝国全体の構造を目に見える形で示した儀式であった。八世紀以降の多くの遣唐使は年末に長安に到着し、朝賀の儀式に間に合うように配慮されている。文化的使節とされている遣唐使は、実は唐皇帝を中心とする中華思想の序列の中に位置づけられていたのである。そのことを示すのが、唐から日本への国書である。わずか一例しか残されていないが、天平八（七三六）年の「日本国王に勅す書」である。その冒頭は「勅す日本国王　主明楽美御徳」となっており、「主明楽美御徳」は「スメラミコト」と読み、天皇のことだと考えられる。唐からの国書が「主明楽美御徳」宛てになっているのは、日本側が天皇のことを「主明楽美御徳」と称していたからであり、天皇号は使用していない。おそらく国内では天皇号は使用できても、皇帝に通じる天皇号は朝貢する唐を相手に使用できなかったのであろう。

遣唐使が訪れた中国唐の長安はまさに中華思想を体現するのにふさわしい壮麗な都であった。我が国の平城京もそれをモデルにして造営されたが、その内実は大きく異なっていた。長安城では全体が城壁で囲まれ、また各坊も障壁があったが、平城京には設けられていなかった。その平城京では、朱雀大路の東西両側のブロックのみに築地があり、南辺の羅城門もその両脇の一部だけに羅城が築かれていた。それは外国の使者などが羅城門から入京し、平城宮に向かう時に目に入る部分だけ長安城と同じ構造に見えるように工夫していたのである。まさに見せかけの中国風の都城であった。

## 外国人接待役の条件は容貌と文才

古代の国際交流は中国唐だけではなく、中国東北部に建国された渤海とも盛んに行われた。我が国にやってきた渤海使の歓迎の宴は、我が国の国威を発揚する重要な場だったから、その接待役には菅原道真のような当代一流の文人たちが選ばれた。しかしここでも教養よりも容姿を優先することがあったようである。そもそも渤海使の通訳担当者も「延喜式部式」に「学生の容貌端正なる者」を選ぶ規定があるから、直接の接待役にはそれがさらに重視されたはずである。ところが容姿優先のために中には思わぬ恥をかく者もいた。元慶七（八八三）年に渤海大使らへの饗宴に際して、「五位以上の容儀有る者三十人」を接待役として選んだ。その中の一人に障りがあり、急遽藤原良積が選ばれた。その理由は、やはり容姿端麗であった。そして渤海大使と対面し、恒例の挨拶代わりの漢詩を交換する段になった。この大使は菅原道真からもその文才を高く評価されており、そうした人物との漢詩のやりとりにいたたまれず、良積は席を立ちその場から去った。容貌は優れていても文才がなかったからである。そのことが最後の六国史『日本三代実録』(元慶七年五月十日条）に記され、後世まで藤原良積は教養のない人物と記憶されることになった。国家の対面維持のための気の毒な犠牲者と言うべきであろう。

## 「日本」国号は中国を起点

「日本」国号がなぜ生まれたのかについては、中国側の『旧唐書』にその理由が三点記されている。第一は、「日本はもと小国、倭の地を併す」とある。日本という小さな国が元からあったが、それが次第に強国になって倭国を併合したという。第二は、「倭国自らその名の雅ならざるをにくみ、改めて日本と為す」とある。これであれば、倭の名は優雅でなく、それが嫌なので日本と称したことになる。第三は、「日本国は倭国の別種なり。その国、日辺にあるを以て、故に日本を以て名と為す」とある。日本国と倭国は別なものであって、日の本にあることから日本と称したというのである。

『旧唐書』には、日本と倭の関係が混乱しているが、それはその時の倭の使者が倭と日本の関係をわからないように言ったからだとする説がある。つまり本当のことを言わず、嘘をついたとする。倭国ではないとするその理由は、唐と白村江の戦いで戦った倭国は消滅しており、したがって唐が倭国に侵攻する理由はもはやないと言いたかったのである。そうであれば、「日本」国号は使者が唐の侵攻を回避するためについた嘘からでた国号ということになる。

『旧唐書』に対する別の見解を見ていこう。その第一の理由は明らかに誤りだから、日本と称したのは、倭の名を嫌がったのか、あるいは日の本にあるという地理的理由かである。「倭」の文字は人偏に「禾」と「女」からなっている。「禾」は、しなやかに穂をたれた稲や粟の姿、「女」はなよなよとした姿を示す。したがって「倭」はしなやかだが、たけが低く背の曲がったなよなよとした小人ということになる。今ひとつは、日の本は東に位置することについて、仏典の『大智度論』には、「日出ずる処は是東方、日没する処は是西方」とある知識によって国号を定めたとする。西は中国であるから、「日本」は中国の東にあることを強く意識し、それを起点として作られた国号ということになる。「日本」国号への変更はこの二つの理由だが、ただ日本使が嫌がったという「倭」の文字は、この遣唐使の後にも使用されている。文武天皇のおくり名の「倭根子豊祖父天皇」や「大倭国」などからみると、「倭」の名が嫌だったとする消極的な理由よりも、積極的に「日」の文字を含む国号を制定したと思える。

その「日本」国号の成立時期については、『日本書紀』天武三(六七四)年に「銀始めて当国に出でたり。(中略)凡そ銀の倭国に有ることは、初めて此の時に出《み》えたり」とあり、この時点においてはまだ「倭国」で「日本」は成立していなかった。その成立時期について平成二十三（二〇一一）年に発見された祢軍《ねいぐん》という人物の墓誌が注目されている。この人は百済出身で、百済が唐に滅ぼされた後に唐に投降して仕え、唐の立場で二度にわたって倭国を訪れ、新羅とも交渉したが六七八年に長安で没した。その墓誌は東方の情勢について次のように記す。「時に日本の余噍《よしょう》、扶桑に拠りて以て誅を逋《の》がる。風谷の遺甿《いほう》、盤桃を負《たの》みて阻固《そこ》す」とある。墓誌が公表された当初、その中の「日本」は日本列島の倭国を指すとする見解もあったが、この墓誌には一つとして同時代の国号は使用されておらず、「日本」「扶桑」「風谷」「盤桃」はいずれも東方を意味する普通名詞である。そのことはこの段階では「日本」という国号が成立していなかったことを意味する。もし国号としての「日本」が成立していたならば、「日本」を「扶桑」「風谷」「盤桃」などと共に東方を意味する普通名詞として表記することはありえないからである。これによって日本国号の成立は六七八年以降ということになった。そして「日本」を「日の御子」や「日の神」の神話とか関わって成立したとする見解もあったが、この墓誌によってそれは否定された。

「日本」国号は大宝令によって制度化されたとする説が有力である。大宝令に規定された公式令《くしきりょう》詔書式条に「御宇日本天皇詔旨」と見えることから外交文書で初めて「日本」の国号を称した。わが国を文明国にするために、律令制という中国で成立した世界水準の高度な統治技術を導入し、大宝律令を制定し、小さくとも独自の帝国を建設した。大宝元年の正月には、その新令の施行を控えるのにふさわしい、今後の模範となるような威儀をただした朝賀の儀式を挙行した。その日、「文物の儀、是に備われり」と誇らかな回想を伴って『続日本紀』に記録されたその日本という国が、国際社会で認知されたのは、大宝二（七〇二）年に唐に派遣された遣唐使によってであった。国号「日本」は中国の中華的な世界観の中から生まれたのである。

その時のわが国の使人と唐の役人のやりとりが、『続日本紀』に見える。唐人「いずこの使人か」、日本使「日本国の使人なり」、唐人「しばしば聞く。海東に大倭国あり。これを君子国と謂う。人民豊楽にして、礼儀敦く行わると。今使人を見るに、儀容甚だ浄し。豈にまことならずや」とある。また執節使の粟田真人についても、「好みて経史を読み、文をつづるを解す。容姿閑雅なり」と記す。これは遣唐使の帰朝報告だから、唐の役人がわが国のことを「君子国」と呼んだことなどは割り引く必要はあるかもしれないが、遣唐使の一行が好印象を与えていることは確かである。それもそのはず、この遣唐使は初めて「日本」という国号を唐王朝紹介し、認めさせる目的を持っていたから、そのメンバーは厳選に厳選を重ね、選び抜かれた人たちであった。中国文化に精通しているという学識はもちろんのこと、見た目も大変優れ、オールジャパンで構成された使節団だった。だからこそ「容姿閑雅なり」と評されたのも、あながちお世辞ではないのである。

ところでこの一行の中に、万葉歌人の山上憶良がいた。ということは憶良も容姿閑雅、つまり歌に優れていただけでなくイケメンだったのである。その憶良が帰朝の際の宴席で、「いざ子ども　早く日本《やまと》へ大伴の御津の浜松　待ち恋ひぬらむ」と詠んでいる。「やまと」をあえて「日本」と表記しているところに「日本」国号を認めさせた高揚感を読み取ることができる。そうであれば、この段階をもって「日本」と表記すべきであり、それ以前の国号は「倭」としなければならない。そこに住む人々も、「日本」成立以前は「倭人」と呼ぶのが正しいということになる。また成立した「日本」の地理的範囲は現在のそれとは大きく異なっている。沖縄や北海道はその領域外であり、日本の領域そのものが歴史的な生成物であることを見落としてはならない。

長く日本の中国に対する眼差しには羨望・憧憬があった。古代の人々にとっては苦手な味だと思われる団茶や牛乳、座る生活にも関わらず椅子やベッドといった中国式の生活様式等々を取り入れている。涙ぐましいまでの努力によって中国化を目指した。それは中国の模倣ではあるが、それは我が国が「海東の大国」となることでもあった。中国が自らを世界の中心を意味する「中華」とし、周辺諸国を未開な「蕃国」とした観念も取り入れ、我が国は大国、朝鮮の新羅や中国北東部の渤海などを蕃国と位置づけた。そのため蕃国扱いされることを拒否した新羅との間で度々紛争が起こり、戦争の一歩手前までできている。たとえ戦争となって相手国を壊滅してまでも自国の強大さを誇ることが当時のグローバル・スタンダードであった。

ところで、天皇号も「天武」や「聖武」のように長らく中国風の漢風諡号であった。九世紀末の宇多天皇以降になって京都周辺の地名を冠した「白河」「鳥羽」などの和風諡号に代わる。その変化が遣唐使の中止の時期と一致しているのは興味深い。また国号の「日本」について、「にっぽん」「にほん」のどちらを称したのだろうか。実は現在においても正式には決定しておらず、両方が使用されている。勇ましい声援をおくる場合には「にっぽん」がふさわしく、四季折々の風情を伝える場合には「にほん」の方がしっくりくる。それぞれの語感の違いがあるためであるが、こうした情緒的な言葉やイメージを重視し、曖昧さを残しているところが日本的といえば日本的である。

## 硫黄でつながる歴史の道

十世紀末から十三世紀にかけての日宋貿易を通じて、日本から中国に硫黄が輸出されていた。なぜこの時期から硫黄の輸出が始まるのだろうか。それは中国における火薬・火器の発達の歴史と関係がある。火薬は唐末の九世紀の中国で発明されたと推定され、それは硝石・硫黄・木炭粉を主原料とする黒色火薬であった。そしてこれ以後、中国において火薬の武器への利用が進められ、火砲箭など、様々な火器が生まれた。このような火器が大きく発展するのが宋代である。しかしその一方で宋代の中国には致命的な問題があった。それは火薬の主要原料の自然硫黄を産出する火山が領域内にほとんど分布しないという事実である。特に北方の金の圧迫によって支配領域を大きく南方に偏らせていた南宋にとってそれは致命的だった。つまり火器の利用が拡大する一方で、その主要原料の一つである硫黄の国内自給ができないという矛盾した状況があった。

そこで宋人が輸入先の一つとして目を付けたのが、火山国日本で、その輸入を可能にしたのが宋代に大きく発展した海上貿易だった。日宋貿易の硫黄の主産地一つが鹿児島県の硫黄島である。太平洋戦争の激戦地となった硫黄島と区別するために、薩摩硫黄島と呼ばれる。周囲十四・五㎞の小さな火山島で採掘された硫黄は、貿易港博多に集積され、そこから宋海商の貿易船で中国に運ばれた。そしてその硫黄は宋の敵である西夏との戦争の火器原料として利用された。日本列島南辺の小さな火山島の歴史は硫黄を介して中国や内陸アジアの歴史の動きとつながっていた。火薬技術をほぼ独占していた当時の中国は、東南アジアのジャワ島や、西アジアのペルシャ湾、紅海周辺からも硫黄が流れ込んでいた。硫黄でつながった歴史の道が見えてくる。

一方、宋からの輸入品に書籍がある。宋代には印刷技術の進展で多くの書籍が刊行された。我が国でもそれらの書籍を手に入れようと熱望したが、宋は書物の輸出を禁止する書禁政策をとっていた。ところが宋朝が最も誇りとし国外輸出を厳重に禁じていた『太平御覧』でさえ我が国にもたらされている。『太平御覧』よりも巻数の少ない書籍などは、容易にまた盛んに輸出されていたのである。表面上の書禁政策の実態はこのようなものであった。

## 三　旅

### ㈠　苦難の旅

#### 旅は憂いもの辛いもの

旅行は多くの人にとって楽しみである。ゴールデンウイークのように長期の休みともなると、国内旅行はもとより、海外旅行にも大勢の人々が殺到する。旅行は「日常生活からの脱出」だから楽しい。未知の土地への興味、その地特有の飲食物や遊びの楽しみなど様々であるが、何より日常とは違う解放感が味わえることが一番大切なことであろう。

このように旅行は楽しむもので、その歴史も久しくなったが、それは交通手段や宿泊施設の充実によって身軽に旅が出来るようになったからである。旅行や観光はその地に行く目的があり、交通手段や宿泊が確保され出発地に帰ってくる。そうした観光や旅行の始まりは十二世紀頃に流行した紀伊熊野への参詣である。とはいえそれは上皇を初めとする特権階級の人々で、庶民にまで広がるのはお伊勢参りからである。

今日の「旅行」は明治以降に作られた新しい言葉で、それ以前は「旅」だった。「旅路」「旅立ち」「旅人」などは物見遊山やレクレーションの趣はなく、「旅は憂いもの辛いもの」という意味がそこはかとなく感じられる。それは言葉の持つ歴史の厚みの違いによるものと思われる。「可愛い子には旅」というのも子供に苦難を体験させる意味である。

著名な松尾芭蕉が『奥の細道』の冒頭で「月日は百代の過客にして、行きかう年もまた旅人なり」「舟の上に生涯をうかべ、馬の口をとらえて老をむかふる者は、日々旅にして旅をすみかとす。古人も多く旅に死せるあり」と言うように、「人生は旅」とするものの、それは楽しみではなく、生死に関わる困難な生活の臭いが感じられる。それはかつて旅というのは異なる世界に赴き、予測のつかない事態が生じる苦しいものという歴史的経緯があるからであろう。

古代にも、道路は駅制によって整備され、官人を初め多くの人が移動していた。もちろんその頃も物見遊山の楽しい旅もあったが、それは希だった。この頃の旅のほとんどは自ら望んで旅に出たわけではない。何事にも通じるが、自主的にすることは楽しいし、逆に強制的にやらされるのは苦しい。

たとえば防人の旅である。彼らの多くは東国の農民だったが、北九州まで行き、対外的防衛の任務のために旅をした。『万葉集』の防人歌には「旅衣《たびころも》　八重着襲《きかさ》ねて　寝ぬれども　なほ肌寒し　妹《いも》にしあらねば」とあり、妻を偲んでいる。また「草枕旅の悲しくあるなへに妹を相見て後恋ひむかも」（三二四一）「家にあれば笥に盛る飯を草枕旅にしあれば椎の葉に盛る」（一四二）などは旅は辛い悲しいものとして詠まれている。この歌を詠んだ有馬皇子は孝徳大王のただ一人の皇子として有力な王位継承者であり、このような人物にしても旅は野宿同然であった。「家にあれば妹が手まかむ草枕旅に臥《こや》せるこの旅人あわれ」（四一五）では、家では手枕に対し、旅では草枕という対応関係にあった。このように「草枕」は旅の枕詞だったが、さらに進んで旅は死が身近にあることから、「岩枕」とするものもみられる。「かくばかり恋ひつつあらずは高山の磐根し枕きて死なましものを」（八六）「沖つ波来よる荒磯を敷栲の枕と枕きて寝せる君かも」（二二二）「鴨山の岩根し枕けるわれをかも知らにと妹が待ちつつあるらむ」（二二三）などは全て死を歌っている。このように旅はしばしば岩を枕とする死の不安に脅えながらのものだった。

後白河法皇『梁塵秘抄』にも旅は心細いと見える。「心凄きもの　夜道船旅　旅の空　旅の宿　木開き山寺の経の声　想ふや仲らひの飽かで退く」（四二九番）（心細く恐ろしいのは、夜道に船旅、旅の空、旅の宿、木暗い山寺から聞こえてくる経の声、そして想いあう仲が心ならずも離れ去ること）。このように家族や恋人と別れ、一度家を出ると旅の途中で連絡を取り合うことは不可能で、再び逢えるという保障がないとすれば、やはり苦しいものであろう。

奈良時代に最も多くの人が強制的に旅をさせられたのが運却である。運却は当時の農民たちが中央政府に納める調・庸を都のある平城京まで運搬する仕事である。当初、船は危険を伴うため陸路で運ぶことになっていた。その何十キロにもなる調・庸を都に運ぶ人を運却夫と言ったが、『延喜式』によれば、伊予国の場合、都までの上りは十六日、下りは八日、海路であれば十四日と定められていた。これだけ重い荷物を長い間、運び続けるのだから当然村の中でも屈強の人物が選ばれたが、しかしこの苛酷な旅で傷ついたり、疲労からくる病気などのために途中で死亡する者も多かった。政府は国郡司に食料や医薬を提供するように命じたが、食料の調達は思うにまかせなかった。

『万葉集』にも行き倒れになった役夫のことを詠んだものが見える。

「小垣内の　麻を引き干し　妹なねが　作り着せけむ　白たへの　紐をも解かず　一重結ふ帯を三重結ひ　苦しきに　仕え奉りて　今だにも　国に罷りて　父母も　妻をも見むと　思ひつつ　往きけむ君は鳥が鳴く　東の国の　かしこきや　神のみ坂に　和膚《にぎはだ》の　衣寒らに　ぬば玉の　髪は乱れて　国問へど国をも告《の》らず　家問へど　家をも云はず　ますらをの　ゆきのすすみに　ここにこやせる」（田辺福麻呂歌集一八〇〇）。故郷の吾妻に帰る途中、足柄峠という難路を越えた所で倒れてしまった。帰りは軽装になり、楽になるとはいうものの、故郷に行き着くことのできない者も多くいた。だから旅の安全を歌った。

「庭中の阿須波《あすは》の神に木柴さし吾は齋はむ帰り来までに」とあるように、山の神・坂の神・川の神・海の神に供え物をして祈った。その祈りは切実であった。

## 村境を越えることは他界への一歩

旅は日常空間との決別で、村境を越えることは他界への一歩を踏み出すことでもあった。その境が坂や峠である。坂の初見は『古事記』神話の「黄泉《よもつ》ひら坂」である。イザナギノミコトが死去した妻のイザナミノミコトに会いに黄泉国を訪問するが、その醜悪な姿を見て「黄泉ひら坂」から逃げ帰る。その坂を大磐で塞ぐことで両神は絶縁することになった。このように「黄泉ひら坂」は死の世界と生の世界の境界だった。また山幸彦が海神を訪問する神話には海坂《うなさか》が出てくる。山幸彦は失った釣り針を探しに海坂を通って海神の宮に行く。そこで海神の娘豊玉姫に会い、彼女は子を身籠もる。葦原中国で子を産んだ姫は海坂を夫妻で海神の国に帰っていく。この海坂は陸と海の境界であった。

ヤマトタケルノミコトの神話にも坂にまつわる話がある。ミコトが足柄の坂で食事をしていると、坂の神が白い鹿に姿を変えて現れたが、彼はその鹿の目に野蒜を打ち当てて殺した。そしてミコトは足柄の坂に立ち、亡き妻弟橘姫を思い出して「あづま（吾妻）はや」と三嘆したという。坂の神は祭り方が足りないと身に危険を及ぼすものだったから、旅人にとって畏怖の対象であった。この足柄の坂は妻や家や故郷と別れを告げる場所でもあった。「足柄のみ坂恐《かしこ》み曇り夜の我が下延《したばへ》を言出《こち》でつるかも」（三三七二）。坂の神が余りにも恐ろしいので、ついタブーである恋の思いを口にしてしまったと悔やむ歌である。「み坂」と「恐み」の語は人々が足柄の坂の神に強い霊威を感じ、また甚だ畏怖していたことを示している。だから家に残る妻に旅衣の紐を結んでもらったり、妻の衣を身に纏ったりしたのも、無事に旅を終えて再会出来ることを願ってのことであった。

平安時代の貴族たちは熊野や高野詣のように信仰による旅以外はほとんどしていない。摂関政治全盛時代の藤原道長・頼通など、最高の地位にある人物が地方に赴くことは考えられなかった。それは受領など中・下級貴族のすることだった。少し後のことになるが、太政大臣の平清盛が厳島に詣でるために安芸国まで下向したことに、当時の貴族たちは破天荒なこととして瞠目している。清盛の評価は様々であるが、当時の貴族たちの常識を打ち破り、時代を切り開いていったことは間違いがないのである。

## 『土佐日記』の船旅

船旅は陸上の旅以上の危険を伴った。暴風雨が起こるのは荒ぶる神の怒りと考えていたから、その神をなだめる必要があった。その最たるものが人身御供である。その時に捧げられるのは若い女性であることが多い。それはその方が神が喜ぶと考えるからである。そうした例を二つあげよう。一つは『日本書紀』景行四十年是歳条である。景行大王の命によって東国遠征に赴いたヤマトタケルノミコトは海上ルートをつかって相模から上総に移動している時、暴風雨が起こり船は波風に翻弄された。その時、ヤマトタケルノミコトに随行していた弟橘媛《おとたちばなひめ》は、「今風起き浪泌《はや》くして王船《みふね》沈まんとす。是必に海神《わたつみ》の心なり。願わくは賤しき妾が身を王の命に贖《か》えて海に入らん」と言って海に飛び込んだ。すると暴風雨はおさまり船は無事に岸に着くことができた。彼女の行為は海神への供儀であった。

もう一つは『続日本紀』天平宝字七（七六三）年十月条に正七位下の板振鎌束《いたふりのかまつか》という人物が罰せられた記事が見える。彼が罰せられたのは、渤海から帰国する時に人を海に投げ入れたという理由であった。鎌束は渤海使節王新福を本国に送り届ける時の船長であった。その日本への帰国時に嵐に遭い水主らが浪に呑まれる事態になった。鎌束は「異国の婦女や人と異なる優婆塞《うばそく》の乗っていることがこの災難の原因だ」と言い、学生の妻と子供・乳母・優婆塞の四人を海に投げ入れた。漂流すること十日にして隠岐島にたどり着いた。彼の行為もまた海神に対する供儀であった。

紀貫之の有名な『土佐日記』も当時の船旅の様子を示している。土佐から山崎津までの旅は、承平四（九三四）年十二月二十七日から翌年の二月二十一日までの合計四十四日間であった。『延喜式』では平安京から土佐国までは海路で二十五日とあるから、かなり長期の旅であった。そのうち三十日は悪天候などにより各港に停泊している。真冬のことで海の荒れることが多かったからであろう。紀貫之は安全祈願をしているが、土佐を出ると太平洋の荒波にもまれ、海賊の出没の可能性のある紀伊水道を通過するため心細い限りであった。

土佐大湊を出た時の様子である。「山も海も皆暮れ、夜ふけて、西東もみえずして、てけ（天候）のこと、挾杪《かじとり》の心にまかせつ、男も慣らはぬは、いと心ぼそし。まして女は、船底に頭をつきあてて、音のみぞ泣く。かくおもへば、船子・挾杪は、ふなうた歌ひて、なにともおもへらず」と記されている。そして海賊が頻繁に出現するという阿波のみとまでやってきた。海賊は夜は出没しないというので、夜中に出発することになった。「夜中なれば、西東も見えず。男女、からくむ神仏を祈りて、このみとを渡りぬ」と、神経質になって神仏に祈る姿が記されている。

そして住吉の沖を通過する時に、風が強く、前に進むことができなくなった。そこで挾杪が貫之に住吉の神にぬさを奉りたまえというので、言う通りにしたが、なおも風はやまなかった。挾杪は今一度「なほ、うれしとおもひたぶべきものたいまつりたべ」と言った。つまり神が喜ぶような大切な物を奉れというので、貫之は「眼もこそ二つあれ、ただ一つの鏡を奉る」「鏡に神の心をこそ見つれ。挾杪の心は、神の御心なりけり」と貴重な鏡を海に投げ入れるのに渋々従っている。このようにかなり難渋した船旅で、貴族の紀貫之と雖も旅の安全は決して自明のことではなかったのである。

まして女の一人旅などというのは危険このうえもなかった。女性が旅をするのは石山寺や長谷寺などに詣でるくらいがせいぜいのことだった。御伽草子「ものぐさ太郎」には「男もつれず、輿車にも乗らぬ女房の、みめよきを女捕ることは、天下の御ゆるしにて有なり」とある。「女捕」は天下御免というのが常識というのは、現在からは考えられないことである。

## ㈡　楽しい旅

### 温泉旅行

日本人の温泉好きはよく知られている。各地に〇〇温泉といった入浴施設がたくさんつくられ、随分とにぎわっている。我が国は世界有数の火山国のために頻繁におこる地震災害で苦しめられることも多く、そうした負の部分もあるが、その一方で全国の至るところに温泉が湧いているという恩恵もある。温泉は古代には身を清浄にするというより温泉を浴びることで病気を治療することに目的があった。温泉は病気を治す薬師如来と結びつく聖地ともなり、他界と接する場所でもあった。温泉にゆったりと身を浸して「極楽極楽」と言うのも、こうした観念と結びついているのかもしれない。

七世紀前半、中国では行幸ブームが起こる。皇帝の訪問を受けた土地では地方の人々を謁見したり、物を賜ったり、また税の軽減などを行うことで幸いが訪れることから、天子の旅は行幸とされた。唐の太宗は長安の東郊にある驪山《きざん》温泉にしばしば行幸している。そして六四八年には太宗自らが驪山温泉碑をつくり、その銘文は直ちに新羅まで伝えられたという。病や争いを除き、人民を良く治療する、末永く人民の病を救い、恩恵を無限に残すという温泉は不老長寿を願う神仙世界と通じると考えられていた。

その影響を受けて我が国でも舒明三（六三一）年に舒明大王が有馬温泉に行幸したことを皮切りに、一種の温泉ブームが起こる。『日本書紀』には有馬・紀伊・伊予・牟漏などの温泉名が見える。伊予の湯は『伊予国風土記』逸文に記されているように、景行大王とその皇后、仲哀大王と神功皇后、聖徳太子、舒明大王とその皇后、そして朝鮮の百済救援の時に斉明大王らの一行が熟田津の「石湯」に来ているが、これは現在の道後温泉とみて間違いない。道後温泉は断層の花崗閃緑岩の割れ目から湧出する四十度以上の非火山性アルカリ性単純泉である。この温泉に皇族を初め万葉歌人額田王などが来湯している。しかし斉明大王を最後に温泉行幸ブームは終わった。

『伊予国風土記』逸文によれば大那牟遅《おおなむち》（大国主命）と少名彦命が伊予の湯にやってきて、少名彦命が仮死状態になっているのを蘇生させるために大分の速見の湯（現在の別府温泉）から湯を引いてきて湯浴みさせたら、伸びをしながら「しばらくの間寝てしまったようだ」と言って元気に起き上がったと見える。そしてそれに続いて「湯の貴く奇しきことは、神世の時のみにはあらず、今の世に疹痾《やまい》に染める、病を除《い》やし、身を存《たも》つ要薬《くすり》と為せり」とある。また同逸文には聖徳太子が道後温泉にやってきたことも記す。「法興六年の十月，歳《とし》は丙辰《ひのえたつ》に在《やど》るとし、我が法王大王と恵慈法師また葛城の臣と、夷与《いよ》の村に逍遙したまひ、正《まさ》に神《くす》しき井を観《み》たまひ、世に妙なる験《しるし》あることを嘆《あはれ》みたまひて、その意《こころ》を叙《の》べまく欲《ほ》りしたまふ。さて聊《いささか》に碑文一首を作りたまふ」という序文があり、それに続いて温泉を誉め讃えた文章が続く。

道後温泉の湯釜

この道後温泉碑文については、「法興六年」が国家的元号でないこと、また「法王大王」という表現が当時二十三歳の時点でこのように記されるのは不審であることなどから、後代になって作られたものであるとされている。しかしその一方で、有力な反論もある。法隆寺金堂の本尊の釈迦三尊像の後背の銘文に「法興元卅一年」とあり、その後背銘は七世紀前半のものである。「法王大王」は仏教に信仰深い皇子という意味で「ノリノミコノオオキミ」と呼ばれるのは不審ではない。さらに「夷与村」は古い用字の残存で、その成立は七世紀後半までは下らない。聖徳太子に同行した葛城氏と伊予国との関係は不明だったが、飛鳥池出土木簡に「湯評伊波田人葛木部鳥《ゆのこおりいわだひとかつらぎべのとり》」と記されており、温泉郡に葛城氏の一族が居住していたならば葛城臣の伊予国への下向も理解できるのである。

温泉は胸病・老衰・頭痛・脚気・打撲傷・腰痛・中風・ぜんそくなど多種多様な病気に効能があるため「薬湯」とも言う。『出雲国風土記』の仁多郡条に、「則ち、川の辺に薬湯あり。ひとたび浴《ゆあみ》すれば、則ち身体やはらぎ、再び濯げば、則ち萬の病消除《い》ゆ　男も女も、老いたるも少《わか》きも、夜昼息《や》まず、駱驛《つら》なり　往来《かよ》ひて、験《しるし》を得ずといふことなし。故、俗人號《くにひとなづ》けて薬湯といふ」と薬湯の効能は絶大であると記す。全国には鹿・白鷺・鶴・熊などの動物が温泉に浸って傷や病気を治したことが発見のきっかけとなったとする名湯も多い。

このように絶大な効能のある温泉でも治せないものはある。草津温泉では草津節が詠われるが、その一節に「お医者さまでも　草津の湯でも　惚れた病は　治りゃせぬ」とある。さらにもう一つ治せないものがある。それは「貧」という病気である。「四百四病の中で、貧ほど辛いものはない」という言葉もある。温泉は惚れた病気と「貧」という病気以外は治るのである。せっかくの火山国である。その恩恵を満喫したいものである。

## 山で造る船

海に囲まれた我が国では海上交通の掌握はぜひとも必要なことで、船の役割は今日以上に重要な輸送手段であった。ただ船はそのような実用の面だけでなく、天と地を媒介したり、また死者の霊魂は船によってあの世に運ばれるという観念があった。『記』『紀』には様々な船の名が記されている。葦船・浮宝・無目堅間小船《まなしかたまのこぶね》・天鳥船《あめのとりふね》・鳥磐櫲樟船《とりのいわくすぶね》・熊野諸手船・蘿摩船《かがみのふね》などである。イザナギノミコトとイザナミノミコトが結婚をして夫婦になり蛭子を産むが、これを葦の船に乗せて流したという。『紀』では天磐櫲樟船に乗せて放ち捨てたと記す。

天鳥船・鳥磐櫲樟船などには「鳥」の名が冠せられているように、鳥のように自由に速く移動できることから命名されたのであろう。現在のようにエンジンの力で進むのではなく、大木をくり抜いた丸木船で、しかも人力による手こぎで速く移動できる船にするためには様々な工夫が必要である。さらに少々の波ではびくともしない安全性に優れた丈夫な船でなければならなかった。

そのためには船の素材となる大きな木を選ぶことが最も重要だった。『日本書紀』神代上には「杉及び櫲樟この両の樹は浮宝」とあるように船の建造には巨木となる杉や樟が最適だった。同書には、応神大王の時代のこととして巨木伝説が記されている。(『古事記』にもある)「一本の空を覆い尽くすような大木があった。これを切って官船を造ったが、とても速度が速く、「枯野」と名付けた。しかし古くなって使用に耐えられなくなったので、これを解体し、燃やして塩をつくり、また残った船材で琴を作った。その琴の音は遠くまで鳴り響いた」とある。後半の焼け残った木で琴を作ったという話は中国の『後漢書』に見える「焦尾琴《しょうびきん》」の話が元になっているが、いずれにしてもここには大木の生まれ変わりを語ることによって、その聖なる性質を強調しているのである。

元来、紀伊国は「木の国」とも言われ、宮廷に木材を供給したり、造船の材料となる巨木を多く産出していた。『万葉集』にも「島隠りわが漕ぎくれば羨しかも大和へ上る真熊野の船」と詠まれる。この歌は聖武天皇が播磨国印南野に行幸した時に、随行員の山部赤人が辛荷島を通った時に詠んだが、真熊野船(熊野諸手船)は大変珍しがられ、羨やまれるような船であった。熊野で造られた高速船は大勢の水主を並べて漕ぐために速力が速く、天鳥船または石楠船などとも呼ばれた。『万葉集』に「御食つ国志摩の海人ならしま熊野の小船に乗りて沖辺漕ぐ見ゆ」とある。これは大伴家持の歌で、ここでも熊野の船が詠まれている。ところでその熊野の地域には古代以来、活動が顕著であった紀氏や熊野水軍が存在し、大和王権の朝鮮半島との外交に深く関与しており、そのために外洋を航行する大型の構造船が建造された。『播磨国風土記』逸文には、「其の楠を伐りて舟に造るに、其の速きこと飛ぶが如く、一梶に七浪を去き越えき。仍りて速鳥と號く」とある。『続日本紀』には推古大王の時代に、この紀氏が越智郡の最大豪族越智氏と深い関わりを持っていたことが記されており、そうしたことから『伊予国風土記』逸文の「熊野」という話が生じたのであろう。「野間郡の熊野の岑。熊野と名付けられたのは、昔、熊野という船をここで造った。今に至るまで石となって残っている」とある。船を造った場所が「熊野の岑」である。現在の造船は、海岸近くの造船所で行うが、古代はそうではなく「岑」とあるように山の中で行っていた。『日本霊異記』下巻第一には、「熊野の村の人、熊野の河上の山に入り、樹を伐りて船に作る。船を引かんが為に山に入る」とある。この例のように、船の材料となる樟のような巨木のある山で船を造り、それが完成してから、船ごと山から海に運んで来るというのが通常であった。

『播磨国風土記』讃容郡条には、「船引山　近江の天皇のみ世、道守臣、此の国の宰と為り、官の船を此の山に造りて、引き下さしめき。故、船引といふ」とある。全国各地に「船引山」などがあるのは、山中で造った船を海岸まで曳いてきたことの名残である。

**変化する地名と旅**

一般に地名は変わらないと思っている人も多いが、これも時代とともに大きく変化する。近年の平成の大合併は、そのことを実証している。それによって歴史ある地名が消滅し、中には名前を聞いてもよくわからないものもある。地名は歴史と切り離すことはできない。そうした例を少しあげたい。関東と言えば、東京都とその周辺の六県を指し、関西と言えば大阪・京都・神戸を中心とした地域を指すというのが今日の常識である。しかし昔からその地域がそのように呼ばれていたわけではなかった。そもそも「関所」の意味だから、本来は関所の東が〝関東〟で、関所の西が〝関西〟なのである。

関所は我が国の政治的中枢部を守るために設置され、それは古代では都のある奈良・京都周辺にあった。その関所がいつ頃どのような目的で設置されたのかについて『日本書紀』は何も記していない。しかし古代最大の内乱の壬申の乱で鈴鹿関が見え、不破道が大海人皇子と大友皇子両軍の争奪の対象となっていることからみて、これより以前の天智朝頃に設置されたと考えられている。この戦いでその重要性が認識され、特別視されるようになった。その関所は三関と呼ばれ、美濃国不破（岐阜県）・越前国愛発《あちら》（福井県）・伊勢国鈴鹿（三重県）であった。三関には鼓吹軍器が置かれ、国司が守護していたが、都での反乱や事変が東国に波及するのを防止する目的があった。養老令の規定では、日の出とともに門を開け、日没とともに閉じるとある。天平宝字八（七六四）年九月の藤原仲麻呂の乱の時に仲麻呂が愛発関を越えて越前国に脱出しようとしたが、官軍に阻止され、敗死した。弘仁元（八一〇）年に愛発関が廃止され、逢坂の関（滋賀県）がそれに代わった。したがってこの三関のうち最も東に位置する不破関から東側が関東と呼ばれたのである。桓武天皇の時代になると、国内政治の安定によって三関の軍事的重要性が希薄になったためか延暦八（七八九）年に廃止された。ただその後も天皇崩御などの重大な事があったときには関所を固める固関《こげん》が行なわれたため、関所の跡は後世にまで残された。

現在の関東地方というのは、かつては関東という呼称ではなく、さらに遠隔地を意味する東国と呼ばれていた。関東・関西と並列的に呼称されるが、その成立には前後があり、関東の言葉はよほど早くから使用され、関西はかなり遅れて使われている。古代には都は飛鳥・平城京・平安京にあったからそこを中心にして地域が成立した。全ては都から地方を呼んだ名称だから関東の名は早くからある。しかし都のある地域を一地方としての関西と呼ぶことはありえなかった。ところが源頼朝によって鎌倉に幕府が開かれ、政治的中心が移ると、そこから他の地域を呼ぶことが必要となってくる。こうして鎌倉時代になって関西の言葉が誕生した。

また国名も都からみて命名されたものが多い。たとえば近江国は琵琶湖があるため「近つ淡海《あわうみ》」と称し、遠江国は浜名湖があり、「遠つ淡海」と称したことに由来する。東海にある美濃国はもともと「三野」「御野」と記した。それは各務野《かがみの》・青野・加茂野の三つの野を意味していた。一方、三河は男川・豊川・矢作《やはぎ》川の三つの川があることに由来する。そしてこの両者は山側の美濃に対して、海側の三河とが「野」と「河」のように対になっている。また山側の信濃と海側の駿河もまた同様である。このように対になっている国名というのは、大和王権が一斉に命名したことを示している。

また〝下らぬ物〟という言葉も時代と共に変化してきた言葉である。江戸時代になって政治的中心は江戸に移ったが、しかし他の機能の中枢は京・大坂にあったから上方と呼ばれ、上方に向かうのが上りで、江戸に向かうのが下りだった。特に上方の品物は品質が良いため〝下りもの〟として珍重され、贈答用品などになった。それに対して江戸やその周辺で作られたものは下り物ではなく、品質も劣るため、〝下らぬ物〟と呼ばれた。

家電製品が安く購入できることで知られる「秋葉原」の地名は明治二年の大火災の後に火除地の鎮火神社が秋葉権現を祭ったことから「あきばはら」「あきばがはら」「あきばっぱら」とも呼ばれた。大正時代に鉄道の駅をつくる時に「秋葉原」駅となったが、多くの人はこれを目で見て普通の読み方の「あきはばら」と読み、それが一般化したと言う。このように地名は変化するものなのである。

## 四　古代の社会生活から今を見る

奈良・平安時代は律令制による支配が徹底され、人々の社会生活や家族制度にまで、影響が強く及んでいた。それは儒教的徳治主義と言って、家族の結びつきを強調したり、社会的弱者に対する手厚い保護を施すなど、理想的な社会や家族像を提示した。国家は万民に恩恵を施す徳をアピールするものであったが、その一方でそれは家族や社会の中で助け合うことを前提にしており、為政者にとって好都合な理念でもあった。だから律令政府は現実と理想に乖離があってもそれを推進し続けたのである。

このように国家がある理念を提示し、それを推進するのは、現実の矛盾を覆い隠し、弥縫する意味もある。たとえば今日、政府が女性活躍政策を打ち出し、女性が働きつつ、子供を産み育てることを奨励し、賛美していることもそれと符合する。それは新自由主義の下で非正規社員や派遣社員を激増させ、格差と貧困が急速に拡大している現状を覆い隠す面がある。また経済的事情から学校に行けない子供や、給食費を払えない子供たちを「子供の貧困」という言葉で呼んでいるが、そもそも子供は全て無収入だから、そこに「子供の貧困」などはありうるはずがない。本質はその親世代の貧困こそが問題にされなければならないのである。

こうした問題を一挙に解決するための方法が、女性活躍政策に他ならない。非正規社員や派遣社員という労働者の低賃金政策を維持しつつ、それを女性の働きによって得られる賃金で補完し、それによって彼らの言う「子供の貧困」もまた解決しようと言うのである

確かにこの政策によって一部は社会の一線で活躍する女性も出てくるだろうが、しかし多くの女性たち

は非正規社員や派遣社員とされるのである。こうして男性ばかりか女性もまた低賃金で働き、それによって政府の言う「世界で最も企業が活動しやすい国」が実現するのである。

こうしてみてくると、古代の儒教的理念の強調と今日の女性活躍政策のアピールも、ともに格差と貧困から生じる様々な問題を覆い隠し、弥縫するという点で共通しているのである。政治は本来、その国の人々を豊かにすることに重要な役割があるが、新自由主義政策は企業や資産家だけを潤し、多くの国民の生存の基盤を脅かしている。資本主義は基本的に格差の拡大を際限なく広げていくものであるから、政治はその格差の拡大を縮小させることにこそ役割があるが、それに逆行するあり方は大変問題であると考える。

話は変わる。古代と現在とが大きく違っていることの一つは、古代は厳格な身分制度の時代であり、生活全般がそれによって規制されていたことである。自らの所属する身分にふさわしい生活をする、いわば「分相応」の生き方が望まれていた。そこでは生まれによって生き方が規制され、また祖父母や親と同じ道を進むことはほぼ自明であったから、そこに自由はなく選択の余地もないため、「自分探し」などで迷うことも少なかった。

二つ目は生活の全てにわたって呪術的傾向が濃厚に見られることである。人の名前を初めとする文字全般に言霊をみる考え方や、楽器は神を呼び寄せるものと考えたり、天体や星の動きに災厄の予兆を感じたのもそうした例である。

このように違う部分もみられるが、しかし古代から今日まで連綿とつながっていることも多く指摘できる。その一つは外国への強い憧れを持ち、それを生活のレベルでも導入していることである。たとえば国風文化の時代といえば、「和」の世界をイメージするが、その時代にあっても「唐」（中国）様式は衣食住だけでなく、生活全般にわたって「和」の上位に位置し、強い憧憬の対象であった。今日、私たちが当たり前に、何気なく行っている、起床後の洗面にしても、中国で行われていた風習を導入したものだった。

また日本人の多くの人は二文字の名前を付けているが、これもまた朝鮮の百済にルーツがあるとされるように、やはり外来文化を取り入れたものである。現在は憧れの対象が中国・朝鮮ではなく、アメリカや西欧文化に変わってはいるものの、それらに対する態度は今も昔もあまり変わっていないように思える。

また日常生活においても、今日、欧米人から日本は「子供の躾に甘い」と指摘されることが多いが、大人の子供に対するそうした態度は、古代以来変わっていないようである。我が国では子供は「つくるもの」ではなく、「授かり物」という意識が今も強くある。そこには人知を越えた目に見えない働きを感じているからであり、それが厳しく躾をしないということにつながっていると考えられる。

さらに人付き合いの中で、相手を呼ぶときに実名を避け、苗字や役職で呼ぶというのも古代以来の風習である。『源氏物語』には多くの人物が登場するが、それらの人物のほとんどは役職名で呼ばれている。それは実名は秘するもので、それを呼ぶことは礼を失すると考えられたことと、もう一つは日本人の人と人との距離感の問題であろう。その距離感は、古代から現在まで連綿として生き続けている。

そして古代の人も現在の人も共通する最も重要なことは、人の生き様である。時代は流れて、人の寿命も四十・五十の時代から八十歳へと大きく伸びたが、人の有り様はそれほど変わっていない。「生き方こそが死の有り様を決定する」ことは不変の真理である。このことを意識しながら生活をしていくことが、充実した「生」になることも昔も今も変わることはないと言えよう。

**【参考文献】**

・滝川政次郎「かぞえ歳と天皇制」『日本歴史』第三八〇号（吉川弘文館・一九八〇年）

・飯倉晴武『日本人の数のしきたり』（青春出版社・二〇〇七年）

・近藤好和「冠と烏帽子」『本郷』№四九（吉川弘文館・二〇〇四年）
・藤本勝義「袴着・元服・裳着」『平安時代の儀礼と歳事』（至文堂・一九九四年）
・中村義雄「四の数を忌むこと」に寄せて」『日本歴史』第三一八号（吉川弘文館・一九七四年）
・菅原正子「結婚と離婚」『日本歴史』第六七四号（吉川弘文館・二〇〇四年）
・服藤早苗『平安朝の女と男』（中央公論社・一九九五年）
・服藤早苗「古代の婚姻」『日本歴史』第七〇四号（吉川弘文館・二〇〇七年）
・服藤早苗『平安朝の母と子』（中央公論社・一九九一年）
・服藤早苗『平安朝女性のライフサイクル』（吉川弘文館・一九九八年）
・吉村武彦「古代の恋愛と顔・名・家」『日本古代の国家と家』（塙書房・一九九八年）
・家永三郎『歴史家のみた日本文化』（雄山閣・一九九六年）
・吉村武彦『古代史の新展開』（新人物往来社・二〇〇五年）
・網野善彦『日本の歴史をよみなおす』（筑摩書房・一九九一年）
・『言葉の道草』（岩波書店・一九九九年）
・荒木敏夫「古代の皇親と親王・内親王」『歴史と地理』№五九五（山川出版社・二〇〇六年）
・荒木敏夫『古代天皇家の婚姻戦略』（吉川弘文館・二〇一三年）
・森公章「長屋王家木簡補考二題」『日本歴史』第六八一号（吉川弘文館・二〇〇五年）
・藤木邦彦『平安王朝の政治と制度』（吉川弘文館・一九九一年）
・柴田純『日本幼児史』（吉川弘文館・二〇一三年）
・吉村武彦「ライフサイクル」『列島の古代史二暮らしと生業』（岩波書店・二〇〇五年）
・久留島典子「中世女性の「長寿」と老い」『日本歴史』第七七六号（吉川弘文館・二〇一三年）
・繁田信一『陰陽師』（中央公論新社・二〇〇六年）
・平間充子「平安時代の出産儀礼に関する一考察」『日本女性史論集七文化と女性』（吉川弘文館・一九九八年）
・水谷千秋『継体天皇と朝鮮半島の謎』（文藝春秋・二〇一三年）

・奥富敬之『名字の歴史学』（角川書店・二〇〇四年）
・繁田信一『紫式部の父親たち』（笠間書院・二〇一〇年）
・関和彦「古代人名考」『日本古代の国家と祭儀』（雄山閣・一九九六年）
・三上喜孝「古代地域社会における祭祀・儀礼と人名」『古代中世の社会変動と宗教』（吉川弘文館・二〇〇六年）
・佐佐木隆『言霊とは何か』（中央公論新社・二〇一三年）
・馬場基「宮城の警護」『文字と古代日本二文字による交流』（吉川弘文館・二〇〇五年）
・大藤修『日本人の姓・苗字・名前』（吉川弘文館・二〇一二年）
・鐘江宏之『律令国家と万葉びと』（小学館・二〇〇八年）
・林望『古今黄金譚』（平凡社・一九九九年）
・遠藤基郎「東大寺に「名を籠められた」寺田はどこ？」『日本歴史』第七六九号（吉川弘文館・二〇一四年）
・水野智之「室町将軍の名前と権力をめぐって」『本郷』No.一一五（吉川弘文館・二〇一五年）
・館野和己「平城京の役所と官人」『木簡が語る古代史上』（吉川弘文館・一九九六年）
・川尻秋生『揺れ動く貴族社会』（小学館・二〇〇八年）
・福原栄太郎「勤務評定」『文字と古代日本一支配と文字』（吉川弘文館・二〇〇四年）
・寺崎保広「功に申さば五位の冠」『本郷』No.一〇八（吉川弘文館・二〇一三年）
・寺崎保広『若い人に語る奈良時代の歴史』（吉川弘文館・二〇一三年）
・東野治之『木簡が語る日本の古代』（岩波書店・一九八三年）
・田中琢・佐原真『考古学の散歩』（岩波書店・一九九三年）
・阿辻哲次『漢字の社会史』（吉川弘文館・二〇一三年）
・荻野三七彦「いんしょう」『国史大事典』（吉川弘文館・一九七九年）
・坂下圭八「左と右、左前・左ゆがみ」『朝日百科日本の歴史』二（朝日新聞社・一九八六年）
・中村修也「古代における左と右」『歴史と地理』No.五八七（山川出版社・二〇〇五年）
・吉村武彦「ライフサイクル」『列島の古代史二暮らしと生業』（岩波書店・二〇〇五年）

・福井栄一『鬼・雷神・陰陽師』（ＰＨＰ研究所・二〇〇四年）
・小原仁『源信』（ミネルヴァ書房・二〇〇六年）
・今津勝紀「原始・古代の家族構成について」『歴史と地理』№六二五（山川出版社・二〇〇九年）
・新村拓『老いと看取りの社会史』（法政大学出版会・一九九一年）
・姜尚中「「生」を輝かせる心の力を伝えたい」『潮』（潮出版社・二〇一四年）
・田中禎昭「古代老者の「棄」と「養」」『歴史評論』五六五（校倉書房・一九九七年）
・宮田登「日本人の老人観」『歴史評論』№五六五（校倉書房・一九九七年）
・山中裕「平安朝の姨捨山」『日本歴史』第六六八号（吉川弘文館・二〇〇四年）
・田端泰子「古代・中世の養子と「家」」『擬制された親子』（三省堂・一九八八年）
・有富純也「律令国家の〔福祉〕政策」『歴史と地理』№六一五（山川出版社・二〇〇八年）
・有富純也「百姓撫育と律令国家―儒教的イデオロギー政策を中心に―」『史学雑誌』第一一二編第七号（史学会・二〇〇三年）
・野尻忠「律令制下の賑給使と地方支配機構」『史学雑誌』第一〇編第九号（史学会・二〇〇一年）
・丸山裕美子「奈良時代の医療と福祉は意外にも充実していた」『週刊日本の歴史』一二（朝日新聞出版・二〇一三年）
・吉川敏子「借金証文」『文字と古代日本三流通と文字』（吉川弘文館・二〇〇五年）
・桜井英治「有徳人」『日本史の研究』№六六七（山川出版社・二〇一三年）
・高牧實「一茶の念仏」『日本歴史』第六七八号（吉川弘文館・二〇〇四年）
・新村拓「古代の医療」『日本医療史』（吉川弘文館・二〇〇六年）
・守屋毅「無表情の触れあい」『朝日百科日本の歴史』一〇二（朝日新聞社・一九八八年）
・勝崎裕彦『ことわざで学ぶ仏教』（ＮＨＫ出版・二〇〇八年）
・増谷文雄『仏陀のことば』（角川書店・一九八八年）
・湯川善一「石川県津幡町加茂遺跡出土の加賀郡牓示札とその意義」『日本歴史』第六五四号（吉川弘文館・二〇〇二年）
・佐藤信『古代の遺跡と文字資料』（名著刊行会・一九九九年）

・鈴木泰山「宋代禅林の風儀」『日本歴史』第二六〇号（吉川弘文館・一九七〇年）
・酒井紀美『中世のうわさ』（吉川弘文館・一九九七年）
・志田淳一『日本霊異記とその社会』（雄山閣・一九七五年）
・小峯和明『説話の声』（新曜社・二〇〇〇年）
・清水克行『耳鼻削ぎの日本史』（洋泉社・二〇一五年）
・斉藤国治『星の古記録』（岩波書店・一九八二年）
・長谷川昇「「大津事件」を繞る様々な勲章譚」『日本歴史』第五二三号（吉川弘文館・一九九一年）
・吉田一彦「僧旻と彗星・天狗」『東アジアの古代文化』（大和書房・二〇〇八年）
・荒木敏夫『日本古代の王権』（敬文舎・二〇一三年）
・大崎正次「「天変」解釈の転変」『日本歴史』第五一四号（吉川弘文館・一九九一年）
・下村周太郎「中世前期京都朝廷と天人相関説―日本中世〈国家〉試論―」『史学雑誌』第一二一編第六号（史学会・二〇一二年）
・西岡千頭「ハレー彗星の今昔」『文化愛媛』第一一号（愛媛県文化振興財団・一九八六年）
・岡泰正「熨斗に水引」『日本の国宝』一〇二（朝日新聞社・一九九九年）
・桜井英治『贈与の歴史学』（中央公論新社・二〇一一年）
・桜井英治「中世の貨幣・信用」新体系日本史一二『流通経済史』（山川出版社・二〇〇二年）
・長谷恭男「楽器の起源を考える」『日本歴史』第六〇八号（吉川弘文館・一九九九年）
・長谷恭男「楽器に歴史あり」『日本歴史』第五六〇号（吉川弘文館・一九九五年）
・佐佐木隆『日本の神話・伝説を読む』（岩波書店・二〇〇七年）
・荻美津夫『古代音楽の世界』（高志書院・二〇〇五年）
・荻美津夫「古代における音楽―葬礼・神事・宴飲を中心に―」『歴史と地理』№.六三五（山川出版社・二〇一〇年）
・豊永聡美「累代御物の楽器と道長」『日本歴史』第六七二号（吉川弘文館・二〇〇四年）
・芝祐靖「当世横笛考」『日本歴史』第六三二号（吉川弘文館・二〇〇一年）

・中川尚子「古代の芸能と天皇」『日本史研究』四四七（日本史研究会・一九九九年）
・田中久文『日本美を哲学する』（青土社・二〇一三年）
・坂下圭八「甲乙丙丁・甲高い・乙な」『朝日百科日本の歴史』八二（朝日新聞社・一九八七年）
・松原朗「唐詩の中の「日本」」『遣唐使の見た中国と日本』（朝日新聞社・二〇〇五年）
・河添房江『光源氏が愛した王朝ブランド品』（角川学芸出版・二〇〇八年）
・大津透『道長と宮廷生活』（講談社・二〇〇一年）
・榎本淳一「「国風文化」と中国文化」『古代を考える唐と日本』（吉川弘文館・一九九二年）
・榎本淳一『唐王朝と古代日本』（吉川弘文館・二〇〇八年）
・榎本淳一「国風文化」『歴史と地理』No.五〇二（山川出版社・一九九七年）
・榎本淳一「遣唐使と通訳」『文字と古代日本二文字による交流』（吉川弘文館・二〇〇五年）
・大橋信弥「王辰爾の渡来」『文字と古代日本二文字による交流』（吉川弘文館・二〇〇五年）
・佐藤宗諄『渡来人の諸相』（大巧社・一九九七年）
・飯塚朗『中国故事』（角川学芸出版・二〇一四年）
・武光誠『語源に隠された日本史』（河出書房新社・二〇一四年）
・河内春人「遣隋・遣唐使の名乗り」『律令制国家と古代社会』（塙書房・二〇〇五年）
・関幸彦『武士の原像』（ＰＨＰ研究所・二〇一四年）
・古瀬奈津子『遣唐使の見た中国』（吉川弘文館・二〇〇三年）
・吉田歓「都城制の展開」『律令国家と東アジア』（吉川弘文館・二〇一一年）
・石井正敏「律令国家と東アジア」『律令国家と東アジア』（吉川弘文館・二〇一一年）
・西本昌弘「祢軍墓誌の「日本」と「風俗」」『日本歴史』第七七九号（吉川弘文館・二〇一三年）
・東野治之『遣唐使船』（朝日新聞社・一九九九年）
・山内晋次「硫黄からみた日本史と世界史」『世界史のしおり』（帝国書院・二〇一一年）
・阪下圭八「旅と旅行」『朝日百科日本の歴史』三（朝日新聞社・一九八六年）

・松原弘宣「国司の船旅」『日本古代社会の史的展開』（塙書房・一九九九年）
・伊井春樹「「旅」の変容」『日本歴史』七〇四号（吉川弘文館・二〇〇七年）
・野田有紀子「行列空間における見物」『日本歴史』第六六〇号（吉川弘文館・二〇〇三年）
・新川登亀男『道教をめぐる攻防』（大修館書店・一九九九年）
・東野治之「七世紀以前の金石文」『列島の古代史九言語と文字』（岩波書店・二〇〇六年）
・和田萃「道術・道家医方と神仙思想」『列島の古代史七信仰と世界観』（岩波書店・二〇〇六年）
・飯島裕一『温泉の医学』（講談社・一九九八年）
・滝川政次郎「憶良の貧窮問答歌と菅公の寒早十首」『日本歴史』第四〇四号（吉川弘文館・一九八一年）
・平川南『日本の原像』二（小学館・二〇〇八年）
・廣野卓『食の万葉集』（中央公論新書・一九九八年）
・塚本学「文字による地名変改メモ」『日本歴史』第六六八号（吉川弘文館・二〇〇四年）
・蓑輪明子「戦前「家」の思想」『歴史学と出会う』（青木書店・二〇一五年）

# 第二章　社会問題

## 一　女性と男性

### ㈠　女人禁制

**女人禁制は邪道**

現在、法の上では男女平等になって久しいが、まだまだそうなっていないことが多くある。その一つが女人禁制で、この言葉は今なお実質的な意味を持っている。たとえば、大相撲の土俵に女性が上がれなかったり、霊山と言われる場所に入山できなかったりする例がある。その他にも祭りのだんじりに乗ったり、御輿に触れることができない、産後一ヶ月は鳥居をくぐれないなど、各地に残っている。それは女性が不浄だとした仏教思想や山岳修行を行う修験者が超自然的な力を得るうえで女性に対する煩悩が邪魔になるということが女人禁制を定着させた理由であろう。女性がその結界を越えて入ると天や山が怒り、様々な災いをもたらすという。しかし時代の推移と共に女人禁制を維持することは次第に困難となってきている。たとえば西日本最高峰の石鎚山はかつては全面的に女人禁制の山だったが、現在では七月一日のみの女人禁制というように、確実に変化している。

かつて酒造りでは女性が蔵の中に入ると良い酒ができない、神様が機嫌を損ね、酒造りに失敗する、酒が腐るというタブーがあった。しかし現在では女性の杜氏も多く誕生しているが、特に問題は生じていない。そもそも酒造りに従事する人をなぜ「とうじ」と言うのだろうか。実は「とうじ」の名は女性を示す「刀自《とじ》」から出た言葉である。刀自とは元来男の「刀禰《とね》」に対する語で、家を司る独立した女性を意味した。酒はこの「刀自」が造るものだった。古代には家事を司る女性、あるいは酒を製造・販売する女性を「刀自《とじ》」と呼び、そこから杜氏という言葉が生まれたように元々酒造りは女性の仕事だった。このように女人禁制は古代から連綿と続いているわけではない。ある時期に、歴史的に形成されたものである。

『日本霊異記』には刀自は富豪層の家で家長と対になった村の統率者して描かれている。聖武天皇の時代、紀伊国三上村の有力者の岡田村主石人《おかだのすぐりいしひと》の夢の中にやせ細った牛が現れ、泣きながら次のような話を告げた。「私はあなたもご存じの物部麿です。私は寺の酒を借りたまま返さないうちに死んでしまいました。そのため牛に生まれ変わり、寺の雑用に使われ、容赦なく鞭でたたかれています。五年間働いたけれど、返済の終わるまでまだ三年あります。どうぞ助けてください。私の話が事実かどうかはあなたの妹の桜大姉《さくらのおおあみな》に聞けばわかります。石人は半信半疑だったが、妹の所に行くと、妹は酒造りの指図をしていたのをやめて出てきた。石人が夢の話をすると、妹は「確かに物部麿という男は酒二斗を借りて、返さないまま死んだ」と語り、その酒は病人のために薬を寺に供える費用として村人たちが出し合った大切な酒でしたと言った。これで石人の見た夢は事実ということになり、麿のことを不憫に思った村人や僧たちはお経を読んで供養した。牛は八年のつとめを終わるといずこへか去ったと」言う。

ここに見える桜大姉は村に住む「里刀自」で、酒造りにあたっている。『日本霊異記』にはこの他にも女性が酒造に関わっている話が多くあるが、それは女性が多かったというより、むしろ酒造りは女性の仕事そのものであった。古代では男は狩猟・漁労、武器や道具を作り、女性は農作業に従事し、その生産物を加工することを仕事としていた。その中に酒造りもあった。また収穫を祝う祭りは「男女悉集」（男女ことごとく集まる）とされるように、当然のように女性も参加している。このように祭りにおける女人禁制も古代以来ではない。

女人禁制は平安時代に一般的な風潮となったが、その頃に活躍した人物に和泉式部がいる。彼女は『和泉式部日記』の作者、また才色兼備で多情多恨の人生を送った人で、全国各地に多くの伝説が残され、その生誕地も全国に数十箇所あるという。その式部が紀州熊野本宮に詣でた時のことである。熊野の近くまで来たとき、突然、月の障りとなってしまった。その身のままでは本宮に参れないと思い、「晴れやらぬ身のうき雲のたなびきて月のさわりとなるぞ悲しき」（風雅和歌集）と一首詠んだ。するとその夜夢の中に熊野権現が現われ、「もとよりも塵にまじわる神なれば月のさわりもなにか苦しき」と返歌してきた。元々神も世俗の塵に交わっており、月の障りなどたいした問題ではないというのである。これによって式部は念願だった熊野本宮に参拝することができた。このように熊野の神は不浄観の強かった時代でもこれほど寛大だったという話である。もちろん式部が参拝したからといって何事も起こらなかったことは言うまでもない。この話は熊野信仰を広めた時宗の念仏聖たちの宣伝のために創作されたという説もあるが、「何の問題もない」とされた時代から千年の時を経たこの平成の世で「女人禁制」が問題となること自体おかしいと思う。

**女人禁制は「日本国に一つのわらいごと」**

時代が下るにしたがい霊山とされる比叡山・高野山・醍醐・金峰山などでは女人禁制が強化された。その中にあって曹洞宗の開祖道元は女人結界が邪風であると痛烈に批判した。「日本国に一つのわらいごとあり。或は結界の地と称し、或いは大乗の道場と称して、比丘尼《びくに》・女人等を来入せしめず。邪風ひさしくつたわれて人わきまふることなし。稽古の人あらためず、博達の士も考ふることなし。或は権者の所為と称じ、あるいは古先の遺風と号して更に論ずることなき、笑はば人の腸も断じぬべし」「男児なにをもてか貴ならん。虚空は虚空なり。四大は四大なり。五蘊《ごうん》は五蘊なり。女流もかくのごとし。得道はいづれ得道す。ただしいづれも得法を敬重すべし、男女を論ずることなかれ。これ仏道極妙の法則なり」と言う。

女人不成仏や女人結界がいわれのない邪道であって、男というだけで尊いということはありえない。そして我が国の識者が女人不成仏や女人結界についてまともに考えたことがないという思想的怠慢を「ひとつの笑い事」であると痛烈に批判している。得法つまり仏法を修行し、仏道を修得した者は、たとえ七歳の女人といえども四衆の導師である。得法の有無こそが恭敬に値する基準であって単なる男女の差は差別の根拠となりえないと主張している。

仏教の女人不成仏や女性蔑視思想が社会の広い階層に受け入れられたのは、儒教思想、あるいは文化の唐風化と関わりがあると言われる。実は女性の五障や転女成仏の史料上の初見は菅原道真が作成した願文である。彼ら文人は律令政府の建前や理念を代弁する存在だった。この儒教的な男尊女卑と仏教の女性蔑視観は容易に結びつくものだった。こうして女人禁制は一般化したが、道元が指摘したように、根元的な検討を加えることなくそれが伝統であると放置したことで、さらに人々の観念を縛ることになった。そして平成の今日まで「女人禁制」が続いていることは、もはや「笑い事」では済まされないと私は思う。

## ㈡　美人

### 中国の美人

昔も今も若く美しくありたいというのは全ての女性の願いであろう。それがために「若返る」「肌がすべすべ」などという宣伝が盛んに行われ、大きな市場となっている。古代エジプトの女王クレオパトラを初めエジプトの貴婦人たちは、孔雀石を砕いて粉末にし、それをまぶたの上に塗っていた。強烈な太陽光線を防ぐためとはいうが、アイシャドウをすることで、より美しさを目指したのである。

中国では、国の存立を危うくさせるほどの美人が多くいたが、代表的な五人を取り上げよう。その一人は「四面楚歌」の言葉の由来となった項羽の愛人虞美人である。秦の始皇帝が死ぬと、楚の項羽と漢の劉邦という二人の英雄が争い、遂に劉邦が勝って項羽を滅ぼし、漢帝国を建国する。項羽が愛人の虞美人と共に追い詰められた時に、包囲軍の中から楚の歌が聞こえてきたので、彼は自国の民衆も劉邦の軍に加わっていることを知り、絶望したことで、「四面楚歌」という言葉が生まれた。項羽が最後まで離さなかった虞美人は死後埋葬され、その墓の上にいつしか美しい花が咲いた。それを「虞美人草」と言う。麗春花《れいしゅんか》、仙人草とも呼ぶが、ひなげしの花のことである。

二人目は王昭君である。前漢の元帝の頃、北方民族の匈奴の王呼韓邪単于《こかんやぜんう》が漢の王妃を迎えたいと要求した。元帝は宮中の醜い女を送ろうとして彼女たちの肖像画を描かせた。ほとんどの者は絵師に賄賂を贈って美しく描かせたが、王昭君だけは賄賂を贈らなかったために絵師が醜く描き、その結果、匈奴に送られる女性に選ばれてしまった。ところが元帝は王昭君を見て驚いた。その美しさは喩えようもなく、大いに後悔したという。

三例目も漢の時代の話である。『漢書』外戚伝には、「北方に佳人あり　世に絶して独り立つ　一たび顧みれば人の城を傾け　再び顧みれば人の国を傾く　寧んぞ傾城と傾国とを知らざらんや　佳人は再び得難し」という詩がある。この国を捨ててもよいと思わせるほどの絶世の美女と言われたのは、漢の武帝の宮廷に出仕していた李延年の妹であった。この歌の作者が李延年その人だから、要するに、自分の妹を売り込んで、出世の糸口にしようとしたのである。その妹を召し出した武帝は、彼女にすっかり魅了され、その寵愛を一身に集めたというから、実際に詩に歌われたような美女だったことは確かなのだろう。これ以後、「傾国」は「傾城」と共に美人の形容詞となる。

四人目の美人は、中国の春秋時代の美女西施《せし》である。「臥薪嘗胆」の故事に知られる越王勾践と呉王夫差の物語に関係する。夫差に敗れた勾践が献上したのが西施で、夫差はその西施の色香に溺れて国を傾ける結果となった。この西施は胸の病を患っており、そのために顔を顰《ひそ》めたが、その顔も大変美しかった。そのため醜女までもがその真似をしたが、気味悪がられたという。「顰みに倣う」という言葉の語源である。いたずらに人の真似をして物笑いになるという意味だったが、現在では、見倣ってすることを謙遜した表現とされている。「西施乳」というちょっとどっきりする言葉がある。文字通り美女西施の乳房になぞらえたもので、それは魚のフグのことである。フグの腹も見ようによってはそのように見えるかもしれない。

最後の一人は言うまでもなく玄宗皇帝を夢中にさせた楊貴妃である。四川の生まれで幼名は玉環、初め玄宗の第十八皇子寿王の妃となるが、玄宗皇帝の後宮に入った。玄宗五十六歳、楊貴妃は二十三歳の若さであった。歌と舞が巧みで音楽に精通し、人並み優れて利口で、相手の心を読み取る術を心得ていたという。彼女は豊満な肉体の持ち主であったようで、真夏ともなると、相当の暑がりで薄絹の衣になり、侍女たちに大扇であおがせても芳香を放つ汗がしたったという。白楽天は長恨歌で「漢皇色を重んじ傾国を思う　御宇多年求むれども得ず　楊家に女あり　初めて長成す　養われて深閨にあり　人未だ識らず」と詠った。こうして傾国＝美人ということは決定的となった。しかし我が国では傾国よりも傾城の方がよく使われている。もちろん傾城は遊女を指すが、その色町の言葉の方が、一般にはなじみがあったからであろう。

ただ美しさというのはわかりきっているように思えるが、何をもって美の基準とするかは案外明確でない。世界最初の美人コンテストは昭和六十三（一八八八）年で、日本で初めてミス日本が選ばれたのが昭和二十五（一九五〇）年であった。その頃「八頭身美人」という言葉が流行語になったが、それは欧米型の基準でそれをそのまま日本人に当てはめるのは土台無理な話であった。たとえば今は背が高い女性はそれだけでも美の一つの条件を満たしているとされるが、それも欧米型の美意識に叶っているからである。現代の社会では先進国のモデルは欧米で、その価値観を多くの人が認めているからに他ならない。しかし戦前までの日本では、背の高い女性、大柄な女性は目立たないように背を屈めて歩いていた。このように何を美とするかはその当時の人たちの価値観によっている。むしろそれぞれの地域に異なる美人がおり、異なる時代にも異なる美人がいるという方が自然なのである。

## 我が国の美人

我が国の美人の話である。『日本書紀』神代第九段には、木花開耶姫《このはなさくやひめ》の話がある。ホノニニギノミコトが海辺で美人の木花開耶姫に出会った。その名の通り、花のように美しく光輝くほどだったから、早速求婚をした。彼女は父の大山積神に話すと、ホノニニギノミコトに姉妹二人を妻とするようにと言ったが、姉の磐長姫《いわながひめ》は醜女であったので、送り返された。大山積神は姉も妻とすれば、磐のように長く生きられたものを妹一人を寵愛したために、その生まれる子は木の花のようにはかないものになるだろうと言った。

次の美人は、五世紀中葉、允恭大王の妃で皇后忍坂大中姫《おしさかおおなかひめ》の妹である衣通郎姫《そとおしのいらつめ》である。「衣通」の名のように、体から醸し出される輝くばかりの美しさは衣を通して外にまであらわれるほどであったという。ただ大王は皇后をはばかって宮中に入れず、別に住まわせた。その彼女は次のように詠った。「我がせこが来べき宵なりささがねの　蜘蛛のおこなひ今宵しるしも」天皇が忍んでやってくるのを待ちわびる立場になった彼女は、蜘蛛がしきりに動くことは待ち人が来る前兆だと考え、今宵あたりは大王が訪れるのではないかと期待している歌である。待つ身は辛い。絶世の美女だから、即幸せとはいかないのが世の中というものであろう。

今一人「衣通姫」と称せられた人物がいる。允恭大王の子で軽大郎女《かるのおおいらつめ》の美しさは人々から「衣通姫」とささやかれるほどであった。実兄の軽皇子もまた大変な美男子で、この二人は道ならぬ恋におちた。古代では母が異なれば兄妹であっても結婚は可能だった。しかし母を同じくする兄妹の結婚は禁じられていた。「愛しさと寝しさ寝てば刈薦の乱れば乱れさ寝てば」（愛しい人と抱き合って寝れば、褥がわりに敷いた薦草が乱れに乱れてもそんなことはどうでもいい。このように抱き合って寝ておりさえすれば。）と『古事記』は激しい愛欲の情を記す。しかし軽皇子は伊予国に流され、それを追ってやってきた軽大郎女と共に心中して果てたという。松山市姫原に軽之神社があり、この二人が寄り添うように建てられている。

次に『万葉集』には珠名娘子《たまなおとめ》の美しさが詠われている。（一七三八）その姿は花のように美しく立って笑うと人々は自分が行く道ではないのに珠名の門にやってきた。その美貌に人々は心を惑わされたとある。その珠名娘子は「胸別《むねわけ》の広けき吾妹《わぎも》　腰細《こしほそ》の蜾蠃娘子《すがるおとめ》」というように描かれる。蜾蠃は蜂のことだから、蜂のように腰が細いことが美しさの重要な基準とされていた。そしてもう一つの条件は「胸別の広けき」ことである。豊満なバストの意味ならば、今日の女性美の基準であるウエストが細く豊かな胸ということと何ら変わらない。しかしどうもそうではなさそうである。江戸時代の国学者本居宣長によれば、それは農具の鉏のようにがっしりと幅広い胸という意味で、働く女性の健康美が女性美の基準になっているという。そして同じ『万葉集』には、竹取翁が自分が若く美しかった頃を「蜾蠃の如き腰細に」と表現しているように（三七九一）、美の基準が「腰細」という点は男女とも共通していた。そういうことは古代のこの時期においては、男の美的あるいは性的欲望の対象のみを基準とした女性の美しさの評価はまだ成立していないことを示す。つまり男性の観賞用としてのみの女性の美しさは存在していなかったのである。

## 中国的な美の基準

原日本的とも言うべき美の基準が大きく変わるのが奈良時代の天平期頃である。我が国は先進国中国の政治制度や文化を摂取したが、それに伴って中国的な美の価値観も受け入れた。そのことを示すのが正倉院にある鳥毛立女屛風の樹下美人像である。なぜ樹の下に美人が描かれるのかについては、樹木には神や霊が宿ると考えられ、その樹神の精は女神として表され、また豊饒・幸福の神とされる。樹木には繁殖と生命の誕生をもたらす霊力があり、その樹液を飲むと不老不死になるという。

その樹下美人は体全体がふくよかで丸みを帯びている。腹回りも肉付きがよく、くびれなどはどう見てもなさそうである。顔も丸顔で、下ぶくれている。目は切れ長だが、細くまゆとまゆがくっつくほど接近している。そして首の部分をよく見ると、肉の厚みによってくくれがある。全部で五本の筋が描かれている。また眉は細くなり、「蛾眉」や柳の葉の形に由来する「柳眉」となった。そして「蛾眉」は美人の代名詞ともなり、白楽天は楊貴妃を形容するのに「蛾眉」を用いている。

現在の美人の基準からは遠く離れ、現在なら間違いなくメタボリック症候群の烙印を押されること間違いない。しかしこの美人像はまぎれもなく当時の中国における典型的な美人で、先に見た特徴こそが中国で流行していた美の基準であった。この時代、中国化・唐風化することこそが先進国になることだった。何から何まで唐風化したこの美人像は当時の我が国の人々が中国に抱いた熱い思いを象徴するものだと言える。

## 「美人」は後宮女官の職名

そもそも「美人」という言葉自体が中国に由来している。唐令の内外命婦職員令には、「内官。妃三人、六儀六人、美人四人、才人七人」とあるように、「美人」は唐における後宮の后妃の一つである女性のことだった。その用語は古く、『後漢書』に見える。我が国では『経国集』巻十の嵯峨天皇の漢詩「藤是雄が「旧宮美人入道詞」に和す」が初見である。この詩は平城京で世を遁れ、そこで没した平城上皇に殉じて出家した一人の寵妃のことを詠んだものであるが、やはりここでも「美人」は後宮の女性を指している。

『続日本紀』天平十二（七四〇）年正月条の記事である。「天皇は大極殿に出御して朝賀を受けた。渤海郡使と新羅の学語も同じく列席していた。ただし翳《えい》をささげ持つ美人はさらに袍と袴を着けた」とあり、ここに「美人」の語句が見える。その美人は天皇が高御座に行くまで翳（貴人をおおうきぬがさ・かざしにあたるもの）をささげて人目を遮断することを役割としていた。そのために彼女たちを奉翳《ほうえい》美人と称したのであろう。もちろん彼女たちは美しい女性ではあったろうが、しかしここではそういう意味ではなく、女官の職名としての美人である。

中国では『史記』万石君伝に、漢の高祖が寵臣の琴の上手な美人の姉を召して「美人」の称号を与えたという。また『後漢書』皇后紀第十の冒頭には、光武帝のこととして「置美人宮人采女三等」とあるように皇帝の後宮に侍する女官の職名の一つとして美人を置いた。その美人は、女官を率いて祭祀や賓客の事にあたり、女官の中でもかなり高い地位にあった。『続日本紀』の美人の語句は中国の官制の知識によって文章を飾ったと考えられる。こうしたことからみて、美人は本来、皇帝の女官の職名だったが、彼女たちが魅力的な女性ばっかりであったことから美人＝美しい人という意味になったのである。因みに中国から取り入れられたものに、かつて女性の敬称として「女史」という言葉がある。これも中国の古い文献の『周礼』に見える。天子の記録官の男性の「史」に対し、後宮の女書記官のことを「女史」と呼んだ。後宮の全ての官司に「女史」が配置され、それぞれの官司の記録にあたった。それが我が国に律令制が導入されると共に「女史」の制度も取り入れられたのである。

## 美女の第一は「教養のあること」

古代には女性の美について、あまり具体的に書かれることはほとんどない。たとえば『日本書紀』では垂仁三十年条に「姿形美麗《よ》し」、景行二年条に「容姿端正《きらきら》し」、同四年条は「容姿美麗《かおよ》し」、神功皇后摂政前紀条は「貌容壮麗《はなはだかおよ》し」、応神十三年条は「国色之秀者《かおすぐれたるひと》」とある。美麗であることはわかるが、具体的にどこがどのように美しく麗しいのかは分からない。それは当時の人々にとっては「美」に対する共通の価値観があったから、こうした表現で十分に理解できたのであろう。

垂仁大王は丹波道主の娘五人を後宮に入れ、長女の日葉酢姫《ひばすひめ》を皇后にした時、五女の竹野姫のみを古里に帰した。その理由は「形姿《かたち》醜きにより」であった。しかし当の竹野姫にとってこれほどの屈辱はなかったから帰る途中で自殺した。容貌の美醜が人の運命を左右した例である。美醜は女性だけでなく、当然男性の場合も程度の差はあれ、同様である。同書垂仁四年九月条には、狭穂姫が兄の狭穂彦王と夫の垂仁大王の容貌を比べて、「兄ぞ愛《うつく》しき」と答えている。

美人の神を祭る河合神社

平安時代の美人に村上天皇の時代の後宮の女御で小一条家出身の芳子という人物がいた。芳子の美しさは際だっていたが、それだけでなく『古今和歌集』を暗記し、また箏の名手でもあった。同じく天皇の寵愛を受けていた藤原師輔の娘安子は『大鏡』師輔伝によれば、隣の藤壺の上の御局に上っていた芳子の美しい姿を壁の穴からのぞき、嫉妬のあまりかわらけの破片を投げつけたという。

かつて美人を表現するのに「うりざね顔」という言葉があった。「瓜ざね」は瓜の種子のことだから、瓜のように滑らかで色白の肌をした中高でやや面長な顔のことである。瓜は実際に色白にし、ニキビ・シミ・ソバカスなどに効き目があり、このような美肌剤の効果のあることが瓜子姫をたぐいまれな美人として描くことになったと思われる。

平安時代の美女とされる三大要素は、まず第一に、教養があること、つまり漢文・漢詩文への理解のあること、ただしそれをひらけかすことは、はしたないとされた。第二は、和歌が上手なこと。これも広い意味では教養の中に入るかもしれない。そして第三は、長い黒髪を持つことであった。今なら最初に容貌がくるのだろうが、それがないということが大きな違いである。そして何より知性や教養が最も重要とされたから、それを磨くことに意が注がれた。それはその人の内面を磨くことでもあった。そうした内からにじみ出る知性や教養に裏打ちされた美を求めていたのである。たとえば藤原道長の頃、一条天皇は当時としてトップクラスの教養人で賢君として名高い人物だったから、その天皇に目を向けさせるためには、知性を磨くことが重要であった。だからこそ天皇の中宮となる娘彰子には優れた教師役となる人物が必要だった。その観点から選ばれたのが清少納言のライバルの紫式部たちだった。

そして第三の黒髪であるが、それは長ければ長いほど良いとされたから、一mを越す女性も結構いた。『源氏物語』に登場する浮舟は六尺（一・八m）、髪の美しさだけが誉められた末摘花は九尺（二・七m）とされる。その長い髪の手入れは大変であろう。特に洗髪した後に、その長い髪をどうやって乾かしたのだろうか。その様子が『宇津保物語』の「蔵開」中巻に描写されている。冬十二月、女一宮の髪をお付きの女房たちが朝から日が暮れるまで、一日がかりで洗い、乾かしている。

髪は灰汁や米のとぎ汁で洗い、それを清水でゆすぎ、丈の高い厨子の上に髪を乗せた。簾を上げて風通しをよくし、布でぬぐいながら乾かした。これを「御髪《みぐし》すまし」と言ったが、それは長くかかるために御湯漬け・果物などの食事も用意した。このように美しい黒髪を保つために、大変な努力をしていたのである。

ただ平安美人は「源氏物語絵巻」に描かれているような、下ぶくれでややはれぼったい顔の女性を指すようであるが、これはできるだけ運動をしない不健康な生活の結果とも言える。おそらく現在の美人とされる彫りの深い女性は、平安時代の美人の範疇から全く外れたもので、むしろ「醜い」とされたと思われる。また「小麦色の健康的な美人」もまた、野良仕事をする下賤の民として退けられたのではなかろうか。このように美人像は時代と共に大きく変化していくものなのである。

それはともあれ、私は美女の条件の一番目に教養があげられていることに注目したいと思う。それは外面の美しさよりも内面の美しさを最も大事にしているからである。化粧を念入りにすればきれいにはなる。しかしそれはある意味で本当の美しさではない。きれいはお金で買うことができるが、美しさはお金で買うことはできない。それは自分自身の努力によって作り上げていくものだからである。現代のように化粧品や洗顔石けんなどで顔の表面を磨くことばかりしていたのでは、とても内面からの美しさはにじみ出るはずはなかろう。まして整形によって美を手に入れたとしても、やはり同じ事である。

どんな美人も年齢には勝てない。後白河法皇の編んだ『梁塵秘抄』には老いを冷徹に詠んだ歌がある。「女の盛りなるは　十四五六・廿三四とか　三十四五にし成りぬれば　紅葉の下葉に異ならず」(三九四)女の盛りは十四五から二十三四までであり、三十四五ではもう紅葉の下葉にほかならないと辛辣である。外面の衰えは容赦なくやってくるが、内面の美は決して失われることはない。

## (三)　女性の学問

### **漢字を習得していた女性**

女性が文化面で台頭してくるのは、九世紀末の宇多・醍醐天皇の時代に度々催された大規模な歌合に象徴される和歌の興隆期である。その和歌は前代の万葉仮名から女手と呼ばれる表記法に変更され、それは以後の国語の表記、文学や書にも甚大な影響を及ぼした。女手は平仮名と変体仮名とごく少数の漢字で成り立っていた。その文字は和歌の表記のために開発されたものではなく、女性がかわす手紙などによって発達したものである。その女手の優れた機能性と優美性という認識から和歌の表記法となった。その歴史的英断は、誰によって行われたかは分からないが、その法則化に決定的な役割を果たしたのが、『古今和歌集』であり、「かな序」を設けた紀貫之であることは疑いない。明治以降、正岡子規などによって紀貫之は酷評されたが、子規も貫之の表記法によって歌を詠んでおり、紀貫之は現在の日本語表記法の大先覚者とすべきであり、その恩恵は計り知れない。

このようにして仮名文字が成立し、女性はもっぱらそれを使用していたから、漢字は習得していなかったとする見方が多い。その例として紫式部の有名な話がよく引き合いに出される。式部の父為時が息子に『史記』を教えていたが、傍で聞いていた式部の方が先に覚えてしまったため、これが男子であったらと大変悔しがったという。これらからみて漢文を習得することが男子にとって必須の教養だったことはわかるが、その実、女子もかなり漢字（真名）を身に付けていた。この当時の女性たちの間ではやった遊びには、鞠・小弓・碁などと共に「偏つぎ」があった。これは漢字の偏に旁を付けるのか、旁に偏を付けるのかは不明であるが、これは相当の漢字を知っていなければ出来ない遊びである。『朝野群載』巻九には、「遊びわざはさまあしけれど鞠をかし。小弓・ゐンふたぎ・碁。女は偏いとをかし」と見える。また『大鏡』中には、「姫君たち若君などは、ひとへにさし集ひ、碁うち偏つぎ」とあるように広く行われていた。遊びとはいえ、自分が優位に立つためには相当の知識量が必要だったから、競って学習した。またこの時代には浄土信仰が広く浸透していたが、極楽往生に功徳があるとされたのが写経である。写経は全て漢字だから、それを知っていなければできないことである。他にも女性が漢籍に親しんでいた例は多くあり、こうしてみると単純に女性＝かな文字とは言い難いのである。

「大和魂」「大和心」という言葉は、日本の武士の心根を示す言葉で、勇ましいとか勇敢なというプラスイメージで語られることが多い。しかし平安時代頃の使われ方をみれば、そうした意味とは大きく異なっていた。それは漢才すなわち漢詩・漢文・中国哲学などの学問分野に対して、実践的な智恵や機知というものを意味していた。勇ましさなどは無縁だったが、そのように変化したのは江戸時代後期の平田篤胤あたりからと言われる。言葉も時代によってその意味するところが大きく変わっていく。中国では「漢」の人こそ男の中の男という思想が強くあった。そこから「漢」は成人の男を意味するようになり、「痴漢」など変なものもあるが、「好漢」「熱血漢」など、おおむね良い意味で使用されている。

外国ブランドに憧れたのは国風文化の時代だけではなかった。鎌倉時代末期に成立した吉田兼好の『徒然草』には次のように見える。「唐の物は、薬の外は無くとも事欠くまじ。書どもはこの国にひろまりぬれば、書きも写してむ。もろこしの舟のたやすからぬ道に、無用の物どものみ取つめて、所狭く渡しもてくる。いと愚なり。「遠きものを宝とせず」とも、また「得がたき貨を尊まず」とも、文に侍るとかや」(一二〇段)。このように吉田兼好は唐物崇拝を批判しているが、それは鎌倉期においても人々が中国の物品を有りがたがり、そしてまた多く将来されていたからである。

現在の私たちは円を通貨として用いているが、中国の人民「元」は画数の多い「圓」の当て字で、発音が「ユアン」と共通するので通じた。また韓国の通貨の「ウォン」も「圓」の朝鮮漢字音である。このように日本も中国も韓国の通貨も、ともに「圓」に源があるのであり、文化的な結びつきの強さを知ることができる。

## 後宮女性には漢字は必須の教養

かつて漢字や漢文は、中国や朝鮮半島諸国との外交交渉の必要から使用された。そして国内的には人々を統治する手段として漢字や漢詩が必要だった。だから政治に関与するべき男性は、それは必須の教養とされた。平安時代の摂関政治が行われていた頃女性は政治の世界から疎外されていたために、漢字や漢詩の必要度は低かったのである。

その平安期には清少納言、紫式部、和泉式部などに代表されるような女流文学者がきら星のように出現するが、その背景には仮名文字の成立があったことは周知の通りである。公用語は漢字だったから、男子はそれを習得していなければ、自らの任務を果たすことができなかった。一方、女性はそうした政務に関わることはないため、漢字を使用することはなく、専ら仮名文字だけだったとされていた。そうした見方が常識のように思われていたが、後宮に勤めた女性にとっては漢字もまた必須の教養の一つだったとする説がしだいに認められるようになってきた。

また和歌も必須の教養だったが、その中にも漢籍の学習を前提としたものが相当数存在する。藤原道長が娘の中宮彰子に『白氏文集』を贈ったことはよく知られているが、このこともこうした漢籍を知ることが彰子にとって望ましいと考えたからであろう。そしてその『白氏文集』を紫式部が彰子に講義をしていたのである。彼女たち女官は男性の官吏の取り次ぎを正確に行うためには当然漢文を読解する能力を有していなければ、職務の遂行に支障をきたすのは当然である。当時、女性が漢籍を学ぶことは非難を受けることにもなったが、それでも父親たちが漢籍の手ほどきをしたのは、必要な知識であると認識されていたからであろう。

それ以前にも学問好きの女性は多くいた。醍醐天皇の第四皇女の勤子内親王もその一人だった。彼女は琴の演奏を得意とし、清楚で聡明な女性だった。漢字や漢文に接していたが、納得のいかないことが多く、もどかしく感じていた。そこで彼女は和歌や漢詩に優れた才能のあった嵯峨源氏の系統に連なる源順に、「汝、かの数家の善説を集めて、我をして文に臨みて疑ふ所無からしめよ」と依頼した。そこで文学だけでなく社会生活全般にわたって和名を広く収集し、一種の百科事典というものが完成した。それが『和名類聚抄』である。この書物は古代史に関する調べ物をするには必須の書であり、私たちも大変な恩恵にあずかっているが、それは学問好きの女性のおかげであった。なお勤子内親王は藤原忠平の子師輔に嫁し、天慶元（九三八）年に三十五歳の若さで没している。

## 王朝文化は公卿・女官の交流から

八世紀頃の宮廷文化としては長屋王の佐保楼での詩宴が有名である。また九世紀に入ると嵯峨・淳和・仁明天皇などは盛んに遊宴を催した。それらの会は朝廷の公式のもので、その参加者は全て男性だった。また天平勝宝六（七五四）年に聖武太上天皇のもとで作歌会が行われたが、その参加者は内親王・侍孀・命婦と全て女性であった。

このように文化的行事においても男女を区別していたが、それが殿上の男女が文化を共有するようになる端緒が九世紀頃である。八世紀までは太政官の権限が非常に強く、大臣の権限も強大だった。ところが藤原薬子の乱の後に宮中の秘密事項を管理し、王権の内廷に属する蔵人所が設置され、その蔵人たちは天皇と大臣・公卿との間の連絡をとることになった。そのことはかつて御所という天皇と女官のみの空間であった場所に男性官僚が出入りすることを意味していた。そして十世紀の宇多朝において清涼殿の殿上に昇殿の許された人たちのための殿上の間が設けられた。こうして天皇の座所である清涼殿の後宮の空間に天皇・后妃・親王・公卿・蔵人・殿上人・女官が集うようになり、男官と女官が日常的に接触するようになる。その場所では政務や儀式だけでなく、文化的な催しも度々行われた。宇多朝に始まる女性の催し物への参加は、内裏内での政務・儀式・行事空間の形成と男官と女官の日常的な接触がもたらしたものであった。それは宮中や殿上は公卿や蔵人や殿上人と女官や女房との交流の場となり、大っぴらな恋愛の場ともなった。宦官を置いて内廷と外廷を厳しく区別した中国はもとより諸外国でもそうした例はほとんどみられない。こうして男官、女官が共に催しに参加し、また男女間で和歌の贈答が盛んに行われたことで王朝文化が花開いたのである。

『枕草子』七十八段には、「うち局は、細殿いみじうをかし、かみの小蔀上げたれば、風いみじう吹き入れて、夏もいと涼し（中略）沓の音の夜一夜聞こゆるがとまりて、ただ指一つしてたたくが、その人なんなりと、ふと知らるこそをかしけれ」と記す。夜の間に局の外を通る殿上人たちの沓の音が聞こえたり、自分の局の前で止まって戸を叩く男がいたりなど、男女の接触が日常的に行われていた様子を記している。

## ㈣　女の大力・戦い

### 強力の女

　古代ではほとんどが人力に頼っていた時代だから、大力の持ち主は高く評価された。力の強いのは、何も男に限るものではなく女の中にも強力の者がいた。九世紀初めに編纂された『日本霊異記』中巻第二十七「力女、強力を示す縁」には、尾張宿禰久玖利《おわりのすくねくくり》の妻は元興寺の道場法師の孫であった。夫に従順で物柔らかでなよなよとしていた。彼女は手織りの布を大変美しく織り、郡司大領の夫に着せた。国司がそれを見て欲しくなり夫から取り上げてしまった。夫は大変惜しいことだと言うので、妻は国司のもとに行って衣を返して欲しいと言ったが、国司は聞く耳を持たなかった。そこで彼女は国司の座っている座席の隅を握って座らせたまま国府の門外に引きずっていった。改めて国司に衣を返せというと国司はその力に恐れをなして返却した。

　またこの大力の女が河津で洗濯していた時に、大船に乗った船長が彼女をからかい打った。女は失礼なことをすると言って、船を一町ほど引き上げた。船長は大いに驚き許しを請うた。女は許したが、その船を五百人で引いたが動かなかった。彼女は前世で餅をつくって僧を供養したので五百人以上の大力を持つようになったという。これは三宝を供養した功徳であるとまとめている。

　『今昔物語集』「尾張の国の女、細畳を取り返す語」（巻二十三第十八話）には、先の『日本霊異記』の内容と同じ話が見える。『今昔物語集』は『日本霊異記』と同じ仏教説話集であるが、その成立は十二世紀初頭の頃である。『今昔物語集』では先の話を記したあとで、「前世に何なる事有て此の世に女の身として此く力有む」とまとめている。いったい前世でどんなことがあって女なのに大力を持って生まれたのだろうかと、女の大力は奇異なこととしている。つまり九世紀初頭に編纂された『日本霊異記』では女の大力は優れた能力としてプラス評価されているが、三百年後に編纂された『今昔物語集』においては女の大力はマイナス評価に転じている。それは単に大力のことだけでなく、十二世紀頃から女性蔑視思想が成立してきたことの現れでもあった。

もう一つ『今昔物語集』巻二十三第二十四話に「相撲人大井光遠《おおいみつとう》の妹の強力の話」がある。甲斐国に優れた相撲人に大井光遠という人がいた。その妹は二十七・八才で見目形の美しい女であった。その妹が住んでいた家に、人に追われて逃げてきた男が刀を抜いて入ってきた。家の人がそれを見て、兄の光遠に姫君が人質にとられたと告げたが、全く騒ぐ様子がなかった。おかしいと思って、戻って様子を覗き見ると、男は両足を組んで、女を背後から抱えるようにしてはさんでいた。女は右手で男が刀をつきつけた手をやわらかく包み込むようにしていた。そして顔を覆っていた左手で、前にある太い矢竹を取って指で板敷に押しつけてバリバリと砕いた。見ていた男も、兄が騒がぬのももっともだ。金槌で砕かなければあの竹のようにはならない。人質にとった男はひねり潰されてしまうだろうと思った。

刀を持っていた男も女の様子をみて、自分は体を潰されると思い、隙をみて飛ぶようにして逃げ出した。しかし捕えられ、光遠の所に引き出された。男は恐怖のあまり逃げたという話を聞いて、光遠は大笑いして、お前は命があって良かった。妹はほっそりと女らしくはあるけれど、強力の光遠の二人分の力を持っている。相撲人であれば無敵であったのに惜しいことだ。お前などは枯れ木を折るように砕かれただろうと言った。男は死ぬ心地がしたという。この話も光遠が「相撲人であれば無敵であったのに惜しいことだ」と言っているように、女ではいくら大力があっても発揮する場がないということだから、やはりここでも女の大力はマイナス評価とされているといってよいであろう。

## 戦闘を統率した女性首長

近代の戦争は、前線に出て戦うのは男で、女は銃後を守るものとされていた。それは徴兵制が男のみに適用されたからである。また中世の戦国時代や近世期の戦争の場合も、基本的には同様である。こうしたことから女は戦には直接に関わっていなかったという観念が出来あがっていった。そのため弥生時代の卑弥呼の頃においても、卑弥呼の弟が政治や軍事に関わることを行い、卑弥呼は呪術を主にしていたということが通説になっており、日本史の教科書にもそのように記されている。

しかし必ずしもそうではなかったのではないかという疑問が出されるようになってきた。弥生時代には、環濠集落や高地性集落などの存在から〝倭国大乱〟と言われるような戦争があった。環濠の中から戦ったとみられる人の骨が出土するが、その中に女性のものも多くある。どうも男女を問わず集落をあげて戦っていたようである。たとえば長崎県平戸市の遺跡では弥生中期の抜歯をした成人女性の人骨が出土している。遺骨にはヤジリが頭骨のてっぺんに突き刺さり、ヤジリの先端だけが骨にくい込んでいた。負傷後も十数日は生きたが、脳の炎症か化膿によって死亡したようである。この女性は戦闘集団を統率する立場で戦闘に参加したと考えられている。

『日本書紀』神武即位前紀には、女性戦士の活躍が見える。大王の軍が宇陀を攻めた時、土着の勢力である八十梟帥《やそたける》は女坂には女軍、男坂には男軍を置き、墨坂に焃炭《おこしずみ》を置いて防いだ。女坂・男坂・墨坂の名はここから起こったという。また磯城の戦いの時、大王の軍にあくまで抵抗する兄磯城《えしき》を攻略するのに、椎根津彦《しいねつひこ》が謀を廻らし、まず女軍を出して敵の精兵を誘い出し、戦い疲れたところで男軍を出せば敗れることはあるまいと献策した。このように女軍の名前が見えるように女性も戦闘に参加していたのである。

同書崇神十年九月条には、「武埴安彦《たけはにやすひこ》と妻吾田姫《あたひめ》が反乱を起こし、戦となった。夫は山背より、妻は大坂より侵入して都を攻撃しようとした。そこで大王は五十狭芹彦命を遣わして吾田姫の軍を撃つことにした。吾田姫の軍を撃破し、姫を殺すと共に、兵士たちを悉く斬った」。ここには女軍は見えないが、吾田姫が戦の中心であり、だからこそ殺害されたのであろう。

舒明九（六三七）年三月条に、蝦夷の謀反に対し、その討伐の将軍に下毛野君形名《しもつけのきみかたな》を任命した。しかしかえって蝦夷に敗れ、砦に立てこもったが、敵に囲まれて将軍の形名も途方に暮れていた。日が暮れ、逃げようとしたが、その時、妻が嘆いて夫に言った。「あなたの先祖たちは海を渡り、海外まで平定して武威を後の世にまで伝えた。しかしここで屈しては後の世の笑い者になるだろう」と。そこで酒を酌み、夫にも飲ませた。夫の剣を身に付け、十の弓を張って女人数十人に弓の弦を鳴らさせた。そこで夫も武器を持って立ち上がり、蝦夷を大いに破ったと記す。女性首長が戦った例としては七世紀後半に斉明女帝が朝鮮の百済救援のために大軍を率いて遠征したことはあまりにも有名である。このように女性も戦っていたのであり、性別によって分けられていたのではなかった。

また『播磨国風土記』にも、播磨国の播磨刀売と丹波国の丹波刀売という女性首長がおり、二人で国境を決め、国境の印として大瓶を埋めたという記事がある。これも当時に女性首長がいてそれが伝承として残ったものと考えられる。『豊後国風土記』速見郡条にも「此の村に女人あり、名を速津姫といひて、其の処の長たりき」とある。さらに『日本書紀』景行十二年九月条には「爰に女人あり。神夏磯姫《かみなつそひめ》と曰ふ。其の徒衆《やからにへさ》甚多なり、一国の魁帥《ひとごのかみ》なり」と見え、これらも女性首長の例である。

天武十一（六八二）年四月条に、「婦女が男のように馬に乗ることこの日より起これり」と見える。これは中国では唐の初期の頃から胡風が流行し、女子の乗馬も盛んであった。その中国の風習にならって鞍にまたがって乗るようになった。しかしこの時期は唐を撃退した朝鮮新羅の来襲が予想される未曾有の危機的状況にあったとすれば、それは単なる中国の風習をまねただけでなく、現実に闘うことを想定していたとも考えられる。

こうした状況を一変させたのが律令制の導入であった。中国の律令制は男中心の社会を前提とし、女は男に従属するという価値観に基づいて成立している。そこでは軍事は当然のように男が独占するとした結果、女は排除されることになった。『続日本紀』天平宝字八（七六四）年十月条には「騎女」の貢上が行なわれているが、この「騎女」は戦闘ではなく、女性天皇称徳の行幸の駕に従うために特別に貢進されたもので、儀仗の性格が強かった。こうして制度として男中心の軍事行動が行われるようになると、女性がそうした場で活躍することは例外となる。鎌倉時代の木曽義仲の妻で武術に優れた巴御前などが例外的にみられるに過ぎなくなる。

## ㈤　美男と男色

### 美男は女性美を理想

最近、「人は見た目が九割」という本が出てかなり売れているというが、最初の第一印象というのは、その人を判断する重要な要素である。そのことは今も昔も変わらない。特に他国との外交などにおいてはその人だけでなく、国の品格を問われるだけに見た目も大変重視されている。

その例として遣唐使として派遣された粟田朝臣真人がいる。大宝元（七〇一）年、およそ三十年ぶりの遣唐使が派遣されることになったが、その時の最高責任者が遣唐執節使の粟田朝臣真人であった。彼は天皇の代行を意味する節刀を持ち、大使よりも上位の別格の存在であった。彼の立ち居振る舞いやその教養、そして容姿が大変素晴らしくまた長身でもあったようで、唐朝において評判になるほどであった。この遣唐使の時、我が国は始めて「日本」という国号を使用し、唐は「倭」ではないかといぶかんだが、真人らの学問や教養の深さに感じ入って今までの「倭」とは違うかも知れないということで「日本」の国号が中国で認知されるようになった。日本の国号は見た目で勝ち取ったものとも言えるのである。

また阿倍仲麻呂は養老元（七一七）年の遣唐使の留学生で唐に渡り、この時二十歳だった彼は国子監に入学し、最難関試験の科挙に合格し、唐朝に仕官した、その後も順調に出世し、安南節度使（正三品）という高官になった。しかし帰国の念が叶わず唐土で没した。その仲麻呂のことを中国の代表的な詩人李白は「明月帰らず」と表現している。「明月」というのは「美丈夫」の意味であり、容姿に秀でた男子を意味している。もう一人仲麻呂と同じく科挙及第者の友人だった儲光義《ちょこうぎ》は、「洛中朝校書衡《ちょうこうしょこう》に貽《おく》る　朝は即ち日本人なり」とあってそして仲麻呂のことを「吾生の美は度《はか》るすべ無く」と詠んでいる。「おまえさんの凜々しい美しさといったら、それは比べものにならないほどだ」と言う。唐の宮廷社会ではその容貌や立ち居振る舞いが重要視されたのはもちろんであるが、そうした宮廷社会の中にあっても仲麻呂の容姿は大変魅力的であったことが窺える。やはり仲麻呂が遣唐使に選ばれたのも知識・教養だけでなく見た目もあったのである。

今一人美男の例をあげたい。その名は橘清友と言う。彼は平安初期の嵯峨天皇の皇后の橘嘉智子の父である。『日本文徳天皇実録』嘉祥三（八五〇）年五月条によれば、幼い時から優れていたが、長じて身長六尺二寸、眉目描けるが如く、挙止甚だ雅なりと評されていた。百八十cmを優に越える長身で都会風の美男子だと言うのである。この清友がまだ未成年だった頃、現在の中国東北部の渤海国の使者がこの清友の人相を見て驚いたという。「あの少年は何者か」「この人の毛骨、常ならず、子孫大貴ならん」と言った。そこで通訳をしていた人が「あなたは人相を見ることができるなら、あの人の寿命もわかりますか」と聞いた。すると短命であると答え、事実その通りとなった。美男薄命であった。

平安時代の王朝貴族の代表は、やはり『源氏物語』の主人公の光源氏であろう。その光源氏の美しさは「女にて見奉らまほし」という表現で称讃されている。つまり光源氏の美貌は本物の女性を凌駕する美しさであり、色白で雅な女性美を理想としていたことを示している。王朝貴族の男性は、日に焼けた筋骨たくましい男性美ではなく、ユニセックスな美の価値観が広く支持されていたのである。

ところで今日では、美男のことを二枚目と呼び、そうでない人を三枚目と言うが、それは江戸時代の歌舞伎に起源がある。歌舞伎小屋には役者の絵が掲げられていたが、一枚目は人気役者、二枚目は美男の色男だったことから美男＝二枚目となった。因みに三枚目にはおどけて面白いことをする人であったから、美男でない人＝三枚目となった。美男のことを男前と言う。それは「腕前」「一人前」と同じで、前に出して見せるという意味がある。したがって「男前」は鑑賞に値する美しい男という意味になる。

## 平安期以前は少なかった男色

現在、性同一障害という言葉が社会的に認知されるようになり、同性愛もまた恋愛の一つの在り方として認められるようになってきた。しかしそうした恋愛の形は時代を越えた普遍性がある。ただ我が国では男を中心とする歴史叙述が多かったためか、同性愛と言えば、それは男同士の関係になっており、史料としても男の側からしか残っていない。

その史料の初見は、『日本書紀』神功皇后摂政元年二月条である。神功皇后が紀伊国の小竹宮に行幸した時、何日も太陽が昇らなかった。皇后は紀直の祖である豊耳に聞いたところ、一人の老人が「阿豆那比《あずない》の罪で二つの社の祝者を共に合わせて葬ったゆえだ」と答えた。小竹祝と天野祝は、共に麗しい友であった。しかし小竹祝が病死したので、天野祝は泣き叫び、死んで同じ穴に入れて貰えないかと言い、屍に寄り添い自殺したので、同じ墓に葬った。これが原因であろうかと言った。そこで墓を開き、別々な所に葬ると太陽が昇り、昼夜の区別ができた。「阿豆那比」というのが男色のことであり、それが罪とされたのは、共同体においては生産や豊饒に結びつかないことから、タブーとされていたのであろう。

　奈良時代には明確な同性愛の史料は見られないが、万葉歌人の大伴家持がそうではなかったかとする見解がある。家持は容貌が美しく、感情も繊細な麗しさを持っており、その作品には同性間の恋愛を詠んだものが数種ある。「なかなかに絶つとしいはばかくりばかり気の緒にして吾恋ひめやも」（いっそのこと別れると言われるのなら、これほど命をかけて、私は苦しい恋をしようか。）「思ふらむ人にあらなくにねもころに情尽くして恋ふる吾かも」（思ってくれる人でもないのに、ねんごろに心を砕いて、私は片思いをするのか。）このように家持の家人グループでは男女の恋愛に使われる恋という言葉を男同士で使用している。そして家持の相手は、彼に変わらぬ思慕を終生持ち続けて寄り添っていた金明軍という男ではないかと言うが、その真偽のほどは定かではない。

　奈良時代の正史『続日本紀』にも男性同性愛ではないかと思われるものがある。聖武天皇没後に孝謙天皇の皇太子となった道祖王《ふなどおう》は、後その地位を失い流刑になった。その理由を次のように記す。「王は皇室の教えを尊重しなかった。そしてありとあらゆる淫らな欲望を追求した。公式の服喪期間があける前、墓の上の草が乾く前に、王は密かに侍童に通じて前天皇への敬意を欠いた」とある。「侍童に通じた」ことが男色である。

　平安時代中期、源信の『往生要集』は地獄を描いているが、その第三の衆合地獄に「他の児子を取り、強ひて邪行を逼り、号び哭かしめたる者、ここに堕ちて苦を受く」「男の、男においての邪行を行ぜし者、ここに堕ちて苦を受く」。これらは性的犯罪とされ、地獄に落ちるとされている。

**盛んになる平安期以後の男色**

　ゲイリー・P・リュープ著の『男色の日本史』は、我が国の男色を包括的にまとめた初めての書であろう。

それに依拠しながら述べていく。男色は十世紀に始まり、十一世紀に貴族層に浸透した。その理由として、この時期に男女の性愛の不平等が始まる。男女の不平等な性愛が開始されると、対等な性愛を探し求める動きが男同士の性愛の流行となっていく。男色の流行は単なる趣味の問題と「若気」（にやけ）ている場合ではなく、社会の大きな変化が背景にある。院政時代の白河・鳥羽・後白河上皇なども寵童を抱えていた。『玉葉』の著者九条兼実は、自ら関白となる好機が訪れた時のことを記す。若い近衛基通が平清盛の後押しで関白となっていたが、平氏が都落ちしたため、自分が摂政になる番だと思っていた。ところが蓋をあけてみるとその近衛基通が摂政となっていた。兼実は基通が摂政となったのは、白河法皇が基通に「愛念」を抱いていたから引き立てられたとし、これは「奇異の珍事」で「子孫に知らせんがために記しおく」と書き付け、怒りを露わにしている。法皇は基通に「御艶気」「艶言・御戯」「御志浅からず」とあり、「御本意」を遂げたという。これについて「君臣合体の儀、これを以て至極となすか、古来かくのごとき蹤跡《しょうせき》無し」と指弾している。摂政の地位も男色によって決まったのである。

その白河上皇の時代、藤原盛重という人物がいた。彼は白河院の側近として石見・相模・信濃・肥後の受領を歴任して財力を蓄え、その活躍は『十訓抄』『古今著聞集』などにも見える。盛重の童名は今犬丸又は千寿丸と言い、初め東大寺別当の稚児だったが、南都行幸の際に、その美しい姿が上皇の目にとまり召し出された。そして彼の猶子成景も父にならって鳥羽院の寵童として仕えている。さらに嫡子の盛通もまた鳥羽院に召し出されており、盛重の家は「寵童の家」として院の側近集団の中核にあった。

## 著名な藤原頼長

男色趣味でとりわけ有名なのが藤原頼長である。彼は保元元年（一一五六）年に起こった保元の乱で崇徳上皇側について敗れた人物である。彼には八歳上の嫡室徳大寺内大臣実能の女幸子がおり、子供は生まれなかったが、夫婦仲は良かった。儀式の際には共に出かけたり、妻の実家にも同行したりしている。その妻が四十四歳で死去した時、内覧の地位にある人が葬礼で歩くのは未だ例がないと非難されるほど丁重な葬送を行っている。その妻以外にも三人の妾がおり、子供も生まれている。こうしたことからみて、頼長は決して女性を敬遠したり、嫌ったりはしていない。

その頼長の日記『台記』には詳細な男色関係が記されている。彼の相手となった人物は上は公卿から下は雑色層まで幅広く、しかもその描写は生々しい。天養元（一一四四）年四月三日のことである。当時、頼長は二十五歳だったが、三位中将花山院忠雅と同じ車に乗ってある受領宅に宿泊した。そして「已に以て成就す」とその喜びを記している。また「或る三品と会交す。年来本意を遂げおはんぬ」「ある人に謁す。本意を遂ぐ。喜ぶべし、喜ぶべし」などとあり、手放しの喜びようである。さらに仁平二（一一五二）年八月二十四日には、「讃丸来る。気味甚だ切なり。遂に俱に精を漏らす。希有の事なり。この人常にこのことあり。感嘆尤もふかし」といたく感動したというのである。ただこの頼長の同性愛は単なる趣味だけでなく、自分の信頼できる党派を築くために同性愛という方法で人間関係を形成しようとしたという見方もある。

### 武士社会で盛行

僧侶の住した寺院は男社会で、女性との交わりは当然禁止されていたが、出産が穢れとされていた時代では、穢れとは無縁の稚児との愛は純粋なものと考えられていた。そうした僧侶社会に広がっていた同性愛の存在を武家が自分たちの文化として取り入れた。武士は一般に僧侶を敬い、また武士の子息たちは寺院で教育を受けることが多く、僧侶と兄弟のような関係を築いた。こうして僧と武士との性的関係を正しいものとして受け入れ、多くの武士たちは少年への欲望を経験することになった。こうして男色は鎌倉時代から江戸時代に至るまでそれは完全な社会現象となった。

少年と性的関係を持っていたと思われる中世以降の人物を列挙してみよう。まずは鎌倉幕府の開祖源頼朝である。頼朝の周辺には同性愛の集団が存在した。豊後大友氏の祖大友能直《よしなお》は幼い時から頼朝の側に仕え、男色の関係にあったとされる。それは穢れのない純粋な愛と考えられていたから、その人間関係は濃密であった。十四世紀頃の室町時代に男性同性愛が盛行した。室町の将軍たちは、男性の恋人を囲っている。足利尊氏・義満・義持・義教・義政・義輝などである。江戸時代には徳川家康・家光・綱吉・家宣・家重・家治・家斉などが該当する。次に武将では細川政元・藤孝・武田信玄・織田信長・豊臣秀吉・秀次・上杉謙信・前田利家・福島正則・宮本武蔵などである。この名前を見ただけで、その当時の名士録そのもののようである。

これだけ男色がおおっぴらに行われているとなると、それは政治的な事件に直結する場合もあった。足利義持は恋人の赤松持貞に広大な領地を与えたことで謀叛を引き起こし、足利義教は自分の情夫赤松貞村に同じように領地を与えようとして嘉吉元（一四四一）年の嘉吉の乱で殺害された。明智光秀が織田信長を倒した本能寺の変の理由も、信長が光秀の領地をお気に入りの小姓に与えるという噂がもとになっているとも言う。

## 日本以外の男色

男色は何も日本に限ったことではない。ホメロスの『イーリアス』にトロイ戦争が描かれているが、ギリシア軍の中に剣士、また足の速いことで知られるアキレウスがいた。彼の友人のパトロクロスがトロイの猛将ヘクトールに打ち倒され、怒ったアキレウスがヘクトールを倒すという話が載せられているが、このアキレウスと友人のパトロクロスも男色の関係にあったと言われる。なおアキレウスの母は女神のテティスで、アキレウスが生まれた時に、不死の体にするために、その足首をつかんで冥府の川ステュクスに浸した。ところがその時に、つかんでいた足首を浸し忘れたため、足首の後だけが弱点となった。アキレス腱という名称はここからきている。そのためか、後にアキレウスはパリスにアキレス腱を射られて死ぬことになる。今一つは太宰治の『走れメロス』である。この小説は、古代ギリシアの伝説をシラーが詩にしたものを題材としているが、その主人公のメロスとセリヌンティウスの関係もそうであったと言われる。このようにして見てくると名作とされる『走れメロス』も単に男の友情を描いただけでなく、違った読み方もできそうである。

歴史上の偉人たちの同性愛者には、次のような人々がいる。ソクラテス・プラトン・アリストテレス・アレクサンドロス大王・カエサル・サラディン・ボッティチェリ・レオナルドダヴィンチ・ミケランジェロ・シェイクスピア・フリードリヒ大王・ランボー・チャイコフスキー・アンドレジッドなど、枚挙にいとまがない有様である。

### 隆盛から衰退へ

江戸時代は「男色、女色は隔てなきもの」とも言われた両性愛の社会であった。男色の愛好は身分の上下もなく、都市と地方の差もなく盛んであった。大衆演劇や美術、民間芸能、文学の世界でも積極的に褒め称えられ社会全体に受容されていた。「男色は武門の花」「念友のなき前髪は、縁夫もたぬ女のごとく」「男色ほど美なるもてあそびはなきに」と称される時代であった。このように男性同性愛はありふれた営為であったが、彼らは別に女性を忌避していたわけではなかった。男性の同性愛は、異性愛と相互に補完し合い、両立する関係にあった。江戸時代の人々は井原西鶴が「色道二道」「男色女色の両道」「女和歌二つの恋草」と表現するように、両性愛が当たり前だと心得ていたという。幕末までの日本は男色を伸び伸びと発展させた希有な社会であった。

ところが現在の日本では同性愛者はごく少数で、百数十年の間に劇的に変化した。その原因は、日本が西欧の仲間入りを目指したことにあった。西洋道徳では男色は、自然に反するの恥ずべき獣のような行為であるとされ、さらにはそれは犯罪として罰せられる行為であると主張された。

男色の衰退の第一の要因は西洋文化の影響であるが、もう一つは封建制度の崩壊にあった。日本社会の男色は兄分と弟分との間でしか結ぶことができないとされていた。それは主従関係に基づき、それを反映していた。だから上下関係が重視された明治時代の学校や軍隊ではまだ生き延びていたのである。しかし男色はもはや大衆文化の中心とはなりえず、時たま光を当てられるだけの地下世界になっていったのである。

## 二　健康・スポーツ

### ㈠「養生」の考え方

#### 病気はなだめ、鎮めること

人間は「病む者」とも言われるように、程度の差はあれ、どんな人も完全な健康体などというのは滅多になく、多くの人は病気と共に生きている。健康とは「健体康心」ということで、心身共に安心であるという意味である。体は「幹《から》だ」とも言う。体を大本で支えているのは骨である。その骨の大切さは歴史が証明している。徳川家康は子孫を多く残すために農民の女を多く側室にした。骨太の女を好んだおかげで子供がたくさんできた。一方、農民出身の秀吉は淀君のような骨細の姫君に執着して豊臣は滅亡した。徳川三百年を支えたのは骨であった。

　今は世をあげて健康ブームである。そのこと自体は悪くはないが、過去の歴史の教訓から学ぶことも無駄ではなかろう。『徒然草』の著者吉田兼好は、「命ながければ、辱《はじ》多し」という言葉を引いて、「長くとも四十くらいで死ぬのがよい」とし、長生きしている高齢者を批判していた。しかし兼好はその死ぬべき目安としていた四十を超しても生き、四十代後半の頃には、「若い時は血気にはやって物事に動揺しやすく、取り返しの付かない事態を引き起こしかねない」として若者を批判し、一方、年を重ねた人は、「精神が高揚せず、淡泊になり、心が安定している。智恵が若い時より安定している」と高齢者を讃えている。兼好の没年は不明であるが、高齢者を讃えた文章を書いた時から十数年は生存していたから、当時としては長生きである。彼は健康維持に並々ならぬ関心を示し、医薬・食事・養生については詳細に綴っている。だから「けんこう」と言うのであろうか。

　古代の人々も現代人と同じように健康で長生きすることに強い関心を持っており、研究していた。しかし病気に対する対処の仕方には大きな違いがある。現在では病気はそれを征服・克服し、排除すべきと考えるから、病気に対して闘い、無病息災を目指す。しかし古い時代には病気とは対峙するものでなく、なだめたり鎮めたり慣れ親しむことであった。

　日本の漢方では薬を出すのは最後の手段で、その哲学は、一に養生、二に看病、三・四がなくて五に薬だという。一の「養生」は、元気を維持するための日常習慣のことで、看病はその人を取り巻いている人やモノとの関係性を意味する。周囲との関係性がその人の健康に大きな影響を与える。完璧に元気に生きられる条件が揃っている人は、多忙な現代人には希で、人にはそれぞれ足らないものがある。その足らないものが引き金となって病気になる危険性が生じることになる。そうした状況を「未病」と言う。このように漢方では未病を見極めたり、また病気と上手につきあうことであって征服すべき対象ではなかったのである。

室町時代の『庭訓往来』には、「濁酒の酩酊、食物の飽満、深更の夜食、五更の空腹、塩増の飲水、浅味の熱湯」をやめなければならないとある。酒の飲み過ぎ、食べ過ぎ、極端な空腹、塩分の取り過ぎ、極端に熱いものがいけないというのは、現在と何ら変わらない。経験上、食物の取り方が健康に直結し、食事が疾病の発症や療養と関連することを知っていたのであろう。

またばい菌というと汚いもののように扱われるが、決して悪者ではなく、正義の味方でもある。ばい菌は、この地球上の不要の物、死んだ物、余った物を分解して土に戻す働きをするために存在している。したがってばい菌が体内に侵入して様々の炎症を起こすのは、自分の血液が汚れているサインなのである。

そもそも「健康」という言葉が使われるようになるのは江戸時代の天保年間頃からである。それを使った人としてシーボルトの弟子高野長英と適塾で多くの人材を養成した緒方洪庵があげられる。ただ長英の場合には偶然的要素が多いのに対し、洪庵はそれを積極的に使用している。こうしたことから「健康」という言葉の創始者は緒方洪庵とすべきである。それを弟子の福沢諭吉などが使用したことで次第に一般化するようになった。それまでは「安泰」「無病」「息災」などの語が使用されていた。そして「健康」であることが重要だと声高に叫ばれた時代もあった。それは日中戦争からアジア・太平洋戦争にかけての頃である。時の厚生大臣木戸幸一は日比谷公会堂で行われた国民精神総動員体力向上の講演会において、「国民各自が自己の身体は自分だけのものでなく国家のものである。各人の体力増進は単に一身の幸福であるのみならず、一家の繁栄、一国の隆昌を招来する所以であると云ふことに深く思を潜めて、国家の為に之を鍛錬し、之を強化し、以て健康報国の信念を保持することが肝要であります」と話をした。健康であることが国家への国民の義務とされた「健康報国」の言葉が世を覆うようになり、不健康であることは「非国民」とされた。健康であることが強制されたのである。

**身を慎む**

現在はダイエットブームと言ってよかろう。しかし私たち日本人が飽食出来るようになったのは、戦後の高度経済成長に入った頃だから、長く見てもせいぜい五・六十年くらいにしか過ぎない。それより以前には飢饉や凶作が発生する度に、「飢え」を意識しなければならず、人類の歴史は飢えとの戦いであった。したがって多くの人はやせていたから、ふくよかであることはむしろ富の象徴だった。生活に支障の出るほどの肥満はよほど食糧事情のよい社会的階層の人たちに限定されていた。

『今昔物語集』巻二十八第二十三話には「三条中納言食水飯語《すいはんをくうこと》」に肥満に苦しむ人の話が記されている。今は昔、三条の中納言という人がいた。三条の右大臣と言われた人の子であった。頭も賢く中国や日本の故事にも通じ、また思慮深く度胸もあり、積極的な性格であった。また笙も大変上手で、富を得る才もあり家は豊かであった。しかし身長は高いけれど、苦しいほど太っていた。そこで医師を呼んで「この太り過ぎたのをどうすればよいか。このままでは起居するだけで体が重く大変苦しい」と言った。医師は「冬の食事は湯漬け、夏は水漬けにしてご飯を食べるとよい」とアドバイスした。

ところが中納言は忠告にしたがって食事を変えたが、いつまでたってもやせなかった。そこで医者に文句を言った。不思議に思った医者は普段の食事を見せて下さいと言った。中納言の食事を見て医者はびっくりした。椀に飯を高盛りし、水を少し入れて水飯にした。そして干し瓜を三個食べ、鮨鮎を五、六匹平らげ、今度は水飯のお代わりを催促した。これを見た医師はあきれて退散した。医師からすれば、水飯は食事制限と思っていたのに、中納言は水飯さえすればよいと考え、大食いをしていたのである。これではやせるはずはない。

この話は滑稽を狙ったものであろうが、現在の私たちも同じようなことをしていないだろうか。食事制限もせず、運動もせず、「食べながらやせる」というような安易に薬やサプリメントに頼るというのは、この中納言のしていることと変わらない。やはりダイエットといえども本人の自制心以外に王道はないのである。

人間は食料が満足にない時代が長かったせいか、元々空腹に慣れており、少量の食べ物で効率よく体を動かし、体重を維持するというように飢えに対処する術は熟知しているが、栄養過多の場合には対処法がわからず、脂肪が体に蓄積し、メタボリック症候群になったり、また様々な生活習慣病になっている。私たちにとって大切なことはしっかり運動をすることである。人は動物であり、読んで字のごとく「動く物」である。動かなくても快適に生活できるシステムを文明化というが、それは本来の動物的特性を失った姿でもある。だから意識的に運動をしなければならないのである。最近、塩を摂取することを敵視する傾向があるが、発汗さえすれば何の問題もない。要は出入りの収支のバランスである。

永観二（九八四）年に丹波康頼は医学書の『医心方』を著した。その養生篇には五つの難を戒めている。①名利への執着②喜怒の感情のコントロールができないこと③音曲や彩り、如食に溺れること④美食への執着⑤精神・思考力の散逸をあげる。この五つのことを避ければ、祈らなくても福が授かり、長寿を求めなくても長生きするという。要するに身を慎むことが、結果的に福や長命をもたらすというのである。現代の社会ではその結果だけを求めることに性急になっているが、丹波康頼の述べる五つの戒めを改めて考えてみる必要があるのではなかろうか。

## 体力不足の清少納言

清少納言の『枕草子』の「うらやましげなるもの」の段に、伏見稲荷神社に詣でた時の話がある。「稲荷に思ひおこして参りたるに、中の御社のほど、わりなく苦しきを念じて、のぼるほどに、いささか苦しげもなく、遅れて来と見えたる者どものただ行きに立ちてまうづる、いとうらやまし。二月午の日の暁に、急ぎしかど、坂のなからばかりあゆみしかば、巳の刻ばかりになりにけり。やうやう暑くさへなりて、まことにわびしう、かからぬ人を世にもあらむものを、なにしに詣でつらむとまで、涙おちてやすむに、三十あまりばかりなる女の、壺装束などにはあらで、ただ引きはこえたるが、「まろは七度詣でし侍るぞ。三たびは詣でぬ、いま四度はことにもあらず。未の刻には下向しぬべし」と道にあひたる人にうちいひて下り行きしこそ、ただなるところにては目も止まるまじきことに、かれが身にただいまならばやとおぼえしか」とある。

清少納言が稲荷社に詣でたものの、くたびれ果てて、つくづく来たことを後悔していたら、その脇を三十歳位の女が着物の裾をたくし上げ、七度参りをするつもりだけど、もう三度は詣でた。残り四回だけどどれほどのこともないと道で会った人に話して下っていった。普段はあんな装束で外出する女を見下していたが、今は代わってほしいと思ったとある。

この稲荷社は内裏から直線距離にしても七、八㎞はあり、また麓の稲荷大社から稲荷山の頂上にある上社まで二百三十ｍ余の高さがあり、参道の整備されている現在でも三十分以上かかる。当時、神々への参拝は徒歩の方が御利益があるとされていたから、清少納言も途中からは歩いていたのであろう。しかしその途中で完全にばてていることから、清少納言は肥満だとする推測もある。しかし稲荷社のある伏見に行くためには日の出前に出発し、午前十時に到着しているから、かなり時間がかかっている。おそらく彼女を初め当時の宮廷の女房たちは普段から極度の運動不足だったのだろう。文章を書けば才気煥発の清少納言の体力はこの程度のものだった。それは彼女だけでなく、他の一般貴族も似たようなものだった。

長和三（一〇一四）年二月十二日条には、大納言藤原実資は参内のあと円融院に歩いて行ったことを、「路遠甚苦々」と記している。息も絶え絶えのような感想であるが、その距離は太政官の東門を出てから談天門までのわずか千五百mほどだったようである。この時、実資は五十八歳だったが、それにしてもこの程度の距離で「路遠甚苦々」とはあまりにも軟弱すぎるよう思えるが、当時の上流貴族の極度の運動不足を物語っている。

藤原行成と言えば三蹟と称せられる能書家で、その書風は彼の創建した世尊寺に因んで世尊寺流と称せられた。彼は書だけでなく、和歌や詩文にも優れ、『枕草子』や『栄華物語』にも多くの逸話が伝えられている。行成にとって中宮定子の周辺は華やかな思い出に満ちた世界であったに違いない。ことに定子に仕える清少納言との交際では、行成の諧謔に富んだ当意即妙なやりとりが遺憾なく発揮されている。行成が彼女に接近し、餅餤を贈ったり、「私は目が縦につき、眉毛が額まで生いかかり、鼻が横向きであったとしても、口許に愛敬があり、声のかわいらしい女性が好きだ」などとぬけぬけと言って歓心を買おうとしている。それは定子への有力なルートと考えての能吏らしい功利的な思惑を否定できないが、それだけでなく意気投合して愛人関係に発展していたのも事実である。

行成の日記『権記』は当時の政治動向を伝える重要史料である。彼は長徳元（九九五）年に天皇の秘書官長にあたる蔵人頭となるが、このポストは極めて重要な地位で、繁忙を極めた。その行動範囲をみると、御所から左京三条あたり、東は京極大路くらいに限定されており、ほぼ高級貴族の居住区域におさまる。日常的には都の四分の一ほどの行動範囲である。超多忙な行成にしてこの状態であったとすれば、他の貴族の場合、運動不足というのはやむを得ない話であった。

今では健康のために運動をすることが大切と言われ、それは国民的常識になっているが、そうした考え方の歴史は浅く、明治時代に入ってからである。夏目漱石の『吾が輩は猫である』の猫の言葉である。「吾輩は近頃運動を始めた。猫の癖に運動なんて利いた風だと一概に冷罵し去る手合いに一寸申し聞けるが、そういう人間だってつい近年までは運動の何者たるを解せずに、食って寝るのを天職のように心得ていたではないか」。この猫の言葉を今の人は何と聞くだろうか。

## ㈡　医者・薬・治療

### 社会的地位が低い医師

日本人は薬好きと言われる。薬局に行けば多種多様の薬があり、また病院に行けば、どっさりと薬をくれるが、こうした潤沢な医薬品の供給という「薬漬け」が平均寿命の大幅な伸びにつながっていることは確かである。それは一面では薬に対する信頼が強い証と言える。さらに近年は各種の栄養剤が出ており、相当高価なものもあるが、高いものほど効くという思いからかよく売れている。これも日本人の薬好きを証明するのに十分な現象であろう。犬や猫ですら体調を崩すと路傍の草を食べる。「薬」の文字が草冠と楽から出来ているように、ある種の草を食べれば体調が良くなり、楽になるのである。英語の薬を意味する「ドラッグ」も「乾燥した草」が語源のように、草に薬効があると考えられていたのは、東洋も西洋も同じである。

しかしその一方で、江戸時代の本草学者で『養生訓』の著者貝原益軒は次のように言う。「薬を飲まずして、おのづからいゆる病多し。これをしらで、みだりに薬を用て、薬にあてられて病をまし、食を妨げ、久しくいえずして、死に至るも亦多し。薬を用る事つつしむべし」。このように「病の災いより薬の災い多し」と言ったように、「薬は害にもなる」という言葉をかみしめる必要があるように思える。

古代の我が国は中国や朝鮮の漢方医薬・治療を導入し、その医学知識や技術の移植を図ったが、その中心的役割を果たしたのが典薬寮という役所だった。大陸系の医学の導入にあたって渡来系氏族の果たした役割は極めて大きかった。内薬司の職員の出自を見ると、八世紀の段階では八十％が渡来系の者である。

その中でも百済系の氏族が最も多く、そのことは我が国の医学は初めに百済を中心とする朝鮮系医学を導入し、七世紀後半に中国系医学を摂取してきたことと対応している。平安時代になると、丹波氏と和気氏という特定の豪族に限られるようになるが、成立期の医学においては、外来の医学が圧倒的な存在感を示していたのである。

『今昔物語集』巻二十第七話には、侍医が后の病気を治療するために宮内で待機していたが、治療は名の知られた僧によって行われ、彼の出番はなかった。このように上流階級では医師は軽視・疎外され、僧侶が重視されていた。現在では医師と僧に厳然たる区別があり、その役割が明確に固定化されている。しかしこの当時の人々が病気になった場合、僧侶に求めたものは、来世への導きよりもこの世で苦しみを逃れる治病であった。たとえば『続日本紀』大宝三（七〇三）年九月条や養老五（七二一）年六月条には医術僧として豊前国の法蓮の名がみえる。また『日本霊異記』上巻第二十六には、「大皇后の天皇のみ代に、百済の禅師有り、名を多常と曰ふ。高市の郡の部内の法器山寺に住み、勤めて浄行を修し、看病を第一とす。死す應き人験を蒙りて、更に蘇る。毎に病者に咒して奇異有り」とあるように僧といっても医術を専らとする者も多くいた。それは病気の原因を物の怪や前世の業、あるいは他者からの呪いや祟りと考えていたから、私たちが考える合理的処方は二の次であった。

中国の話である。東晋の葛洪《かっこう》の著した『神仙伝』の中に董奉《とうほう》という仙人がいる。董奉は三国時代の呉国にいた仙人で廬山に庵を構え、仙術によって人々を治療していた。治療をしても金品を受け取ることはなかった。その代わり病気の癒えた者には、その病気の程度に応じて杏の木を植えさせた。数年もすると鬱蒼とした杏の林が出来た。杏は食用にもなり、また杏仁といって咳止めの薬にもなる。その杏を人々に穀物と引き替えに持って帰らせた。そしてその穀物は貧者に分け与えた。ここから「杏林」という言葉は、「名医」を意味するようになった。そのため「杏林」の名を付けた製薬会社や大学があるのである。

現在の医師は随分と社会的地位が高いが、この頃はかなり低かった。当時は医師のような実務家に重きをおかず、医師の充足をはかる政策もとられなかった。したがって人々にとって正規の治療を受けられることは希であり、多くの場合は民間療法に頼っていた。

『源氏物語』「若菜上」の中で「あなたはお医者のやうな恰好でお傍に出ているのですから恥ずかしい」と記す。『今昔物語集』巻二十四第八話では、老いた典薬頭を好色な人物として描く。医師は人の体に触れることからこのような設定になったのだろうが、いずれにしても当時の人々にとっては医者は人格高潔というイメージではなかった。さらに『栄華物語』巻七にも、「医師に見すばかりにては、生きてかひあるべきにあらず」とあるように、女性にとっては医者に体を見せ、触られるのは死ぬほど辛く忌避するものだった。

時代は変わるが、戦国時代の頃、フランシスコ・ザビエルをはじめイエズス会の宣教師たちが我が国にやってきた。その熱心な布教活動の結果、信者の数は急速に増大した。その理由は、人々が全く新しい教義に魅せられたこともあるが、今一つは彼らが起こした「奇跡」にあった。当時の人々にとって不治の病だったものを、西欧医術によって治療し完治させたのである。それは人々にとって、彼らの説く宗教の信頼性をどんな言葉より雄弁に物語るものだった。このようにキリスト教の布教においても、治病行為と不可分の関係であった。

## 我が子の臓器で生きながらえた父

かつてはなかった臓器移植手術という画期的な治療法によって多くの難病に苦しむ人たちが救われている。それ自体は大変喜ばしいことであるが、その一方で、この治療法がいかに切なく苛酷なものであるかに思いを致す人は少ない。生命倫理に関わる究極の医療を求めることは現在だけでなく、過去の歴史の中にも見え隠れしている。

『今昔物語』巻二第四話に臓器を扱った話がある。「昔、この国に王様がいた。なかなか子供が出来なかったが、祈りが通じたのか后が男の子を産んだ。その子を大切に育て、少年にまで成長したが、その頃、王様は難病に罹り、どんな治療を施しても効果がなかった。そこである医者はこう言った。「生まれてから一度も瞋恚の心（他人に対して激しくうらみや怒りの心を発すること）を起こさない人の目と骨髄を取り、調合すれば治癒すると」。しかしそんな人間がいるはずはなく、周囲の人々は絶望し、嘆いた。それを聞いた太子は、たとえそのような人がいたとしても、それは人殺しになり、王に罪を犯させてはならないと考え、決心した。「私の体を父にさしあげたい」と。そのことを母に話すと泣き伏すばかりだった。

結局、医者は王子の目と骨髄とを取り出し、これを調合して治療した結果、王様の病気は見事に治った。しかしそのいきさつを知らない王様は、慈しんで育てた王子が病気見舞いにやって来ないので立腹していた。そこで一人の大臣が恐る恐る真実を告げた。その話を聞き終わると王様は激しく慟哭した。「昔、子が父の王位を奪うことはあっても、子の肉を喰って命を長らえた親の話は聞いたことがない」と。

王様は子供のおかげで命を保ったこと、王子の孝養の心を知らなかったことを恥じ、栴檀の木の下に卒塔婆立て、深く礼拝したという。この話のように治療の当事者や周りの人々の深刻な煩悶はどのようなものか、私たちも思いを致すべきではないかと思う。

『今昔物語集』巻四第四十話にもう一つ臓器に関する話がある。ある所に一人の貧しい女がいた。財産もなく子もいなかった。それでも子供が欲しくて仏神に祈ったところ女の子を授かった。その子は端正で大変美しかった。娘は十余歳まで成長し、母はその子を慈しみ、周りの人も誉めない者はいなかった。その母親は人生も半ばを過ぎたので、法華経の写経をし、後生の供養をしたいと思うようになった。しかし貧しいため写経をしようにもその紙が買えなかった。それを知った娘は母のために、自分の髪を売ってその費用のたしにしようと思った。

その頃、王宮に十三歳になる太子がいたが、太子は生まれてこのかた口をきいたことがなかった。治療に当たっていた医者は髪の美しい女子の肝をとってそれを薬にすれば治るというので、そこでその条件に全て叶った娘の命を奪おうという話になった。その条件に叶ったのがたまたま美しい髪を売りに来たこの娘であった。捕えられた娘は心配している母に事情を話して必ず帰って来ると言ったが、国王は許さず、娘の体に切りつけようとした。その時、簾の内からその様子を見ていた太子が突然口を開いた。「大王、この娘さんを殺さないでください」と。初めて言葉を発した王子に王をはじめ周りの人たちもどよめいて喜んだ。王は親孝行な少女を危うく殺すところであったことを恥じ、太子がものを言うようになったのはあなたの徳によるものだと言って多くの財宝とともに家に送り返したという。

『今昔物語集』に見える人の臓器を医療に使うということの話は、天竺（インド）の王様や王子といった高貴な人々が貧しい人の臓器を求める話となっている。このことは単に過去の話ではない。たとえば東南アジアのある国では囚人が生体肝移植のドナーとなり、それを富裕層が買い取るルートがあると言われる。また移植臓器の多くが売買がらみで日本や欧米から患者が送り込まれ、一つのマーケットとなっている国もあるという。

『今昔物語集』巻二十九第二十五話「丹波守平貞盛、児肝《じかん》を取る語《こと》」に、今一つ臓器に関する話がある。この話の主人公の平貞盛は、平安時代の中期、平将門の乱で下野の豪族藤原秀郷と共に将門を討ち果たした豪族として名高い。後に丹波守、陸奥守、鎮守府将軍となり、従四位を賜り、当時の武者としては最高の地位に上り詰めた。後の平清盛につながる桓武平氏発展の基盤を築いた人物でもある。

その貞盛が丹波守の在任中のことである。出来物ができ、都から名医という評判の高い医者を招いて診察させたところ、これは戦いの時に負った矢傷が原因で悪性の出来物だから、早急に児肝という薬で治療しなければならないと言う。児肝というのは、まだ母の胎内にある男児の肝臓のことで、この当時は出来物に効果のある秘薬とされていた。

話を聞いた貞盛は、ひどい傷を負っていることを人に知られては兵《つわもの》の名にかかわる。かといって児肝をあちこち探し求めればかえって世の人の知るところとなる。そこで息子の左衛門尉《さえもんじょう》を呼んで言った。「おまえの妻が懐妊しているが、その子の肝をくれないか」と。父の命を受けた左衛門尉は悲嘆にくれ、困り果てて父を診察した医者の所に相談に行った。彼の話に同情した医者は一計を案じ、貞盛に病人の血筋を引く胎児の肝では効果がなく、薬にならないと言った。これで左衛門尉は大いに安堵したが、貞盛は困った。その後、別の妊婦を捜し出し、ようやく男児の肝を得て、命を取り留めることが出来たという。この話は今日の感覚では貞盛はいとも簡単に人の命を奪い、延命をはかったという残忍な人物ということになるが、『今昔』の作者は彼が策略や処世術にたけた「優れた智恵者」だと誉めているのである。

この頃は中国に範をとった律令的原理を喪失し、価値基準が転換する時代であり、自分の名誉のためには手段を問わない功利的打算が評価されるようになっていく。換言すれば結果主義で、そこでは倫理観は問われないことになる。当時の「兵の道」にはこうした打算と没倫理という価値観があったのである。

『今昔物語集』の臓器に関する話はいずれも穢れなき子供の臓器が対象となっている。そのことは当時の人々が究極の医療には邪心のある人の臓器では効き目がないと考えていた証である。この話から、昨今の臓器移植を考えてみるのに、臓器の提供は売買や損得絡みではなく、結局は提供者の善意しかあり得ないことを示しているのではなかろうか。我が国では臓器提供者が増えないという現実があるが、それは欧米のように、臓器は単なる物質という割り切り方が出来ないためと思われる。また臓器の提供を受ける側からみれば、自分の生命維持のためには、フレッシュな臓器を持つ誰かが死ぬことによって提供されるのだから、それを待っていることになる。それは自分の生命のために他人の犠牲を求めることであり、そこに釈然としない思いがあるからではなかろうか。

## (三)　スポーツ

### 国技相撲の起源は外国人と女性

相撲の話をしばらくする。伝統のスポーツとされる大相撲であるが、その伝統はたかだか二百年程度である。現在の伝統様式は江戸時代に相撲の家元を称する吉田家の主導によって、諸地方の相撲集団を傘下にする意図のもとに、正統な故実として体系・権威づけられたものである。また横綱の地位も興業政策上の必要から生み出された。したがって大相撲の伝統は比較的新しいが、相撲そのものは古代にまで遡る。そして古代に行われていた相撲は、現在私たちが見る相撲とは全く違っている。相撲は元々天皇が見る儀式として成立し、本来は総て天覧相撲で、現在のように天皇が国技館に出かけて見るようなものではなかった。したがって相撲節会は多くの官人がその運営に関わり、担当の部署では、広く全国から強力の者をスカウトし、その節日に合わせ、都に集め、盛大な儀式が行われた。今日の大相撲とは全く違っているが、それでもその痕跡を残しているものもある。その一つが「四股《しこ》」である。足をしっかり踏み込む四股は古代には反閇《へんばい》と言い、大地を踏みしめて歩き、悪霊を追い払う威嚇のための動作であった。反閇はダダとも言い、子供が泣きながら足踏みすることを「ダダをこねる」というのは四股の「ダダ」が転化したものだという。悪霊を払う力が強ければ強いほど、災禍が少ないという信仰から、相撲は農作物の豊凶や吉凶を占う年占に用いられてきた。初めは神に奉仕する宗教者が行っていたが、人間業とは思えない不思議な相撲人の力は神の力と思われるようになった。そこで力持ちであればあるほど呪力も強大と考えられた。

ところで相撲の起源は、一般に『日本書紀』垂仁《すいにん》七年七月に野見宿禰《のみのすくね》と当麻蹶速《たいまのけはや》が闘った記事のこととする。大和国に住む当麻蹶速は大変な力持ちで、いつも人に「四方を求めるのに、自分ほどの力持ちがいるだろうか。何としても強力の者と出会い、生死をかけた勝負をしてみたい」と豪語していた。それを聞いた大王は蹶速に並ぶ強力の者はいないのかと群臣に聞いたところ、一人の家臣が、出雲の国に野見宿禰という人物がいるというので早速召し出し、蹶速と相撲を取らせた。

二人は相対して立ち、それぞれ足を上げて蹴り、ついに野見宿禰が当麻蹶速の脇腹の骨を折り、さらに腰の骨を折って殺してしまった。そこで大王は野見宿禰に当麻蹶速の領地を与えた。その村に「腰折田《こしおれた》」の地名があるのは、この闘いに由来するという。現在、東京都墨田区に宿禰《すくね》神社があり、野見宿禰は相撲の神となっている。また彼は渡来系の出自を持っており、国技とされる相撲もまた朝鮮半島から伝えられた可能性も十分考えられる。

ただこのようにルールもなく、足を蹴り上げて闘うキックボクシングのような戦い方や相手を死亡させるまでの激しい勝負を相撲と言ってよいか疑問でもある。相撲にあたる言葉に「捔力《すまひと》」とあり、これは「すまひ」＝「力比べ」とされている。相撲は初め「すもう」でなく「すまひ」と呼ばれていた。「すまひ」は「素舞」と同じ意味で、何も持たず舞い、死者の霊を鎮め、喪を払うための神事から出発したものだった。野見宿禰と当麻蹶速の勝負は「角力」と表記されているが、今日では「相撲」が一般的である。その起源について見てみよう。

意外と思われるかも知れないが、「相撲」の文字が初めて見えるのは、実は『日本書紀』の「女相撲」である。雄略《ゆうりやく》大王の時代（五世紀後半）に、斧で木を削る名人に韋那部真根《いなべのまね》という人物がいた。石を下に敷いて終日木を削ったが、誤って刃を傷めることはなかった。そこにやってきた大王が、「失敗することはないのか」と聞くと、真根は「決して失敗することはありません」と答えた。それを不遜な態度とみた大王は宮廷の女官の采女《うぬめ》たちを集め、服を脱がせ、褌姿にして、真根の前で相撲を取らせた。すると真根は、しばらく手を止めて見ていたが、再び作業を始めた時、思わず刃を傷つけてしまった。すると大王は「私を畏れることなく、軽率に答えたうえ、失敗した」という理由で、死刑を命じた。しかし真根の仲間たちは、素晴らしい技術を持つ真根を惜しみ、嘆き悲しんで歌を歌った。大王は、「それほどの人物であるのか」と言って処刑をやめさせた。芸は身を助けるという話である。

相撲の姿といえば褌姿であり、古墳時代の埴輪に中の力士もまたそういう姿をしているが、この記事はそのことを文献から証明できる貴重なものである。しかしそれにしても「相撲」の言葉が女相撲に由来するのであれば、女性が大相撲の土俵に上がれないとする日本相撲協会の言う「伝統」はどのように解釈すればよいのだろうか。

また同じ雄略大王時代、大王と対立していた吉備の大豪族の吉備下道前津屋《きびしもつみちまえつや》は、小女を大王に見立て、大女を自分に見立てて競い闘わせた。小女が勝つと斬り殺したという話がある。この小女と大女の闘いというのも相撲のような形で行わせたと考えられている。このような話が物語るように、実は男だけでなく女も古代から相撲をよく取っていたのである。

ところが相撲を国技として強調する立場からは、明治以降も盛んだった見せ物的要素の強い女相撲と一緒にされることを嫌ったために、相撲のルーツとして取り上げられることがほとんどなかったのである。相撲協会が伝統ということをよく言うが、このように冷静に史実を見ていくと、その伝統といわれるものの中身が時代によって大きく変化していることがわかる。だとすれば、頑なにそれを守るのではなく、時代の変化に合わせながら、変容していくことが、実はそれが我が国の伝統というものなのである。

**相撲節会**

相撲節会は現在の大相撲とは大きく異なっていた。全国から集められた相撲人は左と右の近衛府に分かれ、「内取《うちとり》」という本番前の練習を行い、出場する相撲人を決める。節日当日の「召合《めしあわせ》」は現在のように東西ではなく左右に分かれ、十七番の取組みを行う。左右に分かれるのは天皇制の仕組みと深く関わっている。天皇の公式な場所は都の大極殿で北を背に南面して着座する。「大極」は北極星に由来する。北極星は天空を支配する星とされ、地上を支配する天皇をそれになぞらえた。そういう理由から天皇は北を背に南面して着座するが、すると天皇から見れば都から東国は左になり、西国が右になる。こうして東国からは左方の相撲人を、西国からは右方の相撲人を貢上し、その両者が対戦することになっていた。したがって伊予国の相撲人は常に右方であった。

相撲の進行は弓矢や刀を帯びた近衛府の官人が行い、今で言う行司や呼び出しなどの役割をした。力士は褌姿で頭には烏帽子《えぼし》をつけ、狩衣《かりぎぬ》を羽織って裸足で登場する。相撲をとる時は、衣服をとり頭に左方は葵、右方はひさごの造花を付ける。そしていよいよ相撲の取組みになるが、現在の相撲にはなくてはならない土俵がない。そして闘い方も土俵に手をつかず、始めから立って組む。したがって土俵があっての決め技である吊り出し、うっちゃり、突き出し、押し出しという技で決着することはない。そうなると広い場所で相手を倒すまで相撲が続くから、実力が伯仲している場合は当然長くかかる。どうしても決着がつかない時は、勝負なしとか、判定になることも多かった。わずか十七番の取組みであるが、その日の内に終わらない場合もあった。一つの取り組みが終わると、楽器の演奏に合わせて、四十人ほどの舞人が出てきて、華やかに舞った。オーケストラの演奏と歌劇団の舞踊が一体となったようなものであった。今の横綱に相当する最も強い相撲人のことを最手《ほて》と呼ぶが、彼らは最後に登場して相撲をとる。東方の力士が勝った場合には千秋楽という楽が奏せられ、西方が勝てば万歳楽ということで万歳をした。今日の相撲興行の最終日を千秋楽と言うのは、音楽の千秋楽に因む。ただ全体の勝敗については、左右に分かれて行う場合、左方が勝つのが予定調和的な結末であった。それは左方が天子（天皇）方であったからである。

このように広い場所で長い取組みとなると、体重の重い力士が必ずしも有利ではなかった。おそらく多彩な技の応酬があり、息詰まるような対戦も多くあったのであろう。それゆえ相撲節は時代を追うごとに盛大になり、その結果、七夕の行事と同時に行うことが困難になったため、別の日に行われることになったのである。

## 出自が重視された相撲人

現在大相撲では幕内に愛媛県出身力士は皆無である。しかし節会相撲《せちえずもう》が盛大に行われていた平安時代には、伊予国から当時を代表する有名な相撲人が何人もいた。たとえば『宇津保物語』の「初秋」には、相撲節会のことが書かれているが、そこに伊予国の「ゆきつね」という相撲人が見える。現在の大相撲の最高位は横綱であるが、相撲節会では最手《ほて》がそれにあたる。左方の最手はなみのりと言い、屈強の相撲人だったが、それに見合う対戦相手がいなかった。しかし今年は伊予国から最手のゆきつねがやってくるので、随分期待しているという会話を記す。ただこれは物語の話なので実在していたかどうかはわからない。しかしその背景に伊予国は屈強の相撲人を輩出しているという現実があった。

その代表的人物が越智常世《つねよ》である。常世は『続本朝往生伝』に「常世は天下の一物なり」と称されたその時代を代表する力士であった。その強さは驚嘆に値するものだったようで、当時の藤原道長の『御堂関白記』を初め多くの貴族の日記に記されている。また物語集にも収録されているが、なかでも『古今著聞集』は常世の強さを具体的に描いている。

久光という相撲人は、爪を長く伸ばし相手をひっかく反則技を得意にしていた。その久光と常世が対戦することになった。久光は例によって常世の顔を二度ほどひっかいたが、常世は久光の頭を挟んで強く圧迫すると、久光は悶絶してしまった。それ以後、久光は二度と常世に近づこうとしなかった。ある時、左大将が久光にさかんに常世との対戦を促したが、承知しなかった。そこで命令に従わなければ獄に入れると言ったが、久光は「獄に入っても命をなくすることはない。しかし常世と対戦すれば、命はない」と言ってあくまで断った。これほど強力の相撲人が伊予国にいたのである。

常世の強さを物語る記事がまだある。『古今著聞集』に、勝岳《かつたけ》という屈強の相撲人がいたが、その勝岳と常世が対戦した。相撲節会では周囲にかがり火をたくため炭をおこしておく火焼屋があったが、常世は、勝岳をその火焼屋に投げ飛ばしたという。さぞ勝岳は熱い思いをしたことであろう。このように天下の相撲人として名声を馳せたが、その常世にしても年には勝てなかった。

藤原道長の『御堂関白記』には、名声をほしいままにした常世とはうってかわった姿を記す。右方の最手越智常世、「極めて見苦しい。髪も無く、白髪になり、故障が多い」とある。しかし道長は常世を非難するが、当時の常世の年は実に五十三歳であった。当時の平均寿命を越してこの苛酷で激しい相撲をとっていたのだから立派なものである。この記事を最後に常世は中央の史料から姿を消す。代わってその子供の富長・是永《これなが》が登場する。

常世とその子富永・是永は伊予国の史料にも見える。西条祭りで有名な伊曽乃《いその》神社に伝えられている『与州《よしゅう》新居《にい》系図』である。系図と言えばほぼ間違いなく偽物というのが相場であるが、この系図は信頼性が高く、重要文化財になっている。そこに「経世《つねよ》　相撲最手《ほて》」とあり、まぎれもなく相撲節会で活躍し、天下の一物と評された常世である。系図では越智氏を名乗っているが、その中に「兄部《このこうべ》」という語句が何カ所か見える。当時、伊予国の最上官の国司（国守）は中央から貴族が派遣されていたが、しかし現地には疎いため、伊予国の有力豪族が実質的に様々な役割を分担していた。現在の県庁にあたる国衙に雇われた現地の官人を指揮したのが「兄部」であった。これは現在で言えば、県知事のもとで県政全般を指揮監督する副知事クラスである。このように天皇に奉仕する相撲人というのは強力であれば誰でもよかったのではなく、その出自も重要とされていた。

## 「金太郎」は実在の人物だった

「金太郎」を知らない人は、まずいない。歌にも歌われたように、足柄山に住み、子どもの頃から熊と相撲をとっては負かしていたほどの力持ちであった。やがて成長して坂田金時となり、源氏の棟梁　源《みなもとの》頼光《よりみつ》の四天王となった。または、『酒呑童子《しゅてんどうじ》』の物語に登場する碓氷貞光《うすいさだみつ》、卜部季武《うらべすえたけ》、渡辺綱《わたなべつな》と共に活躍した人物の一人だと思っている人が多い。

藤原道長の『御堂関白記』にその金時の名が見える。長和二（一〇一三）年の記事に『小右記《しょうゆうき》』の作者藤原実資《さねすけ》が道長に、近衛府の「下毛野公時《しもつけのきんとき》をすみやかに府掌《ふしょう》に補すべし」と申し出たということが記されている。つまり公時（金時）は近衛府に所属し、当時盛大に行われていた相撲節会《すもうのせちえ》の儀式に奉仕していた。また出場する相撲人をスカウトするために西海道《さいかいどう》に出張している。このように、「金太郎」は「下毛野公時」というれっきとした名をもつ実在の人物だったのである。

平安時代に武芸を職能とする人々がいたが、そのうちで最も洗練された高度な技術を持っていたのが近衛府の下級官人たちだった。『延喜式』巻四十五には、近衛府舎人の採用について、「凡そ近衛に擬するは、預め便に弓馬を習う者を択び定む」とあるように、彼らは弓馬のプロであった。このような武技をもって宮廷に仕える武官の家として著名な氏族が下毛野・播磨・尾張の三氏で、下毛野氏の地位を確立したのは、朱雀天皇の時代に馬芸で活躍した敦行、次いで公時であった。

彼は近衛府官人が行う騎射の堪能者で、相撲にも強く、さらに歌舞の上手であったが、相撲使として筑紫に下向中、わずか十八歳で夭折している。そのことを知った藤原道長は、『御堂関白記』寛仁元（一〇一七）年八月二四日条に、「只今両府の者のうち第一の者なり。憐れむ者はなはだ多し」と記す。近衛府では府掌・番長・府生・将曹の順に昇進し、最高の地位が将監であった。公時が死去した時、その地位は右近衛番長だった。公時の下毛野氏は下野に因んでいることから、おそらく現在の栃木県周辺の出身とみてよかろう。

彼が宮廷の重要な行事の相撲節会《すもうのせちえ》に関わっていたため、熊と相撲をとったという話になったのであろう。

しかし史料によってわかる「金太郎」の素性はこれだけである。それならば「子供の頃の金太郎の名は?」「生まれは足柄山では?」などの疑問が次々と湧いてくる。結論から言うと、これらは全て江戸時代の創作で何の根拠もない。『酒呑童子』は室町時代の作で、坂田金時を浄瑠璃で登場させる時、どうしても出生地や幼名などが必要となったことから、考え出された。さらにあろうことか、坂田金時の子まで創作し、坂田金平《きんぴら》と名付けた。江戸で源頼光四天王の武勇伝は大人気を博したが、新たなヒーローとして、四天王の子供たちが父を助けて大活躍するいう話を作り上げた。その中で最も活躍したのが坂田金平であった。この金平の快刀乱麻の活躍ぶりに熱狂し、新しい四天王を扱った作品を金平浄瑠璃と言う。新たにヒーローとなった金平が堅くて黒い棒を自在に操り、金時と同様大変に強かった。そこで、堅くて黒い棒状のゴボウ料理を「きんぴらごぼう」と名付け、今日に伝わっている。私たちの食も金太郎の物語とつながっている。強いもの、丈夫なものにその名が付けられ、他にも「きんぴら足袋」「きんぴら糊」などもあった。

## 三　悪事・差別

### ㈠　偽装・偽造

#### 偽装の商法

アメリカ流のグローバリゼーションの影響もあり、功利的・利己的な経営や商法が横行している。江戸時代の石田梅岩は利他の商法を説いたが、そうした精神は顧みられることなく、暴利をむさぼったり、偽装であれ、儲けになればよいという風潮が蔓延している。とはいえ消費者の側からすれば、そうした偽装を見破ることは容易ではないから、それがためにこのような事件が繰り返される。消費者をだまして利を得ようとすることはどの時代にもみられたことで、それが時代の推移とともに形を変えているものにほかならない。

『今昔物語集』巻三十一第三十一話「大刀帯陣売魚嫗語《たてはきのじんにうおをうるおうなのこと》」には魚売りの女のことが記されている。「大刀帯の陣にいつもやってきて魚を売る女がいた。帯刀たちは干した魚を細かく切っているのを買って食べるのに大変おいしかったので、得意客となっていた。（中略）しばらくたって帯刀たちが北野に鷹狩りに行った時、この魚売りが籠を下げ、棒を持ってやってきた。顔見知りの帯刀たちは、なんで魚売りが野にやってきたのか不思議に思い、「何をするんだろう」と見ていた。するとこの女は帯刀たちの姿に気づき、驚いて逃げようとした。彼らは女を捕まえ、その持っている籠の中に何が入っているのかと聞いた。しかし女はそれを隠して見せようとはしなかった。ますます怪しんで女から力ずくで籠を奪い、中を改めた。すると籠の中には蛇を切って入れてあった。彼らはギョッとして「これは何だ。何に使うのか」と問い詰めたが女はだんまりを決め込んだ。しかし彼らにもおおよその事情はのみこめた。おそらく女は藪をつついて蛇を出し、その蛇を殺して細かく刻んで家に持ち帰り、塩をして干し、それを魚と偽って売っていたのだろうと。そして自分たちはそうとも知らず、魚だとばかり信じて喜んで買っていたのだ」と。

この話はいささか気味が悪いけれど、知らなければおいしかったのだから、それほど損害を蒙ったわけではないかもしれない。むしろまむしなどは精力剤としても売られているのだから、栄養価は高いのかもしれない。この程度のことなら多少我慢もできるが、取り返しのつかないような偽装に遭わないようにくれぐれも用心をしたい。

『今昔物語集』巻三十一第三十二話に「人《ひと》、見酔酒販婦所行語《さけによいたるひさきめのしょぎょうをみること》」に雑菌にまみれた食品が売られていた話がある。「京に住むある男が知人の所にいき、門を入ろうとした。その向かい側に人も通らない古い門があったが、その門の下で行商の女が桶を置いて伏せていた。どうしたのかと思って近寄ってみると、この女はひどく酔っぱらっていた。しばらく様子を見ていたが、帰ろうと思って馬に乗ろうとした時、その女が目をさまし、汚物を吐いてしまった。そして桶には売り物にする鮨（まぜた寿司）が入っていたが、そこにも吐いてしまった。女はしまったと思ったのか、急いで手でその汚物を寿司になでつけた。見ていた男はあまりにも汚く思い、慌ててその場を逃げ去った」という。

そしてこの後の男の言葉がふるっている。「寿司というものは元来汚物と似た外見をしているために、女の汚した物とも知らない人が見たなら、格別気づかれることもあるまい。きっと寿司を売っても人が買って食べないということはあるまい」と。しかしこれを見た男は永く寿司を食べることができず、人にも寿司は食べない方がよいと止め、目の前で調理したものを食べるべきだと言った。

とても気持ちの悪い話であるが、しかしこの話を過去の出来事と済ますことはできない。現在でも消費・賞味期限の過ぎたものを販売していたというニュースが駆けめぐっている。商売の根本原理である「正直」の精神に立ち返るしか再生の道はないであろう。

## 歴史の中の偽装

かつて旧石器時代の発掘によって次々と時代が古くなって、この日本列島に人々が住み始めた時期が相当遡ることになった。その考古学者は「神の手」を持つ人物と言われ、その遺跡は「世紀の発見」として大々的に報道された。もちろんそれに疑問を呈する研究者もいたが、それらは少数意見として抹殺された。そして新聞記者のスクープによって、「世紀の発見」は全て瓦解に帰し、考古学者への信頼も地に墜ちた。このことは考古学界全体がきちんと検証していなかったこと、またそうした検証を抜きにしてマスコミに発表してきたことなどがこの事件の背景にある。

しかしそれにしてもなぜ簡単に騙されたのだろうか。一つには研究者に対する信頼であるが、それ以外に「我々日本人は昔から優れた民族」と考えがたる気持ちが心の片隅にあったからではなかろうかと言う。歴史の美化に走りやすい日本人、遅れをとりたくない日本人の心理があるとの指摘は重要である。

似たようなことは既にあった。年配の人はかつて日本列島にいた原人として「明石原人」「葛生人《くずうじん》」「牛川人」が日本史の教科書に載っていたことを知っていると思う。しかし二十一世紀に入った頃からいつの間にか、それらは教科書から消えていった。明石原人は人類学者の検証によってその実態に疑いがかけられるようになり、それは虚像ということになった。また栃木県の「葛生人」は更新世に遡る動物化石と共に出土したため、原人の化石ではないかとされたが、ところがその化石人骨は何と十五世紀前後だと判明したというのだから、驚きである。また愛知県の「牛川人」は微少な化石骨は更新世には遡るものの、人骨ではない可能性があると指摘され、幻となって消えていった。

このような「原人史観」は、戦前の神話を史実とする歴史が否定されたあと、考古学という科学の装いを伴った原人の発見は、日本の誇るべき歴史の奥深さ、自分たちの歴史が古くからあることを誇りに思う意識を満足させた。「明石原人」は戦争でうちひしがれた日本人にとって戦後科学の一大ヒーローだったのである。現在では静岡県で見つかった「浜北人」だけが、唯一本土における旧石器時代の人骨と考えられている。この話も日本人の歴史を美化する心性と深い関わりがあると言えよう。

現在、弥生時代の年代が五百年以上遡り、紀元前一千年前から「日本における水田耕作」が始まったという重大報道があり、歴史の世界では大きな話題になっている。しかしこれとてまだ十分な検証を受けておらず、その評価も定まっていないにも関わらず、早くも日本史の教科書にはその説が記されている。そもそも学説というものは仮説として提起され、それが長い年月と多くの批判やそれに伴う修正によって次第に客観性や妥当性を持つようになるものである。検証を抜きにした大々的な報道は控えるべきであろう。過去の捏造事件の失敗に学ぶべきと思うが……。弥生文化は中国や朝鮮半島を経由してきた渡来文化である。そうであれば日本の弥生文化が五百年遡ることは同時に朝鮮半島南部の文化も五百年遡るのだろうか。日本の歴史だからといって日本単独で考えることは出来ない。それは中国・朝鮮諸国と連動して考えなければならない問題なのである。一国完結の歴史だけを辿っていくと、そこには大きな誤りをもたらす可能性がある。

こうした歴史の捏造ということは考古学だけでなく、歴史時代においても幾つもその例をあげることができる。それは歴史書の編纂が時の権力を持つ人たちによって行われるために、自己の都合の良いように作り替えられるからである。また歴史上の人物を現在の政治の目的を実現するために都合良く解釈したり、意図的に都合の悪い部分を隠蔽することが行われる。歴史とは解釈の仕方によっては百八十度も異なる見解が引き出されることがある。かつてヴォルテールは、「歴史とは公認された作り話にすぎない」と言ったが、それは歴史の一面を鋭く言い当てている。それを誰が公認するかによって違う見解が生じるのである。

二〇〇四年十月、西安で遣唐使の一員である「井真成」の墓誌が発見されたとして大々的に報じられた。彼は、玄宗皇帝から特別のはからいを受けた極めて優秀な留学生というニュアンスで伝えられた。しかしそれは当時の唐のマニュアルに従って作成された常套的な墓誌で、その死亡は皇帝にも奏上されたものではなく、形式的に皇帝の言葉として強調されたものであった。日本人の自己相対化の不得手さを示し、かつての遺跡捏造の教訓に学んでいないと思われる。

今から二十年ほど前のことになろうか。大化の改新という政治改革はなかった、それは日本書紀編者の創作であるとする改新否定論が歴史界をにぎわせたことがあった。現在では『日本書紀』の字句等については潤色を受けているとはいえ、基本的にはそれらの記述は信頼がおけるということで決着している。

そのようなことが問題となったのは『日本書紀』では国の下の地方行政組織は「郡」で全て統一されているが、藤原宮などから出土する七世紀の木簡には例外なく「評」と記されている。ということは『日本書紀』の記述は八世紀の段階の知識によって元の史料を書き換えていることになる。したがって当時の生の文字史料がどうであったかを確認しなければ事実とは言えないのである。

## 穀断の聖人の嘘

次の話も偽装に関わる。いささか尾籠な話であるが、ご容赦願いたい。昔、仏道の修行や願い事を成就するため、ある一定期間、穀物類を一切食べないことを「穀断《こくだち》」と言った。現在ではダイエットのためにこうしたことをする例もあるという。しかし食欲は人間の最も根本的な欲求であるため、これを永く続けるというのは至難のことである。

この穀断について『今昔物語集』巻二十八第二十四話に「穀断の聖人、米を持ちて笑はれし話」がある。平安時代の初期、文徳天皇の時代のことである。波太岐《はたき》の山という所に、穀断をして年を積んだ聖人がいた。この聖人は、長い間、穀物を食べず、草や木の葉などを食べて生きていた。そのことを聞いた天皇はこの聖人を召し出し、都に住まわせ、深く帰依していた。

ある時、若い公家たちが、今からその聖人の所に行こうではないかということになり、訪ねて行った。聖人に、「穀断してから何年になりますか」と聞いた。すると聖人は「もう穀断してから五十年にはなりましょう」と答えた。これを聞いた一人の公家が仲間に小声で言った。「穀断している人の糞はどうなってるのだろう。普通の人とは違うのだろうか」。そこで確かめようということになり、こっそり席をはずして便所に行ってみると、普通の人と何ら変わることもなく、しかもその量も多かった。

本当に穀断していたら、こんなはずはないと怪しく思った。そこで聖人が席をはずした隙にその座っていた所の畳をひっくり返すと、穴があいてよく見ると床下が掘られ、米をつめた袋が隠してあった。彼らはなるほどと合点がいった。畳を元に戻していると、聖人が帰ってきたので、どっと笑って「米糞の聖、米糞の聖」とはやしたてた。聖人は欺いていたことがばれたので、恥ずかしさのあまり逃げだし、その後、行方知れずになったという。

　この話は人から聖人として貴ばれようという思いから、人を欺いていた話である。しかし「不都合な真実」はいつか見破られるものである。それは早いか遅いかだけの問題だと心得るべきである。

『日本霊異記』下巻二十六に次のような話がある。「田中真人広虫女《たなかのまひとひろむしめ》は讃岐国美貴郡の大領外正六位上小屋県主宮手《こやのあがたぬしみやて》の妻であった。裕福で馬牛・奴婢・田畑・銭などの財産をたくさん持っていた。しかし生まれつき信心の気持はなく、欲深く、そしてけちだった。酒を売る時は水を加えて増して利益を得ていた。貸す時は小さな量りで量り、取る時は大きな量りでとっていた。出挙の時は貸し付ける時は小さな量りで、返済時には大きな量りを用いていた。利息は尋常ではない高利で取り立てた。人々は困苦に陥り、逃亡・浮浪が続出した。その広虫女が病気になり、床についたが、ある日、夫と八人の息子を呼んで、夢で見たことを話し始めた。「閻魔大王に召され、三つの罪があると言われた。一つは寺のものを流用して返さなかったこと。二つは酒を売る時、水を加えて売ったこと。三つは枡や秤を違えて利益を得たこと」であると。現世の報いを示してやろうと言われたと語り、その日のうちに亡くなった。家族は遺体を焼かずに置き、僧を集めて冥福を祈ったが、すると彼女は蘇った。棺の蓋が自然に開き、のぞき込んでみると、ものすごく臭く、腰から上は既に牛になり、額には角が生えていた。手には牛の足のように蹄が出来ていた。下半身は人間の姿をしていたが、草を喰い反芻している。人々は不思議がり、見物客が絶えなかった。家族の者は大いに恥じ、懺悔した。その罪を償うために寺に様々な財物を寄進し、人に貸していた負債も全額免除した。すると半分牛の姿になった広虫女はようやく往生した」という話である。罪の第一は寺の財産を返さなかったことであり、それは寺から運用を任されたいわば公金というべき金を返さなかったからであろう。今なら公金の横領罪にあたるが、こうしたニュースは連日のように報道されている。

このように安易に人を騙してまでも目先の利益を得ることに汲々としている姿は現在の偽装による企業の不祥事と重なって見える。こうした現象の背景には消費者が安い物を歓迎することもあるが、企業は低価格競争だけでなく、安全こそが消費者の最も望んでいることだと知るべきである。供給者である企業が満足し、安心して市場に出し、需要者である消費者が所有することに満足できるような商品こそ社会に歓迎され、それは長らく企業のブランドとして生き続けていくのではないかと思われる。

## 偽造で生まれた「大宝」「天平」

昔、中国では皇帝が善政を行うと、天がそのことを示すために良きしるし（祥瑞《しょうずい》）を現し、逆に悪政を行うと自然災害や疫病などの災厄をもたらすという天人相関説・祥瑞災異思想が信じられていた。これは天命思想とも言われ、それは一方では、為政者に対する政治批判と革命の論理を提供する思想でもあった。したがって為政者の批判につながる災異については、国家が集中的に管理し、民間の勝手な災異解釈やそれに基づく政治批判を厳しく禁圧した。そのため陰陽寮の天文観測の結果も当然のことながら重大な国家機密であり、これを持ち出したり、漏洩したりすることは許されることではなかった。

一方祥瑞については、儀制令祥瑞条に「祥瑞が出現した時、麒麟・鳳凰・亀・竜の類、それが大瑞にあたるものであれば、上表して奏せよ」と定めている。その祥瑞によって改元された元号が奈良時代に多く見える。大宝・慶雲・和銅・霊亀・養老・天平などがある。もっとも対馬で金が発見され大宝と改元されたが、その金が後に朝鮮から持ってきたという偽りの事実が発覚したように、中には怪しげなものもある。その例として奈良時代の最盛期、聖武天皇の時代の元号として知られる「天平」を取り上げよう。改元のきっかけとなったのは「天王貴平知百年」との文字を甲羅に持つ亀の出現であった。その中の文字の「天」と「平」をとって「天平」とした。しかしこの神亀の出現にはその背後で様々な人の思惑や演出があった。聖武天皇の夫人の光明子やその母県犬養宿禰三千代《あがたいぬかいのすくねみちよ》の有力な地盤であった河内国古市郡で、唐からやってきた僧道栄の知恵を借りて亀に細工を施し、文様の解釈を考え、そのうえで不比等の四男の藤原麻呂が長官をしている左京職に持ち込んだ。天平二（七二九）年の長屋王事件直後の神亀の出現である。一連の改元の動きが聖武天皇・光明子、そして藤原一族の策謀によることは明々白々であった。

次に「養老」である。『続日本紀《しょくにほんぎ》』霊亀三（七一七）年、元正《げんしょう》天皇は美濃国多度山《たどさん》に行幸し、この美泉は大瑞《たいずい》にあたるとし「養老」と改元した。この泉（養老の滝）で洗うと肌はすべすべになり、痛いところはなくなり、白髪の者は黒髪になり、髪のないものも髪が生えるほどの効能があった。「頽髪更生《たいはつこうせい》」の文言は極めて魅力的である。これに似た話が『十訓抄《じっきんしょう》』や『古今著聞集』にも見える。美濃国に大変親孝行な息子がいた。彼は酒好きの父のために、乏しい収入の中から酒代をひねり出し、酒を買っては飲ませていた。ある時、山で木を切っていた彼は、足を滑らせ、気絶してしまった。しばらくして気がつくと何やら良い臭いがする。近づいて行って手ですくって飲んでみると、それはおいしい酒であった。彼はこの美泉の酒を毎日汲んでは父に飲ませていた。その親孝行の話を聞いた元正天皇は、この男を顕彰し今なら岐阜県知事に相当する美濃守《みののかみ》に任命したという。この養老の滝は岐阜県養老町の標高二百八十mの所にあり、高さ三十mの滝が今もある。この親孝行話にも、その背景には、藤原不比等の四男の美濃介《すけ》藤原麻呂《まろ》と仕組んだ演出があった。

もう一つ『続日本紀』養老四（七二〇）年六月二十八日条に見える親孝行の例をあげよう。「漆部司《うるしべのつかさ》の役人丈部石勝《はせつかべのいしかつ》と秦犬麻呂が漆部司の漆を盗んだ罪で流罪の判決が下った。この時、石勝の息子の祖父麻呂（十二歳）・安頭麻呂（九歳）・乙麻呂（七歳）の三人が次のように言上した。「父の石勝は自分たちを養うために役所の漆を盗んで流用し、その罪によって遠方に配流されることになりました。私たちは死をも顧みず申し上げます。どうか兄弟三人を官奴(奴隷)に没収し、父の重罪を償いたいと思います」と言った。そこで天皇は、人間には常に行うべき五種の徳が授けられているが、中でも仁義は特に重要である。また人間には色々な行いがあるが、父母に仕え、孝を尽くして敬うことこそ全てに優先する。自分たちを奴として父の罪を償い救うことは、道理として憐れみをかけるべきである。よって子らを官奴とし、父の石勝を赦すことにせよ」と仰せられた。

今なら三人とも小学校に在学しているくらいの年頃である。こんな小さな子供たちがいかに父を救うといえども、三人が奴隷になるというのはあまりにも苛酷である。確かに律令政府が勧める親孝行の美談である。しかしこれから一ヶ月後に三人の子らは奴隷身分から解放されて良民となっている。それはこの子らに対する同情からかも知れないが、あまりにも早くこうした処置がとられていることから、いささか政府による演出の臭いもするのである。やはり現実はいささかうさんくさいものであり、また絵に描いたような孝行話も滅多にあるものではない。

## (二)　賭け事・博奕

### 天皇や貴族も夢中のギャンブル

金にまつわる事件は枚挙にいとまない。金自体が悪いわけではないが、その金を手に入れようとする執着心が事件を発生させる。そして一攫千金を狙うことのできる賭け事はとりわけ人を夢中にさせる。現在でもパチンコ・麻雀・競輪・競馬などたくさんあり、中にはギャンブル依存症になる者もいるくらい、人を虜にするものらしい。最近でも大手製紙会社の会長がギャンブルで百五十億もの大金を失い、その金を立場を利用して子会社などから出させたことが大きな社会問題となったことは記憶に新しい。そして最近、国会でカジノを作る法案が審議されるという話が聞かれるようになった。一握りの人は巨額の富を手に入れるかもしれないが、ギャンブルによって不幸になる国民を多く作り出すことを国のリーダーたちが率先して行うという感覚が私には理解できない。

博打の「博」はさいころのことだから、博奕は本来的にはサイコロを使って行うものだった。『日本書紀』天武十四（六八五）年九月条に天皇が大安殿前で王卿を呼んで、博戯をさせたとある。また『万葉集』にも、「一二の眼のみにはあらず御六三四さへありけり双六の頭」（三八二七）（一つや二つの目ではない。五つも六つも三つも四つも目がある。双六のさいころよ）という戯歌が載せられている。

源氏物語ミュージアムの双六

「博戯」とは『令義解』捕亡令博戯条によると「双六樗蒲之属」とあり、双六は賽によって行われた。正倉院には双六用具ひと揃いがあり、用具の一部に二個のさいころと一個の竹筒がある。ただそれは聖武天皇が愛用したものだけに、さいころは象牙製、双六盤は手の込んだ立派なものである。樗蒲《かり》は双六の賽とは違って樗蒲《すかたり》という四個の楕円、扁平の賽を黒白に塗り、犢・雉を描いた賽で勝負をした。『万葉集』では「折木四」、「切木四」と書いて、「かり」と読ませている。賭物は牛や馬であった。

このように双六はかつては認められていたが、しかし『日本書紀』持統三（六八九）年には双六禁止令が出され、宮中賭博は禁止となった。文武二（六九八）年七月条には賭博での遊びを禁止し、その場所を貸した者も同罪とした。律令では雑令に博打で財物を賭けた者は杖で百たたきに処した。僧尼令でも僧尼が博打を行えば、百日の苦役を勤めることにしている。ただし飲食物を賭けることは罪にならなかった。

博打ではなく庶民の勝負事として楽しんだのが囲碁だった。正倉院に碁盤と碁石が残っており、碁石が小さく不揃いではあるが、そのほかは現在のものと大きく違っていない。囲碁は博打ではないが、勝負事だけにお互いが激することもあった。『続日本紀』は天平十（七三八）年七月に囲碁の最中に殺人事件が起こったことを記す。「大伴宿禰子虫《おおとものすくねこむし》が中臣宮処連東人《なかとみのみやこむらじあずまんど》を斬り殺した。子虫はかつて長屋王に仕え厚遇されていた。たまたま東人の隣り合わせの役人に任ぜられ、政務の合間に二人で碁を打っていた。話が長屋王のことに及んだ時、子虫はひどく腹を立てて東人を罵り、遂に剣で斬り殺してしまった。東人は長屋王のことを事実を偽って告発した人物である」とある。

これは長屋王に大変恩義を感じていた子虫が、たまたま長屋王を陥れるきっかけをつくった人物と遭遇したために起こったもので、囲碁の勝負にこだわってのものではない。しかし時にこうして激高する場合もあった。遣唐使によって伝えられた囲碁は平安時代には貴族の間でも盛んに行われるようになり、特に仁明天皇は囲碁好きで知られ、御前に貴族たちを召して、碁を度々打たせたという。

天平勝宝六（七五四）年にも博奕禁止令が出されている。それは家庭崩壊・失業などギャンブル地獄に陥ることを防ぐためである。現在のギャンブルの弊害と全く同じである。にもかかわらずその六年後に、ギャンブルに伴う殺人事件が起こった。天平宝字四（七六〇）年、薬師寺の僧華達と範曜が双六の手順を巡って争いとなり、相手を斬り殺した。当時の薬師寺は超一流の国立寺院でそこの僧侶はエリート中のエリートである。しかも僧侶のギャンブルは厳しく禁じられていたから大変な騒ぎになった。このような人までのめり込んでいたのであるから、やはりギャンブルは恐るべしである。

さらに『延喜式』弾正台には双六賭博は身分を問わず、一切禁止だとしている。この双六というのは、現在のように何人もの人でわいわい騒ぐようなものではなく、二人で差し向かいで競うものだった。

いつの時代でも為政者は賭博を罪悪視した。この当時、六位以下の違反者には鞭打ち百回の刑、五位の者であれば、即座に現職を解任したうえで俸給を取り上げた。官吏や百姓が法令を守らず、社会が乱れ、子は父に従わず、家業を滅ぼし、孝行の道を損なうという理由からである。

しかしそれは庶民の楽しみでもあったから、全面禁止には無理があった。『日本霊異記』にも街角で、僧と俗人とが碁を打っている所へ物乞いがやってくる話がある。大宝二（七〇二）年に留学僧として入唐した弁正は、囲碁の才能によって皇帝玄宗から厚遇を受けた。この例のように、僧侶の世界にも囲碁はかなり浸透していた。僧侶を取り締まる僧尼令にも囲碁の禁止規定はなかったから、公認されたようなものだった。ところが、中国からやってきた鑑真らの一行は、それを由々しき問題と考えた。そもそも鑑真らの伝えた律宗は戒律の厳守を旨としていたから、なおさらのことだった。鑑真の高弟の法進は博奕はもとより囲碁も同列とし、共に道を妨げるものとして固く戒めた。さらに彼は僧侶が占術を行うことをも禁止した。「専ら此業を作し、銭財をおもひ求め、身命を養ひ活かす。然れども此の法を作すは、是善き事ならず」と指摘している。このあたりに戒律に厳格な中国仏教とそれにルーズな日本仏教の違いを見て取ることができる。

桓武・嵯峨天皇の時代にも役人たちが博打を行ったためにその職を罷免されている。平安末期に京中の賭博を取り締まっている。院政時代の後白河法皇が自らの思いのままにならないものとして「賀茂川の水、双六の賽、山法師」の三つを天下三不如意とした。賀茂川の水は度々洪水を起こし、治水の難しさを示し、山法師はこの頃から比叡山延暦寺や奈良興福寺の僧兵たちが度々狼藉を働いたことによる。それと並んで双六の賽が見えるが、それは双六による賭博集団が跋扈していたことを示している。そして後白河法皇は当時のはやり歌の今様に熱中した人物として知られるが、その彼が集めた今様の中に、賭博のことが詠まれている。

『梁塵秘抄』には「わが子は二十になりぬらん　博打してこそ歩くなれ　国々の博党　さすがに子なれば憎かなし　負かいたまふな　王子の住吉西宮」（三六五番）（我が子は二十歳になったろうか。博打をしてさすらっているらしい。国々の博党に加わって。さすがに子なので憎くはない。負かさないでほしいものよ。王子の住吉や西宮の神たち）と博打うちを子に持つ母の心情を詠っている。

『古今著聞集』四二四段「後鳥羽院の御時、伊予国の博奕者天竺の冠者がこと」という話がある。鎌倉幕府の成立後、京都の政界を主導したのが後鳥羽上皇である。上皇は藤原定家に『新古今和歌集』を編纂させたように和歌に精通していたが、そのような文化面だけでなく、剛胆で武芸にも通じ、万能の王者を目指した人物であった。その上皇が伊予国の天竺の冠者という博奕打ちを捕らえた話である。「伊予国の「をふてら島」という所に天竺の冠者という者がいた。山の上の家に住んでいたが、亡くなった母親をミイラにして祠に安置した。山の麓にも拝殿を造り、神社の体裁を整えた。この天竺の冠者は空を飛び、水の上を走ることが出来るという噂が広まり、遠方からも多くの人々が参詣にやって来るようになった。彼が撫でると病が直ちに癒えたから、人々はなけなしの財物を寄進して一心に祈った。そのうち天竺の冠者は「我は親王なり」と称して「親王宮」の額を掲げるまでになった。その噂は京にまで達し、それを聞いた上皇は天竺の冠者の捕縛を命じた。都の神泉苑に連れて来られた天竺の冠者に対し、上皇は「空を飛べ」「水の上を走れ」と言って池に落としたが、出来るはずもなく、彼はさんざん痛めつけられたうえで投獄された」。この話は藤原定家の日記『明月記』に、伊予国の天竺の冠者という狂者が明日都に連れてこられ、後鳥羽院がこれをご覧になるとあり、さらに翌日には、彼が散々いたぶられ、多くの人々が見物に集まったとある。だからこれは実際にあった話である。天竺の冠者の正体は伊予国の有名な古手の博奕打ちだったが、博奕に負けて無一文になったので、天竺の冠者の御利益を博奕仲間に派手に宣伝させ、あまりにも有名になって都にまで噂が届いたことから、このような仕儀になったのである。

ところで博奕に由来する言葉は多くある。その一つが他人を罵る時に「愚か者」の意味で使う「ダボハゼ」という言葉である。鎌倉時代から室町時代にかけて博奕に関する文書に、「儺房《たぼう》」「攤房」「駄坊」という聞き慣れない言葉が見える。平安時代に貴族社会で行われていた賭博の一種に「攤銭」というのがあり、「攤」は賭博の代名詞として使用されるようになった。したがって「儺房」「攤房」「駄坊」は博奕宿を提供することを意味していたのである。そしてそこに「房」や「坊」という文字が付いていることは、そもそも儺房は寺院内の坊や房を利用して賭博が開帳されていたことを示している。つまり儺房は寺院社会の言葉だったものが、賭博開帳を意味する言葉として一般社会にまで拡大していったのである。そして江戸時代には「だぼう」は「愚か者」の意味に転化し、『東海道中膝栗毛』などでは「このだぼうめが」などと表現され、そして今日の「ダボハゼ」になったのである。

次に御法度の賭場に役人が手入れすることを博徒たちは「どさを食う」と言っていた。その「どさ」は「佐渡」をひっくり返した言葉である。捕まれば罪人として佐渡送りになる。手入れをする役人と逃げ回る博徒たちの大騒動を語呂よく「どさくさ」と言うようになった。芸人たちが地方の場末に行くことを「どさ回り」というが、その「どさ」も「佐渡」で、佐渡は行きたくない所の筆頭ということである。脅し文句の「おどす」の「どす」は刀など懐に隠し持つ刃物などを言うが、「どすのきいた声」の「どす」は「おどす」の末尾の二文字をとったものが語源だという。博奕打ちの多くはやくざである。そのやくざは社会のはみ出し者を言うが、元々それは花札の用語である。かぶ賭博では三枚の札を引いて下一桁が九になるのが理想であるが、八・九・三になると合計で二十となり下一桁がゼロなので最悪の手になる。そこで役に立たず、最も忌まわしいものを「八九三（やくざ）」と言うようになった。賭博を開くことを「開帳」と言う。これも元々は仏教からきた言葉である。厨子などに安置された秘仏を特定の日に人々に拝ませる、その法要を開帳と言う。

賭け事には色んな形態があるが、昔から最も一般的なのはさいころを振ってその出た数によって勝負を決するものである。ごちゃごちゃと不平や文句を言うことを「四の五の言うな」と表現するが、これも賭場で客が丁か半か迷っている時に仕切り人が「はやくしろ」という意味で言った。「四の五の」の数字に意味はなく、語呂が良かったためであろう。この博打に用いる道具を「賽ころ」と言うが、それは元々は神の意志を伺い、それによって吉凶を占うものであったことによる。そのことを示すものに「賽銭」がある。私たちも神社に参拝すると、様々な願い事をして、それが成就しますようにと神に祈るが、そのお礼の印として賽銭箱にお金を投げ入れることをしている。この賽銭もまた自分の願いが成就するかどうかを神に伺うためのものであった。

今一つ賽に関わるものに冥土にあるという「賽の河原」がある。この河原では死んだ子供が成仏を願い、小石を積み上げるが、そこに鬼がやってきてこれを崩してしまう。こういうことを際限なく続けるので、努力しても努力しても報われないことを「賽の河原」と言う。賽の河原は冥土にあるが、実際には賽の河原と呼ばれる場所は全国各地にある。その場所はいずれも辺鄙な場所で、荒涼たる風景が広がっているような所である。賽は「塞」に由来している。元々境界を守る神を意味していたため、この世と冥土の境界ともなった。

このように賽というのは人知を超えた神や仏に通じ、その意志を知るものであった。博打もまさにそれが博打である以上、人知を超えたものであり、だからその賽に願いを託すしかないのである。

## (三)　差別と戦争

## 日本版中華思想の大和王権

現在、都会と地方の格差ということが様々に議論されている。いつの時代にあっても富の集中する都会は豊かで、そうでない地方は貧しかった。それは経済的なことに留まらず、文化や意識の面においても大きな格差を伴っていた。そして政治の役割はこうした格差を放置することではなく、富や文化などの分配によって極端な格差が生じないようにすることである。しかしこれもまた時代を越えて言えることだが、強者や富裕層が政治・経済の実権を握るが故に、そうした平等性を促進するような政策は大概の場合、後回しにされる。強者は自分たちの価値観に基づいて弱者を都合よく断罪する。『記』『紀』の記事をそのような観点で見れば、今流に言えば、明らかな差別の書と言ってもよい。

古代には現在の東北・北海道・北陸地方に住む人を蝦夷と呼んだ。我が国がモデルとした中国は自国を中華とし、周辺の異民族諸国を蛮夷として蔑視する中華思想・華夷思想を強烈に持っていた。それを我が国も支配のイデオロギーとして受け継ぎ、適用した。大和王権にまつろわぬ者を異種族とし、そしてことさらに異質な部分を強調した。だから蝦夷と呼ぶのはあくまでそれを支配しようとした律令国家の側からの一方的な表現で、蝦夷とされた人々の自己認識とは違っている点に注意が必要である。

『日本書紀』景行四十年七月に景行大王はヤマトタケルノミコトに蝦夷を平定することを命じた。その時に蝦夷を次のように表現している。「蝦夷は甚だ強い。男女が雑居していて父子の別がない。冬は穴の中で寝、夏は巣に住む。毛皮を敷き、獣の血を飲む。山に登ること飛ぶ鳥のようであり、草原を走ること逃げる獣のようである。恩を受けても必ず忘れる。怨みがあれば必ず報復する。矢を束ねた髪の中に隠し、刀を衣の中に帯びている。集団となって境界を侵し、農産物をかすめ取る。撃てば草に隠れ、追えば山に入る」という。それが蝦夷の実態を示すものではなかったろうが、都に住む人々の蝦夷に対する理解はこうしたものであった。

『日本書紀』欽明五（五四四）年十二月条には、「佐渡嶋の北の御名部《みなべ》の碕岸《さき》に肅愼《みしはせ》の人ありて、（中略）彼の嶋の人、人にあらずと言す《もう》。亦鬼魅《おに》なりと言して、敢えて近つかず」とあり、風俗の異なる者を鬼と称している。

斉明六年の遣唐使の場合などはあたかも「蝦夷国」という朝貢国が存在するかのような演出を行っている。律令国家の身分秩序の核と位置づけられた文明化された公民と文明化に立ち遅れた未開の夷狄とみなしたが、こうした観念は『古事記』や六国史の世界観や歴史観とも共通するものであった。『続日本紀』神亀二（七二五）年正月四日条に、俘囚一四四人を伊予国に配し、五七八人を筑紫に、また十五人を和泉監に配すという記事が見える。これは蝦夷を各地に配した最初の例であった。しかし蝦夷について、『続日本紀』天平九（七三七）年四月条には、鎮守府将軍大野東人は蝦夷の長ら三人が投降してきたことに対して「投降の蝦夷たちはたいそう悪巧みが多く、その言葉も変わることがある。安易に信じることはできない」と言っている。移配された蝦夷は移配先においても差別される存在で、『日本後紀』弘仁五（八一四）年十二月条には、蝦夷を各地に居住させているが、官司や百姓は彼らの姓名を呼ばず、常に「夷俘《いふ》」と蔑称したと見える。蝦夷たちはそのことを恥じているから、すみやかに「夷俘」と呼ぶのを止め、官位で呼ぶように、もし官位がなければ姓名で呼べと命じた。明らかな差別語としての「夷俘」を日常的に彼らに浴びせていた。

しかし彼らは元々狩猟などを生業としており、そして生活習慣も異なっていたから、移配された地域社会でも異質な存在として多くの不満が寄せられた。たとえば甲斐国からは彼らが未だに「狼性」や「野心」を残し、牛馬を奪って乗り回すなどの違法行為をしていることが報告されている。その一方で牛馬を乗りこなし、弓馬に優れた蝦夷は『続日本後紀』承和四（八三七）年二月八日条には「弓馬の戦闘は蝦夷の生習なり。平民の十も敵の其の一に能わず」とされるように戦闘能力に優れていた。律令政府はその能力を群盗の討伐や新羅の海賊たちの警備に生かそうとした。そのことは蝦夷を正当に評価したということではなく、「夷をもって夷を征するは古の上計なり」ということであり、差別を前提とした利用であった。後になって移配された蝦夷のほとんどが死亡し、生存者がわずかになっているという報告が届くようになる。彼らは故郷から遠く離され、違う生活習慣を余儀なくされ、そのうえ差別的な言動に憤りながら、ほとんどの場合は、それぞれの地域に根付くことなく消滅していったと考えられる。

蝦夷以外でも、『常陸国風土記』新治郡《にいはりぐん》条には「古、山賊《いにしえやまのにしもの》あり。名を油置売命《あぶらおきめのみこと》と称《い》ふ。今も社《もり》の中に石屋《いわや》あり」とある。油置売命というのは女性の首長であろうが、彼女を指して「山賊」と記している。しかしその名には「命《みこと》」という尊称が付けられていることは、この土地の人々にとっては尊敬の対象だったのであろう。そういう存在であっても国家に反逆する集団は、石屋に住む山賊のレッテルが貼られるのである。

## 朝鮮への差別意識

ところで日本の歴史には、至る所に朝鮮文化の痕跡が刻まれ今も遺されている。古墳時代から七世紀後半の時期に、様々なルートを経由して多数の渡来人たちが先進文化を携えてやってきた。当時の日本は「絶域の島国」ではなく、「渡来人の王国」で多元的な民族国家となっていった。彼らの文化は長く憧れであったが、その一方でその心理が歪められ、その痕跡を削り取ろうともしてきた。『日本書紀』はその朝鮮文化の影響をできるだけ排除しようという意図が明瞭で、その朝鮮隠しの伝統は以後も連綿と続き、それが近代の朝鮮への蔑視や侵略思想へとつながっていった。

早くから倭国は朝鮮半島の文明を享受し、大宝律令を準備する過程で中国と直接向き合うようになる。地方行政制度の「評」は朝鮮の地方制度に由来するが、それが大宝令で中国的な「郡」に切り替えられるのはその一例である。中国に由来する制度も朝鮮半島を介して学んだものが実に多くあったのである。

今一つは「呉」という名前に関することである。通常、「呉」と言えば、「呉越同舟」や「臥薪嘗胆」の話の元になった呉国のことだと考える。そして現在でも和服を購入するのは「呉服屋」に行くが、この呉服も中国の呉に因むと考えられている。呉氏は呉衣縫・呉織など高級織物の技術を伝えるなど、我が国の生活文化の向上に大きな貢献をした。

古代の人名から「呉」のつく人の出自を見てみると、その殆どは朝鮮の加羅・百済系の祖先伝承を持っている。その一方で、中国系の者は確認できないのである。こうしたことから「呉」の語源は中国ではなく、韓半島南部の久礼（くれ）の地名から生じたものである。それが後になって加羅に「唐（から）」が宛てられたように、久礼に「呉（くれ）」が宛てられたと考えられている。これも朝鮮に由来するものを中国に改めた例である。

『日本書紀』は当時の東アジア世界の基準の漢文で書かれ、国内向けというより国外向けの宣伝の書である。土着の神々が日本の国土と社会を築いたという筋書きになっており、それはまさしく「日本史」であった。自らを疑似中国として大国意識を持ち、朝鮮半島諸国を「蕃国」と位置づけた。それがために隣国新羅との間で二百年近く対立を続けた歴史がある。共生は『古事記』では「とも生み」と訓《よ》んでいるように、隣国と共に新しい歴史や文化を創造することを目指したいものである。

このように『日本書紀』の影響を受けて、日本の古代は日本・中国関係を枢軸とする歴史観が形成され、たとえば遣唐使を実態よりも偏重する見方によって、実際にはもっと大きな役割を果たした日本・朝鮮の関係が隠蔽された。

その朝鮮隠しの歴史は近代オリンピックの競技にも現われる。昭和十一（一九三六）年はドイツのベルリンオリンピックの年だった。日本を含む五十一国が参加し、その時、日本は男子マラソンで金メダルを獲得した。少し話は飛ぶが、オーストラリアのシドニーオリンピックで高橋尚子選手が女子マラソンで悲願の金メダルを獲得した。その時に報道していたアナウンサーは、「女子マラソンでは初めての金メダルです」と報じていた。「女子では初めて」ということは、男子では既にマラソンで金メダルを取っていることになるが、ならばその人は相当有名人のはずであるが、その時、私には皆目見当もつかなかった。後で調べてみると、それは孫基禎という朝鮮人で、当時朝鮮は日本の植民地だったため日の丸を付けて走り日本のメダルとなった。そして韓国の新聞が表彰台に立つ孫基禎の胸の日の丸を消して報道したことが大問題になったという。その時の彼は晴れ晴れとした姿ではなく、悲しげであった。そうしたこともあってか、我が国では男子マラソンで初めて金メダルという金字塔を打ち立てた孫基禎の偉業も無視され、いつしか忘れられていった。しかしそれから五十二年後に韓国ソウルでオリンピックが開催された時、一人の老人が聖火ランナーの役目を嬉々と果たして国民的ヒーローとして讃えられた。その老人はもちろん孫基禎であった。

### 戦争の悲惨

現在、北朝鮮によって拉致された人たちの家族会が祖国への帰還のために様々な運動を行っている。もう拉致されてから既に何十年も経過しているが、拉致された本人たちの望郷の念は言葉では表すことのできない切実な思いがあると思う。こうした拉致が大量に発生し、多くの人々を悲嘆させるのはいつの時代でも戦争である。

古代における最大の対外戦争は天智二（六六三）年に起きた白村江の戦いである。朝鮮半島で我が国と友好関係にあった百済が唐・新羅連合軍によって滅亡させられたが、その復興のために百済から救援軍の要請があり、大和王権は二万七千の軍隊を派遣することになった。そしてついに八月二十五日に白村江で海戦が始まり、大和王権の軍は決定的な敗北を喫する。『旧唐書』には「倭兵と白江の口に遭い、四戦して勝ち、その船百艘を焼く。煙々天にみなぎり、海水皆赤し。賊衆大いに潰える」と見える。また『日本書紀』には「ときのまに官軍敗れぬ。水に赴きて溺れ死ぬる者多し」とあり、惨敗を喫している。その結果、敵に捕らわれ、連れ去られる者も相当な数にのぼった。その多くは故郷への帰還の願いが叶わず、異国の土となったと思われるが、その例はわずかであるが、辛酸をなめながら幸運にも帰国できた人々がいる。

『日本書紀』持統四（六九〇）年十月条に、「土師連富杼《はじのむらじほど》・氷連老《ひのむらじおゆ》・筑紫君薩夜麻《つくしのきみさちやま》・弓削連元寶《ゆげのむらじがんぽう》兒らは唐の捕虜となった。しかし衣食もなく、帰国する手段もなかった。そこで大伴部博麻は自分の身を売って帰国費用を調達した。おかげで彼ら四人は帰国できたが、博麻はさらに滞在を余儀なくされ、在唐二十七年の後にやっと帰国できた」とある。

この戦いには伊予国からも出兵しており、風早郡の物部薬も捕虜となり、持統十（六九六）年に帰国し、その労苦に対し、様々の賜物が与えられている。それにしても三十三年に及ぶ捕虜生活である。その生活がどうであったかを語る史料はないが、その辛酸は筆舌に尽くしがたいものであったことは間違いなかろう。

## 戦争と壮絶なリンチ

戦争は究極の問題解決の方法である。平時においては人殺しは最も重大な犯罪であるが、戦時において敵に対する人殺しは賞賛され、それがより多数となれば英雄視さえされる。しかしそこで行われていることがいかに悲惨で戦慄するような状況であるかは、いつの時代も変わることはない。

承平五（九三五）年に起こった平将門の乱については、そのことを詳細に記した軍記物に『将門記』がある。平将門が常陸国府を占領した時の様子である。「屏風の西施は、急《たちまち》に形を裸《あらわ》にするの媿《はじ》を取り、不忠の道俗も、酷《から》く害せらるるの危ぶみに当る。定額の僧尼は、頓命を夫兵に請ふ。僅かに遺れる士女は酷き媿を生前に見る」と記す。

「屏風の西施」の西施は中国の春秋時代に呉王夫差が愛した美女で、そのような深窓の美女たちが無理矢理引き出され、裸にされ、むごい仕打ちを受けている。ひどい恥をかかされたとあるから、将門軍の兵士集団による性暴力が行われたのであろう。下野国府の役人を攻めた折にも、「堺の外の士女は、声をあげて哀憐す。昨日は他の上の愁いと聞き、今日はおのが下の媿を取る」と、ここでも蛮行が行われている。

また将門の宿敵で、後にその将門を打倒することになる平貞盛の妻も将門の兵士たちによって陵辱されている。「夫兵等のために悉く虜領《りょりょう》せられたり。就中、貞盛が妾は、剥ぎ取られて形を露にして、更に為む方なし。眉の下の涙は面の上の粉を洗い、胸の上の炎は心中の肝を焦る」と記す。このように戦いで負けると、夫と運命を共にする者もいたが、捕われ服をはぎ取られ辱めを受けることが多くあった。『将門記』の作者は、将門は「殺生に暇がなく一善の心もなかった。しかしながら、生死には限りがあり、ついに滅びた」と、彼を断罪する。女性の視点からの記述が多く見えるのは、筆者が「痛んで死すとも戦うべからず」と述べる非戦論者の故であろうか。

## 頼義から鎌倉を拠点に

清和源氏の祖とされる源経基は将門の乱と純友の乱鎮圧の功労者として軍事貴族に名を連ねる。そしてその子満仲は、藤原北家の他氏排斥の最後の事件となる安和の変の密告者として知られる。満仲がそうしたことに及んだのは、軍事貴族のライバルの存在があった。平将門の乱の最大の功労者は藤原秀郷で、その子の千晴は左大臣源高明に仕え、その存在感は他を圧倒する勢いだった。そういう事情だから、源高明を失脚に追い込むことは、同時に彼らのライバルの藤原千晴を追い落とすことになったからである。これによって藤原北家の厚い信頼を獲得することができた。

その満仲の子には摂津源氏の源頼光、大和源氏の源頼親、河内源氏の源頼信らがいた。源頼信の母は藤原道長の家司で和泉式部の夫藤原保昌の姉妹にあたる。頼信の子が源頼義、孫が義家である。この頼義・義家親子は奥州十二年合戦（のち義家の後三年合戦と言われるようになり、そのため三年を差し引いて前九年の役の呼称が生じた）の勝利によって、源氏が関東武士団との主従関係を築き、後の鎌倉幕府成立の背景になったとされる。『陸奥話記』は頼義のことを次のように記す。

「頼義は人となり豪毅、沈着で、ことに騎射に優れていた。これに感じた平直方は頼義にこう語った。「自分は至らぬ者ではあるけれども、いやしくも平国香・貞盛らの子孫であり、武芸を貴んでいる。その自分が未だ嘗てあなたほどの弓の上手な人は見たことがない。どうか私の娘をあなたの妻にしてください」。そして結婚後、八幡太郎義家・賀茂二郎義綱・新羅三郎義光ら三男二女が生まれた。頼義が小一条院判官代の労によって相模守となるや、相模国の気風は武勇を好んでいたので、住民は心服する者が多く、頼義の威風は大いに行われ、それまで国守に反抗していた者たちもみな下僕のように従った。しかし頼義は士を愛し、施しを好んだから、近江国より東の武士は大半が門客になった」とある。

平直方は、平氏の族長として鎌倉を拠点に平忠常の追討にあたったが、その目的を果たすことが出来ず、彼に代わって源頼信が乱を平定することになった。武名を失墜させた直方は、その挽回策として娘を頼信の嫡子頼義に嫁がせて婿とし、頼義に鎌倉を譲った。後に源頼朝が藤原泰衡を打倒する奥州合戦では、旗の寸法から合戦の日程まで頼義の前九年合戦の故実を踏襲しているように、東国の武士が頼義以来の源氏の家人であることを認識させようとした。鎌倉幕府成立の頃、源氏の武芸故実の祖は頼義と意識されていた。その頼義と直方の娘との間に生まれたのが義家である。血統の上からは新興の源氏と伝統的な貞盛流平氏嫡流の合体した存在であった。

## 八幡太郎はおそろしや

その源義家は、「八幡太郎」の名を持ち、「天下第一武勇之士」「武威天下に満つ、誠に是大将軍に足る者」と評されるなど当代随一の武者であった。『陸奥話記』は義家は神業とも表現される弓の名手として華々しい活躍を記す。

「驍勇倫絶《ぎょうゆうりんぜつ》、騎射神のごとし。白刃を冒し重囲を突き、賊の左右に出づ。大鏃箭《おおかぶらや》を以て、頻りに賊帥を射る。矢は空しく発せず、中《あた》る所は必ず斃《たお》る。雷のごとく奔《はし》り風のごとくに飛びて、神武命世なり」と賞賛する。しかしその一方で、貴族の日記などには、職業的な殺し屋であった様相を記す。たとえば『中右記』嘉承三（一一〇八）年正月二十日条には、源義家は「多く罪無き人を殺す」とあり、また藤原道長の日記『御堂関白記』長和六（一〇一七）年三月十一日条には、同じ源氏の一族である源頼親について、「件の頼親は殺人の上手なり。度々此の事あり」。さらに後白河法皇の編纂した『梁塵秘抄』には「鷲の棲む深山には、概ての鳥は棲むものか、同じ源氏と申せども、八幡太郎はおそろしや」（鷲の棲む険しい山に、普通の鳥は棲まないではないか。光源氏と同じ源氏とはいっても、八幡太郎源義家は恐ろしいものよ）このように当時の貴族などから恐ろしい存在とされているが、実際の戦いの場においても義家は大変残忍であった。

前九年の役の時、敵の安倍軍の柵になだれ込んだ源氏の兵は、非戦闘員である女・子供を容赦なく大量殺戮した。城の中の美女数十人を捕らえ、戦利品とし、また敵将に対しては、痛みをわざと長くさせるために、切れない刀で首を切ったり、歯を金箸で突き破り、舌を出して切り取っている。さらに『奥州後三年記』は地獄絵のような殺戮の場面を記す。

「城中の家どもみな火をつけつ。烟の中にをめきののしる事、地獄のごとし。四方にみだれて、蜘蛛の子をちらすに似たり。将軍のつわもの、これをあらそひかけて、城の下にて殺す。又、城中へ乱れ入て殺す。にぐる者は千万が一人也。（中略）城中の美女ども、つわものあらそひて取て、陣のうちへゐて来る。おとこの首は鉾にさされてさきにゆく。此は妻はなみだながしてしりに行」。これが英雄といわれる八幡太郎源義家の実際の姿である。

もう一つの奥州合戦の後三年合戦は、朝廷に敵対する辺境の勢力を打倒したものではなかった。その経過からもわかるように、義家は清原氏内部の抗争に私的な勢力拡大の意図に基づいて介入したのであって、それは解決をはかるものではなく、むしろ問題をこじらせ、紛争を拡大させた。『中右記』承徳元（一〇九七）年二月二十五日条には、義家が陸奥守時代に負担しなければならなかった朝廷に対する砂金の貢納を果たしていないとある。朝廷の立場から義家を見た場合、国内の政務をないがしろにし、徴税の役割を果たさず、戦争にばかり意を用い、紛争を増幅させる無能な国司と見られていた。

そうしたこともあって義家の弟義綱は摂関家に接近して僧兵を撃退するなどの実績を積み上げ、河内源氏の族長の地位を義家から奪う形になっていた。それに対し、義家は白河院に接近し、その信任を得、承徳二（一〇九八）年に正四位下となり、昇殿を許され、「義家朝臣は天下第一の武勇の士なり」と称せられるに至った。

しかし義家の晩年は、息子たちの目に余る狼藉で苦しむことになる。康和三（一一〇一）年七月、嫡男の義親が九州各地で人民を殺害し、官物を押し取り、大宰府の命令に背いたとして、追討の宣旨を受けた。義家にとっては青天の霹靂で息子を都に連れ戻そうとしたが、義親は父の命に従わず、かえって官使を殺害してしまった。結局、義親は隠岐国に流罪となった。それから四年後、今度は新田・足利氏の祖となる弟の義国が常陸国で合戦を起こし、義国の召喚が命じられている。こうした息子たちが引き起こした事件の影響か、六八才にして死去した。

義家の残忍なやり方は、次の時代にも引き継がれる。中尊寺は奥州の浄土教信仰の粋を示すといわれるが、中でも金色堂は浄土の世界を具現化したものとしてよく知られている。その金色堂にはミイラが安置されているが、藤原四代の泰衡は源頼朝の計略によって滅ぼされ、これによって奥州藤原氏の歴史は幕を下ろす。その泰衡はさらし首にされ、眉間に八寸釘が打ち付けられており、また多くの刀傷がある。それは凄惨なリンチを加えた痕跡である。

源氏の武芸故実の祖は頼義と意識されていたが、それがいつの間にか義家に変わった。その最大の理由は、室町幕府を開いた足利氏が義家流だったからである。七代目の子孫に生まれ変わって天下を取ることを記した義家の置文などを捏造することによって足利氏は源氏嫡流であることを主張した。こうして頼義の直系であるはずの頼朝の系統が相対化されることになった。一般に、武士は無気力な貴族たちに代わって新しく時代を切り開いた存在として積極的に評価する傾向が強い。確かにそうした面もあるが、時代を切り開くことの実態はどうであったのかに思いを致す必要がある。犠牲になった多くの人たちは歴史の表舞台で語られることはほとんどない。逆に、多くの人を殺害した殺し屋が英雄視されるという現実があるのである。

## 刀に由来する言葉

彼ら武士たちが戦いの時の武器としたのが刀と弓矢だった。その武士の時代が長かっただけにそれらにまつわる言葉が多く生まれた。まず刀にまつわる言葉である。「切羽詰まる」の切羽は鍔の上下にはめて刀身をしっかり押さえ、動かないようにするための金具である。「しっかり動かない」から身動きならない、動きがとれない、窮地に陥るなどの意味で使われるようになった。次に「付け焼き刃」である。日本刀には刃文《はもん》（焼刃ともいう）があるが、それは切れ味を増すためと美の追究から考案された。刃文は刀が焼けたり、研ぎ減ってしまうとなくなってしまう。このような刃文のない刀に刃文の形を描いてまやかしの刃文を作る。これを「つけ焼刃」と言う。これと似たものに「地金が出る」という言葉がある。日本刀は中に軟らかい鉄（地鉄）を入れ、外側を硬い鋼で包んでいる。研ぎ減って中の醜い地鉄が出てしまうこと、転じて本当の醜い姿が出てしまうことを言う。

「焼きを入れる」は日本刀制作工程の最後に焼きを入れる（刃文を作る）ことを言い、「鍛える」も同じような意味である。また頭の働きが鈍ったり、若い頃のように機敏に活動できなくなったことをさす「焼きが回った」なども焼刃からきている。「鎬を削る」の鎬は刀の表面と裏面にある稜線のことで、戦いに際して刀を合わせ、互いに相手の刀を受けたり、すりあわせて鎬が削れるほど激しく戦うことを指した。「鍔迫合《つばぜりあい》」も同じ意味である。互いに相手の刀を鍔もとで受け止めて、競り合う緊迫した状況を指した。最後は「懐刀」である。ある人にとっていざという時に役に立つ、威力を発揮する人を指す。懐刀は短刀のことで、懐中にしのばせておいて、いざという時に使うものである。

## 弓は呪物

弓は飛び道具で、武器として極めて重要な役割を果たした。その起源は縄文時代にまで遡るが、弓を使った狩猟で、以前よりはるかに多くの獲物を獲得できるようになった。また戦闘の場面で弓の優劣によって勝敗が決した。そのため弓への関心は高い。

『続日本紀』には「文武天皇は尤も射芸を善くす」とあり、『続日本後紀』承和元（八三四）年には、伝統的な武門の家である紀氏の紀興道《きのおきみち》や伴氏の伴和武多麻呂《とものわむたまろ》らが射芸に優れていることを記す。また『日本文徳天皇実録』仁寿三（八五三）年八月条には画人として知られる百済河成が「武猛に長じ、よく強弓を引く」など弓道の達人とされている。

弓は戦闘の道具、武勇の象徴で、そこから危害を加えるものを遠ざけ、また目に見えない邪気を退散させる呪物としての役割も担うようになった。武官に魔除けや福を招く働きを期待したことの一つが鳴弦《めいげん》である。それは弓をつがえず、張った弦を手で強く引き鳴らすことで、その音によって邪悪なものを遠ざけようとした。その初見は『日本書紀』雄略二十三年八月条である。そこには「是を以て尾代海浜上《おしろうみべあ》に空弾弓弦《ゆみつるうち》す」とある。また『万葉集』三にも「梓弓のなか弭《はず》の音すなり」と見える。

宮廷社会では陰陽道が社会の隅々まで浸透し、わずらわしいほどのタブーが生じた。物の怪や邪気やけがれなどから厳重に隔離し、自らを清浄にする必要があった。そのためには最も危険な戦闘に使用される武器こそ強力な呪具と考えられたのである。

天皇家の場合、出産の後、産湯を使う御湯殿始という儀式が行なわれる。僧が加持祈祷をした後に、矢をつけないで弓弦《ゆずる》だけを手で引いて鳴らした。その役は五位と六位の者がそれぞれ十人ずつ、合計二十名もの者が鳴弦を勤めた。

『源氏物語』の「夕顔の巻」で夕顔が頓死する時、光源氏が鳴弦を行わせた。「随身も弦打して、絶えず声づくれ」「滝口なりければ、弓弦いとつきづきしくうち鳴らし」すとあるように、随臣の滝口が行った。また『平家物語』巻四「鵼」では、堀河天皇が物怪に襲われたために源義家に鳴弦させている。義家は超人的武勇を誇る武者だったから、それは生ける破魔矢となった。また『古事談』には、後三年の役の後、物怪に脅かされた白河院が源義家から武具を召し、その弓を枕元に置いた話が見える。この場合もその武具は物理的に戦うというのではなく、物怪から院を擁護する役割を果たしているのである。

滝口は辺境などで活躍した傑出した武人たちの中から、弓の技量を試された上で採用されており、その卓抜な射技能力が鳴弦の効果を高めるものと期待されたのである。ところで高校の日本史の教科書には、必ず「滝口の武士（武者）」が取り上げられている。それは律令制の衛府の軍事的性格が希薄になる中で、それに代わる武力として設置されたとするが、しかしそうしたものとして機能した形跡はほとんどみられない。実際の例では、藤原道長の娘で皇太弟敦良親王の妃である嬉子が薨去した際、陰陽師と共に、土御門邸の屋根に上がって嬉子の魂呼を行っている。滝口の武士に期待されていたのは、物理的な武力ではなく、類い希な武力に裏打ちされた呪的能力によって鬼や物怪や穢れなどから守護することだった。弓の音は、邪気や悪霊を払い、退散させる意味をもっていたのである。

**遊戯的・奢侈的な騎射**

天武朝の頃に騎射が宮廷の行事の中に取り入れらた。それが正月十五日から十八日にかけて行われ天皇が射を観覧する射礼《じゃらい》である。これは歩射競技《かちゆみ》の一種で宮門内に射場を作り、大的《おおまと》を射るもので大射《おおゆみ》とも言った。射手は『養老令』の雑令に「正月の中旬、親王以下、初位以上、皆之を射る」とあるように位のある者が参加の資格であった。しかし実際の儀式に出場することは厳しく、まず十五日には親王以下殿上人以上から射礼に出場する射手を選抜する手番《てつがい》が行われ、六衛府と東宮坊でもそれぞれの官司で選抜された。十七日が天皇の臨席する節日の当日で、射手のあたり具合によって鉦や鼓が鳴らされるなどにぎやかだった。射席と的は甲乙の二組が用意され、甲的は親王以下、左右近衛、左兵衛のために、乙的は右兵衛、左右右衛門のために設定された。そして天皇が出御し、皇太子以下、諸臣が着座した後、鉦の音を合図に射手が参入する。兵部省の官人が射手の姓名を唱え、射を始める。終了すると、鉦鼓の合図で皇太子以下群臣が退席し、最後に天皇が還御する。

翌十八日は賭弓《のりゆみ》が行われた。文字通り物をかけて弓を射ることで、合計十度で的中を競った。勝った方は天皇から賭け物が与えられ、負けた方は罰として酒を強要された。このように射技が見るスポーツとなったのは、大規模な戦争がない天下太平の世の必然的な結果であった。仁明天皇はこの賭弓をことのほか好み、内裏に弓場殿を設け、恒例の行事だけでなく、臨時にしばしば行わせた。本来、射礼には天皇の出御が必要であるが、それなしに行われるようになった。そして大臣や衛府も賭弓を行い、その後に飲酒・宴会をするようになり、著しく遊戯的・奢侈的になっていった。

ところで弓の材料となったのはカバノキ科の落葉高木の梓である。梓はしなやかで丈夫である。『万葉集』には舒明の皇女間人皇女《はしひとのひめみこ》の長歌に「みとらしの梓の弓の中はずの音すなり　朝狩り今立たすらし　夕狩に今立たすらし」とある。このように弓と言えば梓で作っていた。各地の神社では年の初めに破魔矢を買い求める人が多くいるが、それも悪霊を払うためであった。

弓に関連して「手ぐすねを引く」という言葉がある。その「くすね」は「薬練」のことで、松ヤニを油で煮て練り混ぜて弓に塗って弦を強くするほか手を保護するためにも塗った。ここから準備万端整えて待ち構えることを言うようになった。図星は弓の的の中心点のこと、また「正鵠を射る」も弓に関係する。昔、中国では、弓の練習をするのに鳥の名を書いた布を的にした。客を呼んで射る時は「正」というすばしこい鳥の名、祭りの時は「鵠《くぐい》」という鳥の名を書いたことから、急所、要点を得るの意味となった。「にべもなく断る」などとされる「にべ」も弓矢に由来する。中世の弓矢は竹と木を貼り合わせた合成弓で、その接合に接着剤の鰾膠《にべにかわ》が使用されていた。鰾から膠が作られた。だから「鰾」がなければひっつかないことから、「にべもない」は「あっさり断る」意味になった。このように弓にまつわる言葉が多くみられるのは、弓の道具や呪具として重要であった歴史が長かったことを物語っている。

## ㈣　犯罪者たち

### 盗賊の横行

今も昔も犯罪は絶えることがない。しかし犯罪に対する刑罰については時代によってかなりの違いがあった。邪馬台国のことを記した『魏志』倭人伝には、倭国では婦人が嫉妬しない、犯罪や訴訟が少ないため刑罰の種類などについての関心が低いと記す。これは中国の官人にとって、特異な現象と見えたのであろう。それを信用すれば、その頃の倭人社会は中国などと比べれば相対的に平和な状態だったのかもしれない。

平安期になると、京中で日中でも盗賊が横行するようになる。『類聚三代格』巻十六貞観四（八六二）年三月八日条によれば、平安京のメインストリートの朱雀大路は、「昼は馬牛が多く集まり、夜は盗賊が出没する」とあるように、平安時代は決して平安な時代ではなかった。

『続日本後紀』承和四（八三七）年十二月二日条には、その夜に盗賊が内裏の中にある春興殿に潜入し、絹五十四疋を盗み取ったが、宿衛の者は見逃してしまった。そしてその三日後には女盗賊が清涼殿に潜入した。清涼殿は天皇が日常生活をする建物である。盗賊は天皇御座所に近づいたらしく、天皇は愕然として捕えるよう命じた。その結果、一人は捕えたが、もう一人は逃げられてしまった。

紫式部の『紫式部日記』には寛弘五（一〇〇八）年十二月晦日の夜の衝撃的な事件を記す。この夜は追儺の儀式も終わり、明日の元日の準備をしながらうちとけていたら、そのまま寝ついてしまった。すると中宮の部屋の方でわめき声がするのでそちらの方に行った。その途中に裸にされた二人の女房がいた。人を呼んでもみな退出して答える者はいなかった。やっと助けが来て、明かりをつけたが、女房たちは呆然として顔を見合わせるばかりであった。「ついたちのさうぞくはとらざりければ、さりげもなくあれど、はだかすがたは忘られず」と見える。厳重に守られているはずの女房部屋に盗人が入り丸裸にされたというから、治安の悪化が容易に想像される。

天皇の居所付近ですらこのような有様だったが、武家の棟梁と目されている邸宅にも盗賊が押し入っている。『扶桑略記』応和元（九六一）年五月十日条には、その夜、武蔵権守で清和源氏の祖源満仲の屋敷を盗賊が襲撃した。しかしさすがは「殺生放逸」と評された満仲である。盗賊を捕え武門の面目を保った。

満仲に弓を射られた倉橋弘重は捕えられ、その一味の紀近輔や中臣良材らの自供から盗賊の首領が判明した。驚いたことにその主犯は醍醐天皇の皇子、式部卿式明親王の息子の親繁で、共犯者に土佐権守源蕃基《しげもと》らがいた。式明親王は息子の親繁王は重い病気にかかっており、起居することもままならないとして身柄の引き渡しを拒否した。そこで親繁王が外出する機会を狙って逮捕しようというところで記事は終わっている。式明親王は醍醐天皇の子村上天皇の兄である。その息子が盗賊の首領だったということは、天皇と盗賊は知り合いということになる。

満仲邸は天延元（九七三）年四月、再び襲われた。今回の盗賊は前回よりはるかに手荒な連中だった。彼らは屋敷を取り囲んで放火し、近隣の住人で抵抗した越後守宮道弘氏《みやじひろうじ》を射殺した。火は燃え広がり、周囲の三百〜五百軒の家が焼失した。朝廷は非常事態と認識し、武勇に優れた者を招集した。犯人はよくわからないが、これだけ大がかりなことをするのだから、彼らも相当の武力を持った者であったと思われる。

『小右記』寛仁三（一〇一九）年四月五日条には藤原実資の北隣の邸宅で火事があったが、これは盗人が放火したためと記す。さらに常陸介の旧妻方がやはり放火にあった。「群盗火を付く。惟通（常陸介）の女焼き殺さる。当時已に憲法なく、万人膝を抱えて天を仰ぐ」とあるような残忍な所行を行っている。当時、諸国の受領は財を成していたから、こうした集団に狙われることが多かったのである。

『今昔物語集』には盗賊の英雄ともされる者も登場する。それは袴垂《はかまだれ》という人物で、心太く力強く足早く腕前に優れ、思慮深く世に並びのない「いみじき盗人の大将軍」と呼ばれたと記す。同書巻二十九第二十三話「妻を具して丹波国に行きし男、大江山にして縛られたる語」も悪者を誉めている。京にいた男が妻を馬に乗せ、自らは弓矢を持っていた。大江山のあたりに来た時に太刀を持ったたいそう強そうな若い男と連れになった。夫はこの男の口車にのせられて弓矢を奪われ、木に縛り付けられてしまった。妻はこざっぱりして愛嬌のある身なりだったので男は気にいった。若い妻は抵抗しても仕方がないので男の言うままに服を脱ぎ、二人で臥した。縛り付けられた夫はどのような思いで見ていただろうか。思慮のない夫が山中で妻が強姦されるのをなすすべもなく見ていたという話である。現在の我々からみれば、明らかに夫の男は被害者で加害者の男が悪いのに決まっているが、『今昔物語集』の作者は反対の評価をしている。男は女の着物を奪わなかったので大層感心である。一方、夫の方は山中で見知らぬ男に弓矢を取らせるのは愚かであるという。物の見方が今日とはかなり異なっているのである。

## 天皇と知り合いの盗賊

『今昔物語集』巻二九は悪行をテーマとした話が多い。その第一話のあらすじである。「場所は京の西の市で、ある蔵に盗賊が押し入ったが、警備に当たっていた検非違使がこれを包囲した。すると盗賊は蔵の戸を少しあけて検非違使の指揮をしている判官と直接に話をしたいと言う。同僚たちは危険だと言ったが、判官は何か訳があるのだろうと蔵の所に行った。すると盗賊は判官を蔵の中に入れ、中から鍵をかけた。検非違使たちはこんなことは前代未聞のことと憤慨していたが、しばらくすると判官が出てきて盗賊の逮捕は中止することになった。そして彼はその足で宮中に赴き、天皇にそのことを奏上した。再び現場に戻り、逮捕中止の命令を伝え、判官は一人日暮れまでその場に残り、盗賊に天皇のお言葉を伝えると、盗賊は号泣し、その後、いずくとも知れず姿を消した」とある。この事件の真相は闇に包まれていて興味をそそられる。しかし真相を知るのは天皇と伝達役の判官のみであるが、どうも話の流れからすると、京を荒らし回る盗賊と天皇が通じているようである。これは物語の世界のことだが、先に見たように実際にもそうした例があった。『今昔物語集』の話も現実に極めて近いことがわかるのである。

同巻二十九第三話「人に知られぬる女盗人の語」には京の女盗賊の話が見える。その盗賊は年は二十歳を少し過ぎたばかりで、清げで愛嬌のある女だったが、運送業を行う車借集団や大勢の男女で構成された強盗集団を指揮して、盗品を蔵に積んでおき、発覚しそうになるとすみやかに移動するやっかいな盗賊であった。このように女盗賊も跋扈していた。

## 偽金造り

この頃、飢饉や災害が頻発し、それに伴って盗賊が横行し、人家に放火することがしばしばあった。諸国では神火によって正倉など焼かれ、蓄えていた米穀が焼失する事件が起こり、都においても火災が相次いだ。平安遷都から百数十年にわたって火災のなかった内裏が貞元元（九七六）年に初めて罹災してからわずか三十年の間に六度まで焼亡したのは宮廷内においても綱紀が弛緩してきた表れである。そのため天皇が臣下の邸宅に移り住む里内裏が出現した。『源氏物語』の作者紫式部は宮中の様々な出来事を記しているが、式部が出仕したのは里内裏の一条院内裏で、彼女は本当の内裏は知らなかった。

放火に続いて重罪とされたのが偽金造りである。「地獄の沙汰も金次第」と言われるように、金の魔力に多くの人は魅了される。偽金造りは手っ取り早い錬金術だから、古今東西そうした犯罪はなくなることがない。和銅二（七〇九）年正月二十五日の詔では、「このごろ奸盗利を逐いて私《ひそか》に濫鋳をなし、公銭を紛乱す。今より以後、私に銀銭を鋳《い》る者はその身は没官し、財は告人に入れよ。濫を行い利を逐う者は加杖二百、加役は徒《ず》に当てしむ。情を知りて告げざる者は各与《おのおのと》同罪」と見える。つまり偽の銀銭を造ったものは国家所有の奴隷にし、銀銭に細工して利益を求めた者は鞭打ち二百か懲役刑とするというのである。それが和銅四（七一一）年の勅では、「私鋳銭の者は斬し、従者は没官し家口は皆流せよ」とされた。偽金造りを行った者は斬殺、それに従った者は奴隷とし、その家族も流罪にするというように大変厳しいものになった。

そして『類聚三代格』宝亀十一（七八〇）年の太政官符では、「首は遠流、従は徒三年、家口は徒二年半」となり、主犯は遠流、従犯は懲役三年とやや緩和されている。それでも厳しい罰則であることに変わりはなかったが、その後も偽金造りは横行している。なかには偽金を鋳造する材料として金銅仏に目を付け、それを盗み出したという罰当たりな者も見える。しかし盗人からみれば仏像は盗んでもなかなかばれなかったから、格好の獲物になった。賊盗律によると、仏像が盗難に遭えば盗られた方の側が懲役三年となり、僧尼の場合には流罪となった。だから仏像が盗難に遭ったことを役所に届ければ自分たちに重罪が及ぶことになるから、多くの場合は盗難の事実を隠さざるをえなかった。届けられる可能性が少ないのであれば、盗人は気が楽である。

## ㈤　刑罰

### 「平安時代には死刑はなかった」か？

窃盗についての刑罰は、盗品の量によって軽重があった。単純な窃盗の場合、布に換算して一尺であれば、杖六十で、その量が増える毎に七十、八十と増えていった。最高刑は流であったが、通常の盗みの場合は徒刑（懲役刑）に留まった。しかし強盗の場合は、同じ布一尺分を盗ったとしても徒三年となり、この場合も盗品の量によって軽重があり、被害者に傷を負わせたり、死に至らしめた場合には斬となることもあったが、基本的には徒刑相当の犯罪とされている。偽文書によって利益を得ようとすることも立派な犯罪であった。律令制時代以来、偽文書は厳重に取り締まられたが、鎌倉時代の幕府法では、それを行った庶民の犯罪者にはその頬に火印・焼印を押すことになっていた。

我が国の刑罰の特徴は、世界各地で一般的に行われている火刑（火あぶりの刑）が制度としてみられないことである。ただ人を焼殺したことを示す記事は幾つかある。たとえば『日本書紀』雄略二年七月条に

「雄略大王が百済池津姫に逢いに行ったが、石川楯という男が既に姫を姦していた。大王は大いに怒り、大伴室屋大連《おおともむろやのおおむらじ》に命じて百済池津姫と石川楯とを木に縛り付けて焼き殺した」と記す。しかしこの記事を除けば人そのものを焼き殺す例はほとんどなく、多くは住居を焼き結果として相手を死に至らしめている。

垂仁大王の時代、皇后の兄の狭穂彦王《さほひこのみこ》が謀反を図った時、大王は上毛君八綱田《かみつけのきみやつなだ》を遣わして王の籠もる稲城に火を放ち殺害した。雄略即位前紀には眉輪王《まゆわおう》は雄略の父安康を殺害し、葛城円大臣《かつらぎつぶらのおおおみ》の宅に逃げ込んだが、雄略大王は宅に火を放って大臣と眉輪王を死に至らしめた。その他、清寧即位前紀に見える星川皇子、武烈即位前紀の大臣平群真鳥臣《へぐりまとりのおみ》と鮪臣らが家屋ごと焼き殺されている。こうした家屋焼却は犯罪を穢れとし、火の持つ呪力によってそれを除去する意味があったと考えられている。

我が国の古代では「火焼」を国津罪とし、これを犯した者は祓え物を出すことになっていた。『日本書紀』欽明二十三（五六二）年六月条には「火に投じて刑するは蓋し古の制なり」と焚刑が絞・斬の刑と共に重罪への適用刑であった。『養老律』賊盗律で「故焼人舎屋」は徒三年、失火も雑律で笞五十、延焼させた場合は杖八十と定めている。

失火の罪は軽かったが、放火となると別である。『類聚三代格』宝亀四（七七三）年の太政官符には次のような規定が見える。「もし放火や窃盗犯を逮捕し、法に照らして処罰すべきものであれば人々の前で格殺し、もって後悪を懲らしめて再発を防止せよ」とあって、放火・窃盗に対する刑罰は公衆の面前で格殺すると規定した。格殺というのは、殴り殺す、打殺し刑である。この酷い格殺は、先の宝亀年間より以前から行われていたようである。罪人逮捕の法令捕亡律には、罪人を捕らえる際、罪人が仗をもって抵抗すれば、その捕らえた者は格殺し、逃げた者は追って殺すとされていた。追捕に際して抵抗する者に適用する格殺を放火・窃盗犯にも広げ、厳罰を与えようとしたものだった。

罪人の処刑は『延喜式』（刑部省）によれば人々の多く集まる市で行われた。それは犯罪者への威嚇、みせしめによる犯罪の予防といった目的があった。死刑の執行は次のようにして行われた。この場には刑部省・弾正台・左右衛門府・市司・囚獄司などが列席し、北に向いて犯罪名を宣告し、市司・囚獄司が「例により之を行う」という声を合図に処刑を執行する物部が斬首、もしくは絞首を行う。その後、遺骸は近親者に授け、近親者がいない場合は城外の閑地に埋葬された。このように死刑には斬首と絞首があったが、時代が下るにつれて絞首がなくなり、ほとんどが斬首となる。それは刑が執行された後、首を獄舎の木にかけるという儀式が行なわれるようになったからである。そして刑の執行者は物部から河原者に、執行場所は市から河原に移行し、それを検非違使が統括するようになる。弘仁九（八一八）年、嵯峨天皇の宣旨以降、死刑回避の施策に沿い、重い放火は終身禁獄、軽い放火は政所禁獄の扱いとなっている。

ところで、「平安時代には死刑はなかった」ということをよく見聞きする。平安時代の嵯峨天皇が薬子の変を最後に死刑を廃止した。『保元物語』の「忠正、家弘等誅セラルル事」には、「わが朝には、昔、嵯峨天皇の時代に右衛門督藤原仲成の罪をとがめて殺して以来、「死者は二度生きて返されず、あわれむべきことだ」との評議があった。そして死罪をやめてから長年になる。（中略）少納言信西が頻りに言うには「死刑を停止して多くの謀叛の輩を国々に流してしまえば、間違ったことが起きてしまう。必ず世が乱れてしまうだろう。ただただ切って処刑せよ」と意見を申し上げたので、皆処刑されたと見える。こうした記事から、保元の乱で復活するまでの三百五十年間死刑執行は行われなかったとされる。そしてその理由として「温和な国民性」が強調されたりする。しかし多くの場合、こうした美しい言説は眉唾ものである。死刑執行が行われなかったとする期間にも平将門の乱、藤原純友の乱、前九年の役、後三年の役、平忠常の乱など多くの戦乱があり、多数の人々が国家やその出先機関によって殺害されている。

それら以外の例を幾つかあげよう。九世紀の良吏藤原保則のことを記した「藤原保則伝」には、「（備中国では）群盗がおおっぴらに行き来し、村里もまばらになるような状況であった。（中略）そのため前の国司の朝野貞吉は苛酷な支配を展開した。郡司に小さなミスがあれば皆首枷と足枷を着け、人々がわずかな罪を犯せば捕えて殺した。囚徒は獄に満ち、倒れた死骸は路を塞いだ」とあるように、国司が多くの人を処刑・死刑執行している。

次は『日本三代実録』貞観十七（八七五）年に下野国で俘囚が挙兵し、それに対し下野国では「賊徒二十七人、降伏してきた俘囚四人を打ち殺した」とある。また『日本紀略』延喜六（九〇六）年九月二十日条には、「鈴鹿山群盗十六人、過状をまいらしめ、これを誅殺す」とあり、群盗が処刑されている。さらに同書万寿元（一〇二四）年三月十日条には「（京中の盗人が）尼を人質にとった。検非違使がこれを絡め捕えた。梟首して獄門に懸けた」とあるから、盗人は獄門にかけられたのである。

このように多くの死刑執行の現実があるのにもかかわらず、死刑が行われなかったとされたのはなぜだろうか。嵯峨天皇の時代に唐における死刑停止の影響を受け、徳治主義の展開を目指し、また穢れを避けるために死刑は停止された。その先例が積み重なり上級貴族たちの中では死刑は廃止されたと認識されていた。しかし実際には死刑は執行されていたが、その役割を担ったのは穢れた存在とみなされていた検非違使や武士たちであった。この理念としての死刑廃止、実態としての死刑執行というダブルスタンダードだったのであり、ホンネとタテマエという日本社会の特徴がここにも見られる。

## ㈥　裁判

### 盟神探湯《くかたち》と毒虫神判

子供の頃、約束をする時に「指切りげんまんうそついたら針千本飲ます」というのがあった。「げんまん」というのは「拳骨万回」の意味である。また裏の世界では「指を切る」「指をつめる」という言葉がある。

それは指をつめるのは当人で、切り落とした小指を半紙で包み、その上から奉書紙を小型の熨斗目折りにして水引をかけた。それを仲介人に渡し、親分の元に届けた。さらに遊女が指切りをするのは、客との間の誓約の証、または心中の約束として小指を男に送る。これらは私的な肉体刑を含む約束である。

七世紀初めの頃のことを記した『隋書』倭国伝によると、被疑者に対する尋問は苛酷だった。自白を強要するために、膝の上に重い材木を乗せたり、強く張った弓の弦で首筋を鋸のように引いたりする拷問を行っている。このように肉体的苦痛を与えるやり方は古今東西どこにおいてもあった。ただ犯人の特定が困難な場合や難しい訴訟のような場合は、そうした方法はとりにくい。そこで行われたのが盟神探湯《くかたち》と毒虫神判である。まず前者について見ていく。先の『隋書』には、沸騰した湯の中に小石を置き、競うところの者をして探らせ、理の曲がれる者は手が爛れるとする記事があるから、その頃には一般化していたのかもしれない。

盟神探湯の初見は允恭四（四一五）年九月条である。「かつては国が良く治まって人民は氏姓を違うことがなかった。しかし今は上も下も氏姓が乱れている。そこで諸々の氏姓の者たちは身を清めて盟神探湯をせよ」と詔した。そこで飛鳥の甘樫丘で神に誓約した上で探湯をさせたところ正しい者には何事もなく、不実な者は皆爛れた。そのため偽っている者は皆怖じ気づいて進むことができなかった。この時には泥を釜の中に入れて煮沸し、その中に手を入れて泥を探らせた。或いは斧を火の色に焼いて手の上に置いたと見える。これは裁判ではあるが、審判を受ける者にとっては恐怖で、その拷問性によって自供させる効果もあった。

『日本書紀』応神九年四月、武内宿禰の弟甘美内宿禰《うましうちのすくね》が、兄が天下を私のものにしようとしていると大王に讒言した。大王は武内宿禰を殺害しようとしたが、武内宿禰は二心のないことを訴えたので、どちらが正しいか判断しかねた。そこで武内宿禰と甘美内宿禰は磯城《しき》のほとりで探湯を行い、その結果武内宿禰が勝った。

その盟神探湯は律令制の時代には廃絶していたようだが、中世には探湯は湯起請として犯罪の立証手段として復活した。それによって爛れの認められた者は偽証、有罪とされたが、それを湯罪と呼んだ。その延長線上に法湯という刑罰や拷問がある。建久九（一一九八）年の「興福寺牒状」によれば、和泉国の国司の年貢取り立てに抵抗した住民に対し、国司は住民の一人を捕え、体を簀の子で巻き、その上から熱湯をかけたところその男は苦しみに耐えかねて悶絶寸前になったことが見える。大泥棒の石川五右衛門が釜ゆでの刑で処刑されたという話もこうしたことが行われていたことから生まれたと思われる。

もう一つの方法が毒虫による神判である。その方法は「蛇を瓮の中に置きてこれをとらす。曲がれる者にはすなわち手をさすという」とあるように毒蛇を用いる。毒蛇は心の邪悪な者に噛みつくと考えられていたのであろう。このように動物によって判定をすることを動物神判というが、その例として飛ぶ鳥がある。かつて人々は飛ぶ鳥に神霊の姿を見、その所作に神意を察知した。だから飛ぶ鳥が落とす糞などの汚物を浴びることは不吉であり、また悪業による報いと考えられていた。鎌倉時代の頃でも、神判を行う時の起請文に、異変があった時には自分の誓約が偽りであった証拠であり、天罰を甘受するとあるが、その異変とされるものの中に、「鳥の糞をあびる」という箇条がある。鎌倉時代という中世に至っても、人は鳥に神意を見ていたのである。

ことの吉凶を占う方法として卜占《ぼくせん》がある。「うら」というのは、神意を問うことであった。それには様々の方法がある。鹿の肩胛骨を焼き、骨の割れ目の模様で吉凶・善悪を判断する太占《ふとまに》が古くから行われていた。その後に亀の甲羅を使って行う亀卜が一般的となった。その他、足占・石占・歌占・夢占・琴占など、様々であった。これほど多くの占いがあるのは、人々が将来や未来に対する不安の裏返しであるが、呪術を好む国民性も見て取ることが出来るようである。

## 悪事に関わる言葉

「盗人」「悪」というと現在では、「悪人」「悪役」「悪名」「悪友」のように道徳的な意味で使用されるが、かつてはもっと広い意味、あるいは誉め言葉でもあった。たとえば「盗人」である。『枕草子』に清少納言と頭中将藤原斉信とのやりとりがある。斉信が噂を信じて彼女の悪口を言ったので、少納言は意地になって無視していた。斉信もそれが気になっていたので手紙をしたため、返事を催促した。そこには『白氏文集』巻十七の「蘭省花時錦帳下」という句が書かれていた。あまり催促されるので、「草の庵を誰か尋ねむ」と書いた。それは先の句に続く「廬山雨夜草庵中」に対応するものだった。その返書を受け取った斉信はあっと声をあげ「いみじき盗人を、なを、えこそ思ひ捨つまじけれ」と周囲の人に語ったという。この場合の「いみじき盗人」は「大した野郎だ」という意味だから、彼女が『白氏文集』を身に付けているすごい才媛であることを示した言葉である。

「悪」が人の名前に付けられたものとして悪源太義平や悪左府藤原頼長などがいる。悪源太義平こと源義平は平治元（一一五九）年、平治の乱で平清盛と覇権を争って敗れた源氏の棟梁源義朝の長子、頼朝や義経の兄である。久寿二（一一五五）年源義仲の父で叔父にあたる義賢を武蔵国の大蔵館で殺害した。また父義朝の死後、京都に潜入して清盛暗殺を企てたが、かえって捕えられ、若干二十歳にて六条河原で斬首された。彼は父義朝と並ぶもう一方の源氏の棟梁義賢を殺害した時、わずかに十五歳だったが、それは常人には考えられない武勇でその剛毅さが「悪」と評されたのである。

また藤原頼長は、鳥羽法皇の院政時代に活躍した人物で、わずか十七歳で内大臣、のち従一位左大臣となり、藤原氏の「氏の長者」となったが、摂政の藤原忠通と対立した。頼長は何事に対しても峻厳で、綱紀粛正に取り組んだ。たとえば行事に遅刻してきた貴族の屋敷を燃やすほど、その厳格さは並大抵ではなかったので「悪左府」（厳しすぎる左大臣）と呼ばれた。しかしそれは他の貴族たちの反感を招き、さらに鳥羽法皇の信任も失い、宇治に閑居した。保元元（一一五六）年に、崇徳上皇による保元の乱の企てに加わり兵を挙げたが、敗れ重傷を負った。乱後、奈良に逃れたが、その地で三十七歳の短い生涯を閉じた。「悪左府」とされた彼は、一方では猛烈な勉学に努め、『愚管抄』の著者慈円が「日本第一大学生」と称した異色の人物でもあった。このように十二世紀頃には、常人にはない、神懸かり的な異能の人物を「悪」とした。私たちも何かすごいことをした様を「鬼のように」と形容するが、それとよく似ている。

「悪」を祭る悪王子社

　さらに中世になると「悪党」という言葉が見られるようになる。この頃、山賊・海賊・浮浪人などが「悪党」とされるのはもとより、地方の中流の武士でも鎌倉幕府や荘園領主に敵対した者をもそう呼んだ。彼らは荘園支配を巡って対立する貴族や大寺社から見れば、極めて迷惑な存在であったからである。

　この「悪」は宗教の世界でも同じ傾向がみられる。その代表が鎌倉新仏教の一人親鸞の唱えた悪人正機説である。「善人なおもちて往生をとぐ。いわんや悪人をや」という言葉は、悪人こそが往生できるというように悪を積極的に肯定している。また時宗を開いた一遍も、南無阿弥陀仏と書いたお札を受け取れば信・不信、浄・不浄、善・悪も問わず全ての人が救われると主張した。これも悪を正面から肯定している。そして一遍の支持者には悪党といわれる人々や不浄とされていた女性や非人、そしてこの頃に台頭してきた金融業者などがいた。今までの体制からはみ出ていた人々が熱烈に支持したのである。悪事の世界の用語には仏教に由来するものも結構多い。私たちの住む世界を

「娑婆」と言うが、これはサンスクリット語の「サバー」で、集会場や堂を意味する言葉である。渡世人と言えば、博打うちかやくざを意味するが、「渡世」そのものは、世渡り、なりわい、稼業の意味であるが、この「渡世」は元々は仏教用語で、「どせ」と読まれていた。それは文字通り「世間を渡ること」で、この苦しみに満ちた世間の岸から離れ、向こう岸（彼岸）に渡ることで、解脱や悟りを意味していた。やくざ稼業も普通の世間から離れることから、「渡世」の人とされたと思われが、それにしても解脱することとやくざ稼業では、あまりにも違いすぎるように思われる。

今一つ、やくざ者をさして「極道者」と言う。これは「極悪非道の者」の意味だが、この「極道」も仏教用語である。この言葉も文字通り「道を極めた者」の意味で、仏道を極めた者、つまり最高の悟りを得た人で、仏陀を指す。元々は地獄に堕ちる者ということで「獄道者」とされていたのが、後に「極道者」になったとも考えられている。困った時や難儀な時、若者の間では「ヤバイ」という言葉を使う。「ヤバ」は江戸時代に犯罪者を収容する施設の「厄場」に「イ」がついて形容詞化したものである。「辛労」に「イ」がついて「シンドイ」となったのと似ている。最後は、物事が失敗することを「お釈迦になる」という言葉がある。町工場で金属を溶接する際に火力が強すぎてうまく出来なかった時、「火（し）がつよかった」から、四月八日（しがつようか）となり、それは釈迦の生誕日だったので、「お釈迦になる」となった。

仇という言葉の起源は古い。『日本書紀』崇神条に武埴安彦《たけはにやすひこ》が大王に謀反を企てる話があるが、その謀反に協力したのが妻の吾田媛だった。この吾田媛《あたひめ》の「あた」は謀反人の名にふさわしく「敵」「賊」という意味だから、彼女は「賊である女」ということになる。こうした用法は『万葉集』にも見える。「吹き響せる小角の音も敵見たる虎か吠ゆると諸人の脅ゆるまでに」（一九九）「しらぬひ筑紫の国は賊守る鎮への城そと」（四三三一）とある。このように「仇」は奈良時代には「あた」で「敵」や「賊」を意味していたが、平安時代に入ると、違った意味で使用され、「婀娜《あだ》」となる。平安時代に薔薇の花が伝えられたが、その薔薇の花の美しさを形容するのに使われたのが始まりである。それが女性のなまめかしさや色気を表わす用語になった。一世を風靡した歌謡曲「お富みさん」の中に「仇な姿の洗い髪」という歌詞があるが、これはまさに女性が粋で色っぽく、なまめかしいという意味そのものである。そういう表現は早くからあったようで、『古今和歌集』には「花の色をあだなる物といふべかりけり」（四三六）と見えている。

しかしそこからもう一歩進んで、空虚、一時的でかりそめ、浮薄な様を表わすようにもなった。『古今和歌集』八六〇「露をなどあだなる物と思ひけむ」ではかりそめの意味で、また『伊勢物語』一〇三では「あだなる心なかりけり」と浮薄の意味で使用している。咲いても実を結ばない「あだ花」、その場限りのはかない愛情である「徒情け」、心に実のない移り気な人である「徒人」などとして使用されるようになった。

「狂」も正常でない状態で良い意味ではない。室町時代の小歌を集めた『閑吟集』には、「何せうぞ　燻んで　一期は夢よ　ただ狂え」（何をしようというのだ。真面目くさって。どうせ人生一期は夢じゃないか。ただ狂え。）ここでいう狂うというのはたった一回限りの人生なのだから、普通ではなく、命がけで燃焼するという積極的な意味を持っている。伊予国出身の一遍も「狂人のごとし」と言われた人物だった。

また横という言葉も芳しくない意味が多く、「邪」に通じる。「横取り」「横流し」「横目をつかう」「横やりを入れる」「横道にそれる」「横ばい」「横暴」「横行」「横領」「横死」「横紙破り」などである。反対に縦は良いことで目立った状態である。「役に立つ」「手柄を立てる」「立役者」「大立者」のように使用される。一方、本来良い意味であったものが悪い意味で使用されるものもある。それが「ろく」である。具体的にあげれば、「ろくでなし」「ろくなことはない」「ろくに口もきけない」「ろくすっぽ」などである。しかしもともと「ろく」は「陸」のことで、平らなこと、真っ直ぐなこと、心安らか・公平・正しい・満足・完全などの意味である。「悪」や「狂」が積極的な意味を持ったのは中世の時代だけだった。

# 四　危機管理

## ㈠　情報伝達

### 烽火《とぶひ》

近年、各地で地震が起こり、さらには近いうちに関東大地震や南海大地震などが起こると報道されている。火山列島であることは同時に地震列島であることを意味しており、したがって地震を根絶することが不可能な以上、我が国では地震をどのようにやりすごすかということに知恵をしぼらなければならない。

ところで古代の危機管理の施設の一つが烽火である。和名は古くは「とぶひ」と呼ばれていたが、それは飛び火の意味だった。烽火は「狼煙」とも書かれるが、それは狼の糞を燃料に用いたからで、それで煙を上げると煙がまっすぐに立ち上がるという。我が国では弥生時代の高地性集落にこうした通信施設が存在したらしいが、国家的な国家通信施設として正式に管理運営したのは烽制だった。

『日本書紀』天智三（六六四）年、対馬・壱岐島・筑紫国に防人《さきもり》と烽《とぶひ》を置いたとするのが初見である。これは前年の白村江の戦いの敗戦により唐・新羅の攻撃に備えたが、この後、律令に烽の制は詳細に規定された。『養老令』軍防令によれば、烽は四十里（約二十㎞）毎に置かれ、一烽には正丁または次丁からとられた烽子四人が分番し、二十四時間体制で勤務した。烽長二人が分番して三烽以下を検校した。烽長は家口重大にして検校に堪える者あるいは散位・勲位より国司が充てた。信号の上げ方は昼は煙を、夜は火をあげる。その台は二十五歩間隔で置かれ、烟を焚く際は一刻（三十分）焚き続け、火の場合は一炬が燃え尽きるまで放つとしている。賊の多少に応じてあげる数を別式で定めた。『延喜式』巻二十八兵部省には、大宰府管内の場合、国家の船であれば日本・外国を問わず一炬、外敵は二炬、その船の数が二百艘以上なら三炬あげるように規定している。しかし烽火をあげても前方の烽火が受信の合図を発しない場合には、徒歩の連絡員を派遣する規定になっていた。規則に違反した場合の罰則も定められ、最高刑は絞であった。

八世紀の烽の例としては都の近辺において藤原京に通じる高見烽・春日烽、平安京に通じる牡山烽《おとこやま》があり、『風土記』には出雲国に五ヶ所、豊後国に五ヶ所、肥前国に二十ヶ所が記されている。また天平年間に対新羅関係が緊張した時、節度使の命により隠岐・出雲間に烽を置き、通信試験を行っている。なお烽が実際に使われた例としては天平十二（七四〇）年の藤原広嗣の乱の時に、広嗣が筑前国遠賀郡家で烽をあげ、国内の兵を徴発したことが知られている。烽の制は延暦十八（七九九）年に至り、内外無事ということで大宰府管内を除いて停廃された。貞観年間に新羅海賊問題で緊張が生じると、烽の試験を行い、寛平八（八九四）年にも同様の状況から隠岐・出雲間に烽を設置している。以後、国家的な烽制は衰えた。

この烽火の制度は、平安時代初期に廃止されたはずだったが、近年、栃木県宇都宮市の飛山城跡で、特殊な構造の竪穴式住居から「烽家」と墨書された土器が出土して注目されている。これは「とぶひのみやけ」と読まれ、公的な施設であると想定されている。緊張状態が発生した場合に復活させたらしいが、烽火制は古代における緊急の情報伝達として極めて有効な役割を果たしていた制度であることを示している。

## (二)　地震と津波

### 貞観大地震・南海大地震

平成二十三（二〇一一）年三月十一日に東北地方を襲ったマグニチュード九という大地震が発生し、それに伴う大津波によって大変な惨事となり、その回復はまだ依然として途上にある。この巨大地震が発生したことで過去に同規模の地震が繰り返し起こっていたことが注目されるようになった。それが『日本三代実録』貞観十一（八六九）年五月二十六日条の記事である。「陸奥国地大きに震れ動く。流光昼の如く隠映す。しばらくして人民叫び呼び伏して起つこと能わず。或いは屋仆れて圧死し、或いは地裂けて埋殪《まいえい》す。馬牛駭奔《がいほん》し、或いは相昇踏す。城郭倉庫、門櫓墻壁《しょうへき》、頽落顛覆すること、その数を知らず。海口哮吼《こうこう》、声は雷霆《らいてい》に似たり。驚濤涌潮《ちょうとうようちょう》、泝洄《そかい》漲長《ちょうちょう》して忽ち城下に至る。海を去ること数十百里、浩々として其の涯《がい》涘《し》を弁へず。原野道路惣じて滄溟《そうめい》と為り、船に乗る遑《いとま》あらず、山に登るも及び難し。溺死せる者千ばかりなり。資産苗稼《びょうか》、殆ど孑遺《けつい》無し」。これを貞観地震という。

　この時の津波の痕跡の調査によって、仙台平野では合計五層の津波堆積層が検出され、古い三層は先史時代で、新しい二層は貞観地震と慶長十六（一六一一）年に発生した慶長三陸沖地震であることがわかった。仙台平野では八百年間隔で巨大津波が襲っていたのである。古地震・古津波の研究者にとっては想定外ではなかったという。そうであれば原発関係者はもとより我々を含めて、過去の地震や津波などの自然災害史に学ぶ想像力と危機意識が決定的に不足していたと言えるのではなかろうか。

　まず私が居住している地域に関係が深い南海大地震から見ていこう。文献に残る最古の南海大地震は『日本書紀』天武十三（六八四）年十月十四日条である。マグニチュード八・二五と推定されている。生々しい記事をそのまま示す。「人定《いのとき》に逮《いた》りて、大きに地震《ちふ》る。国挙《くにこぞ》りて男女叫び唱《よば》ひて、不知東西《まど》ひぬ。則ち山崩れ河涌く。諸国の郡の官舎、及び百姓の倉屋、寺塔神社、破壊《やぶ》れし類、勝《あげ》て数ふべからず。是に由りて、人民及び六畜、多に死傷《そこな》はる。時に伊予温泉、没《うも》れて出でず。土左国の田苑《たはたけ》五十余万頃、没《うも》れて海と為る。古老の曰はく、「是の如く地動《ちふ》ること曾より有らざるなり。是の夕べ、鳴声あり。鼓のごとし。東方に聞こゆ。ある人曰く、伊豆島の西北二面、自然に増益すること、三百余丈。更に一島となる。則ち鼓のごとき音は、この島を造る響なり」といふ。さらに土左国司言さく、「大潮高く騰《あが》りて、海水飄蕩《ただよ》ふ。是に由りて、調運《みつき》ぶ船、多に《さわ》放れ失《う》せぬ」とまうす」とある。巨大地震によって道後温泉の湧出が止まり、多くの人が死傷したことを記す。伊予国久米郡の来住《きし》台地で発掘された大型の建物が崩壊したのもこの時のこととされる。土佐では海水が湧き上がるような津波が押し寄せ、多くの船が失われている。そして昭和二十一（一九四六）年十二月二十一日午前四時十九分に昭和南海大地震が発生した。マグニチュード八、〇であった。太平洋沿岸には六、九mに及ぶ津波が襲い、多くの人の命が失われた。

## 仁和・元慶・承徳大地震

古代の記録は、都の貴族たちの日記が中心だから、どうしても都で起こった地震の情報が多い。まず『日本三代実録』仁和三（八八七）年八月二六日条である。七月三十日午前四時頃、地面が大きく揺れ、数刻たっても止まなかった。光孝天皇は仁寿殿を出て紫宸殿の南庭に仮小屋を建ててそこを御在所とした。京の役所の建物などが潰れ、圧死する者が多かった。失神によって急死する者もあった。摂津国の被害が最も激しく潮が陸に押し寄せてきて数え切れないほどの人が溺死した。余震は三週間以上続き、虫や鳥に異変が現れ、妖言も流布した。政府は災害復興のために摂津・伊予・大宰府に有能な人物を送り込んだが、現在の大阪から九州にかけての広い範囲に甚大な被害が及んでいた。

『日本紀略』天慶元（九三八）年四月には、大地震が起こり、宮中の内膳職の建物が倒れて四人の死者が出た。その時、陰陽寮が「東西に兵乱の事あり」という占いの結果を報告しているが、地震そのものの被害というよりは社会不安の前兆とみなされていた。そして実際にその予兆は当たり、東では平将門の乱、西では藤原純友の乱として現れたのである。

鴨長明の『方丈記』には、元暦二（一一八五）年七月に京都を中心に起こった大地震を記している。「山は崩れて河を埋み、海は傾きて陸地をひたせり。土裂けて水涌き出で、巌割れて谷にまろび入る。（中略）地の動き、家のやぶるる音、雷にことならず。家の内にをれば、忽にひしげなんとす。走り出づれば、地割れ裂く。羽なければ空をも飛ぶべからず」と見える。その後、三ヶ月にも及ぶ余震があり、「恐れの中に恐るべかりける」と強調している。

次は承徳三（一〇九九）年一月十四日、京都で激しい地震が起こった。推定でマグニチュード八・〇から八・五程度とされる大地震である。地震直後、朝廷では混乱を極めたが、しかしその震源地は京都から遠く離れた東海地方だった。朝廷が東海地方の惨状を把握したのは一ヶ月後で、当時関白の藤原師実はその日記に「駿河国の解に云わく、去る月廿四日の大地震、仏神舎屋・百姓、四百余流出す。国家の大事なり。民国の本なり」と記す。こうした地震の被害に対して朝廷がとった方法は、改元と神仏への祈願だった。私たちにとってみれば元号を変えることが地震への対策になるとは全く考えないだろうが、古代・中世の人々は、世の中が平穏無事であるのも、禍が多発するのも、その原因は元号の善し悪しにあると考えていた。改元すべき時に、改元を怠れば、禍が継続することになるから、その連鎖を断ち切ることが為政者としての責務であった。改元と法会の執行によって、地震からの復興を強く願ったのである。

**津波の被害**

ついで『皇代記』には伊勢国の津波被害についてそのすさまじさが詳細に記されている。伊勢随一の要港の安濃津では港に沿う八幡神社の松林を大船が乗り越えていくほどの大津波が押し寄せ、千軒の家が流され、五千人の人々が死亡した。津波は河口から三㎞も遡って押し寄せてきた。こう記し、ついで津波への用心を説く。「彼の高潮、地震に依り満ち来たり、同じく引く時も大儀にして海底の砂顕わになり、鱗など数を尽くして死ぬる。潮干漫々にして遙かなり。希代の不思議の間、人皆是を見物す。然るの処、又件の高潮満ち来たる時、海中より数万の軍勢、山の如くよせ来ると荒嶋の者見ると申す。不思議の事なり。惣じて大地震の時は、問浪・大浪とて両度あるべし。後の浪、高潮たるべし。後代の人、地震の時、用心たるべし。懇ろに注し置く者なり」と見える。津波が押し寄せた後、潮が遙か彼方まで引き、それを人々が珍しがって見物していたら、再び山のような大津波が押し寄せてきた。このように津波は二度押し寄せてくるから、くれぐれも注意すべきというのである。

南北朝の争乱のさなかの康安元（一三六一）年八月三日、著名な軍記物『太平記』も大津波が起こったことを記す。阿波の雪の湊という浦には俄に大山ほどの潮が怒濤のようにやってきて家や牛馬など一つ残らず海の藻屑としてしまった。牛馬人民の死傷する事、幾千万という数を知らずとある。『太平記』は誇大に表現する傾向が強いものの、大津波によって大きな損害が生じたことは事実であろう。

明応七（一四九八）年八月二十五日にいわゆる明応地震が発生した。その範囲は房総半島から四国地方までに及ぶ巨大地震で、マグニチュード八・二、遠江・駿河の沿岸部で震度六ほどと推定されている。この地震は近い将来発生が予想されている東海地震と類似したもので、その後も余震が毎日のように起こり、『大乗院寺社雑事日記』には「地震毎日の様なり。去年より連続し了んぬ」と記す。ここに見えるのは京都・奈良の場合であるが、その震源地の東海地方の被害はすさまじいものだった。海辺から二〜三㎞の民家はみな海水に飲み込まれ、数千人が死亡した。その他、牛馬などの被害は数知れず、前代未聞の事であったという。新居浜市にある黒島神社には、明応七年に大地が崩れ、島の六・七割が失われ、本殿などが破壊され、住民が四方に散乱したという記録などがあり、南海大地震も同時に起こったと考えられている。

地震の記録が全て残っているわけではないため地震の間隔は正確につかみがたい。しかし定期的に起こっていることは確かである。地震大国の我が国ではいつ、どこで起こるかもしれないということを一人一人が心すべきであろう。

原発銀座と言われる福井県若狭地方では、従来この周辺で津波による大きな被害記録はないとされていた。しかし織田信長の頃のイエズス会宣教師のルイス・フロイスはその著『日本史』の中で、「山と思われるほど大きな波に覆われ、引き際に家屋も男女もさらっていった」と記す。これは天正の大地震であろうが、これと同様の記事がある。京都吉田神社の神主で信長らとも親交のあった吉田兼見の日記『兼見卿記』である。ここには「丹後若狭の海浜津波に襲わる」とし、海岸に波が打ち上がり、家を押し流し、多数の人が死亡したと見える。電力会社はこれらの記事を承知しておりながら、「津波は起こらなかったと判断した」と報道されている。

これが事実なら、それは歴史を自分たちの都合よく改竄したと言われても仕方のないことであろう。あまりにも過去の歴史に学ぼうとする姿勢に欠けるのではなかろうか。そこには人間の自然現象に対する驕りが透けて見える。たかだか数百万年の歴史しか持たない人類に対して、四十六億年の歴史を持つ地球とでは、時間の単位が元々違っているのである。人類は七百万年前に出現したとしても、わずか地球の六五七一分の一の歴史しか持っていない。我々は千年と言えば相当昔の話になるが、地球時間を人類の時間に換算すれば、一か月強の時間にしか相当しないのである。津波や大地震など地球で起こることは地球時間で考えなければならない。それを人間の時間単位で考えてはいけないのである。

## 五　過去の社会問題から今をみる

今日、様々な社会問題があるが、中でも少子高齢化に伴う労働力不足に対応するために女性の労働力に注目が集まっている。政府は女性管理職を一定割合にすることや、「輝ける女性の働き方」などの旗振りを行っているが、思うほどのはかばかしい成果はあがっていない。何よりも旗振り役の国会の女性議員の割合は、先進国では最低レベルなのだから、そこから始めるのが筋である。まず「隗より始めよ」である。

そうした成果が上がらないのは、建前の男女平等ではなく実質的な男女平等が社会に根付いていないからである。だからその実質的な男女平等が実現されているなら、政府が旗振りをしないでも女性は普通に輝いて働くことができる。この女性差別は歴史的に形成され、社会に定着し、そしてやがて歴史的に解消していくものである。「女人禁制」の項で述べたように、女性の差別が社会に定着するようになると共に、女人禁制の場も拡大していく。だから現在なおかつ女人禁制を伝統だと言って立ち入らせなかったり、大相撲の土俵に女性を上げないのも、伝統を隠れ蓑にしているが、その背後に女性差別が横たわっている。「伝統」と言えば、マスコミも思考を停止し沈黙してしまうが、女性差別の上に立った伝統は変えていかなければならないのは自明のことである。そういうことを解消していくことが、実質的な男女平等を根付かせるのである。鎌倉時代の曹洞宗開祖道元が女性に対する差別に対し、「日本国に一つの笑い事あり。男女を論ずるなかれ」と言っている。今日の日本の人々の意識は残念ながら八百年前の道元の発言を越えるまでに至っていないと言えよう。

平安時代はそうした女性差別の定着時代にあたるが、そうした意識を後世の人たちも引きずって、当時の女性はもっぱら仮名文字ばかりを使用し、漢文や漢詩文などは理解していなかったなどという偏見がまかり通ることになった。そしてそこからそれ以前の古墳時代の戦闘はもっぱら男性が行っていたとされ、女性は呪術を主として戦闘を統率するなどは考えられていなかった。しかし今日ではそうした偏見が薄らいだこともあって、女性の漢文学への深い素養があったことや、女性が戦闘にたって軍隊を統率した例などが次々と明らかにされている。歴史は多様な動向の集積であり、その一面だけを切り取ることは、間違った理解に陥る危険性があるのである。

次に、世の中には争いの種は尽きないが、その原因となるのは賭博や富の配分、そして差別意識である。時代は変わってもこうした争いの理由は変わらない。最近、国会でカジノを作る法案が審議されるという話を聞くようになった。一握りの人は巨額の富を手に入れるかもしれないし、またそれが経済の活性化になるかもしれないが、ギャンブルによって不幸になる多くの国民を作り出すことを国のリーダーたちが率先して行うという政治感覚には暗澹たる思いがする。政治の役割は多くの人々の利害を調整しながらできるだけ多くの国民が幸福感を味わえ、この国に生まれてきて良かったと思わせることである。にもかかわらず、争いの種をまき散らし、国民の不幸を前提した経済の活性化を行うというのであれば、それは政治家ではなく、利権しか目に入らない政治屋である。

今一つ、究極の差別は戦争である。それは大量の殺戮を伴うため、社会的影響は甚大である。従来、平安時代から登場してくる武士たちは、儀式や行事や恋愛にうつつを抜かしている貴族に代わって時代を切り開いたとして、ある意味、英雄扱いされている面があった。確かに歴史が貴族政権から武家政権に代わったのは彼らの存在を抜きにして語ることはできないが、一方、彼らが人々を虫けらのように容赦なく葬った残忍な殺戮者である側面は等閑視されてきた。その犠牲になった人たちは殺戮者に侮蔑され、リンチを加えられても歴史の表舞台で語られることはなく、ほとんど無視されている。戦時には多くの人を殺害した殺し屋が英雄視されるという現実があるのである。

それは対外的な戦争でも同様である。人を虫けらのように殺すためには人を虫けらだと思わなければできることではない。だから人を人と見ない究極の差別の形が戦争ということになる。相手を差別したり、蔑視したりする延長線上に植民地支配や侵略戦争がある。アジア・太平洋戦争においても、明治以来、福沢諭吉に代表されるような中国・朝鮮に対する強烈な蔑視観があった。だから朝鮮の植民地支配や中国への侵略を認めないことは、その蔑視観もまた正当化することになるのである。

それは今日では普遍的真理となっている「人は平等」という考え方から、明らかに間違っていると言えよう。人は人を平等、対等、同じ人間と思っていれば、人を殺戮することは出来ない。まして尊敬できる人をそのようには絶対にできない。だから「人は平等」とする考え方は平和主義に結びつき、人を蔑視する考え方が戦争へとつながるのである。

過去に数え切れないくらいの実に多くの戦争を経験して、このような真理を得たはずであるが、戦争はあとを絶たない。それは我が国も人ごとではない。今日の戦後七十年が、いつの間にやら戦前になろうとしている。再び言おう。「人を虫けら」とする時代に逆行させては絶対にならないのである。

**【参考文献】**


・鈴木生崇『女人禁制』（吉川弘文館・二〇〇二年）
・義江明子『古代女性史への招待』（吉川弘文館・二〇〇四年）
・新谷尚紀『日本人のタブー』（青春出版社・二〇〇三年）
・小原仁「転女成仏説の受容について」『日本女性史論集五女性と宗教』（吉川弘文館・一九九八年）
・小谷野敦『日本人のための世界史入門』（新潮社・二〇一三年）
・松崎哲久『名歌で読む日本の歴史』（文春新書・二〇〇五年）
・『言葉の道草』（岩波書店・一九九九年）
・鈴木修二「今昔物語集における病者と治病者」『日本歴史』第二四三号（吉川弘文館・一九六八年）
・諏訪原研『漢語の語源ものがたり』（平凡社・二〇〇二年）
・石田かおり『化粧せずには生きられない人間の歴史』（講談社・二〇〇〇年）
・後藤昭雄「勅撰三集の詩と歴史学」『日本歴史』第六八一号（吉川弘文館・二〇〇五年）

・武田佐知子『古代日本の衣服と交通』（思文閣出版・二〇一四年）
・直木孝次郎『古代日本と朝鮮・中国』（講談社・一九八八年）
・伊集院葉子『古代の女性官僚』（吉川弘文館・二〇一四年）
・中村修也「庶民の生活」『続日本紀の世界』（思文閣出版・一九九九年）
・朧谷寿『藤原氏はなぜ権力を持ち続けたのか』（ＮＨＫ出版・二〇一二年）
・渡辺直彦「みぐしすまし」『日本歴史』第四一九号（吉川弘文館・一九八三年）
・志村緑「平安時代女性の真名漢籍の学習」『日本歴史』第四五七号（吉川弘文館・一九八六年）
・『日本女性史論集八教育と思想』（吉川弘文館・一九九八年）
・沖森卓也「和名類聚抄」『歴史と地理』№六三五（山川出版社・二〇一〇年）
・『日本女性の歴史・文化と思想』（角川書店・一九九四年）
・森浩一「弥生から古墳前期の戦いと武器」『日本の古代六王権をめぐる戦い』（中央公論社・一九八六年）
・西村汎子「戦の中の女たち」『本郷』№五五（吉川弘文館・二〇〇五年）
・溝口睦子「記紀にみえる女性像」『家族と女性の歴史』（吉川弘文館・一九八九年）
・松原朗「唐詩の中の「日本」」『遣唐使の見た中国と日本』（朝日新聞社・二〇〇五年）
・服藤早苗『平安朝の女と男』（中央公論社・一九九五年）
・飯沼賢司「中世社会における性と愛と出産」『歴史評論』№六〇〇（校倉書房・二〇〇〇年）
・小谷野敦『日本人のための世界史入門』（新潮社・二〇一三年）
・江原絢子・石原尚子・東四柳祥子『日本食物史』（洋泉社・二〇一三年）
・石原結實『病気を治す食べ方、食べ物』（ベスト新書・二〇〇七年）
・北澤一利『「健康」の日本史』（平凡社・二〇〇〇年）
・藤野豊『強制された健康』（吉川弘文館・二〇〇〇年）
・潮田道夫「腹八分目の思想」『暮しの手帖』五四（二〇一一年）
・中村修也『今昔物語集の人々』（思文閣出版・二〇〇四年）

・槇佐知子『日本の古代医術』（文藝春秋・一九九九年）
・下向井龍彦「徒歩の実資、乗車の実資」『日本歴史』第七一二号（吉川弘文館・二〇〇七年）
・黒板伸夫『藤原行成』（吉川弘文館・一九九四年）
・福井栄一『鬼・雷神・陰陽師』（ＰＨＰ研究所・二〇〇四年）
・安田政彦『平安京のニオイ』（吉川弘文館・二〇〇七年）
・立川昭二『養生訓に学ぶ』（ＰＨＰ研究所・二〇〇一年）
・諏訪原研『漢語の語源ものがたり』（平凡社・二〇〇二年）
・新村拓『日本医療社会史の研究』（法政大学出版会・一九八五年）
・坂口勉『今昔物語の世界』（教育社・一九八〇年）
・新田一郎「相撲の歴史と民俗」（上）『歴史と地理』№三八二（山川出版社・一九八七年）
・野口実『武家の棟梁の条件』（中央公論社・一九九四年）
・阿倍猛「指切り」『日本歴史』第七〇四号（吉川弘文館・二〇〇七年）
・石見清裕「「井真成騒動」をふり返って」『日本歴史』第七二八号（吉川弘文館・二〇〇九年）
・片山一道『骨が語る日本人の歴史』（筑摩書房・二〇一五年）
・新川登亀男『道教をめぐる攻防』（大修館出版・一九九九年）
・鐘江宏之『律令国家と万葉びと』（小学館・二〇〇八年）
・金子裕之『平城京の精神生活』（角川書店・一九九七年）
・富樫進『奈良仏教と古代社会』（東北大学出版会・二〇一二年）
・五味文彦『梁塵秘抄のうたと絵』（文藝春秋・二〇一二年）
・本郷恵子『古今著聞集』（山川出版社・二〇一〇年）
・長谷山彰『日本古代の法と裁判』（創文社・二〇〇四年）
・石上英一「古代東アジア地域と日本」『日本の社会史一』（岩波書店・一九八七年）
・武廣亮平「日本古代の蝦夷「移配」政策」『歴史と地理』№五六五（山川出版社・二〇〇三年）

・鈴木哲雄『平将門と東国武士団』（吉川弘文館・二〇一二年）
・川尻秋生『揺れ動く貴族社会』（小学館・二〇〇八年）
・北村優季「古代の都市問題」『歴史と地理』五五五（山川出版社・二〇〇二年）
・清水克行「儺房考」『日本歴史』第七五四号（吉川弘文館・二〇一一年）
・戸川点『平安時代の死刑』（吉川弘文館・二〇一五年）
・神榮江利「中世の刑罰形態について」『神女大史学』第二一号（神戸女子大学史学会・二〇〇四年）
・今井源衛『紫式部』（吉川弘文館・一九六六年）
・小峰和明『説話の声』（新曜社・二〇〇〇年）
・元木泰雄『源満仲・頼光』（ミネルヴァ書房・二〇〇四年）
・北村優季『平安京の災害史』（吉川弘文館・二〇一二年）
・山中裕『平安朝の年中行事』（塙書房・一九七二年）
・服藤早苗「平安の都と鄙の女性たち」『摂関政治と王朝文化』（吉川弘文館・二〇〇二年）
・阿倍猛「このドロボー野郎」『日本歴史』第六四二号（吉川弘文館・二〇〇一年）
・飯島太千雄「歴史に抹殺された女性の書」『日本歴史』第六二〇号（吉川弘文館・二〇〇〇年）
・佐々木宗雄『日本古代国制史論』（吉川弘文館・二〇一一年）
・網野善彦『続・日本の歴史をよみなおす』（筑摩書房・一九九六年）
・田上太秀『仏教の真実』（講談社・二〇一三年）
・堀井令以知『ことばの由来』（岩波書店・二〇〇五年）
・坂下圭八「あだ・かたき・敵」『朝日百科日本の歴史』七二・七三（朝日新聞社・一九八七年）
・佐佐木隆『日本の神話・伝説を読む』（岩波書店・二〇〇七年）
・溝口睦子『『風土記』の女性首長伝承』『家・社会・女性』（吉川弘文館・一九九七年）
・村山修一「愛宕という地名」『日本歴史』第六六八号（吉川弘文館・二〇〇四年）
・阪下圭八「陸地・陸屋根・ろくでなし」『朝日百科日本の歴史』七七（朝日新聞社・一九八七年）

・李永植「古代人名からみた「呉」」『日本歴史』第五〇二号（吉川弘文館・一九九〇年）
・佐藤美智代『日本語の源流』（青春出版社・二〇〇二年）
・高橋昌明『武士の成立武士像の創出』（東京大学出版会・一九九九年）
・高橋昌明「境界の祭祀」『日本の社会史』第二巻（岩波書店・一九八七年）
・中村義雄『王朝の風俗と文学』（塙書房・一九六二年）
・ゲイリー・P・リュープ『男色の日本史』（作品社・二〇一四年）
・元木泰雄『河内源氏』（中央公論社・二〇一一年）
・野口実『武家の棟梁の条件』（中央公論社・一九九四年）
・目崎徳衛『王朝のみやび』（吉川弘文館・二〇〇七年）
・速水侑『平安仏教と末法思想』（吉川弘文館・二〇〇六年）
・亀谷弘明「情報と社会…古代の烽…」『歴史と地理』五一四（山川出版社・一九九八年）
・犬木努「「未曾有」の巨大地震」『史学雑誌』第一二一編第一号（史学会・二〇一二年）
・高木徳郎「中世の地震と津波」『歴史と地理』No.六五七（山川出版社二〇一二年）
・寒川旭『地震の日本史』（中央公論新社・二〇〇七年）

# 第七編　日本人の心性と日本人論

# 第一章　日本的なるもの

## 一　歴史や伝統について

### ㈠　流動する「日本」・「日本人」

**等身大の姿を知る**

表題を「日本的なるもの」としたのは、私たち日本人が自らの姿を等身大で知ることが必要だと思うからである。個人の場合でも、他人や社会を理解する前提として、「自分とはどのような存在か」を理解していないと他人との人間関係や社会でのあり方がきちんと築けない。「日本的なもの」を把握することで、私たちが自覚的にその伝統を取捨選択し、より良い未来社会も創造することが可能となる。そして将来や未来にわたって受け継ぎ大切にしていかなければならないこと、あるいは逆に将来や未来にまで受け継ぐべきではないものにも目を向け、そのうえで日本のあるべき将来像を考えてみたい。

「日本」や「日本人」はあたかも自明のように扱われるが、実は不定形で流動的である。五世紀から八世紀にかけて大陸での戦乱を逃れて大規模な人の移動があり、倭国に大挙して渡来してきた。日本は彼らが携えてきた当時の先端文化を取り入れることによって誕生したのである。日本列島に定住した渡来人について、関晃氏は、「祖先の数を計算してみればすぐわかることだが、現代の我々の一人一人は、全て千数百年前に生活していた日本人のほとんどの血を受けていると言ってよいほどである。…われわれの祖先が渡来人を同化したというような言い方がよく行われるけど、そうではなくて、渡来人は我々の祖先なのである。彼らのしたことは、日本人のためにした仕事ではなく、日本人がしたことなのである」と言う。だから日本文化という場合も、そこには濃密な外来文化が含まれている。その渡来人の大半は朝鮮半島からやってきた人たちである。

たとえば、平安時代の氏族の系譜を記した『新撰姓氏録』によると、当時の貴族の三分の一は朝鮮半島の出自を持つ人々である。その後の長い歴史の中で混血していったから、現在の日本人でそうした渡来人の血を引いていない者はいないだろう。渡来人が我が国に同化したというが、渡来人は私たちの先祖そのものである。渡来人との混血が広まる中で現在の日本人と日本文化が形成されていった。優れた固有の文化を持つ純粋な日本人が渡来人のもたらした新しい文物に触れて文化を発展させたと考えるのは幻想である。

それは古代においては東北地方には蝦夷が住み、大和王権や律令政府がしばしば征夷を行っているように、それらの地は日本ではなく、また蝦夷は日本人ではなかった。それは南九州の熊襲や隼人の場合も同様である。このように時代によっても様々に姿を変えている。また「日本的」という場合も、初めから固定的な「日本文化」があってそれが外の文化と接触したというのではなく、その交流そのものが「日本文化」の母胎であるという視点が大切である。

## 日本文化は累積の文化

日本の外来文化に対する接し方の特徴は、時に大規模な人の移動はみられたが、概して人の交流が少ないこと、文化を選択的に摂取していることである。人の交流の少なさは、社会や生活から切り離した形で文化を受け入れることを可能にした。一定の距離をおいて高度な先進文化を見ることができ、またその優秀な文化によって征服されることも避けることができた。つまり受容しにくい部分は切り捨てる、あるいは変形して取り入れるというように選択することができた。文化の波及が直接的でないために、そうしたことが出来たが、しかしその反面、古いものが精算されず、積み重なっていくことになった。またそうした受容のあり方は、外国文化と自国の社会との深刻な摩擦は起こりにくくなる。深刻な摩擦が希だったということは、外国文化の最も重要な部分と真剣に対決することなく過ぎてきたことを意味する。技術や応用や模倣に優れているという日本人の特色もここから培われたものである。日本と外国との関係を考えるうえでこうした歴史を念頭においておくことは極めて大切であろう。

文化には移り変わる文化と累積する文化とがあるが、このように日本の歴史は多くの点で後者の特徴を持つ。たとえば日本の中世において我が国は自前の通貨を造ることをせず、中国の宋銭や明銭などの輸入に頼っていた。陶磁器生産についても唐物に依存していた。それは中世の人にとっては、大量に入ってくるものをわざわざ自分で作ろうという発想がなかった。そこに古いものでも有用であればそのまま使うという文化、あるいは創造するよりも外から取り入れるといういわゆる累積文化の様式を見て取ることができる。そこでは政治や制度、あるいは物にしろ、使えるものは新調せず古いものを使い続けていく。しかし過去との連続性が強いということは、それは不可避的に変化の画期の先送りにつながる。日本人の多くは「時間は心を癒やす薬」だと考えている。「時間さえたてば過去の問題も全てなかったことになる」「時が解決する」「水に流す」など、忘却は一種の美徳にさえなっている。

時間の継続という感覚は他の民族に比べ格段に短い。せっかちな民族で、記憶はせいぜい三十年で、その先は忘却の彼方に消えていく。だからいずれどこかで非常に大きな画期がないことには歴史の帳尻が合わなくなる。その大きな画期が古代の律令体制の導入、明治維新以後の欧米化路線、そして戦後のアメリカ化である。その時、新しい国家の規範を中国、欧米、そしてアメリカに求めた。古代では朝鮮半島からの先進文化を伴った大量の渡来人、明治には欧米からの大量のお雇い外国人、戦後はＧＨＱの施政下でのアメリカ人である。いずれの場合も、大きな転換点を乗り切るために朝鮮と中国・欧米・アメリカという外国の制度や文化を必要としたことが共通する。日本は常に外国をモデルにして国家形成を行ってきたが、しかしそろそろ外にのみ価値観を求めるあり方は改める必要があるように思う。混沌とする現代社会にあっては内なる自分を見つめ、そのうえで国の進むべき道を模索すべき時代になっている。その内なるものというのが「日本的なものの伝統」である。

## 「日本的なもの」の伝統

伝統というのは古いもの全てが継承されるわけではなく、ある時点において価値あるとみなされるものは継承され、価値のないとみなされたものは淘汰されていく。伝統は現在の人間が発見し、それに価値を意味づけていくということであり、そうすることによって伝統が未来をも支配できる力を持つことになる。ただ未来をも支配することのできる伝統は普遍性を持つもので、そのためには伝統への反省や伝統との対決も欠かせない。その格闘のうえでこそ哲学は生まれる。そうした姿勢が日本人に欠如していることが問題である。

「日本的なもの」とは言うものの、日本文化は多くの外来文化を寄せ集めて形成されたものだから本当に日本独自のものを見いだすことはなかなか難しい。江戸時代の国学の大成者本居宣長は大陸から伝来した儒教や仏教を排し、我が国固有の道を求めた。また著名な民俗学者柳田国男は仏教以前の日本人の霊魂観を明らかにしようとしたが、その試みは挫折する。さらに思想家の丸山真男も日本の思想には「古層」

があり、それを日本思想史を貫通する「執拗低音」と捉える。いずれも我が国にはその歴史を貫く一貫した不変の「古層」があると考えているが、そうした「古層」は日本文化の発生時からあったのではなく、それ自体も歴史的に形成されてきたものである。それがどのような過程を経て形成されたかを検証することによって「日本的なるもの」の実体が明らかになると思われる。

『古寺巡礼』の著者和辻哲郎は、その「日本的なもの」について次のように指摘する。日本の文化がインドや中国の先進文化を受容したことを消し去ってしまえば、日本人の創造的な仕事の大部分は、つかまえどころのないものになってしまうと言う。我が国は縄文時代以来のアニミズム的文化を持っていたが、それ以後は大陸から伝来する様々な思想や文化を摂取し、風土に合った形で咀嚼してきた。それらを完全に排除して日本固有の文化を求めるのは難しい。我が国固有の文化と言われる「神道」や独自の宗教的現象とされる「神仏習合」にしても、それらは大陸から受け入れた文化だったことが明らかになってきている。新しい思想や文化を次々と受け入れ、消化することが我が国のスタンスだったのである。

ただその中で、直輸入された思想や文化はそのままの形で受け入れられたのではなく、様々な形に改変されている。その改変の中身を問うことで我が国の文化の深層を知ることができる。つまり伝来したものに新たに付け加えられたり、また増幅されたものは何か、逆に伝来したものの受け入れられずに削除されたり、卑小化されたものは何か等々を探ることで我が国の自画像も見えてくる。

### 日本文化は外来文化をベース

水田稲作と主食としての米は日本文化に深く根ざしているが、それもまた外来文化の受容の一つだった。民俗学の父柳田国男も「イネがこなければ今の日本民族は成立しない」と言い切っているように、外来文化なしに日本文化を語ることはできない。その一方で、先の和辻は摂取者・加工者としての独立性を持ち続けたことによって日本文化の華が開いたという。つまり日本文化の前提はインド仏教、中国思想で、それとの関わりの中で成立したと考えている。そうであれば「日本的なもの」とは「原文化」を前提とするのではなく、文化と文化の接触によって生じる変化や飛躍、あるいは文化が複合することによって生み出される精神の厚みであると言うことができる。

そのことについて、本書で何度も登場した紫式部が『源氏物語』「乙女の巻」で光源氏の口を通して「才《さえ》を本としてこそ、大和魂の世に用ゐらるる方も強ふ侍らめ」と述べている。これは源氏が夕霧に学問をしっかり身に付けておれば、親が世を去った後も憂いがないという、夕霧への深い愛情を示した場面であるが、それは同時に紫式部自身の考え方でもある。そしてこの場面で使用されている「才」は「漢才」で漢文学・漢詩のことであるが、もう少し広くとると、外来文化という意味になる。そして「大和魂」は戦時中に使用された日本精神などではなく、教養や判断力のことである。あるいは原理原則にとらわれず柔軟に現実に対処できる才覚の意味もある。したがってこの文章は、「外来文化をベースにしてこそ、日本人の教養や判断力は増々世の中に強く働いていく」というのである。このことを指摘した上田正昭氏は、渡来の文化と在来の日本文化とを受け入れ、変容して日本独自の文化に育てていく、そうした有り様が日本文化の特色であると述べている。外来文化をベースにするためその摂取については非常に敏感であり、それらを取り入れて、いわば「雑種文化」を作り上げてきた。それは「和魂漢才」で、明治には「和魂洋才」という言葉になる。しかし、在来文化のある所に外来文化が入っていくのだから、そこに軋轢が生じるのも当然である。たとえば、仏教が我が国に伝来した時に、崇仏派の蘇我氏と排仏派の物部氏とが激しく対立し、戦争にまで発展した。それはそれ以前より存在していた大王を中心とする在来の神と大陸からの新しい神との衝突であった。

そうした例を二つあげよう。一つは『万葉集』である。『万葉集』は七世紀後半から八世紀後半の約百年の間の歌を収録しており、その百年は「万葉の世紀」と称される。一方、その前半の時代は律令制の導入によって国制の大改革が行われ、それは中国から導入した最先端の統治システムだったから、その背景の中国文化を上位に位置づける傾向が生じた。その結果、日本の伝統文化は「旧俗」とされ、歌の世界も漢詩に対し和歌が低く位置づけられ公的世界から駆逐されていくことになった。

「万葉の世紀」について、矢嶋泉氏は次のように指摘する。前期万葉歌人の柿本人麻呂の活動は文武四（七〇〇）年を最後に事実上停止し、その後、養老七（七二三）年から山部赤人らの活動が急速に活発になるが、その間の二十余年にわたって公的な場で作歌活動をした歌人は誰一人存在しない。こうした宮廷歌人の不連続な存在の仕方からみて、『万葉集』の全時代にわたって和歌が公的な地位を保ち続けたと考えるのは正しくない。むしろこうしたあり方は、和歌が公的世界から確実に沈下しつつあったことを意味するという。このように歌の世界においても、漢詩と和歌という文化のせめぎ合いがみられ、公的な場こそ漢詩に奪われたが、和歌も消滅することなく残り、後に『古今集』によって漢詩《からうた》に対する倭歌《やまとうた》として定位され、同時にそれを書くための平仮名も漢字に対する国字として定位されることになる。その結果、現在に至るまで、外来文化と在来文化の二重構造が今なお存在しているのである。

今一つは、最も「日本的」なるものとされる禅の文化である。外国人が日本文化に関心を抱く入り口となるのは禅であることが多い。そこには「わび」「さび」の精神があり、それが茶道や華道の基盤を形成しているからである。ただもともとの禅は中国禅を導入したものだったから、その頃の禅宗は「日本的」なものからはほど遠かった。たとえば五山文学の代表絶海中津《ぜっかいちゅうしん》の詩は、「日東語言の気習なし」と言われた。その詩の表現に日本臭さがないことが称讃されている。この当時、建長寺の蘭渓道隆《らんけいどうりゅう》、円覚寺の無学祖元などは著名な中国渡来僧であるが、彼ら以外にも中国禅宗界で名匠の誉れの高かった大物が次々と日本の地を踏んだ。渡来僧は来日すると、建長寺に入ることが慣例となっていたから、同寺では十代までの往持のうち八人が渡来僧だった。そのため建長寺は「唐僧渡り唐国の如し」と形容された。博多・京都・鎌倉にも次々と禅寺が建てられ、寺院の建築様式はもとより、生活文化の面でも、当時の日本の中で最も異国風の空間であった。この禅宗は仏の悟りを伝えるのに「教外別伝」や「不立文字」ということを強調した。教外別伝は言葉や文字を使わず、心から心に直接伝えること、不立文字は悟りの内容は文字や言葉では伝えられないというように、禅には言葉では説明しきれないとする、言葉軽視の考え方が見える。このように日本人は言葉を尽くして説明するということを切り捨ててきた歴史があり、それが哲学や論理学が根付かない背景でもある。和歌や俳句もまた、言葉を尽くして説明するよりも、言葉を細かく切って、そこに微妙な意味を持たせている。能・茶道・華道もみな言葉から離れた文化の形である。

## 純日本文化の探求は「らっきょうの皮をむく作業」

日本の文化摂取は、和様と唐様という相反する要素を対立しながらもうまく融合させてきた。よく言えば、融通無碍、悪く言えばいい加減というやり方であった。だから外来文化がそのままの形で今日まで残っているのは希で、多くは我が国に入ってから改変され、変容している。したがって歴史の始まった時点から特殊な「日本的なるもの」が存在したのではない。外来文化を全て取り去ったあとに残る、いわゆる純日本的なものを探求することは所詮徒労で、「らっきょうの皮をむく作業」に終わってしまう。「日本文化の特殊性」を強調する一方で、「日本文化の模倣性」を強調する日本文化論が流布しているが、他地域の影響を受けない「日本独自」の文化を血眼になって捜してもそれは無駄であろう。

私は「日本的なもの」は基層としてあるのではなく、その外来文化が我が国に取り入れられてから、改変・変容する姿こそが「日本的なもの」と考える。日本では文化は常に先進国から完成した形で入ってきたから、自分で作り出すよりそれを模倣し、都合の悪い所だけ改変する改良型技術を育ててきた。そういう風土が「新しいもの好き」の意識を生んだ。新しいということ自体に高い価値をおいているのは世界的にも珍しいと言われる。

一方それと表裏一体の関係にあるのが、「使い捨て」である。例外的に茶道具のように骨董の価値を認めるものもあるが、古いものは喜ばれない、そのために「使い捨て」が行われる。古代や中世の遺跡から大量のかわらけが出土するが、これは儀式や宴会の時に一度だけ使用して廃棄されたものである。二十年に一度建物を建て替える伊勢神宮の式年遷宮も、建物の使い捨てであるが、それが日本の伝統文化となっている。新たに立てられた檜の神殿は神々しく輝いているが、この檜や杉のような針葉樹は年月と共に劣化が激しく、その美しさを長く保つことが困難なためである。こうしたことから新しいものを貴び、古いものを捨てるという感覚が形成されていったのであろう。ただ新しいものを貴ぶのは先進的なもの、技術的なもの、革新的なものと言うより、もの自体の新しさのことであり、いわば時間的な新しさである。そのことは時間的な蓄積や歴史的蓄積というものに価値をおいていないことでもある。日本人や日本社会がその特徴的なこととして、現世第一主義で、戦争責任や平和への誓いなどの過去を簡単に忘れるということもこうしたことと関係がある。

## (二)「日本的なもの」の内容

### 汎神教の世界観

「日本的なもの」の中味は以下に述べる八点に要約できるのではなかろうか。その第一は、汎神教の世界観である。外来文化が入ってくる以前の縄文時代の宗教観を一言で言えば、一種のアニミズムであろう。日月星辰、風雨雷電の自然現象を含む森羅万象、山岳・河川・海岸・森林などの自然、異常な力を持つ動物、

神獣の鹿

家屋・船舶・刀剣・鏡等の人工物などに神霊の存在を認め、これを「カミ」と呼んだ。このように一木一草に至るまであらゆるものに神の存在を見る汎神教の世界観を特徴としている。アニミズムには発達以前というニュアンスもあるが、自然に対する畏敬の念を抱き、自然に対して傲慢にならないことは、新しい時代の新しい思想になる可能性がある。それは仏教世界にも及び、伝教大師最澄が「山川草木悉有仏性」と述べている精神と通じている。世界の色々な地域にも多神教は見られるが、日本のはっきりとした四季とその豊かで独自の自然環境で生成した世界観はやはり特殊なものである。日本は相対的に自然に恵まれているためその恩恵に受動的になり、自然をコントロールする法則を追求する方向に向かわなかった。全てのものに神が宿るのであれば、それらに恐れを抱き、同時に謙虚でなければならない。

一方、人間が罪を犯し神の怒りをかえば、災厄がふりかかってくることになる。しかしありとあらゆる神の中でどの神がどのような罪で怒っているのかは、通常の人には判断できない。その様々の神の真意を知ることができるのがシャーマンで、その方法が呪術であった。みそぎ・祓いのような呪術的儀礼によって罪をすみやかに除去する。ここには神という「みえないものを見る」ということが、大切になる。現在において

神聖なる「お白石」

も「大切なものは目にみえない」という言葉に多くの人が共感するのはこうした歴史的伝統を背景にしているからである。ただその一方で、ここには罪に対する懺悔や反省といった内省的形式をとっていないことにも注目したい。罪があっても禊ぎのような簡単な方法で除去できるという考えは、戦争の加害や原発の放射能など、都合の悪いことは早く忘れるという発想と同根である。

## 性善説的人間観

第二は、性善説的人間観である。西欧ではフランスの哲学者デカルトのように、全てを徹底的に疑うことや、ホッブズのように「万人の万人に対する戦い」「人は人に対して狼」とする考えの根本には、性悪説的人間観が横たわっている。だからこそ契約という考え方が生まれ、それによって社会の調和を図っている。それに対し、我が国でそうした考えが育たなかったのは、基本的に人を信じる心、換言すれば「清き明き心」こそが人間関係の根本と考えられていたからであろう。今日でも、「できる人」よりも「信頼できる人」が重視されるのは、こうした伝統の故であろう。全ては人と人との関係の中で決められていく。ここには絶対的な善や悪という思考は見られない。今日でも情況の変化に疎い人を「ＫＹ（空気が読めない）」として非難する言動に現れているように、情況に敏感な感覚を持ち、それにつれて変化させていくという状況主義は、思想・文化はもとより、全ての行動においても通底していると言ってよい。

## 曖昧で情緒的な文化

第三は、微温性と情緒的・曖昧さを好むことである。中国では迎春の呪術に「犬の磔」があった。春を無事に迎えるために木気を損なう金気を剋する方法として金畜の犬を都城の門に磔にした。季節の正常な運行のためには犬の犠牲はやむをえないと考えられていたが、我が国ではそうした激しさや残酷な行事はそのままには受け入れられていない。迎春の呪術は残しながらも、それよりはるかに温和な手段がとられ、犬の代わりに豆などに変えられ、これが節分の豆まきの行事として定着した。また人物編でみた後醍醐天皇のような過激な人物は好まれず、その一方で「和を以て貴しとなす」という聖徳太子に圧倒的支持があるのも、こうした微温性の故であろう。過激なものを温和なものに変えていくのも日本人の特性の一つである。

奈良・平安時代の律令制下では、律令の学問体系の明経道を身に付けることは官人になる必須の条件だった。しかし後になると史書と文学書を学ぶ学生が増加し、教官にも文章博士が置かれるようになり、その地位が次第に上昇した。日本人の心情は、抽象的な儒教の教理よりも具体的な歴史上の事実や万人の感情に訴える詩文に心が動かされた。このように抽象より具体性、原理よりは情緒を重んじる日本人の内面的な事情を見て取ることができる。平安中期の歌人で批評家の藤原公任は、歌の優秀さを九等に分け、その最高は「ことばたへにしてあまりの心さへある也」と言う。それは言葉の妙を尽くして余情の表れる境地であり、それを説明するのに次の歌をあげている。

「ほのぼのと明石のうらの朝霧に島がくれゆく舟をしぞ思ふ」。この歌の良いという所以は、主として言葉にはない含意をほのめかす力にあるという。主語を省くことによって起こる曖昧さによって歌のどこにも明示されていない雰囲気と情緒を暗示する。この歌の暗示こそが美しさの源泉なのである。それはきちんと整っている完璧性を嫌うことにも通じている。均整や規則正しさは暗示の力を阻害し、限定することなるからであろう。『徒然草』第八十二段には、「すべて、何も皆、ことのととのほりたるはあしき事なり。しのこしたるを、さて打ち置きたるは、面白く、生き延ぶるわざなり」とある。吉田兼好は日本人がなぜいびつさを好むかという理由について、何事につけて、物事がきちんとしていない方がよいのだと言っている。またある僧が「なんでも一揃い完全に整えようとするのはあまり賢明でない人間のすることだ。不完全な方がよいのだ」と言ったことに感心している。いずれも曖昧さを好む心情を吐露している。

## 集団性、寄せ集めの文化

第四は、集団性である。日本人は群れを作るとよく言われる。政治の世界の派閥が大きな力を持ったり、原発事故で注目を集めるようになった「原子力村」などはそうした例である。その集団には結束力が強く働くが、一方では他の集団を排斥したり攻撃することにつながる。その力が大きくなると、先の微温性とは全く逆の強い攻撃性になって表れる。豊臣秀吉による朝鮮出兵やアジア・太平洋戦争などはそれが表出した場合である。和辻哲郎は日本人の特色を、しめやかでありながらも突然激情に転じるような感情と戦闘的でありながらもその底に諦めを宿した心境という二重性格にあると言う。日本人には執拗に持続する感情の強さもないし、また逆に最初から戦闘的な性格を欠いた単純な諦めもなく、感情の高揚を非常に貴びながらも執拗を忌むという複雑な二重性がある。そこにはきれいに諦めるということが、猛烈な反抗・戦闘を一層嘆美すべきものにするという逆説がある。日本人の心性の中に強力性と無力性の双方が共存していると言う。

その集団性は芸術の中にも見いだすことができる。後の俳諧につながる連歌などはその典型で、制作者と享受者の区別はなく、参加者全員で一つの作品を創作していく。その場合、前の句をよく鑑賞し、その意図をしっかり理解したうえで、それと不即不離の関係を保ちながら独自の句を作る。ここでは各人が個性を発揮しながらも全体の統一が求められる。次々に句を付けていく展開の妙に芸術形式の本質がある。

そうした集団性は建築の場合にも言える。日本の建築の特徴の一つに建て増しがある。西欧のシンメトリーをなす方式ではなく、当初の全体的な計画がなく、部分の寄せ集めによって成り立ち、時と共に変化していくため非対称的となる場合が多い。我が国の代表的な数寄屋造建築の桂離宮も、初めから現在の桂離宮の形があったのではなく、建て増しによって変化に富みながらも統一感のある美しい建築となった。その建て増しは方向を間違えると無秩序となるから、先行して建てた人の意図や気持をどこまで汲み取ることが出来るかにかかっている。桂離宮は集団性、寄せ集め文化の象徴であるが故に日本文化を代表する建築物とされるのである。

## 現世利益と手軽さの文化

第五は、現世利益と手軽さである。あまり仰々しいこと、大げさなことより洗練された小ぶりなものを好む傾向がある。建築で言えば、豪壮な石造りよりも木造の建物を好む。また盆栽や枯山水の庭園など、大きなものを小さくして表現する。また長い文章で表現するべきことをより少ない文字で表現する短歌、さらにそれを十七文字までに凝縮した俳句などに見られるように「縮みの文化」を好む傾向が強い。一方でそれは手軽に成果を得ようとする性急さにも通じる。二つ例をあげよう。

一つは戦国時代の鉄砲伝来である。種子島に漂着したポルトガル人によって鉄砲が伝えられたが、その二年後に訪れた同国人が堺・紀伊・九州の各地で鉄砲製造がかなりの規模で行われていることを知り、驚嘆した。ルイス・フロイスは「並外れて優秀な民族」と評した。今一つ明治の文明開化の時代に西洋から知識や技術を習得したことについてである。その頃に日本に来ていたベルツが次のように語っている。「外国人教師たちは熱心に科学の精神をこの国に伝えようとした。しかし日本人が受け取ったのは、既に実った果実だけであった。彼等は日本の土壌に種子を播き、樹を育てようとしたのに、果実の切り売りをする人としてしか扱われなかった。樹は正しく育てられれば幾らでも果実をつけるが、切り売りされた果実は食べるだけで育たない」と。つまり成果だけを受け取り、成果を生み出した精神を学ぼうとしないのでは科学は育たないというのである。

このように日本人は現在主義の傾向が強く、新しい知識や技術をすぐさま取り入れる能力に優れている。その一方で、現実を超える価値や宗教などに責任を持って正面から向き合うことをしない。それは目先の現在のことだけ考え過去のことや未来のことを心配しない、つまり長い時間単位で物事を考えるという歴史認識の弱さに通じている。

## 名誉や肩書を重んじる文化

第六は、先の手軽さと関係するが、名誉や肩書に弱く、せっかちにそれを求める傾向が強いことである。一例をあげる。我が国では古代の政治支配の制度として中国から律令制度を取り入れた。その律令制度は次第に換骨奪胎され、日本的な新たな秩序に再編されていく。その典型が売官制度の一種の揚名官職である。売官制度そのものは中国でもヨーロッパでも広く見られたが、日本の揚名官職は世界的にも大変珍しく、そこに日本的なものを見ることができる。通常の官職の場合、任官することで官吏の権限、それに伴う経済的利益、それに名誉の三つが得られる。売官は国家の経済的窮乏を救う手段であったが、それは名誉・行政権・得分を内包する権利として売られたから、その権利を買った者は支配者層の新興勢力となることができた。

これに対し、古代日本の売官制度は大きく異なる。奈良時代の蓄銭叙位令や成功《じょうごう》などはよく知られた売官制度であるが、しかし地方の有力者が蓄銭・献物などで叙位されても、それは下級の位階で実態ある官職につくことはほとんどなかった。そして平安中期以降になると、支配層とは考えられないような人々が各種の官職を肩書の一種として、いわば勲章のように顕示する現象が目立ち始める。この揚名官職は、直接の行政的権限・経済的権益を内包するものではないから、それを推挙する側には、主従関係の強化や経済的利益のメリットがあり、国家にとっても新興勢力となって権力が移行する心配もなく、また給与支出も不要であるというメリットがあった。その官職や称号の秩序の中心は天皇でその社会的・心理的距離を演出する表象としての役割があったから、官職を貰った者は名誉欲を満たすことができたのである。

この名前だけの揚名官職は中世・近世を通じて社会の各層で価値あるものとして享受され続けていく。そして国司の場合であれば通常の任期は四年だったが、任官希望者多くなると、彼らの要望を叶えることができない。そこで考え出されたのが、その任期を短期間にすることだった。四年の任期を一年に短縮すれば四名の任官が可能になる。さらに数ヶ月にすればもっと多くの者に官職を与えることが出来る。こうして大量の任官者を生み出したが、一度任官した者は終生その肩書を名乗り続けても問題視されなかった。それは同時期に同じ官職を名乗るものが多くいたという事実からも明らかである。

古代にも肩書が有り難がられていたことがよくわかる。本当にその人となりを見ようとすれば、相手をしっかり知ることが必要で、それによってその人の内実を自分で評価して判断しなければならない。しかしそれは時間はかかるし、面倒なことである。肩書きは他の人の評価であるが、それに乗っかかっておればば、手間もかからず、安心できるからであろう。それは自分の頭で物事を考えようとしない態度に通じるのである。

## 日本の名刺社会

名刺という言葉も古代の中国で生まれた。中国では地位のある人に会うとき、まず名刺を取り次ぎに渡す習わしがあり、我が国もこの風習を取り入れた。しかし今日、世界中で最も頻繁に名刺交換を行っているのは本家の中国ではなく日本である。肩書と氏名を記した小さなカードを差し出し、自分が何者であるかをそっと知らせ、上下関係を確認するというのはいかにも日本的という感じがする。

我が国では長く上下関係が重視されていたことから、相手に対する尊敬語、自らを謙遜する謙譲語が多くある。しかし世の中全体に上下関係が緩やかになってきたことから、使われなくなった言葉も多い。たとえば自分の家族のことを、かつては「愚妻」「愚息」「豚児」、また自分のことを「愚才」「拙者」「小生」

などと言っていた。しかし、今の時代にこのような言葉を使う人に滅多にお目にかかることはなくなった。家族や身内の者には敬称を付けないということがかつては常識だった。「私の父」「私の母」「私の妻」という具合で、そうしないことは非礼とされていた。しかし今は普通に他人に身内のことを話す場合でも「お父さん」「お母さん」「嫁さん」などと平気で呼んでいる。わずかに「粗品」「粗茶」「拙稿」などが残っているが、いずれこれらも文化遺産として残ることになるのだろうか。

その上下関係がはっきりするのが、おじぎである。おじぎは視線を相手からはずして一番大切な頭を下げ、相手に敵意のないことを伝える。握手も右手を相手に委ねることによって敵意のないことを示すものである。究極のおじぎは土下座であるが、それも長い歴史がある。最も早く見えるのは『魏志』倭人伝の記事である。そこには「下戸、大人と道路に相逢うへば、逡巡して草に入り、辞を伝え、事を説くには、或は蹲り或は跪き、両手は地に拠り、之が恭敬を為す」という有名な一節がある。土下座をしている様子を記すが、それは正しくは跪礼と言った。『魏志』倭人伝にこうしたことが記されたのは、中国の儀礼のあり方と大きく違っていたため、特に強い印象を与えたものと思われる。

しかし七世紀に入ると遣隋使や遣唐使の派遣によって大国中国の情報が入手できるようになると、その例にならって制度はもとより、服装や儀礼に関するものも大幅に変更が加えられた。その一つが土下座（跪礼）の廃止であった。天武十一（六八二）年八月「礼儀言語の状を詔したまふ」とあり、さらに同年九月に「今より以後、跪礼・匍匐礼《ほふくれい》、並びに止めよ。更に難波朝庭（孝徳大王）の立礼を用いよ」という命を出し、宮廷での礼儀を中国風に立礼にし、その徹底をはかろうとした。匍匐礼というのは大地に上体を倒し、膝で進み出る礼で、最高の敬意を示すものだった。これに比べれば立礼は今でいうお辞儀にあたるものだから随分と簡単である。しかし長く根付いた風習を変えるというのはどの時代でも難しい。「大君は神」と詠われた天武天皇の絶対的な権力をもってしてもなかなか改められず、この時の命令もあまり効果がなかった。それは我が国では人を敬う場合、立礼では十分な敬意が伝わらないと考えたためであろう。土下座が最敬礼というのは幾多の改革の中で生き残っただけに、今でも究極の礼として時に使われるのである。

## 「公」と「私」の境が曖昧な文化

第七は、「公」と「私」の境が曖昧なことである。古代の官吏の任用は令の制度に基づいて秩序づけられていた。そこでは私的に官人を任用することは当然禁じられていたが、平安時代になると、天皇や上皇は近臣を殿上人として組織したり、蔵人などに登用するようになる。公的秩序に私的近臣関係が入り込み、社会の構成原理が大きく変化してくる。日本人は公私の区別が曖昧といわれるその端緒がこの時期に形成される。平安時代前期には、天皇は紫宸殿で政務を執り、それが終わると私的居所であった清涼殿に戻った。ところが宇多朝頃には、清涼殿が日常的な政務の場として使われるようになった。政務という公の場と私的な場とが一緒になったのである。

## 強い家族主義

第八に、我が国では共同体（公民）意識や家族主義が強いことである。日本の歴史を振り返ってみれば、「日本」国号を初めて持った時の根本的な原則は儒教思想に基づく律令制で、その律令制は公地公民制によって支えられていた。それは全ての土地と人民は公（天皇）のものであり、そこには一つの大きな共同体が観念されていた。公民とされた人々には男に二反、女はその三分の二の田地が支給されていたから、「みんな同じ」という感覚が共有されていた。また人々が安寧に生活することの責任は国家（天皇）にあると考えられていたから、災害などがあった場合には、それなりの救援は当然のことと考えられていた。もちろん今日においてそのような天皇中心の国家観は通用するものではなく、またその公地公民制も土地の私有化（荘園）によって次第に形骸化していったから、そうした建国の思想がずっと続いていたというわけではない。しかし儒教に基づく律令制は、明治の初年に廃止されるまで千百年以上存続していたし、また江戸時代には儒教思想が幕府の統治思想として強化されていった。

こうした歴史から見ると、儒教の共同体（公民）意識や家族主義は多くの日本人には容易に受け入れやすいものであったようである。そうした風土にアメリカ流の自助意識や自己責任をそのまま持ち込んでも、定着することは難しい。私は儒教思想の復活を主張するつもりは毛頭ない。むしろ儒教思想が一人一人の人権を大切にする良い意味での個人主義を阻害してきた側面もあり、単純な復活については当然反対である。しかし共同体意識や家族主義は東日本大震災以来の標語である「絆」に象徴され、また家族愛や地域社会の結びつきを強調した朝ドラ「あまちゃん」が多くの人々から熱狂的な支持を得たように、それは日本人の歴史風土に根付いている。

日本企業では従業者の当事者意識がすごく強いという。契約内容以外の仕事はしないというのではなく、皆で智恵を寄せ集めて問題を解決してしまう。それは皆な企業という共同体の一員であるという意識があるからであろう。日本が明治以降、急速に近代化に成功したのはムラ集団にある目標を達成するための技術と精神を養っていたからである。我々の日常会話の中で、「お元気ですか」と言われると、「おかげ様で元気にやっています」という挨拶をよくする。それは誰か特定の人のおかげ様ではなく、自分を取り巻く多くの人や自然のおかげという意味だから、人は生かされているという心情がある。そこには日本人の中に人や自然と共生してきた文化が宿っている。日本人は伝統的に絆や縁を結ぶのが上手で、そうしたことに共感する気持が強いと言える。以上の八点が日本文化の心性であり、それが我が国の伝統である。

## 二　日本人の伝統的心性の弱点

### (一)　客観的基準や絶対的価値基準がない

**人間関係によって立ち位置が決定**

今まで「日本的なもの」の特徴を見てきた。四季が明確で豊かな自然に抱かれるように生きてきた日本人の心には、いつしか人生と自然を一体化し、その移ろいやすさをいたわる細やかな心情を宿すようになったのだろう。和歌や俳句という文学の素地もここに見い出すことができる。日本人には自然を愛する細かい配慮と匠と呼ばれる職人が大切にする努力にかける心意気のようなものが特性としてある。ごく細かい所にまで目の届く技術は国際的にも評価は高い。しかし自画像を正しく理解するためには、そうした美点だけではなく自分たちの弱点や欠点とされる面も直視する必要がある。歴史は見たい歴史だけを見るのではなく、見たくないことも見ることによって歪みの少ない歴史にすることができる。

第一の弱点は、多くの日本人にとって生き方の客観的基準や絶対的価値基準というものがないことである。自分の位置が常に相対的な人間関係によって変わるのは伝統的にそうであった。戦国時代に日本にやってきた外国人宣教師が、日本ほど裏切りの多い国はないと本国に報告しているが、それは当時の日本人にも客観的基準や絶対的価値基準がないから、変化する状況によって自分たちの行動も変わるからである。日本人は「誠実」「誠」という言葉が好きである。それは私心がないということであるが、それは状況によって変わる。極端に言えば、誠実の名のもとに人を殺すことだってできる。だからこの誠実には方向性がないし、誠実にはいつか人が理解してくれるという甘さがある。日本人は生き方において善悪や罪の意識より心情の純粋性を重視した。ただ純粋に生き、純粋に人に関わればよかった。

日本文化には情緒的であるためあらゆることに不徹底という特質が貫通している。善と悪、罪と罰、神と人、人と自然、社会と個人等々の深刻な対立を自覚したものがほとんど見当たらない。哲学や宗教や芸術などは深刻な葛藤を経て形成されるが、我が国ではそれらの分野においても対立を解消させ、溶融させる親和力が背後に見られる。日本の芸術は自然と人生の関連において明確な限界を持たないことを特色とする。社会や人生における対立の自覚の欠如は歴史にも反映される。日本の歴史の社会変革は多くの場合、長期にわたる緩慢なしくずしを経て実現してきた。そこでは古い社会機構がいつも徹底的に精算されることなく、温存される場合が多かった。そのことは日本の政治や社会のリーダーシップのあり方とも深く関わる。客観的基準や絶対的価値基準がない社会では、調和を重んじるタイプのリーダーが望まれるから、内部から改革型のリーダーは生まれにくい。日本での改革は常に外圧を利用して行われてきたのはそのためである。

## 罪や責任と向き合う内省的態度の欠乏

第二には、日本人は罪に対する懺悔や反省といった内省的態度が極めて薄弱だということである。個人が自分の罪と向き合い、厳しく自分の心を見つめることはみられない。自己と厳しく向き合うことによって人の生き方の根本である哲学や世の中の原理・原則が生まれてくる。現在の日本においても、世界的な哲学者が生まれない、日本人は応用は得意だが原理を考えることは苦手だとか、真偽や善悪よりも美醜に価値の基準を置くと言われるが、こうしたことも日本人の伝統的な心性を考えれば納得できるのではなかろうか。しかしそのことが現在の深刻な事態につながっているのであれば、そこから目を背けるわけにはいかない。たとえばアジア・太平洋戦争における敗戦を「終戦」と言い換え、「敗北」した事実に正面から向き合わないこと、アジア諸国への「侵略」したという事実に向き合わないこと、そのことが戦争責任や隣国に対して誠実な謝罪をしないことが、国家間の緊張を高める要因になっている。戦争の決着をつけ、戦没者に対する追悼のありかたなどもしっかり考えるべきであるのに、それが曖昧にされ、いつまでたっても靖国問題を引きずっている。そしてそのことによって日本国憲法や多数の文化遺産など、本来日本が世界に誇ることのできる歴史や民族の持つ多くの優れた歴史的遺産や成果を世界に向かって堂々と主張できないことになる。さらに自然環境・資源・エネルギー問題など、人類が知性と理性をもって未来を切り開いていかなければならない時代状況にあってその方向と全く反することから時代遅れとなり、世界から取り残されていかざるをえない。内省的態度の薄弱さが、今日の外交問題と結びついているのである。

また個人より集団の秩序を優先することから、一人一人の責任の所在が曖昧になりがちである。日本がアジア・太平洋戦争で敗北した時に、誰も責任をとらず日本国民全体が誤っていたからということで「一億総懺悔」となったことはよく知られている。為政者が自己の責任を痛切に感じていないことから、このようなことになったのではあるが、現在でもそれは通底している。あれだけの被害をもたらした福島原発の事故に誰も責任をとらないこと、東京オリンピックの国立競技場やエンブレムの問題も、誰も自らの責任を口にしなかった。こうしたことが日本人の弱点であり、それが様々な問題につながっていることを日本人自身が自覚しておく必要があると思う。

### 空気に流されやすい大勢順応主義

第三は、大勢順応主義の考え方が強いことである。姜沆《かんはん》の『看羊録』には日本の風俗について、「大体その風俗は小事にさとくて大事にうとく、衆人の尊び誉れとすることについては、その後先をよく調べもしないでひたすらそれに従い、一度それに惑わされたが最後、死ぬまで覚りません」と言っている。姜沆は秀吉の朝鮮出兵で藤堂高虎の軍の捕虜となった朝鮮の朱子学者である。その見聞記は日本人を敵として見ているから、当然その評価は低い。しかしその引用の文章は日本人の性質を言い当てている。自分の目で真偽を見極めず、世間の評価を盲信して追従する傾向が多分にある。多くの人々が右を向けば右を向く。そうした国民性だから、一度ある方向に向かうともう止まらない。それは政治・外交からファッションに至るまで共通している。

日本人は歴史は直線進行的で、過去は過ぎ去ったものとして、いつも最新のものを求める。歴史を現在の状況の中での目標選択の栄養にするという思考が弱い。自ずからなった過去から現在が自ずと生じたとすると、現在の情勢というのは変更出来ないものとなる。したがってそれにいかに順応するかということだけが問題となる。過去の情勢と現在の情勢とをつなぐ歴史的主体がないから、現在の時点における大勢への順応ということになる。それはなりゆきに任せて、責任をぼやかし、諦めの早い国民性につながる。そこには主体としての責任や計画の問題もないことになる。

だからこそ二十一世紀をより確かで豊かな展望のあるものにするためには、私たちの歴史認識や歴史意識を鍛えなおす必要である。空気に流されやすい国民であるが、自分の頭でしっかりと考えることが大切である。福島原発の悲惨な情況に対して、東京オリンピック招致の重要な立場にある人が、「東京は福島から二五〇㎞も離れていて、全く影響はない」と発言したように福島の現状を直視することなく、見捨てるような言動をするのもこうした心性の現れであり、それは基地を多く抱えて呻吟する沖縄に対する態度にも通じている。

淡泊で腰が軽く、変わり身の早い点において、日本人は世界の諸種族の中で最右翼にあると言ってよい。自尊心とか妙なプライドは持っていないから、必要となれば恥も外聞もなく取り入れることができる。自我が弱く、他に寛大で、他の長所を認める融通さがある。日本人くらいきれいさっぱりと伝統的な価値観を捨てられる民族は他にないと言う。その変わり身の早さも歴史的に培われたものである。日本人は自らを世界の中心に立つとするのではなく、自分の外に物差しを設定し、それによって自らを測定しようとする。自分を辺境とし、遠くの中心を仰ぎ見る、憧れの他者を鏡としてきた。常に最良のモデルを外に求めてきた。だからかつて憧れていた対象が模範でなくなったとすると、中国モデルを簡単に捨て、先進モデルの西洋へと梶を切り替えるのである。中国にも滞在したことのある幕末のイギリス公使オールコックは、「日本人は中国人のような愚かなうぬぼれをあまりもっていない。（中略）中国人はそのうぬぼれゆえに外国製品の優秀さを無視したり、否定したりしようとする。逆に日本人は、どういう点で外国製品が優れているか、どうすれば自分たちも立派な品を作り出すことができるか、ということを見いだすのに熱心であるし、また素早い」とある。日本人と中国人の違いだけでなく、日本人の変わり身の早さを見抜いている。

## 普遍的な価値観や理念の不在

第四は、原理・原則を重視する思考や普遍的理念を見いだす哲学的思考が苦手だということである。日本国憲法の平和主義は国境を越え、全ての人・社会・国家にあてはまる普遍的理念である。そうした原理・原則を重視しないという国民性であるからそれを否定しようとする人々も多く存在する。日本の歴史に革命という画期になる事件はなく、すべてはなし崩し的な歴史の積み重ねであると言える。昨年議論となった集団的自衛権の問題も、憲法という大原則をなし崩し的解釈によって実質的に改憲するというあり方にその典型を見ることができる。

我が国は為政者も国民も含めて、困難な状況にぶつかると見境なく猪突猛進する傾向がある。そういう時こそあらゆる方面から情報を収集し、思い込みや過信を排して緻密に分析し、原理・原則に立ち返って理性的に対処する必要がある。しかし日本人はどうもそれは苦手であるらしい。思想や行動も極端に偏り、無理をしがちである。そのことは明治以降の「富国強兵」をスローガンとした急速な近代化と軍事化、第二次世界大戦における軍隊の力を過信し、版図を拡大して自滅したこと、戦後の「追いつき追い越せ」を合い言葉に高度経済成長し、経済大国になったこと、いずれも猪突猛進の結果である。いつも目先のことにとらわれて「赤信号皆で渡れば恐くない」式でやってきた。それらの問題とは全く異なるようだが、若い女性の「かわいい」の言葉や、最近はやりの「ゆるキャラ」などとも関連がある。そこには真偽や善悪という原理原則ではなく、手軽でアバウトさを好む風潮がみられる。これらは単に今時の世相を映し出しているだけでなく、その背後には長い歴史に培われた日本人の心性があるのである。

日本の歴史を通じて、日本人が超越的で精神的な価値を至上のものとして掲げた例はない。外来宗教の仏教も結局は習慣化した部分と御利益化した部分に分かれ、儒教もその理念は忘れられ、それは国・社会・個人を治める技術的な知になった。そこに超越的な価値はない。つまり日本人は、歴史を通じて、現実的な価値のみに拘泥してきた。だからこそ唯物主義的な西欧の科学が技術と一体化した形で受容され、明治以降は科学技術が宗教の代用となった。戦後、儒教的・政治的規制が撤廃されると、世界でも希有な世俗的社会として、飽くなき実利の追及に狂奔し、今日に至っている。

明治三十四（一九〇一）年、東洋のルソーと称された中江兆民は晩年の書『一年有半』において、「わが日本古より今に至るまで哲学なし」と言い放った。続けて「而してその浮躁軽薄の大病根もまた正に此にあり。その薄志弱行の大病根もまた正に此にあり。その独造の哲学なく、政治において主義なく、党争において継続なき、その因実に此にあり」と批判する。さらに「そもそも国に哲学なき、あたかも床の間に懸物なきが如く、その国の品位を劣位にするは免るべからず。カントやデカルトは実に独仏の誇りなり、二国床の間の懸物なり、二国人民の品位において自ら関係なきを得ず」と、国には国の哲学が必要だと主張した。

そうした哲学の存否は現在の問題にも直結している。平成二十八（二〇一六）年六月、消費税増税再延期の発表があった。街の人々の意見をテレビで流していたが、多くの人は「何となく反対」「何となく賛成」で、そこに税に対する哲学が見えない。税の問題は、究極的には、この国をどのような国家にするかということに尽きる。アメリカのように「自助の国」にするならば、「小さな政府」となるから税負担は軽くなる。しかしそのことは病気になっても医者にかかれなかったり、どん底の貧困に陥ろうが、それは自己責任として甘受しなければならないし、その覚悟も必要である。それとは逆に、病気になれば保険を使って安価な治療を受けることができたり、また貧しくても生活保護によって最低限の生活は維持でき、あるいは東日本大震災のような災害が起こった時に国や自治体の援助を受けることができる社会を求めるならば、当然、大きな政府になり、税負担も大きくなる。この大前提となる考え方が政府にも国民にも定まっていないから、消費税一つをとっても方針が明確にならないのである。

ギリシャの哲学者プラトンの理想政治である哲人政治を目指せとまでは言わないが、我が国の政治家もこうした国の形という大きな問題に対するビジョンを持って国民に語りかけるべきではなかろうか。国民も政治を人任せにするのではなく、自分たちの望む有り様を政治に要求していくことが必要だと思う。

## (二)　負の歴史に向き合う

### 「過去に目を閉ざす者は現在にも盲目になる」

日本人の弱点は、心情の純粋性を重視し自分の罪と向き合う内省的態度の欠乏していること、普遍的な価値観や理念がなく、空気に流されやすい大勢順応主義であることを指摘した。この日本人の弱点が現在の問題として端的にみられるのが、交戦国・植民地国との和解である。昭和六十（一九八五）年五月八日、ドイツが降伏四十年の日、当時の西ドイツの大統領、のちに統一ドイツの初代大統領となったワイツゼッガー大統領が行った国会演説はよく知られている。

「罪の有無、老幼いずれを問わず、われわれ全員が過去を引き受けねばなりません。全員が過去からの帰結に関わっており、過去に対する責任を負わされているのであります。（中略）問題は過去を克服することではありません。さようなことができるわけはありません。あとになって過去を変えたり、起こらなかったことにするわけにはまいりません。しかし過去に目を閉ざす者は結局のところ現在にも盲目になります。非人間的な行為を心に刻もうとしない者は、またそうした危険に陥りやすいのです」

現在に盲目にならないために、過去の負の歴史にしっかりと向き合うことが大切であるということは名言である。平成二十七（二〇一五）年三月に日本を訪問したドイツのメルケル首相は安倍首相に歴史に向き合うよう促しているように、今日においてもドイツではワイツゼッガー大統領の歴史観は健在である。そしてこれはドイツだけのことでなく、広く世界の人々が共有する歴史観でもあると考える。

現在、安倍政権の歴史認識を巡って中国・韓国と対立が続き、首脳会談の開催が途絶した状態が長く続いている。日・中・韓の間に横たわる歴史を解きほぐさない限り、友好的な隣国関係を作り上げていくことは難しい。戦後七十年余を経て、未だに背負い続けている歴史問題のコストはあまりにも大きい。歴史問題から解放され、「過去からの自由」が現在、切実に求められている。過去の日本の覇権主義の歴史ときっぱりと決別することによってこそ、現在進行形の中国の覇権主義にも異を唱えることが可能になるのである。

現在は一面では、過去の積み残された負債の集積であり、現在に生きる人々も負債を積み重ねているとするなら、私たちの務めの一つは過去の負債を片付けることだと言える。そのことをきちんと片付けない限り、将来にわたって歴史問題から解放されることはないのである。

## 加害意識が希薄

ここで戦争とその和解のあり方について見ていくが、この項については黒沢文貴・イアン・ニッシュ編の『歴史と和解』の論文に首肯できる事が多くあり、それに依拠していることを予めお断りするとともに、ぜひ一読して欲しい書である。

我が国では様々な集団や個人が対立や怨恨感情を解消する場合に「水に流す」と言う。たとえば第二次世界大戦の末期にアメリカによる無差別に主要都市を爆撃して大量の死者を出した大空襲、広島・長崎の原爆投下など、これを忘れまいとする追悼行事は行われているものの、それを行ったアメリカを怨むということはほとんど聞かない。もちろんアメリカの占領下におかれ、それ以後も同盟国であるという事情もあるが、それでも敵を怨むという感情を早く消し去る国民性がある。何でもかんでも「水に流す」ことは、ある意味、日本人の美点であろう。しかしだからといってそうした自分たちの尺度で戦争被害国に加害国の日本と同様に振る舞うように求めることは、土台無理なことである。

近年、戦後政治の総決算という政治の動きがあり、また戦後の歴史教育は自虐史観であると主張されている。かつての日本が犯した大きな誤りに目を塞ぎ、それについての客観的で科学的な指摘やその解明を激しく攻撃する動きが強まっている。しかしこのような歴史認識のありかたや歴史のスタンスでは二十一世紀の展望を開けず、逆にそれを閉ざすことは明白である。こうした傲慢で手前勝手な歴史認識や主張が東アジアを含む国際社会に受け入れられるはずもなく、国際社会から孤立し、国際的な信用をも失墜させることになる。

歴史認識の問題は、過去をどのように解釈するのか、現在をどのように理解するのかだけでなく、これからの日中・日韓関係や国際関係をどのように展開していくかという問題に直結するため、それを放置することはできない。二十一世紀において日本はどのような役割を果たそうとしているのか、近隣諸国とどのような関係を築いていくのか、そうした未来への明確なビジョンがなければ、歴史認識問題も解決されないであろう。長期的視野に立った未来へのビジョンを明確にすることが過去や現在の問題への解決を与えてくれるとも言えるのである。

## 「歴史を浄化」は誤った道を辿る

歴史はある事実に対する解釈や意味づけならば、過去の事実を認めたうえでもそれをどう意味づけるのかという問題は常に存在する。過去そのものは変えれないが、過去に対する見方は変わることがある。人がどのように過去を理解しようとしているかによって、多くの歴史認識が出来上がる。したがって人によって国によって異なる見方が生じるのは自然なことである。

とはいえ国家が歴史解釈を行えば、それが国内統治や外交の駆け引きのために利用されることになる。歴史学が国家の下部組織に位置づけられたら、そこでは研究の自由や批判的精神は抹殺され、学問としての歴史は死んだことになる。国家によって利用された歴史学の果たした役割は、先の大戦で証明済みであろう。だから政府に歴史認識を委ねるのは危険である。新教育基本法では郷土と国を愛する心が強調され、また従来の日本史の教科書は自虐史観だとして自国の歴史を美化する「新しい教科書」が登場している。「歴史を浄化」することは歴史を歪め、不信や過度のナショナリズムを煽ることになる。

声高に愛国心を強調し、自分の国の歴史に対する誇りを持たなければならないとする一国中心的な歴史観も一つの見方ではある。しかしあらゆる面が国際化する中で歴史認識だけは排外主義・鎖国主義的で、その歴史観だけは変わらないとするのは、歴史的な考え方ではない。愛国心を強調するあまり、自国の歴史を美化し、隣接する国家を敵視するような日本史であれば、今でもつれている歴史問題をさらに泥沼化させることになる。美化と敵視の歴史観に依拠している限り、相互理解や友好関係が生まれないのは当然である。「愛国心とは悪人の最後の避難場所である」というのは、サミュエル・ジョンソンの格言である。自ら異なる愛国心の表現や他国の愛国心をどこまで許容できるのかは、今日の日本にとっても重い問いかけである。

日中韓の歴史認識を巡っては、互いに自らの「正しい歴史」を絶対化し、他者の「正しい歴史」を排除しあっているのが現状である。日中韓の歴史問題では、全ての面で政治が関わりすぎている。しかも政治が歴史の上位にあることが国と国の対話を阻害している。歴史研究自体の政治性が極めて高い場合には第三者機関の設置が有効であろう。日韓・日中の共同研究ができれば、それはトランスナショナルヒストリー（国境を越えた歴史のとらえ方）を構築する機会となるかもしれない。第三者機関が当時の事実関係を見つめ直す作業を徹底的に行うと共に議論は専門家に委ね「非政治化」することである。そして時間をかけて歴史の真相を明らかにすることで歴史の重荷を下ろし、それを未来に置き換えることで歴史を克服することが出来る。

## 和解は加害の歴史に向き合うこと

和解には相互の立場を尊重する歴史認識や歴史意識を深めることが必要である。よく謝罪するしないが問題となっているが、謝罪そのものではなく、我々がなぜ謝罪しなくてはならないのかという歴史意識が重要である。世界の人々にヒロシマ・ナガサキを忘れないように訴えるのであれば、日本人自身も戦争の歴史を正しく踏まえる必要があり、そのことが被害国の人々たちの和解の気持に応えることになる。和解こそかつては敵であった双方にとって最後の勝利になる。和解は加害国やそこの人々を怨んだり憎んだりすることから、戦争そのものを憎むようになる。それが究極の和解のありかたである。

過去の問題を放置し、歴史認識を疼かせたまま無視することは、どのような国家においても望ましいことではない。日本は自分の傷にあまりにも長く包帯を巻き続けてきたが、しかし傷を癒やすためには、時間がたったら空気にさらす必要がある。中国やアジアで祖父母が子や孫に語ってきたことに私たちを含め日本の戦後世代の者は無頓着なまま育ってきた。不愉快な真実を認め受け入れ、そしてそこから学び取る勇気こそ、人々が理解しあううえで不可欠で、それを次の世代に伝えることも必要である。事実を意図的に無視することで生じる曖昧さや不誠実が、相手の憶測や敵意を助長する。私たちの歴史を振り返れば明らかなように、人生は決して成功のみの連続ではない。大きな失敗や過ちを犯すこともある。そうした苦い体験や失敗に学び、そこからの教訓を糧にして成長していく。それはどこの国の歴史にもあてはまることで、そこにこそ歴史を学ぶ重要な意味がある。

ただその際に大事なことは、不幸な歴史の時代だけでなく、二千年に及ぶ古代から現代までの長く分かちがたい交流の歴史を確認することによって近代の不幸な歴史の時代を相対化することが重要である。二千年に及ぶ長い交流の歴史を辿ることで、対立だけではなく、友好関係を保った歴史にも目を向けたいものである。こうした歴史的時間を常に意識することが、対立の先鋭化を防ぐ有効な方法だと思われる。それが私が主張する「中庸の歴史学」の目指す方向であり、それが日本人の「教養の日本史」となるならば、日中韓の「不幸な歴史」から脱し、「友好と和解の歴史」の一歩になると思う。

# 第二章　現在から未来につなぐもの

## 一　継承すべき伝統とは

### 「腹八分目」の社会を目指す国に

日本文化は多様な価値を受容・集積する文化で、北からも南からも文化を受け入れ、非常に多様で豊かな文化を形成してきた。それが伝統である。ただ伝統と言っても、それは単純に「古いものは良い」というわけではなく、継承すべきものと継承すべきでないものがある。その選択はその時代の人々にとって価値あるもの、あるいは価値あるとみなされたものは継承され、価値がないとみなされたものは淘汰され、否定される。伝統もある主体的な意思を通して現在に継承され蘇り創造される。だからその時点ではむしろ伝統への叛逆・革新として登場してきたのかもしれない。

伝統は過去に視線を向けたその時点における「現在」の問題である。それぞれの歴史的段階での過去への向きあい方が伝統の有り様を左右してきた。だから望ましい世の中を作るためには、我が国の伝統を取捨選択し、そのうえで人の生き方はどうあるべきかを問う必要がある。

私は損得を基調とするアメリカ流グローバルスタンダードに代わるものとして「腹八分目」の考えを提

唱したいと考える。明治以来、我が国は経済成長を国是としてきた。常に経済成長を追い求め、生活水準も向上してきた。それによって様々な恩恵を受けてはいるが、しかし永久に経済成長を遂げることは不可能で、どれほど先のことになるかはわからないが、いつかは確実に破綻する。つまり飽食の状態を続けることは地球の老化や短命化をもたらしている。腹八分の考え方は社会の有り様にも関わる。それは自分という個人の寿命を延ばすだけでなく、人類や地球の寿命をも延ばすことになる。つまりスリム化の方向こそが自分、人類・地球の未来を豊かにすることにつながると思われる。象や鼠のように人間にも生物学的に適正なスペースというものがある。常に活動的であることが美徳ではない。二万五千人近い自殺者を出す社会は異常としか言いようがない。

ジャーナリスト野村進氏の「象の戦略」と「虫の戦略」というコラムは示唆に富む。象は体を大きくすることによって生存と繁栄を図ろうとしたが、現在はアフリカ象とインド象の二種類しか残っていない。それに対して体を小さくすることで昆虫は全動物の四分の三を占め、地球上の至るところで生命を謳歌している。どちらの戦略が成功したかは明らかである。そしてこれを現在にあてはめればアメリカのグローバルスタンダードという戦略や価値基準は明らかに「象の戦略」である。それに対して日本の老舗といわれる企業は拡大ではなく、継続を指向する「虫の戦略」である。

## 「つつましさや継続を主眼とする」価値観

私は過去の人が大切にしてきた日本的な価値観を導入することで現在の様々な問題を解決する道筋が見えてくると考える。小さな島国でつつましやかに生きてきた日本人の有り様は、今後人類が長く継続して生存していく重要なモデルになりうる。それはアメリカ流の「損得に主眼をおく」グローバルスタンダードに代わる「つつましさや継続を主眼とする」日本的な価値観を主張する新たなグローバルスタンダードである。我が国は古代・中世は中国、明治からは欧米、戦後はアメリカという、常に先進国・強大国の後追いをしてきた。それゆえに「物まねの上手」と揶揄される。しかし次世代型の「つつましさや継続を主眼とする」日本的な価値観を世界に向けて発信することは、どこかの国の後追いではなく、世界全体の進むべき方向や理念を示すことになる。私はあるべき日本の方向は日本の良き伝統を踏まえた「腹八分の思想」で、それは借り物ではなく千数百年の日本の歴史の詰まったものだけに、十分な重みがあると思われる。それは強大な軍事力を保持することによって大国と覇を競うありかたではなく、国民生活の豊かさや教育の普及、民主主義の徹底、社会保障の充実、非戦平和への道である。こうしたことを主張した先人には、中江兆民、内村鑑三、石橋湛山などがいる。彼らの思想に学ぶべきことは多い。「つつましさや継続を主眼とする」日本人的価値観は世界に広がる普遍的な価値観になりうるし、また日本の良き伝統を踏まえた「腹八分の思想」も哲学として十分に通用するものである。こうした思想や哲学を根本にする国家になるならば、それは「品格ある国」として国際的に高い評価を得ることは間違いないと思う。

過去は現在・未来と結びつけられることによって、初めて現在を動かす力、つまり「伝統」となり、そこに新しい文化が生まれる。ただそのことは自国の特殊性や優越性を主張し、自国の文化に固執することではない。むしろ「日本的なるもの」への眼差しは内に閉じることではなく、それを外に開くことによってより豊かな文化が形成される。日本的な文化から他の文化を照射し、また他国の文化から日本文化を照射することによって新たな文化を創造する源泉になると考えられる。

## 二　将来のあるべき日本像

### 目指すのは「生活文化大国」

ここで外から見た日本の姿について一つだけ記す。あまり知られていないが、「国」の国際ブランドのランキングというのがある。ある会社の平成二十四（二〇一二）年十一月のランキングはスイス、カナダについで日本は三位、また別な会社のものでは六位である。その中で最高得点となっているのが、テクノロジーと観光とそして伝統文化である。その後者の二つは本来から我が国にあり、しかも金銭で買うことの出来ないものである。

こうした内からの視線と外からの視線とを重ね合わせると、そこに将来あるべき日本の姿と私たち国民が「どのように生きるべきか」という像が見えてくる。それは「軍事大国」とは正反対の「生活文化大国」の道である。今、平和憲法が大きく歪められようとしているが、そうした方向ではなく、平和憲法の精神を日本だけでなく、世界に広げていくことこそが大切である。国家は軍備を持たず、軍事行動という主権の一部を国際連合に委譲し、国際法によって国際連合が諸国を主導するという壮大な人類の夢を語るべきではないのだろうか。それはロマンで非現実的と言われようが、そこには人類普遍の原理であるヒューマニズムの精神がある。我が国最初のノーベル賞の受賞者湯川秀樹は「科学者はスペシャリストである前にモラルを持ったヒューマニストであるべきだ」と言うが、私はその精神を継承して、科学者だけでなく、「日本国民の全てがモラルを持ったヒューマニスト」となるべきだと思う。集団的自衛権による積極的平和主義というまやかしではなく、ヒューマニズムの理想を高く掲げることが本当の意味の積極的平和主義である。政治家はそうした我が国の自画像を描き、それに向けて国民が努力することを語るべきではないのか。国民も政治家におこぼれの利益を期待するのではなく、その高い理想に自ら参加する覚悟と気概を持つべきであろう。「少年よ　大志を抱け」と言ったのは、札幌農学校のクラーク博士であるが、先ほどの名言には続きがある。「少年よ大志を抱け。お金のためではなく、私欲のためでもなく、名声などという空虚なもののためでもなく、人はいかにあるべきか、その道を全うするために、大志を抱け」と言う。それは「経済成長」のワンフレーズをあたかも国是のように、また目先の損得に邁進する姿とは大きく異なる。

「生活文化大国」とは日本流の先端技術で環境を守り、生活水準を保ち、世界遺産となった和食を食べ、アメリカ型の競争社会とは違う「和」の精神を基本にした助け合い社会を実現する国のことである。高い技術力と伝統社会の調和こそは、世界に発信できる「日本ブランド」になりうる。「日本ブランド」の形成を国民全体の目標とし、そのことが国民の生きがいとなるような社会の実現を目指したい。その国の政治は、国民の民度以上を出ないという。国民全体がまともで文化水準が高ければ、外敵への防衛に無駄な金をかけなくても侵略され、滅びることはありえない。莫大な防衛費を計上して国力を誇示しなければ外敵の侵入や内紛を鎮圧できない国は、それだけ民度が低いことを物語っている。

我が国の歴史の特性や国民性を見極めたうえで、その良き伝統は残し、それを伸ばし、同時に負の伝統も直視し、そうした傾向をできるだけ減じていく必要がある。それを自覚的に継続することによって長い歴史と伝統を持つ国がその歴史と伝統の優れた点を生かしながら、未来に向けてよりよい国家、換言すれば「品格のある国家」を形成することができるのではなかろうか。このことを為政者は国民に求めて語るべきであるし、国民も「品格のある国家」を形成する責任の一端を担う覚悟が今求められているのである。

最後に序論で述べた「教養としての日本史」の願いを確認して終わりたい。歴史はナショナリズムと密接な関係がある。自国を等身大以上に美化しようとする傾向や手軽な物言いは人の心をくすぐる。それは今も昔も変わらない。しかしそれは自分たちが「見たい歴史」に他ならない。その心地良さの裏側には排除と対立が見え隠れするが、「教養としての日本史」はその対極にある共生と融和を目指すものである。共生と融和の歴史を多くの人が「教養」として共有するならば、ささやかでも今の社会に資することができるかもしれない。この願いが読者の皆さんに通じたかどうかはわからないが、歴史学が果たす一番大きな役割はそこにあると私は確信している。

**【参考文献】**


・山折哲雄「日本人の人間観」『本郷』八（吉川弘文館・一九九六年）
・佐々木正美「豊かな人間性を育む基を知る…社会の子育て力をアップさせるために…」『暮しの手帖』五四（二〇一一年）
・中尾堯・今井雅晴編『名僧の言葉事典』（吉川弘文館・二〇一〇年）
・あさのあつこ「いい人生？」『ＰＨＰ』完全保存版（ＰＨＰ研究所・二〇一三年）
・石井公成「仏教東漸史観の再検討」『日本の仏教』（法蔵館・一九九五年）
・上田美和「「別の選択肢」を求め続けて」『本郷』No.九九（二〇一二年）
・石田実洋「留学生・留学僧と渡来した人々」『律令国家と東アジア』（吉川弘文館・二〇一一年）
・佐道明広「政治指導者の資質をめぐって」『本郷』No.九八（吉川弘文館・二〇一二年）
・田中久文『日本美を哲学する』（青土社・二〇一三年）
・関晃『帰化人』（講談社・一九五六年）
・藤田正勝「日本的なるものへの問い」『日本の思想』第一巻『「日本」と日本思想』（岩波書店・二〇一三年）

・上田正昭『東アジアの中の日本』（思文閣出版・二〇〇九年）
・東野治之『遣唐使と正倉院』（岩波書店・一九九二年）
・上田正昭『「大和魂」の再発見』（藤原書店・二〇一四年）
・矢嶋泉「古代文学と律令国家」『律令国家と天平文化』（吉川弘文館・二〇〇二年）
・村井章介『境界史の構想』（敬文社・二〇一四年）
・小泉和子「家具と道具」『生活文化史』（山川出版社・二〇一四年）
・坂本太郎『菅原道真』（吉川弘文館・一九六二年）
・ドナルド・キーン『日本人の美意識』（中央公論新社・一九九九年）
・山崎幹夫『薬と日本人』（吉川弘文館・一九九九年）
・小泉和子「日本の生活文化の特質」『生活文化史』（山川出版社・二〇一四年）
・渡辺滋「揚名国司論…中性的身分表象の創出過程…」『史学雑誌』第一二三編第一号（史学会・二〇一四年）
・川尻秋生『揺れ動く貴族社会』（小学館・二〇〇八年）
・家永三郎『歴史家のみた日本文化』（雄山閣・一九九六年）
・川村邦光『弔いの文化史』（中央公論新社・二〇一五年）
・大日方純夫「「伝統と文化」論議の問題視角」（『歴史評論』№.六四七（校倉書房・二〇〇四年）
・潮田道夫「腹八分目の思想」『暮しの手帖』五四（二〇一一年）
・野村進「象の戦略と蟻の戦略」朝日新聞（二〇〇七年十二月三日の記事）
・徳野貞雄『農村の幸せ、都会の幸せ』（ＮＨＫ出版・二〇〇七年）
・井上寛司『「神道」の虚像と実像』（講談社・二〇一一年）
・村上陽一郎「科学と宗教の接点」『朝日百科日本の歴史』一三二（朝日新聞社一九八八年）
・苅部直「「内」と「外」の思想史」『岩波講座日本の思想』第三巻（岩波書店・二〇一四年）
・立川武蔵「アジアから仏教を問う」『日本の仏教』（法蔵館・一九九五年）
・立野純二「「生活大国」の道がある」（朝日新聞社・二〇一三年一月十四日付）

・小日向えり「新島襄」『本郷』No.一〇八（吉川弘文館・二〇一三年）
・村田晃嗣「映画の中の執事と女中」『究』No.〇三七（ミネルヴァ書房・二〇一四年）
・黒沢文貴・イアン・ニッシュ編『歴史と和解』（東京大学出版会・二〇一一年）
・佐伯順子「「独裁者」は靖国にいるか」『究』No.〇四〇（ミネルヴァ書房・二〇一四年）
・入江昭『歴史を学ぶということ』（講談社・二〇〇五年）
・李成市「六―八世紀の東アジアと東アジア世界観」『日本歴史』第二巻（岩波書店・二〇一四年）
・須田努・清水克行『現代を生きる日本史』（岩波書店・二〇一四年）
・村田晃嗣「オリンピックと映画と政治」『究』No.〇三二（ミネルヴァ書房・二〇一三年）
・小島毅「歴史を開かれたものに」『日本歴史』第七二八号（吉川弘文館・二〇〇九年）
・小林敏男「東アジアと日本」『日本歴史』第七四五号（吉川弘文館・二〇一〇年）
・北條勝貴「生命と環境を捉える〈まなざし〉」『歴史評論』No.七二八（校倉書房・二〇一〇年）
・桑原武夫「歴史の思想序説」現代日本思想体系『歴史の思想』（筑摩書房・一九六五年）
・『日本の思想』第六巻歴史思想集別冊　対談加藤周一・丸山真男（筑摩書房・一九七二年）
・田中久文『日本美を哲学する』（青土社・二〇一三年）
・河合敦『外国人がみた日本史』（ＫＫベストセラーズ・二〇一五年）

# おわりに

「歴史は未来への道しるべ」という言葉があるように、過去の人々の営みに学び、それを踏まえたうえで望ましい世の中にするためには今の自分の生き方はどうあるべきかを問う必要がある。今の自分の生き方は過去の営みの延長にあり、決して断絶したものではない。自分の例をあげる。私の子ども時代の家庭は、戦前の家父長制さながらの雰囲気で、父親が絶対的な力を持ち全てを仕切っていた。今では考えられないだろうが、四人兄弟姉妹の末っ子である私は「いらぬ子」とまで言われて育った。人の価値が生まれた順番による違いが当然視されていたことに大きなわだかまりを感じていた。そして男尊女卑の風もまだ強く残っており、女性を軽視したり、蔑視したりという場面を日常的に目にした。私にとってこうした育ち方をしたことが、その後の人生の原点になっている。

そうした家庭で育ったため、自分の家庭では夫婦の平等を意識してきた。私は結婚以来、「元祖イクメン」を自称し妻と同等に家事をこなしたが、それは家庭内において実質的な意味で男女平等を根付かせるためである。またそれはささやかではあるが現代史を生き将来の社会を切り開き、自らの歴史を作ることになると考えたからである。

本書の内容は古代に偏っており、中世以降の歴史については、本書の意図に賛同される方にぜひ引き継いでほしいと思う。内容的には高校生には少し難解な部分もあるが、かなりは日本史の授業でも使えるのではなかろうか。できうるならば現役の人に利用していただき、授業内容を豊かなものにして欲しいと思う。

冒頭に述べた通り、若い頃に行った授業を思い出すと、忸怩たるものがある。歴史の豊かで興味深い内容を何とかして伝えたいという思いと、その頃の申し訳ない気持ちを今日まで持ち続けたことが、こうした書を出版することになった原点である。

望ましい世の中を作るためには、今の自分の生き方はどうあるべきかを問う必要があると述べたが、それは人ごとではなく、私自身の問題でもある。江戸時代に伊予聖人として讃えられた近藤篤山の言葉に「積微力行」がある。小さなことを日々積み重ね力強く歩いて行くという意味である。最後にこの言葉を取り上げたのは、それは私の人生観と近しいものを感じるからである。本書で取り上げた内容は多岐にわたるが、微々たることを書き続けた結果である。私に残された時間がどれほど残されているのかはわからないが、明日からも変わらず日々の小さなことを積み重ねていきたいと思う。

著者略歴

白石 成二（しらいし　せいじ）

愛媛県西条市楠甲 1146-2

1952 年　愛媛県今治市伯方町の生まれ
1974 年　立命館大学卒業
県立高校勤務

ソーシァル・リサーチ研究会会員
史跡永納山城跡保存整備検討委員会委員
愛媛県文化財保護指導員

著書『永納山城と熟田津－伊予国からみた古代山城論－』
（ソーシァル・リサーチ研究会・2007 年　愛媛出版文化賞受賞）
『古代越智氏の研究』（創風社出版・2010 年　愛媛出版文化賞受賞）



教養としての日本史（下）

― 古代の歴史から日本の今をみる ―

ソーシァル・リサーチ叢書

2016年9月25日発行　定価＊本体5000円+税(上下巻セット・分売不可)

著　者　白石　成二
発行者　大早　友章
発行所　創風社出版

〒 791-8068 愛媛県松山市みどりヶ丘９－８
TEL.089-953-3153 FAX.089-953-3103
振替 01630-7-14660 http://www.soufusha.jp/

印刷　㈱松栄印刷所　　製本　㈱永木製本




ISBN 978-4-86037-232-3（２／２）
（全２冊　分売不可　シリーズコード ISBN 978-4-86037-233-0）